Aspekte protestantischen Lebens im hessischen und nassauischen Raum

Festschrift für Karl Dienst

Quellen und Studien zur hessischen Kirchengeschichte Band 1

Aspekte protestantischen Lebens im hessischen und nassauischen Raum

Festschrift für Karl Dienst zum 65. Geburtstag

Herausgegeben im Auftrag der
Hessischen Kirchengeschichtlichen Vereinigung von
Friedrich Battenberg, Ekkehard Kätsch,
Herbert Kemler und Klaus Martin Sauer

Darmstadt 1995

Verlag der Hessischen Kirchengeschichtlichen Vereinigung, Darmstadt

Gedruckt mit Unterstützung des Landes Hessen
der Evangelischen Kirche in Hessen und Nassau
und der Evangelischen Kirche von Kurhessen-Waldeck
und des Landes Hessen

(Zentralarchiv der Evangelischen Kirche in Hessen und Nassau,
Postfach 4447, 64276 Darmstadt, Ahastraße 5a, 64285 Darmstadt)

Abbildung auf dem Einband: Rheinkarte Frederic de Witts d. Ä., Fassung von ca. 1710, entnommen aus: Die Monumentalen Rheinlaufkarten aus der Blütezeit der Kartographie, Mainz o. O., Karte 12

Gesamtherstellung: Druckhaus Beltz, 69502 Hemsbach
Printed in Germany

V. D. M. I. A.

REVERENDISSIMO AC DOCTISSIMO VIRO

DOMINO
KAROLO DIENST

SACRAE THEOLOGIAE DOCTORI PROFESSORIQUE ET
CONSILIARIO SUPERIORI ECCLESIAE HASSIAE NASSOVIAEQUE

GRAVISSIMO DIGNISSIMO
POLYHISTORI

SCIENTIARUM SUMMARUM PERITO

EDITORI QUOQUE OPTIME MERITO LIBRI ANNALIS
SOCIETATIS RERUM GESTARUM ECCLESIARUM HASSIAE

ET AUCTORI MULTORUM ALIORUM SCRIPTORUM

AMICO ET CONFRATRI IN CHRISTO

AD NATALEM SEXAGESIMUM QUINTUM

HOC LIBRUM SOLEMNE

DEDICANT

MAGISTRI SOCIETATIS HISTORICAE ECCLESIASTICAE HASSIACAE

IX CAL. FEBRUARII A.D. MCMXCV

Inhalt

Karl Dienst zum 65. Geburtstag 9

Die Butzbacher Kugelherren und die Bibliothek der Fratres
Von Artur Rühl 13

Die Überlieferung zur Reichs- und Reformationsgeschichte im Hessischen Staatsarchiv Marburg
Von Fritz Wolff 27

Superintendent Caspar Kauffunger. Ein Lebensbild aus der Reformationszeit
Von Günther E. Th. Bezzenberger † 37

Zur »Demokratisierung« des Wissens im 16. und 17. Jahrhundert. Die Auswirkungen unterschiedlicher Lehr- und Lernkonzepte auf das christlich-jüdische Verhältnis
Von Friedrich Battenberg 55

»Unser aller ehrlichsten und besten Führer hat Candia verschlungen« – Die wiederentdeckte Traueransprache bei der Grablege Josias II. am 7. April 1670 in Niederwildungen (Stadtkirche)
Von Dieter Waßmann 79

Das Darmstädter Cantional von 1687 und andere Kirchengesangbücher in Hessen-Darmstadt
Von Manfred Knodt 91

Guillaume Barjon, Hugenottenpfarrer in den Cevennen und Mitbegründer von Bad Karlshafen an der Weser
Von Jochen Desel 111

Johann Caspar Lavater und Johann Friedrich Oberlin. Briefwechsel zweier Spätpietisten im Umkreis von Goethe
Von Ernst Schering † 129

Die Friedberger Predigtamtskandidaten und die Volksversammlungen in der Wetterau während der deutschen Revolution von 1848–1849
Von Heinrich Steitz 147

Mutterhaus-Diakonie in Hessen
Von Gerhard Lehmann 161

Erwägungen zum protestantischen Kirchenbau des Historismus
Von Otto Böcher 175

Wie braun war der Braune Landeskirchentag?
Von Hermann Otto Geißler 191

Dietrich Bonhoefers Vorlesung »Die Geschichte der Systematischen Theologie des 20. Jahrhunderts« in der Nachschrift Winfried Zellers
Von Bernd Jaspert 203

Neubeginn in Nassau? Die kirchlichen Entwicklungen im Jahr 1945
Von Klaus Martin Sauer 225

Die Neugestaltung des Geläutes des Nationaldenkmals Paulskirche zu Frankfurt am Main
Von Konrad Bund 241

Verzeichnis der Veröffentlichungen von Karl Dienst
Von Hans-Joachim Wuttge 255

Verzeichnis der Mitarbeiter 273

Karl Dienst zum 65. Geburtstag

Am 24. Januar 1995 wird Professor Dr. Karl Dienst seinen 65. Geburtstag feiern können. Die Hessische Kirchengeschichtliche Vereinigung, deren Vorstand er seit langem angehört und deren Jahrbuch er von 1967 bis 1993 mit insgesamt 27 Bänden herausgab, möchte ihm mit dieser Festgabe ein herzliches Dankeschön übermitteln. Mehr als andere hat er über ein Vierteljahrhundert lang Inhalt und Gestalt der Vereinigung geprägt, Tradition und Kontinuität verkörpert und ihr bis heute belebende Impulse gegeben. Ein großer Kreis von Theologen und Historikern, von Kollegen und Freunden hat sich gefunden, den Jubilar mit wissenschaftlichen Beiträgen aus der Zeitspanne vom Spätmittelalter bis zur Gegenwart zu ehren und ihm zugleich für sein langjähriges und vielseitiges Wirken im Dienste der hessischen Kirchengeschichte zu danken.

Der in Weisel nordöstlich von Kaub am Rhein geborene und aufgewachsene Jubilar wurde nach seinem Theologiestudium in Mainz 1955 mit einer mit „Summa cum laude" bewerteten Arbeit über die »Geschichte des lutherischen Gottesdienstes der Freien Reichsstadt Frankfurt/M.« von Prof. Dr. Wilhelm Jannasch promoviert. Seiner Ausbildung an den Theologischen Seminaren in Herborn und Friedberg folgte nach seiner Ordination im Oktober 1957 die Übernahme der Pfarrstelle III der Marktkirche in Wiesbaden. Bis 1970 war er dann als Pfarrvikar bzw. Pfarrer in der Markusgemeinde und in der Petrusgemeinde in Gießen tätig, ab 1967 zugleich als Vorsitzender der Evangelischen Gesamtgemeinde Gießen und ab 1968 als Mitglied der Kirchensynode der Evangelischen Kirche in Hessen und Nassau. Mit seiner 1970 erfolgten Berufung zum Oberkirchenrat nach Darmstadt und der Übertragung des Schulreferats begann ein neuer Abschnitt in seinem Leben, der ihn über den praktischen theologischen Dienst in der Gemeinde hinaus stärker Bereichen der pädagogischen Ausbildung und bald mehr und mehr der Forschung zuführte. Seit Wintersemester 1972/73 übernahm er in der Staatlichen Hochschule für Musik und Darstellende Kunst in Frankfurt am Main einen Lehrauftrag für Liturgik, der später auf den Bereich der Hymnologie erweitert wurde. Hinzu kam ab Wintersemester 1984/85 ein Lehrauftrag im Fachbereich Religionswissenschaften der Johann Wolfgang Goethe-Universität in Frankfurt am Main. Mit seiner im März 1984 erfolgten Ernennung zum Honorarprofessor an dieser Hochschule, der ein Jahr später eine weitere Honorarprofessur an der Frankfurter Universität folgte, erhielten seine vielseitige Lehrtätigkeit und sein inzwischen umfangreiches schriftstellerisches und forschendes Wirken die längst verdiente Anerkennung. Seine Mitgliedschaft in verschiedensten Kommissionen und Gremien, u.a. seit 1974 als Zweiter Präsident der Luthergesellschaft, seit 1971 für elf Jahre als Vorsitzender des Theologischen Ausschusses in der Synode der Evangelischen Kirche in Deutschland und seit 1987 als Direktor des Deutschen

Evangelische Kirche Weisel bei Kaub am Rhein.

Instituts für Bildung und Wissen in Paderborn, gaben ihm die Möglichkeit, sein vielfältiges Wissen und seine theologisch-pädagogische Erfahrung auch kirchenpolitisch umzusetzen und wichtige Akzente im kirchlichen Leben Deutschlands zu setzen, auch über seine Heimatkirche hinaus in ökumenischer Spannweite zu wirken.

Die Breite seines Wissens, die Vielfalt seiner Gedanken und die enge Verbundenheit mit der hessischen Kirchengeschichte, die er stets mit theologischem Wissen und einer intimen Kenntnis historischer Quellen zu verbinden wußte, schlugen sich in einer ungewöhnlich großen Anzahl von wissenschaftlichen Publikationen nieder. Die am Ende dieses Bandes abgedruckte Bibliographie vermag nur einen ungefähren Eindruck davon zu vermitteln. Die zahlreichen von ihm für das Jahrbuch der Hessischen Kirchengeschichtlichen Vereinigung und andere Zeitschriften angefertigten, stets sachkundig formulierten Buchrezensionen vermögen gleichermaßen zu belegen, wie weitgespannt seine Interessen waren und bis heute sind. Die Vereinigung hofft, daß dieses so fruchtbare und unter dem Segen Gottes stehende Wirken im Dienst von Kirche, Wissenschaft und Forschung noch möglichst lange anhalten möge.

Die vorliegende Festschrift, die als erster Band der von der HKV neubegründeten Reihe der »Quellen und Studien zur hessischen Kirchengeschichte« erscheint, will durch Fallstudien und Überblicksdarstellungen den Blick auf wichtige Stationen zur Geschichte des Protestantismus am Mittelrhein wie auf Hintergründe und Rahmenbedingungen des hier verankerten kirchlichen Lebens lenken. Wenn bisweilen der hessen-nassauische Rahmen gesprengt wird, wenn Fehlentwicklungen und Defizite – etwa im Verhältnis zu den Juden und in den Verirrungen der Kirche unter dem Nationalsozialismus – thematisiert und wenn schließlich auch die unterschiedlichen Bekenntnisrichtungen von Lutheranern und Reformierten angesprochen werden, so sollte sich gerade darin auch der breite Forschungshorizont des Jubilars widerspiegeln. Ganz bewußt wurde die Individualität der Beiträger geachtet, da mit diesem Band nicht ein eintöniger wissenschaftlicher Gleichklang produziert werden sollte. Jeder Gratulant sollte vielmehr auf seine Weise zu Worte kommen, um damit dem Jubilar zugleich seinen ganz persönlichen Dank zu übermitteln.

Drei Kollegen des Herausgeber- und Mitarbeiterkreises konnten die Fertigstellung und Übergabe der Festschrift nicht mehr erleben. Herr Kirchenarchivrat Ernst-Otto Braasch aus Kassel, der die ersten Planungen des Bandes koordinierte, ist am 28. November 1991 mitten aus seiner Arbeit heimgerufen worden. Auch der verdienstvolle ehemalige Vorsitzende der HKV, Herr Oberkirchenrat Günther E. Th. Bezzenberger, wurde am 7. Mai 1993 in die Ewigkeit abberufen. Zuletzt mußten wir schließlich am 17. Dezember 1993 von Herrn Prof. Dr. Ernst Schering aus Gießen Abschied nehmen. Alle drei Verstorbenen, die zugleich über lange Jahre hinweg dem Vorstand der HKV angehörten, haben sich um die Entstehung und Gestaltung dieser Festschrift große Verdienste erworben. Ihrer soll deshalb an dieser Stelle in Dankbarkeit gedacht werden. Namentlich erwähnt werden sollen aber darüber hinaus auch die beiden ehemaligen Vorsitzenden der HKV, Herr Dekan Dr. Dieter Waßmann aus Bad Wildungen und Herr Prof. Dr. Artur Rühl vom Theologischen Seminar in Friedberg. Sie beide haben Gestalt und Inhalt der Festschrift wesentlich geprägt und deren Konzeption und Entstehung vorangetrieben. Ihnen sei deshalb ebenfalls ein besonderer Dank ausgesprochen. Gedankt sei schließlich noch Herrn Holger Bogs, der als Schriftführer und Vorstandsmitglied der Vereinigung an der redaktionellen Fertigstellung der Festschrift tatkräftig mitgewirkt hat.

Darmstadt/Kassel/Wiesbaden, im November 1994

Für den Vorstand der Hessischen Kirchengeschichtlichen Vereinigung

J. Friedrich Battenberg *Herbert Kemler*

Ekkehard Kätsch *Martin Sauer*

Die Butzbacher Kugelherren und die Bibliothek der Fratres

Von Artur Rühl

Die Brüder vom gemeinsamen Leben

Durch Beschluß der 2. Wiedergutmachungskammer des Landgerichts Frankfurt/Main vom 19.9.1950 wurden Nutzung und Verwaltung des Kugelhausfonds in Butzbach endgültig dem evangelischen Kirchenvorstand übertragen. Damit ging eine Auseinandersetzung zu Ende, die über Jahrhunderte hinweg immer wieder zu Rechtsstreitigkeiten zwischen den verschiedensten Parteien geführt hatte. Immerhin ging es um keine geringe Einnahmequelle. Das erwähnte Landgerichtsurteil beziffert den Einheitswert der Gebäude und Grundstücke des Kugelhausfonds auf DM 64500,–.[1] Bei all diesen Auseinandersetzungen wurde die von den Kugelherren geschaffene und zusammengetragene reiche und wertvolle Bibliothek, deren Aufbau sie sich zur besonderen Aufgabe gemacht hatten, nur selten erwähnt. Erst in jüngster Zeit wurden die darin enthaltenen Handschriften und Frühdrucke, deren größter Teil sich in der Universitätsbibliothek in Gießen befindet, gesichtet und katalogisiert. Auswertung und wissenschaftliche Bearbeitung stehen für diesen Teil aber noch ebenso aus wie für die 365 Bände der Drucke aus dem 16. und 17. Jahrhundert, die im Theologischen Seminar Friedberg aufbewahrt werden.

Die Zeit, in der das Butzbacher Kugelhaus gegründet wurde, ist auch in Hessen eine Zeit des Verfalls kirchlicher Traditionen und christlicher Frömmigkeit gewesen. So beklagt Hassenkamp[2] in seiner Hessischen Kirchengeschichte, in der er sich der Untersuchung der damaligen Zustände eingehend widmet, insbesondere den Verfall des klösterlichen Lebens und damit den Rückgang des Einflusses der Mönchsorden auf die Gestaltung des kirchlichen und christlichen Lebens. Gerade für Hessen scheint es charakteristisch gewesen zu sein, daß viele Klöster nur sehr kurze Zeit bestanden, daß die meisten nur spärlich besetzt waren und unter den Ordensleuten die wenigsten aus Hessen kamen. Vielmehr mußten die meisten aus anderen Lägern herbeigeholt werden. Außerdem handelte es sich bei den hier ansässigen Mönchsorden um solche, die wenig geeignet waren, durch wissenschaftliche Tätigkeit oder durch unmittelbare religiöse Aktivitäten in den Gemeinden eine Erneuerung des geistlichen und kirchlichen Lebens zu bewirken. Im Gegenteil, die Mönchsorden wehrten sich entschieden gegen die wenigen Reformversuche und zeigten keine Neigung, ein für die Gemeinden vorbildlicheres Leben anzunehmen. Hassenkamp formuliert: »Das anstößige Leben der geistigen Personen, sei es der regulares oder irregulares, hatte längst nicht bloß Gleichgültigkeit, solche war für die Institutionen der römischen Kirche von jeher in Hessen vorhanden, sondern sogar die größte Verachtung hervorgerufen.«[3] Unverkennbar ist jedenfalls, daß sich die Bevölkerung in Hessen von der Kirche in einem Maße abwandte, wie es in anderen Regionen wohl so nicht der Fall war.

Aber es gab auch einige, aber wenige, positive Elemente, die zu einer besseren Entwicklung des geistlichen und kirchlichen Lebens beitragen konnten. Zu diesen sind vor allem die Brüder des gemeinsamen Lebens zu rechnen, die überall einen sehr positiven Einfluß auf Kirche und Frömmigkeit nahmen und die sich erfreulicherweise auch in Hessen ausbreiteten. Sicher wird man daraus ableiten können, daß auch hier die Bereitschaft für religiöses Leben nicht geringer war als anderswo.

Die Gemeinschaft der »Brüder vom gemeinsamen Leben« geht zurück auf die Bewegung der »devotio moderna« in den Niederlanden. Gegen Ende des 14. Jahrhunderts war sie zusammen mit ihrem weiblichen Zweig, den »Schwestern vom gemeinsamen Leben«, von dem Bußprediger Geert Groote aus Deventer (1340–1384) gegründet worden. Aus dem bereits Gesagten dürfte verständlich sein, daß sie sich sehr schnell ausbreitete, bald weite Teile der Bevölkerung ergriff und im 15. Jahrhundert das geistige und geistliche Leben vieler Städte, Gemeinden und Landschaften prägen konnte. Absicht dieser Gemeinschaft war es, die Gestalt der Kirche so zu verändern, daß sie losgelöst von den Klöstern und Orden, über eine Erneuerung der Frömmigkeit des einzelnen zu einem neuen religiösen Leben der Gemeinden verhelfen könne. Die Beschäftigung mit der Heiligen Schrift und den Kirchenvätern stand dabei im Mittelpunkt ihres Wirkens. Ihren nachhaltigsten Niederschlag haben diese Gedanken gefunden in dem unter Beteiligung von Thomas von Kempen verfaßten Werk »De imitatione Christi« (1427), einem Andachtsbuch, das auch in unserem Land über Jahrhunderte hinweg einen bedeutenden frömmigkeitsgeschichtlichen Einfluß erlangte.

Schon die Organisation der »Fratres communi vitae« zeigt, daß sie sich von den Mönchsorden unterscheiden. In ihren Häusern vereinigten sich Weltpriester, Kleriker und Laien, die sich die gemeinsame Pflege des geistlichen Lebens zum Ziel setzten. Neben Gebet und Studium der Heiligen Schrift suchten sie ihre eigene Frömmigkeit zu entwickeln und so zu leben, daß sie zugleich missionarisch wirksam wurden, indem sie auch die Gemeinden zu intensiverer christlicher Frömmigkeit anhielten und anleiteten. Schon seit Geert Groote war ihnen das Betteln untersagt, vielmehr erwarben sie ihren Unterhalt durch eigene Arbeit. Dazu gehörten handwerkliche Arbeiten, vor allem aber das Abschreiben und Vervielfältigen von Büchern, die sie an Klöster oder Einzelpersonen verkauften. Schon bald, nachdem der Buchdruck erfunden worden war, gründeten sie eigene Druckereien in einzelnen ihrer Niederlassungen.[4] Entscheidend dabei ist, daß sie in ihren Bibliotheken nicht nur religiöse Werke sammelten und vervielfältigten, sondern auch die anderen Wissenschaften zu erfassen suchten. Humanistisches Gedankengut wurde gerade auch durch ihre Arbeit im Volke vertieft und verbreitet. Eine nicht unerhebliche Auswirkung dieser Bemühungen besteht darin, daß sie eigene Schulen gründeten und Konvikte unterhielten, in denen Schüler Unterkunft und Unterricht erhielten. Daraus erklärt sich auch, daß im 15. und 16. Jahrhundert eine ganze Anzahl bekannter Persönlichkeiten aus den Häusern der Brüder vom gemeinsamen Leben hervorging. Ein anschauliches Beispiel für diese Wirksamkeit ist das Kugelhaus in Marburg, das als ein eindringliches Beispiel für die Ausbildung und Erziehung im Sinne der »devotio moderna« anzusehen ist.[5]

Leitend für das gemeinsame Leben in den Niederlassungen der Brüder vom gemeinsamen Leben war die Tatsache, daß alle Häuser eigene »Consuetudines« hatten, Statuten, die als Übereinkunft der gesamten Gemeinschaft entwickelt wurden. Diese Consuetudines enthalten nicht nur die täglichen Lebensregeln, sie kennzeichnen auch die Frömmigkeitsformen und den Stil des Lebens im christlichen Glauben. Auch insofern gehen sie über Ordensregeln hinaus, als sie die speziellen Verhältnisse des eigenen Hauses berücksichtigen. Das zeigt zugleich, daß die Brüder vom gemeinsamen Leben keiner bestimmten theologischen Richtung zuzuordnen sind, vielmehr sind ihre Vorbilder in der Erbauungsliteratur zu suchen. »Mit Maßstäben der Wissenschaft sind sie nicht zu messen.«[6] Im Mittelpunkt stehen Meditationen über die Bibel, die gestützt wurden durch das Abschreiben biblischer und patristischer Schriften. Solche Tätigkeit führte nach ihrer Meinung zu Gott hin.

Der Eintritt in die Gemeinschaft war freiwillig und an keine dauernden Gelübde gebunden, es genügte das Versprechen »caste, concorditer et in communi vivere« (keusch, einmütig und in Gemeinschaft zu leben). Grundsatz war jedoch, daß jeder Eintretende seinen Besitz der Gemeinschaft übereignete. Die Mindestzahl der Brüder sollte aus vier Priestern, acht Klerikern und einigen Laienbrüdern bestehen. Die Mitgliederzahlen der einzelnen Häuser sind selten über 24 hinausgekommen. Leiter des Hauses war der Rektor, hinzu kam der Prokurator als Wirtschaftsleiter und Stellvertreter des Rektors. Um die notwendigen Erfahrungen zu gewinnen, wurden die dazu gewählten Brüder zunächst nach Deventer geschickt, um dort die Leitung der Bruderschaften kennenzulernen. Als einer der ersten Rektoren ist der Name des Münsterschen Priesters Heinrich Ahaus (um 1400) zu nennen, der zur Verbreitung der Brüderhäuser in Norddeutschland wesentlich beigetragen hat.[7] Auf seine Initiative gehen die Gründungen der Brüderhäuser in Wesel und in Köln zurück, von wo aus sich die »devotio moderna« und damit die Brüderbewegung auch nach Westdeutschland und Südwestdeutschland ausbreitete und auch nach Hessen kam. 1454 wurde die Brüderschaft im Weißen Hof in Kassel gegründet, 1459 in Immenhausen, und schließlich 1468 entstand das Haus in Butzbach. Marburg folgte im Jahre 1476.

Die Geschichte des Butzbacher Kugelhauses im Zusammenhang der politischen und kirchlichen Situation von der Gründung bis zu seiner Auflösung (1468–1555)

Die Gründung des Kugelherrenhauses in Butzbach[8] ist eng mit dem Namen Gabriel Biel verbunden. Auf ihn gehen sicher ein Dutzend Neugründungen der Brüder vom gemeinsamen Leben zurück. Der um 1410 in Speyer geborene Biel ist der »devotio moderna« aller Wahrscheinlichkeit nach im Jahre 1453 an der Universität Köln begegnet. Zehn Jahre später tritt er in das Haus der Brüder in Marienthal bei Geisenheim ein, nachdem ihm Papst Paul II. die Erlaubnis dazu erteilt hatte. So wie Biel die Gründung des Hauses in Marienthal bereits angeregt hatte, tat er dies auch in Butzbach, wo er das seit über 100 Jahren bestehende Halbstift zu einer Niederlassung der Brüder vom gemeinsamen Leben ausbaute.[9] Die Initiative dazu ging aus von dem Grafen Eberhard zu Eppstein und Königstein, der besonderen Wert darauf legte, christliches Leben in seinem Herrschaftsbereich zu fördern. Unterstützung fand er dabei in den Grafen von Solms-Lich und Solms-Braunfels, die ebenfalls Stadtherren in Butzbach waren. Seine programmatische Schrift »De communi vita« brachte Biel bereits nach Butzbach mit. Er weist darin nach, daß es sich bei den Brüdern vom gemeinsamen Leben nicht um einen Orden handeln soll, sondern um eine Gemeinschaft, die den Versuch macht, das Leben Christi und der Apostel im täglichen Leben nachzuvollziehen, indem er aufzeigt, wie dieses Bestreben schon die ganze Kirchengeschichte durchzieht.

Daß angesichts der Situation der Mönchsorden diese neuen Frömmigkeits- und Lebensformen nicht überall auf Verständnis stoßen würden, war zu erwarten, zumal der Gedanke einer freiheitlicheren Kirchenzucht, neuer Lehr- und Lernmethoden und auch einer Seelsorge, die sich an dem Menschen unmittelbar orientiert, in der bisherigen Praxis so nicht geübt worden war. Die Auseinandersetzungen blieben deshalb auch nicht aus. Sie wären zum unüberwindbaren Hindernis für Biel geworden, wenn nicht die Grafen Otto von Solms und Eberhard III. von Eppstein-Königstein sich energisch dafür eingesetzt und nicht zugleich die Bürger der Stadt Butzbach die Brüder vom gemeinsamen Leben tatkräftig unterstützt hätten durch Stiftungen und durch Förderung des christlichen Lebens in der Stadt. Dennoch, die Vergünstigungen, die den Brüdern vom gemeinsamen Leben gewährt wurden, machten ihnen nicht nur Freunde.

Es heißt in der im Staatsarchiv Darmstadt aufbewahrten Stiftungsurkunde vom 11. Dezember 1468:

> »Wir Otto, Graf zu Solms, wir Eberhart zu Eppstein, herre zu Königstein, wir Philipp sin son, wir Gottfrit und wir Johann gebrüder Herre zu Eppstein und zu Myntzenberg, alle Herren zu Butzbach bekennen und thun kunt öffentlich in diesem brief vor uns, allen unsern

erben und nachkommen, sowie vor unsern voraltern, herrn zu Eppstein und zu Königstein, daß wir in der pharkirche zu Butzbach, gewihet in ehre des heiligen Evangelisten Sanct Marci, die gotteslehen und altaria mit namen Johannis des Evangelisten, des heil. Bartholomäus, des heil. Valentini, des heil. Nikolaus, der Apostel Peter und Paul, der heil. Anna, aller Apostel, des heil. Kreuzes, in der Michaelskapelle des heil. Michael und der heil. Katharina, in der Kapelle des Hospitals: der St. Wendelinsaltar, und alle rechte, die wir han an der schule und dem glockenampt daselbst zu Butzbach ... an die ehrsame versammlung der geistlichen priester, brüder und gesellschaft ... übergeben haben, damit sie ebenso wie dort und in Sankt Mergenthal [Marienthal im Rheingau] auch in Butzbach ein gemeinsames Leben führen. Und daß sie desto besser und ruhiger Got dem almechtigen dienen und dem folke mit messelesen, predigen, beichthören und den anderen sacramenten aufwarten mögen, han wir alle gemeinlich und jeglicher besonders verzicht in craft dieses briefs vor uns, allen unsern erben und nachkommen off all das recht, das wir han an der pharkirchen und den gotteslehen, an allen geistlichen lyhungen und wenden sie dene brüdern des gemeinsamen Lebens zu mit allen iren renten, zinsen, gütern, gefällen, husern, gärten, wiesen und anderem, wie man es nennen mag, so lang sie solche zucht und erbarkeit des gemeinsamen Lebens halten, wie es die Bulle des heil. Vaters, des Papstes vorschreibt. Und daß die gottesdienst gemehrt werden mögen, so sollen die brüder befreit sein von aller bede, steuer, allen diensten, wechtergeld und jeglichen besserwissen und sollen doch wasser, weide und wald der gemarkung Butzbach ausnutzen, wie es unsere burgmanne und priester bisher gethan han.«[10]

Bis zum Jahre 1474 waren die Stadtherren immer wieder bemüht, das St. Markusstift mit allen seinen Altären und den damit verbundenen Einnahmen den Brüdern zur Nutzung zu übereignen. Als Wohnung gab man den Kugelherren ein geräumiges Haus neben der St. Markuskirche, außerdem wurden ihnen weitere Gebäude, Grundstücke und eine Kapelle gestiftet. Den entscheidenden Anteil des Vermögens aber bildeten die Stiftungen, die durch den Eintritt von Männern, Frauen und Ehepaaren in das Kugelhaus eingebracht wurden.[11] Daß dies zu Neid und Mißgunst führte und bald auch Rechtsprobleme nach sich zog, ergibt sich aus den vielfachen Beschwerden, die etwa der Rat der Stadt Butzbach gegen die den Brüdern zugestandenen Sonderrechte vortrug. In einer Klageschrift, die an die vier Stadtherren gerichtet war, den Grafen Otto von Solms-Braunfels, den Grafen von Lich, den Grafen Philipp von Katzenelnbogen und den Grafen von Eppstein-Königstein, werden zwölf Punkte aufgezählt, die die materielle Bevorzugung der Kugelhausherren kritisieren.[12] Neben der Kirche St. Markus als Kollegiatskirche des Brüderhauses hatten die Kugelherren auch zugleich bei der Gründung ihres Hauses die wie in vielen Städten des Landes auch in der Stadt

Butzbach bestehende Lateinschule übernommen und im Geiste der Schule von Deventer geführt. Nicht zuletzt deshalb war das Ansehen der Kugelherren erheblich gestiegen, denn ihre pädagogische Arbeit unterschied sich wesentlich von den übrigen städtischen Lateinschulen. Die Fratres vermittelten zwar auch das »Trivium« (Grammatik, Dialektik, Rhetorik) und schufen damit die Grundlage für das Universitätsstudium, aber der Unterricht beschränkte sich nicht hierauf, sondern die Fraterherren boten aus ihrer christlich-kirchlichen Tradition heraus eine geplante Unterweisung in Religion. Diese christlich-religiöse Erziehung hatte in der Pädagogik der Kugelherren immer einen festen Platz. Verständlicherweise bot dafür die Lebensgemeinschaft der Schüler im Konvikt auch besondere Möglichkeiten, und sie wurden zugleich mit der Lebensweise der »devotio moderna« bekannt. Eine solche umfassende religiös-sittliche Erziehung, die auch religionspädagogisch verantwortet war, gab es vor der Zeit der Kugelherren in dieser Weise noch nicht. W. Diehl hat die Geschichte der Butzbacher Lateinschule eingehend untersucht und dargestellt.[13]

Unverkennbar ist, daß bald nach Gründung des Kugelhauses der Jugenderziehung besondere Aufmerksamkeit gewidmet wurde. Daß gerade Gabriel Biel in dieser Aufgabe einen Schwerpunkt seiner Arbeit sah, zeigen die baulichen Maßnahmen. Bereits im Jahre 1470 wurde eine neue Schule fertiggestellt. Auch wenn von seiten der Stadt Klage darüber geführt wird, daß die Schulmeister des Brüderhauses nicht qualifiziert genug seien, die Verantwortung für die Schule blieb Aufgabe der Stiftsherren, die die Schulmeister bestellten und besoldeten. Das Interesse der Kugelherren am Unterricht zeigt allein schon die Tatsache, daß Gabriel Biel seine »Regula puerorum«, eine Neubearbeitung der Grammatik des Donatus, gerade um dieser Zielsetzung willen geschrieben hat. Auch ist aus der Butzbacher Bibliothek eine ganze Reihe wichtiger Grammatiken und pädagogischer Handschriften erhalten.[14] Das alles bestätigt die Intention Biels, in den Brüderhäusern zugleich einen frommen und einen wissenschaftlichen Geist zu entwickeln, indem er vor allem das Abschreiben nützlicher Schriften empfahl und damit beherzigt, was von Geert Groote bereits gesagt wurde: »Er geizte nach solchen nützlichen Büchern mehr als nach allen Schätzen der Erde.« Den Gedanken einer Universitätsgründung in Butzbach hat Biel sicher erwogen.

Daß in Butzbach mit der Gründung des Kugelhauses eine rege bauliche Tätigkeit einsetzte, wird auch dadurch deutlich, daß bald der Neubau einer Bibliothek erstellt wurde. Der Wohn- und Lebensbereich der Kugelherren hat aus einer Anlage bestanden, in der nicht miteinander verbundene Häuser in großer Zahl standen, die aber, von einer Mauer umgeben, von der übrigen Stadt abgeschlossen waren. Die wirtschaftliche Grundlage des Butzbacher Brüderhauses war denkbar gut. Die Brüdergemeinschaft, zu der Gabriel Biel gehörte, dürfte wohl aus elf Mitgliedern bestanden haben. Ihre Aufgaben waren pfarramtliche Seelsorge, Chordienst, Schule und Schülerkonvikt sowie gelehrte Arbeit. Vor allem wurde unter der Leitung Biels das Kugelhaus zu einem Zentrum theologischer Studien, und die Kunst des Bücherabschreibens wurde ausgebaut, wie die zahlreichen Handschriften und Inkunabeln der Butzbacher Bibliothek bezeugen. Biel wirkte in Butzbach zwölf Jahre lang, bis ihn die ständigen Querelen dazu brachten, dem Ruf des Grafen Eberhard im Barte nach Württemberg zu folgen, wo er zunächst in Urach ein Brüderhaus gründete und später in Tübingen an der Universität lehrte.

Die Nachfolger Biels in Butzbach haben sein Werk weiter verfolgt. Die Bibliothek zumindest weist auch nach Biels Weggang beträchtliche Zugänge vor allem an Inkunabeln auf. Die Veränderungen und schließlich der Zerfall des Hauses der Brüder vom gemeinsamen Leben ist auf den Einfluß der reformatorischen Bewegungen auch in Butzbach zurückzuführen. Landgraf Philipp von Hessen drängte seit 1528 darauf, daß auch hier ein evangelischer Prädikant eingesetzt würde, zumal die Bürger über die letzten wenigen Brüder des Kugelhauses Klage führten. Bald hat es auch im Kugelhaus Brüder gegeben, die sich dem Geist der Reformation öffneten. So hielt etwa der Kugelherr Heinrich Rockenberger bereits 1529 reformatorische Predigten, die ihm aber von seinen Brüdern und den Stadtherren verboten wurden. Als er plötzlich starb, mutmaßte man, er sei vergiftet worden.

Auf Drängen des Landgrafen Philipp von Hessen wurden dann aber auch in Butzbach evangelische Prediger zugelassen und sogar im Kugelhaus aufgenommen. Schließlich bleibt als letzter Kugelherr und letzter der Patres Johannes Altgelt aus Siegen zurück, der die Stiftsgüter noch verwaltete und daraus den evangelischen Prediger ebenso bezahlte wie den Schulmeister und den Glöckner. Mit dem Tode dieses Paters im August 1555 hörte das Kugelherrenstift zu St. Markus in Butzbach auf zu existieren.[15]

Die Streitigkeiten um den Besitz des Kugelhauses Butzbach und seine Verwaltung dauerten über zweihundert Jahre. Auch wenn sich die Stadtherren schon 1557 zu einer gemeinsamen Ordnung der Verwaltung entschließen konnten, die politischen Verhältnisse nötigten die Stadt dazu, angesichts der Steuerlast, die der Landgraf ihr aufbürdete, bereits 1559 die Kirchenkleinodien zu verkaufen und auch Ansprüche auf weitere Besitzungen der Kugelherren geltend zu machen. Die ursprüngliche Vereinbarung, bei Aufhören der Bruderschaft die Kugelhausgüter und Renten den Stiftern zurückzugeben, konnte nicht aufrechterhalten werden, deshalb beschlossen die Stadtherren in einer weiteren Vereinbarung 1567, ein Inventar zu errichten, das von einem Keller oder Amtmann verwaltet werden sollte. Nach Erlöschen der gräflichen Herrschaften hat dann die Stadt nahezu zweihundert Jahre lang den Fonds der Kugelherren verwaltet. Gegen Ende des 18. Jahrhunderts wurde erneut ein Rechtsstreit ausgetragen, der ca. 35 Jahre lang dauerte und am Reichskammergericht Wetzlar wegen der Einkünfte des Kugelherrenfonds zwischen Kirchengemeinde und Ortsgemeinde geführt wurde. Zunächst war die Unzuverlässigkeit der Stadtväter Anlaß, einen Inspektor zur Verwaltung des Kugelherrenfonds einzusetzen. Schließlich wurden durch Edikt vom 6.6.1832 Verwaltung und Besitz des Kugelhauses dem evangelischen Kirchenvorstand übertragen. Dieser wurde während des »Dritten Reiches« enteignet und mit der Begründung, der Kugelhausfonds sei eine Stiftung, wieder der Stadt zur Nutzung übergeben. Die grundlegenden Arbeiten von Wilhelm Diehl aber haben gezeigt, daß der Kugelhausfonds längst in eine Pfründe umgewandelt war. Deshalb konnte dem Antrag der Evangelischen Kirche in Hessen und Nassau auf Rückübertragung der Verwaltung des Kugelhausfonds durch den Beschluß des Landgerichts Frankfurt/Main vom 19. September 1950 stattgegeben werden. Der Kugelhausfonds wurde dem Kirchenvorstand Butzbach endgültig übertragen.

Die Bibliothek der Butzbacher Kugelherren und ihre Geschichte

Daß sich die Kugelherren in Butzbach ihren Lebensunterhalt mit der Handarbeit verdienten, die nach Biels Meinung am besten zu geistlichen Studien und devoten Übungen paßte, hat er immer wieder betont: vel scribere quod legatur vel legere quod scribatur. Eligimus itaque scribendi labore satagentes quantum possumus ut et politos et emendatos libros efficiamus.[16] Ganz sicher war damit eine gute Einnahmequelle für die Kugelherren gegeben, denn sie kam zugleich nicht nur der eigenen Bibliothek, sondern auch der theologischen Arbeit der Bezieher zugute. Wie erwähnt, war die erste Baumaßnahme auf dem Gelände der Kugelherren ein Bibliotheksgebäude, obwohl vorher bereits ein Bibliotheksraum vorhanden gewesen sein muß. Dies geht aus den Beschwerden der Stadt hervor, die den Kugelherren vorwirft, sie hätten sich die »liberey« angeeignet, die bis dahin vom Rat der Stadt verwaltet wurde. Man kann daraus schließen, daß die Kugelherren damit auch zugleich eine kleine Bibliothek übernommen haben. Sie wurde nach Biels Tod 1495 durch seine Privatbibliothek ergänzt, die wohl zum großen Teil nach Butzbach kam. Er hatte bei seinem Weggang nach Württemberg seinen aus Butzbach stammenden Schüler Wendelin Steinbach mitgenommen, der dann den Nachlaß Biels an Butzbach zurückgab.

Zugleich sind eine ganze Reihe von Büchern anderer Kugelherren in die Bibliothek integriert worden, und es wurden zu allen Zeiten nicht unerhebliche finanzielle Mittel für die Erweiterung der Bibliotheksbestände aufgewendet. Dies bestätigen die zahlreichen Inkunabeln, die sich inzwischen in der Gießener Universitätsbibliothek befinden und die dort von H. Schüling in umsichtiger Weise erfaßt und zusammengestellt wurden.[17] Nach dem bisherigen Befund ist deutlich, daß die fleißig arbeitenden und sammelnden Butzbacher Brüder vom gemeinsamen Leben nicht darauf aus waren, eine Repräsentativbibliothek zusammenzutragen, wie man sie an manchen Höfen und in manchen wohlhabenden Klöstern vorfinden konnte. In den Consuetudines der Fraterherren liegt begründet, daß sie, ihren Grundsätzen frommer Demut entsprechend, eine Studienbibliothek zusammenschrieben und zusammentrugen, an der sie täglich arbeiteten. Aber gerade darin liegt der besondere Wert dieser Bestände und bietet zugleich einen umfassenden und tiefgründigen Einblick in die Situation der Spätscholastik am Vorabend der Reformation.

Von den Verfassern der Kataloge wird immer wieder betont, daß die Einbände der von den Brüdern meist selbst gebundenen Handschriften und Werke sehr kunstlos und einfach seien. Bei den Handschriften nehmen die Kirchenväter, Scholastiker, Summen, Sentenzen und Asketica den meisten Raum ein; auffällig sind auch die zahlreichen Homilien und Predigtsammlungen. Auch juristische und historische Handschriften sind nicht vergessen worden. Man wird sagen können, daß die wesentlichsten wissenschaftlichen Werke der jeweiligen Zeitepoche von den Kugelherren erfaßt und zusammengetragen worden sind. Schließlich wird das besondere pädagogische Interesse der Butzbacher Kugelherren dafür verantwortlich zu machen sein, daß eine ganze Reihe von Lexika, Lehrbüchern über Grammatik, Rhetorik und Poesie in den Beständen vertreten ist.

Die Bibliothek blieb auch nach der Reformation in Butzbach und wurde – dies zeigen die Werke, die in der Folgezeit angeschafft wurden – von den jeweiligen evangelischen Pfarrern entsprechend deren Interessenschwerpunkten ergänzt und erweitert. Ein erstmalig zusammengestellter Katalog der Kugelherrenbibliothek von Justus Camerarius, 1601, nennt insgesamt etwa 680 Bände (Handschriften und Druckwerke). Die Bibliothek blieb bestehen und wurde weitergeführt, bis Landgraf Ludwig IX. von Hessen im Jahre 1771 die Überführung der noch erhaltenen 205 mittelalterlichen Handschriftenbände und 308 Inkunabeln aus dem ehemaligen Fraterherrenstift Sankt Markus zu Butzbach an die Landesuniversität Gießen befahl. Dafür forderte die Stadt Butzbach noch zehn Jahre später eine angemessene Bezahlung. Daß aber damit nicht die gesamte Kugelherrenbibliothek nach Gießen weitergegeben worden war, beweist der Hinweis, daß die Bücher der Fraterschule, ebenfalls als »libri ecclesiae Sancti Marci« in Butzbach gekennzeichnet, sich heute als geschlossener Bestand im evangelischen Predigerseminar in Friedberg befinden.[18]

Der Bestand der Butzbacher Kugelherrenbibliothek im Theologischen Seminar Friedber

Durch H. Schüling und W. G. Bayerer wurden die in der Universitätsbibliothek in Gießen befindlichen Handschriftenbestände und Frühdrucke erfaßt und katalogisiert. Dabei weist er darauf hin, daß »400 jüngere Drucke dieser bedeutenden Butzbacher Kugelhausbibliothek immerhin noch wertvoll genug sind, um den Ruhm der Bibliothek des Predigerseminars in Friedberg zu begründen«.[19] Und er fährt fort: »Es handelt sich dabei vor allem um theologische Kontroversliteratur des 16. und 17. Jahrhunderts. Etwa 50 Bände aus dem gleichen Besitz sind in eine theologische Bibliothek in Darmstadt geraten. Im Staatsarchiv Darmstadt befinden sich dagegen die für die Butzbacher Geschichte so wichtigen Kopialbücher des Kugelhauses.«[20]

Um welche theologische Bibliothek in Darmstadt es sich handelt, in der die erwähnten 50 Bände aufgenommen wurden, war bisher nicht zu ermitteln.

Dagegen wurde in der Tat dem Theologischen Seminar Friedberg ein Bestand von 365 Bänden der Kugelherrenbibliothek zur Verfügung gestellt. In seiner Sitzung vom 27.6.1951 beschloß der Kirchenvorstand Butzbach: »Die Kugelhausbibliothek soll dem Predigerseminar Friedberg unter Eigentumsvorbehalt zur Verfügung gestellt werden.«[21] Der Grund für die Übergabe dieses Bibliotheksbestandes an das Theologische Seminar Friedberg ist im wesentlichen darin zu suchen, daß der Raum, in dem die Bibliothek in Butzbach aufbewahrt war, für kirchengemeindliche Zwecke genutzt werden sollte. Das Theologische Seminar Friedberg ist froh, diese wertvolle Bibliothek zur Verfügung zu haben, auch wenn sie bisher wissenschaftlich kaum genutzt wird. Zwar ist ein Katalog vorhanden, der Verfasser, Titel, Erscheinungsort und Erscheinungsjahr der einzelnen Bände aufzeigt, aber eine inhaltliche Bearbeitung und Erschließung steht noch aus.

Die Kürze dieser Darstellung läßt es nicht zu, mehr als eine formale Sichtung dieses Bestandes vorzunehmen und schwerpunktartig Autoren und Themenbereiche zu benennen. Es handelt sich um etwa 400 Druckwerke aus dem 16. und 17. Jahrhundert, die in 365 Bänden zusammengefaßt sind. Besonderes Interesse verdienen im Rahmen unserer Darstellung diejenigen Schriften, die zur Zeit der Kugelherren in Butzbach, also von 1468 bis 1555, in der Bibliothek vorhanden waren. Die Anordnung der aus dieser Zeit stammenden zwölf Werke folgt den Erscheinungsjahren.

Als erstes sind zu nennen die 1523 in Wittenberg erschienenen Kommentare zum Markusevangelium, zum Hebräerbrief und zum 1. Petrusbrief mit einer angehängten kurzen Christologie nach dem Johannesevangelium durch Franziskus Lambertus und Christophorus Hegendorfinus. Besonders interessant erscheinen die 1530 in Straßburg erschienenen »Annotationes in epistolam Pauli ad Romanos unam et ad Corinthios duas« von Philipp Melanchthon. Darin sind die von den Kugelherren angebrachten Randbemerkungen besonders interessant, weil sie offensichtlich reformatorisches Gedankengut enthalten. Ein »Comentarius in Exodum« von Johannes Brenz erschien 1538 und ist Nikolaus Mayr gewidmet. Auf die Tätigkeit der Kugelherren im pädagogischen Bereich weist die von Johannes Varennius in Basel 1532 herausgegebene »Syntaxis linguae graecae« hin. Besonders beachtenswert ist auch Sebastian Francks in Augsburg 1538 erschienene Schrift »Die guldin Arch, darein der kehrn und die besten hawtsprüch der heyligen Schrifft alten Lerer und Väter der Kirchen. Gmaine librey und teutsche Theologey zusammengetragen durch Sebastian Francken von Werd.« Fünf Bände der Opera des Johannes Chrysostomus stammen als Baseler Druck aus dem Jahre 1539. Von Erasmus Sarcerius erschienen in Marburg 1539 und 1544 zwei Bände der »Loci communes theologiae«. 1543 veröffentlicht Johannes Baptista Folengius, Dominikaner in Monte Cassino, später Kardinal von Mantua, einen Psalmenkommentar »In psalterium Davidis«. Besonders hervorzuheben ist die in Wittenberg 1545 erschienene Schrift Martin Luthers »In hoseam prophetam«, die den Kugelherren demnach bereits zur Verfügung stand. Zu den Kommentaren hinzuzurechnen ist Sebastian Meiers in Frankfurt 1546 erschienenes Werk »In utranque D. Pauli epistolam ad Corinthios comentarii«, unter Verwendung der Kommentare von Chrysostomus Augustinus und Ambrosius. Mit Fragen der Rechtsprechung befaßt sich das von Angelus Aretinus in Leyden 1555 herausgegebene »De maleficiis«. Schließlich wird ein Werk von Hieronymus, das ohne Erscheinungsjahr vorliegt, auch dieser Zeit im Kugelherrenhaus zuzurechnen sein. Es bietet eine Lebensbeschreibung des Herausgebers und Kommentare zu den kleinen und großen Propheten. Auffällig sind der Druck und die Gestaltung der Initialen, die durch rote Untermalungen gekennzeichnet sind und insofern auf einen alten Druck schließen lassen.

Die von den Nachfolgern der Kugelherren, den Butzbacher Pfarrern, nach 1555 weitergeführte Bibliothek umfaßt zunächst Werke aus dem Umkreis reformatorischer Theologie. Hier seien nur die am häufigsten vertretenen Autoren genannt. Nach der »Apologie« in der Wittenberger Ausgabe von 1561 ist das Konkordienbuch in der Bibliothek enthalten, exegetische und theologische Werke des schwäbischen Reformators Johannes Brenz, dann folgen Autoren wie Johann Heinrich Bullinger, der zu den Schülern der Brüder vom gemeinsamen Leben zu rechnen ist, Calvins »Institutio« und Philipp Melanchthons Werke in acht Bänden einer von 1560 an erschienenen Ausgabe. Nicht weniger bedeutsam sind die kirchenhistorischen Schriften von Caspar Peucer, dem Schwiegersohn Melanchthons, die Werke von Nikolaus Selnecker, Cyriakus Spangenberg, Martin Chemnitz und Andreas Hyperius, dem praktischen Theologen, der seit 1542 in Marburg gelehrt hat. Schließlich ist eine Darstellung der Kirchengeschichte von Johannes Functius zu nennen und die Ausgabe der Werke Augustins durch Erasmus aus dem Jahre 1569. Groß ist auch der Anteil der Postillen und Predigten, die in dieser Bibliothek zusammengefaßt sind, gefolgt von der Jenaer Ausgabe der Werke Martin Luthers, die von 1568 an erschienen, und schließlich die für die pädagogische Arbeit wichtigen Katechismuserklärungen des Zacharias Pretorius aus Frankfurt von 1577.

Dann folgt als wesentlicher Bestandteil der Kugelherrenbibliothek eine Bibliothek der Kirchenväter. Sicher trifft auch hier zu, was von Geert Groote bereits gesagt werden konnte: »Er bezeichnete auch als Wurzel des Studiums und als Spiegel des Lebens die Evangelien, an welche dann die Apostelgeschichte und die Briefe Pauli, die Lebensbeschreibung und Aussprüche der Kirchenväter, die erbaulichen Schriften von Augustin, Anselm, Bernhard anzuschließen wären. Arithmetik, Geometrie, Dialektik, Rhetorik, Grammatik und die geheimen Wissenschaften sollten zurückgestellt werden, weil alles dies dem geistlichen Leben keinen Nutzen bringe.[22] Erstaunlich bei diesem Teil der Bibliothek ist jedoch die Tatsache, daß neben den Schriften des Aristoteles die Kirchenväter von Athanasius über Ambrosius, Augustin,

Basilius, Clemens von Alexandria, Cyprian, Cyrill von Alexandria bis Eusebius von Cäsarea vertreten sind, daß aber mit dem Buchstaben E die Reihe der Kirchenväter abbricht. Dieser Tatbestand scheint die Vermutung zu unterstützen, die von Mitarbeitern der Kirchengemeinde in Butzbach geäußert wurde, daß in den letzten Jahren des Zweiten Weltkrieges und in der Nachkriegszeit die weiteren Bände der Kirchenväter als Brennmaterial verwandt worden seien und somit bedauerlicherweise verlorengingen.

Einen weiteren Schwerpunkt der Bibliothek bildet die kontrovers-theologische Literatur, die sich in zahlreichen Zusammenfassungen der lutherischen Lehre als Grundlagen für die Auseinandersetzungen darstellt. Für die territorialkirchengeschichtliche Forschung sind die Schriften des streitbaren Verteidigers der lutherischen Lehre, des Echzeller Pfarrers Georgius Migrinus, die von 1581 an erschienen, besonders interessant. Dies gilt sicher auch für die kontroverstheologischen Schriften der Tübinger Professoren Jakob Heerbrand (erschienen 1579) und Matthias Hafenreffer aus dem Jahr 1613, denen die Streitschriften der Gießener Universitätslehrer Balthasar Menzer, Johann Winkelmann und Johann Gisenius gegenüberstehen. Hier sind aufschlußreiche Dokumente für den christologischen Streit zwischen Gießen und Tübingen aufzufinden. Hervorgehoben zu werden verdient auch die Schrift »Catechismus oder Kinderlehre« des Marburger Theologen Aegidius Hunnius von 1592. Schließlich gehören in diesen Zusammenhang die Werke der beiden Lukas Osiander (Vater und Sohn), die in 20 Bänden von 1578 bis 1607 gedruckt wurden.

Daß die Butzbacher Pfarrer auch in der nachreformatorischen Zeit die Tradition der Kugelherrenbibliothek fortsetzten, ist aus den Werken zu erkennen, die nach 1600 für die Bibliothek erworben wurden. Hier treten die fünf Bände der »Disputationes« des Jesuiten Robert Bellarmin von 1605 als gegenreformatorische Schriften besonders hervor, denen die theologischen Diskussionen »Consiliorum theologicorum« des Felix Bidenbach von 1614 gegenüberstehen. Der frömmigkeitsgeschichtlichen Tradition verpflichtet sind die Schriften von Hugo Grotius und das »Collegium biblicum« des Sebastian Schmitt, das in 15 Bänden 1693 in Frankfurt erschien. Schließlich sind die Schriften der orthodoxen Streittheologen zu nennen, vor allem die des Justus Feuerborn in Gießen, 1620 erschienen, und des Abraham Calov von 1676, ergänzt durch zahlreiche Disputationen, die in Einzelbänden vorliegen. Für unser Kirchengebiet besonders interessant sind sicher auch die Schriften zum Streit um die Herborner Bibel des Johann Piscator, die 1608 in Herborn gedruckt wurde. Fast geschlossen vorhanden ist das Hauptwerk des lutherischen Theologen Johann Gerhard, das von 1610 an erschien, und ergänzt wurde die Kugelherrenbibliothek ihrer Tradition gemäß auch in dieser Zeit durch zahlreiche Postillen, Homilien, Katechismusauslegungen und Katechismuspredigten.

In den nach 1700 gedruckten Schriften fallen zwei thematische Schwerpunkte auf, einmal die Schriften zur Auseinandersetzung um das Abendmahl, insbesondere um die Theologie Calvins, die Hieronymus Zanchius in Heidelberg 1609 herausgegeben hat, und eine Reihe von Werken zur Historie der Salzburger Emigranten, die aus etwa 16 Bänden besteht. Schließlich sind in fünf Bänden Dissertationen zusammengefaßt, die von 1701 an erschienen, und das fünfbändige »Jus ecclesiasticum« von Justus Henning Böhmer, 1732 in Halle veröffentlicht. Der letzte Teil des Bestandes der Kugelherrenbibliothek Butzbach, der sich im Theologischen Seminar Friedberg befindet, besteht aus Teilen von Luthers Werken, die von Johann Georg Walch in Halle von 1739 an herausgegeben wurden.

Betrachtet man die Entwicklung und Fortführung der Kugelherrenbibliothek in den letzten 200 Jahren, so ist unverkennbar, daß ihr Bestand im Sinne der Kugelherren und ihrer Arbeitsschwerpunkte von allen nachfolgenden Gemeindepfarrern sachkundig erweitert wurde. Dies zeigt der im Pfarramt Butzbach vorliegende Katalog, der die Ergänzungen der Bibliothek aus der Zeit des 18. bis zum Beginn des 20. Jahrhunderts dokumentiert. Allgemeine Geschichte, Frömmigkeitsgeschichte, theologische Kompendien und immer wieder pädagogische und religionspädagogische Literatur bilden die Schwerpunkte dieser erstaunlichen Bibliothek.

Uns ist von den Kugelherren und den Butzbacher Pfarrern, die ihr Erbe verwalteten und ergänzten, damit ein Bibliotheksbestand erhalten geblieben, der ein interessantes und wichtiges Stück unserer Kirchengeschichte repräsentiert. Dem Kirchenvorstand Butzbach ist es zu danken, daß er, nachdem er dem Theologischen Seminar Friedberg die Bibliothek zur Benutzung überlassen hat, neuerdings auch finanzielle Mittel aus dem Kugelhausfonds zur Verfügung stellt, um die Restaurierung der ältesten Werke dieses Bibliotheksbestandes vornehmen zu können.

Mögen die kurzen Hinweise zu der in Friedberg sich befindenden Kugelherrenbibliothek und ihrer Geschichte als Bibliothek der Fratres dazu auffordern, daß kirchenhistorisch Interessierte zunehmend auch diese Werke als Quellen nutzen und forschend den vielen wichtigen Themen nachgehen, die in diesem so wertvollen Bibliotheksbestand enthalten sind. Eine erste Aufgabe wird die Erstellung eines thematischen, den Inhalt erfassenden Katalogs dieses Bestandes sein müssen, um ihn kirchenhistorischer Forschung zugänglich zu machen.

Anmerkungen

1 Zentralarchiv der Evang. Kirche Hessen-Nassau, Nr. 4620, Band III.

2 F. W. Hassenkamp, Hessische Kirchengeschichte, Marburg 1852, Band I, S. 23ff.

3 Hassenkamp (wie Anm. 2), S. 28.

4 Bei der Gründung der Druckerei im Haus der Brüder vom gemeinsamen Leben in Königstein bei Geisenheim/Rhein war Gabriel Biel beteiligt.

5 K. Heinemeyer, Die Marburger Kugelherren als Wegbereiter der Universität. Beiträge zur Geschichte der Philipps-Universität Marburg, 1977, S. 1ff.

6 Art. »Devotio moderna«, in: Theologische Realenzyklopädie, Band 8, Berlin 1981, S. 607.

7 O. Gerland, Beiträge zur Geschichte der Brüder vom gemeinsamen Leben in Hessen, in: Zeitschrift »Hessenland«, Kassel 1904, S. 218ff.

8 Die Brüder vom gemeinsamen Leben wurden wegen der Form ihrer Mantelkapuze (lat.: cuculla) auch Gogel-, Gugel- oder Kugelherren genannt. Siehe dazu J. G. Krätzinger, Versuch einer Geschichte des Kugelhauses Butzbach, in: Archiv für Hessische Geschichte und Altertumskunde 10, 1864, Anm. S. 51, und E. Otto, Aus Butzbachs Vergangenheit, Gießen 1922, Heft III, S. 16. Danach trugen auch die zur Bewachung der Stadt angestellten Büchsenschützen ein »Kogel« genanntes, Kopf und Schultern bedekkendes, kapuzenartiges Kleidungsstück.

9 Zu Leben und Werk Gabriel Biels vgl. besonders H. A. Obermann, Spätscholastik und Reformation, Band I: Der Herbst der mittelalterlichen Theologie, Zürich 1965.

10 Zitiert nach L. Hellriegel, Gabriel Biel in Butzbach, in: Wetterauer Geschichtsblätter 18, 1969, S. 73ff. Die stark verkürzt und teilweise modern übertragene Urkunde befindet sich im Staatsarchiv Darmstadt unter der Signatur: A 3 Nr. 61/130.

11 Krätzinger (wie Anm. 8), S. 56.

12 Siehe dazu L. Horst, Zur Geschichte Butzbachs, Butzbach 1971, S. 107f.

13 W. Diehl, Zur Geschichte der Butzbacher Lateinschule, Hirschhorn 1902.

14 W. G. Bayerer, Libri Capituli Ecclesiae Sancti Marci. Zur Katalogisierung der Butzbacher Handschriften an der Universitäts-Bibliothek Gießen, in: Wetterauer Geschichtsblätter 24, 1975, S. 57ff.

15 Zur Geschichte der Reformation in Butzbach siehe: H. Steitz, Geschichte der Evangelischen Kirche in Hessen und Nassau, Erster Teil, Marburg 1961, S. 15f., und I. Crusius, Butzbach (1469–1555), in: Monasticon Fratrum Vitae Communis, Teil II: Deutschland, Brüssel 1979, S. 31ff.

16 Zitiert bei I. Crusius (wie Anm. 15), S. 34.

17 H. Schüling, Die Inkunabeln der Universitätsbibliothek Gießen (= Berichte und Arbeiten aus der Universitätsbibliothek Gießen, Band 8), Gießen 1966.

18 I. Crusius (wie Anm. 15), S. 35.

19 Bayerer (wie Anm. 14), S. 57ff., und H. Schüling in Band 4 der Handschriftenkataloge der Universitätsbibliothek Gießen.

20 Bayerer (wie Anm. 14), S. 78. Die beiden Kopialbücher von 1481 und 1490 im Staatsarchiv Darmstadt, C 1 A Nr. 49 und 50. Vgl. F. Battenberg, Handschriften (Abt. C 1) (= Repertorien des Hessischen Staatsarchivs Darmstadt 5), Darmstadt 1990, S. 6.

21 Protokoll der Sitzung des Kirchenvorstandes und der Kirchengemeindevertretung Butzbach vom 27.6.1951.

22 G. Hoening, Die Brüder des gemeinsamen Lebens und ihre Bedeutung für ihre Zeit, Gütersloh 1894, S. 51.

Die Überlieferung zur Reichs- und Reformationsgeschichte im Hessischen Staatsarchiv Marburg

Von Fritz Wolff

Die Geschichte der reformatorischen Bewegung in Deutschland ist von ihrem Beginn an unlösbar mit der Reichsgeschichte verknüpft. Spätestens mit dem Wormser Reichstag 1521 und dem dort ergangenen kaiserlichen Edikt wurde die von Luther ursprünglich beabsichtigte theologische Diskussion zu einem Objekt des Reichsrechts und damit zu einer Sache der Reichspolitik, die die Fürsten und Städte zur Stellungnahme zwang und in kurzer Frist zu einer kirchlich-politischen Parteibildung führte, längst bevor die eigentliche Konfessionalisierung einsetzte. An den hervorragenden Anteil, den Hessen unter Landgraf Philipp an dem Geschehen dieser Jahre hatte, bei der Zurückdrängung und Ausschaltung der sozialrevolutionären, schwärmerischen und täuferischen Nebenströmungen der lutherischen Reformation ebenso wie bei den Entscheidungen auf den großen Reformationsreichstagen 1526, 1529 und 1530, bei den Bemühungen um die Herstellung der Einheit unter den Evangelischen zunächst mit dem Marburger Religionsgespräch und wenig später im Schmalkaldischen Bund – an all das braucht hier nur kurz erinnert zu werden. Der schriftliche Niederschlag, den die hessische Politik in Akten und Urkunden, Protokollen, Korrespondenzen und Verträgen gefunden hat, ist sehr früh als wichtige Quelle für die historische Erkenntnis dieser entscheidenden Epoche in der deutschen Geschichte bewertet worden. Schon der erste Geschichtsschreiber der Reformation, Johannes Sleidanus, der mit seinen 1555 in Frankfurt erschienenen »Comentarii de statu religionis et rei publicae Carolo V Caesare« Zeitgeschichtsforschung im modernen Sinne betrieb, hat durch die Vermittlung der Straßburger Reformatoren Jakob Sturm und Martin Butzer Zugang zum politischen Archiv des Landgrafen und zu den Archiven der sächsischen Kurfürsten erhalten.[1] Das ernestinische Archiv in Weimar ist für Friedrich Hortleder, dessen Werk »Von den Ursachen des deutschen Krieges« (1617) gleichsam die Fortsetzung von Sleidanus ist[2], die Hauptquelle gewesen, aber die dort vorhandene Korrespondenz mit dem hessischen Landgrafen bildet auch darin einen wesentlichen Bestandteil.

Die Werke von Sleidanus und Hortleder sind praktisch für zwei Jahrhunderte als Darstellung wie als Materialsammlung grundlegend für die Beschäftigung mit dem Zeitalter der Reformation geblieben. Erst mit der Ausbildung der kritischen Geschichtswissenschaft im 19. Jahrhundert, die sich zunächst an den großen Editionen zur mittelalterlichen Geschichte mit den 1819 vom Freiherrn vom Stein begründeten »Monumenta Germaniae historica«

geschult hatte und eine Generation später dazu überging, auch die Akten zur Reichsgeschichte der Neuzeit zu publizieren, setzte erneut eine verstärkte Hinwendung zu den archivischen Quellen ein. Auf dem Germanistentag in Frankfurt wurde 1846 auf Anregung Rankes die »Gesellschaft deutscher Geschichtsforscher« gegründet[3]; sie wandte sich mit einem Aufruf an die Regierungen der deutschen Bundesstaaten, die Edition der neueren Akten zu unterstützen und den Zugang zu den Archiven zu erleichtern. Neben Ranke, Jakob Grimm, Dahlmann, Pertz und Böhmer gehörte auch der kurhessische Historiograph Rommel zu den Unterzeichnern des Aufrufs. In seiner dienstlichen Eigenschaft als Archivdirektor in Kassel konnte er seiner Regierung in einem amtlich angeforderten Gutachten die Unterstützung der Bestrebungen der Historiker empfehlen.[4] Rommel selbst hatte schon 1830 eine aus den Akten gearbeitete Geschichte Hessens unter Landgraf Philipp und dazu einen umfangreichen »Urkundenband«, der auch mehrere bis dahin unbekannte Briefe der Reformatoren enthielt, veröffentlicht.[5] Die darauf gemünzte spitze Bemerkung eines späteren Marburger Archivars, die kurhessischen Beamten hätten »die Ausnutzung der archivalischen Schätze auf sich monopolisieren wollen«[6], ist übertrieben und im Grunde ungerechtfertigt, aber es trifft zu, daß vor 1866 Außenstehende nur schwer den Weg in die Kasseler Archive gefunden haben – was allerdings nun wieder auch für die meisten anderen deutschen Archive in jener Zeit gilt. Wenn der Leipziger Theologe Christian Neudecker zwischen 1836 und 1841 mehrere umfangreiche Dokumentenbände zur Reformationsgeschichte mit fast ausschließlich aus den Kasseler Archiven geschöpftem Material veröffentlichen konnte[7], so verdankte er das in erster Linie der hohen Protektion des Grafen von Hessenstein, einem unebenbürtigen Nachkommen des Kurfürsten Wilhelm I. Selbstverständlich haben aber auch andere Historiker die erbetenen Auskünfte oder auch Aktenauszüge aus den Kasseler Archiven erhalten, so der Königsberger Theologe Olshausen für seine Edition von Melanchthon-Briefen, die Editoren der Korrespondenz Johann Sturms im damals französischen Straßburg, C. A. Corenelius für seine Geschichte Karls V.[8] Selbstverständlich hat auch Heinrich Heppe seine Kirchengeschichte beider Hessen unmittelbar auf der archivischen Überlieferung aufbauen können.[9]

In stärkerem Maße hinderlich als die unterstellte geringe Kooperationsbereitschaft der hessischen Archivare hat sich wohl für die überregionale Forschung die Tatsache ausgewirkt, daß die Überlieferung aus der Zeit des Landgrafen Philipp in Kassel auf mehrere Archive verteilt und damit im ganzen schwer überschaubar war.[10] Bis 1866 bestanden, um nur die wichtigsten zu nennen, das Haus- und Staatsarchiv, ursprünglich im alten Landgrafenschlosse zu Kassel, seit Ende des 18. Jahrhunderts im Museum Fridericianum untergebracht, dann das aus dem alten Kanzleiarchiv hervorgegangene Regierungsarchiv im Renthof, ferner das Kammerarchiv, das Kabinettsarchiv im Schlosse zu Wilhelmshöhe, schließlich auch noch bis 1856 das Samtarchiv in Ziegenhain, das nach der Landesteilung 1567 eingerichtet war und das die für die verschiedenen Linien des Hauses Hessen gleichermaßen wichtigen Dokumente als gemeinsamen Besitz verwahrte.

Die Masse des Schriftgutes aus der Regierungszeit des Landgrafen Philipp ist in das Kasseler Kanzleiarchiv gelangt. Wichtige Urkunden, Verträge, Prozeßschriften und dergleichen sind sofort in das Schloßarchiv und zum Teil in die persönliche Verwahrung des Landgrafen übernommen worden. Ein Teil des Materials wurde nach 1567 in das Ziegenhainer Samtarchiv eingegliedert, anderes ist auch an die Nebenlinien in Darmstadt und Marburg gelangt. Die ursprünglichen Zusammenhänge sind schon bald durch Umlagerungen, Neuzugänge und Aussonderungen verwischt worden. Auch wichtige Dokumente konnten auf diese Weise verschwinden. Noch zu Lebzeiten des Landgrafen Philipp bereitete es Mühe, den Text des Wittenberger Theologengutachtens über die Doppelehe des Landgrafen im Archiv zu beschaffen.[11] Als 1563 die authentische Niederschrift der Augsburgischen Konfession gesucht wurde, mußte berichtet werden, daß sie weder im Archiv noch in der Kanzlei auffindbar sei, auch in den nachgelassenen Papieren des Kanzlers Feige und des Theologen Adam Kraft sei sie nicht zu ermitteln.[12] Ebenfalls vergeblich suchte man im gleichen Jahre nach dem Protokoll des Marburger Religionsgespräches.[13] Erst 1847 wurde es von Heppe im Kasseler Regierungsarchiv »unter einer Masse sehr fremdartiger Papiere« wieder aufgefunden und veröffentlicht.[14]

Erst mit der Zusammenführung der Kasseler Archive in dem 1870 als preußisches Provinzialarchiv eingerichtete Schlosse zu Marburg wurde der ganze Umfang und die Bedeutung der hessischen Überlieferung zur Reichs- und Reformationsgeschichte deutlich. Die Vereinigung des vorher zerstreuten Materials wurde zu einer wesentlichen Erleichterung für die wissenschaftliche Benutzung. Daß das Marburger Archiv für die Geschichte der Reformation von da an neben dem Weimarer Archiv als das wichtigste galt, ist auch durch weitere Umstände begünstigt worden. Es befand sich nun am Ort der Landesuniversität und war damit für den wissenschaftlichen Benutzerkreis leichter zugänglich. Die bei der Verlegung der Archive von Kassel nach Marburg ausgesprochene Hoffnung, daß damit »eine Belebung der historischen Studien« verbunden sein würde, hat sich sicher erfüllt.[15] Nicht nur der geschichtsforschende Professor, sondern auch seine Studenten fanden jetzt den Weg ins Archiv. Es wurde üblich, daß Dissertationen in Neuerer Geschichte oder Kirchengeschichte unmittelbar aus den archivalischen Quellen gearbeitet wurden.[16] Üblich wurde auch schon seit den siebziger Jahren des vorigen Jahrhunderts die Vorlage von Archivalien in Seminarübungen oder die Abhaltung eines Teils der Lehrveranstaltungen im Archiv, zum Teil unter Beteiligung der Archivare.[17] Die Frucht eines solchen gemeinsamen kirchenhistorischen Seminars, das von dem Theologen Hermelink und dem Archivar Küch geleitet wurde, war übrigens auch die Gründung eines Vereins für Hessische Kirchengeschichte (1920)[18], der allerdings, wie es scheint, nicht zu größerer Wirksamkeit gelangt ist.

Hinzu kam ferner, daß damals von Seiten der preußischen Archivverwaltung unter Heinrich v. Sybel eine bewußte Politik der Öffnung der Archive betrieben worden ist.[19] Das drückte sich einmal in der Zulassung von Studenten, aber auch Heimat- und Familienforschern zur Benutzung der Archive aus, zum andern aber auch darin, daß die Publikation archivalischer Quellen nun weitaus stärker als vorher gefördert wurde. Seit 1874 arbeitete Max Lenz an der Herausgabe des Briefwechsels zwischen Landgraf Philipp und Martin Bucer[20], 1875 erschien der erste Band der Beiträge zur Reichsgeschichte 1546–1555 von Druffel[21], 1882 der erste Band der Politischen Korrespondenz der Stadt Straßburg im Zeitalter der Reformation[22], alles unter eingehender Benutzung der Marburger Archivalien. Auch die Arbeit an der Edition der Reichstagsakten kam nun wieder in Gang. 1886 wurde die Herausgabe der Reichstagsakten aus der Zeit Kaiser Karls V. in der sog. »Jüngeren Reihe« (RTAJR) beschlossen[23], 1893 konnte schon der erste, von August Kluckhohn bearbeitete Band, der das Jahr 1519 erfaßt, erscheinen, 1896 bereits der zweite Band mit den Akten zum Wormser Reichstag 1521, bearbeitet von Adolf Wrede.[24] Aufschlußreich ist es auch, daß bei der Entscheidung, für die Edition des Materials aus dem Reformationszeitalter eine eigene Reihe zu begründen, das Gutachten von vier Historikern ausschlaggebend war, die sich praktisch in der Beschäftigung mit der hessischen Überlieferung in die Reformationsgeschichte eingearbeitet hatten: es waren Max Lenz, Theodor Brieger, Conrad Varrentrap und Walter Friedensburg.[25] Lenz und Friedensburg hatten als junge Archivare im Marburger Schlosse gearbeitet, und die Professoren Brieger und Varrentrap gehörten mit ihren Studenten zu den eifrigsten Benutzern der philippischen Akten. In welchem Maße die reformationsgeschichtliche Forschung seit dem Ende der siebziger Jahre des vorigen Jahrhunderts von dem hessischen Material angezogen worden ist, läßt sich auch aus den Benutzerbüchern des Marburger Archivs ablesen.[26] Außer den schon genannten tauchen die Namen all derer auf, die die entscheidenden Beiträge für die moderne wissenschaftliche Forschung der Reichs- und Reformationsgeschichte geleitet haben: Bezold, Below, Moriz, Ritter, Gustav Wolf, Johannes Kühne[27] ebenso wie ihre Nachfolger bis hin zu den zuletzt erschienenen oder noch in Arbeit befindlichen Bänden der Reichstagsakten[28] oder der Politischen Korrespondenz des Herzogs Moritz von Sachsen, die, ebenfalls schon 1900 begonnen, jetzt vor ihrem Abschluß steht.[29] Kaum weniger wichtig war der Anteil der hessischen Überlieferung bei der Edition der Luther-Briefe in der Weimarer Ausgabe von Luthers Werken, die vor wenigen Jahren abgeschlossen wurde.[30] In den älteren Ausgaben von Luthers Briefwechsel tauchen Schriftstücke hessischer Provenienz nur vereinzelt auf[31], jetzt können rund 100 Briefe von und an Luther nachgewiesen werden, dazu eine große Zahl von Gutachten, Stellungnahmen u. ä., an denen der Reformator mitgearbeitet hat oder die er unterzeichnete.[32]

Einen wesentlichen Beitrag zur reformationsgeschichtlichen Forschung haben die Marburger Archivare zu Beginn unseres Jahrhunderts dadurch geleistet, daß sie die politischen Akten aus der Zeit des Landgrafen Philipp wieder zusammengeführt, zu einem einheitlichen Bestand formiert und durch ein ausführliches Inventar erschlossen haben. Das »Politische Archiv des Landgrafen Philipp« ist von Friedrich Küch konzipiert und unter Einsatz zahlreicher Mitarbeiter des Archivs in einem grandiosen Kraftaufwand innerhalb relativ kurzer Zeit bis zur Hälfte bearbeitet worden. 1904 erschien der erste Band (mit den landgräflichen Personalia und den Akten zur Reichsgeschichte bis zum Tode des Landgrafen), 1910 der zweite Band.[33]

Schon in dieser torsohaften Form hat das Werk bei der Kritik höchste Anerkennung gefunden: Franz Schnabel nannte es »einzigartig und bahnbrechend«[34], Hermann Heimpel einen »Sonder- und Idealfall«[35]. In der Zwischenkriegszeit war die Arbeit daran ins Stocken geraten, auch, weil keine Mittel für den Druck zur Verfügung standen. Erst Walter Heinemeyer hat es in den fünfziger Jahren in einer nicht minder stupenden Leistung abgeschlossen.[36] Damit ist nun das gesamte Material, das sich auf die hessische Politik in der Regierungszeit des Landgrafen Philipp (1518–1567) bezieht, erfaßt und übersichtlich geordnet. Mit seinen eingehenden Aktenanalysen und den ausführlichen Indices vermag das gedruckte Inventar nicht nur den Zugang zu den Archivalien zu erleichtern, sondern kann in vielen Fällen auch die direkte Akteneinsicht ersetzen.

Bei dem »Politischen Archiv« handelt es sich nicht, wie die Bestandsbezeichnung vielleicht nahelegt, um eine einheitliche Provenienz, also um die Akten, die ausschließlich im Sekretariat des Landgrafen, in seinem politischen Büro, erwachsen wären. Vielmehr sind auch diejenigen Akten eingearbeitet, die bei verschiedenen hessischen Behörden und Beamten, bei Kommissionen und Gesandtschaften ihren Ursprung genommen haben. Insofern ist der Kernbestand, eben die Akten, die unmittelbar beim Landgrafen selbst geführt worden sind, von mehreren Seiten angereichert worden. Dabei hat man im Fortgang der Ordnungsarbeiten in den einzelnen Teilen durchaus auch die alten Einheiten, so wie sie in den Registraturen ursprünglich zusammengehört haben, wieder zusammenfügen können. Erst mit der Herstellung der Ordnung des Gesamtbestandes ließen sich sein Umfang und seine Bedeutung wirklich überblicken. War früher manches wichtige Dokument nur durch Zufall wieder ans Licht geraten (z. B., wie oben erwähnt, die Niederschrift der Marburger Artikel), so konnte nun eine gezielte Forschung einsetzen, wobei man sicher sein kann, nichts Wesentliches zu übersehen. Außerdem kann man feststellen, daß das in diesem Bestande vereinigte Material, das einen Umfang von über 100 Regalmetern erreicht, eine einigermaßen vollständige Dokumentation darstellt. Die hessischen Archive sind in der Neuzeit von größeren Katastrophen verschont geblieben. Weder im 30jährigen Kriege noch im 7jährigen Kriege noch in den Napoleonischen Kriegen, wo Kassel jedesmal der Schauplatz kriegerischer Ereignisse war, sind nennenswerte Verluste eingetreten, obwohl während der Zeit des Königreichs

Westphalen auch Archivalien aus dem Hofarchiv nach Paris verbracht worden waren.[37] Eine empfindliche Lücke hat die von Kaiser Karl V. nach der Kapitulation von Halle 1547 verfügte Auslieferung von Akten des Schmalkaldischen Bundes hinterlassen. Sie befinden sich noch heute im Haus-, Hof- und Staatsarchiv in Wien, konnten aber immerhin im Inventar miterfaßt werden.[38]

Nicht in den Bestand einbezogen wurden, worauf ausdrücklich hinzuweisen ist, die Akten, die sich auf die innerhessische kirchliche Entwicklung beziehen, also auf die Visitationen, die Synoden, die Durchsetzung in den einzelnen Landesteilen und Gemeinden. Das darauf bezügliche Material ist im wesentlichen in den von der Historischen Kommission für Hessen veröffentlichten »Urkundlichen Quellen zur hessischen Reformationsgeschichte« erfaßt.[39] Das »Politische Archiv« verzeichnet dagegen die hessischen Akten, die sich auf die große Politik im Reich und Europa beziehen, dazu auch die, welche die persönlichen Verhältnisse des Landesherrn selbst betreffen: Ehe und Doppelehe, Testamente, Hausverträge und Ähnliches.

Zusätzlich enthält das »Politische Archiv des Landgrafen Philipp« aber auch einige Aktengruppen, die eigentlich nichthessischer Herkunft sind, jedoch schon im 16. Jahrhundert mit den hessischen Archiven vereinigt wurden oder die in der hessischen Kanzlei erwachsen sind. Dazu gehört einmal das, was von hessischen Beamten bei der Erledigung der politischen Geschäfte des Schmalkaldischen Bundes produziert worden ist, zum anderen sind hier als ausgesprochene Fremdprovenienzen die Beuteakten zu nennen, die Philipp von seinen Kriegszügen mitgebracht hat. Dazu gehören der hessische Beuteanteil an Archivalien nach dem Sieg über die Reichsritter (Hutten, Sickingen und Kronberg), dann die nach der Niederwerfung der Bauern 1525 beschlagnahmten Akten, darunter ein Teil des Briefwechsels Thomas Münzers, ferner die Aktenbeute aus dem Württembergischen Kriegszug 1534 (mit umfangreichen Korrespondenzen des Kaisers Maximilian I.) und schließlich die auf den Braunschweiger Kriegszügen 1542 und 1545 beschlagnahmten Teile der Registraturen des Herzogs Heinrich d. J. von Braunschweig-Wolfenbüttel.

Zur Ergänzung der Akten des Landgrafen Philipp können schließlich auch noch einige Bestände nichthessischer Provenienz herangezogen werden, die sich heute im Staatsarchiv Marburg befinden. Es sollen nur die erwähnt werden, die einen direkten Bezug zu den Hessischen Akten aufweisen. Zu nennen ist zunächst das Waldeckische Archiv, das zwischen 1900 und 1930 schrittweise nach Marburg überführt worden ist.[40] Waldecker Grafen haben im Gefolge des Landgrafen Philipp an den großen Reformationsreichstagen teilgenommen. Graf Philipp IV. von Waldeck trat schon auf dem Reichstag zu Worms 1521 zu Luther in nähere Beziehung – anders als sein Lehnsherr, Landgraf Philipp, der dem Reformator in Worms zwar anscheinend mit Wohlwollen, aber doch noch deutlich distanziert gegenüberstand. Der Waldecker Graf hat dann bei der Vorbereitung des Marburger Religionsgesprächs mitgewirkt, wo er die Teilnahme Karlstadts vermitteln sollte, und war 1529 wieder in Speyer mit dabei.[41]

Die waldeckische Überlieferung für die Reichstage selbst setzt allerdings erst 1530 und verstärkt in den vierziger Jahren ein. Graf Wolrad II., ursprünglich mehr der erasmischen Richtung zuneigend und wohl auch eine Gelehrtennatur, hat einen nicht unwesentlichen Anteil an den Verhandlungen jener Jahre gehabt. Als Vertreter des Landgrafen Philipp hat er am Reichstag 1546 und am Regensburger Religionsgespräch teilgenommen. Auf dem Augsburger Reichstag 1547 mußte er wieder persönlich erscheinen, um die kaiserliche Verzeihung für seine Haltung im Schmalkaldischen Krieg zu erlangen.[42] Die waldeckischen Akten dieser Zeit stellen zum Teil die Gegenakten zur hessischen Überlieferung dar und gehen in ihrem Aussagewert mitunter über diese hinaus. Noch wertvoller sind die Tagebücher, die Graf Wolrad geführt hat und von denen die stattliche Reihe von 15 Bänden in Marburg vorhanden ist – ein einzigartiges persönliches Dokument aus dieser Epoche.[43] Die referierende und reflektierende Darstellung wird erweitert durch eingefügte Dokumente und Briefe, die nun wiederum die umfangreichen, etwa in der zweiten Hälfte der dreißiger Jahre einsetzenden Korrespondenzen des Grafen mit Theologen und Gelehrten ergänzen. Hier sind neben zahlreichen anderen Melanchthon, Brenz, Aurifaber vertreten.[44]

Schriftliche Nachlässe von anderen Mitarbeitern des Landgrafen finden sich in den hessischen Adelsarchiven – es sei nur an die Namen Boyneburg, Dörnberg, Schenk, v.d. Tann erinnert. Die hessischen Adelsarchive, soweit sie überhaupt erhalten sind, sind heute fast ausnahmslos im Staatsarchiv Marburg deponiert. Leider ist die Ausbeute für die Reformationsgeschichte im ganzen gering, obwohl in vielen Fällen nicht nur Material von lokal- oder regionalgeschichtlicher Bedeutung zu erwarten wäre – so etwa bei Alexander v.d. Tann, der in vielen Missionen als hessischer Gesandter auf Reichstagen und bei Bundestagen des Schwäbischen Bundes gebraucht wurde, oder sein Vetter Eberhard v.d. Tann, kursächsischer Amtmann auf der Wartburg, Begleiter Luthers zum Marburger Religionsgespräch und bei vielen Gelegenheiten an den Verhandlungen zwischen Kursachsen und Hessen beteiligt. Von Eberhard v.d. Tann liegen mehrere Pakete mit Korrespondenz vor, doch fehlen darin gerade die prominentesten Namen. Im 19. Jahrhundert hatte ein Angehöriger der Familie eine umfangreiche Autographensammlung angelegt, in die auch Schriftstücke aus dem Archiv einverleibt wurden. Die Sammlung wurde 1882 versteigert, um Mittel für den Wiederaufbau der abgebrannten Stadtkirche zu gewinnen.[45]

Leider sind die Zugriffsmöglichkeiten bei den nichthessischen Beständen im Staatsarchiv Marburg bei weitem nicht so günstig wie für das Politische Archiv des Landgrafen Philipp. Hier liegen neben dem gedruckten Inventar mit seinem ausführlichen Register noch andere Findhilfsmittel vor – das hessische Dienerbuch von Franz Gundlach[46], das alle Beamten der Zentralbehörden erfaßt und das biographische Material zusammenstellt, ein Itinerar des Landgrafen Philipp[47], eine Sammlung von Handschriftenproben aus dem 16. Jahrhundert[48] – dort hingegen fehlen oft die einfachsten Verzeichnisse. Zum Teil sind nur grobe summarische Übersichten vorhanden, zum Teil müssen noch die alten Repertorien aus dem 18. Jahrhundert benutzt werden. Erst in den letzten Jahren ist die Erschließung wieder rascher vorangeschritten, neue Findbücher konnten vorgelegt werden oder sind in Bearbeitung.[49] Dabei bleibt die Freude, hin und wieder auch Neuentdeckungen machen zu können.[50]

Wenn zum Schluß ganz knapp noch einmal ausgedrückt werden soll, worin die Bedeutung der Marburger Überlieferung für die Reichs- und Reformationsgeschichte zu sehen ist, wären folgende Punkte zu nennen:

1. in der Bedeutung des Überlieferungsbildners selbst, d.h. in der Stellung, die die hessische Politik unter Landgraf Philipp eingenommen hat;
2. in der Breite und Vielseitigkeit der erhaltenen hessischen Überlieferung, die durch Material aus anderen Provenienzen ergänzt wird;
3. in dem im ganzen zufriedenstellenden Ordnungszustand, in dem die hessischen Akten sich befinden und der eigentlich die Voraussetzung für eine ertragreiche Auswertung in der Forschung geboten hat.

Anmerkungen

1 Der Schriftwechsel Sleidans mit Landgraf Philipp 1545/46 in Staatsarchiv Marburg (im folgenden: StA MR) Best. 3 (Politisches Archiv des Landgrafen Philipp) Nr. 2928. Die Briefe sind verzeichnet bei Hermann Baumgarten, Über Sleidans Leben und Briefwechsel, Straßburg und London 1878.

2 Zu Hortleder vgl. ADB (= Allg. Deutsche Biographie) Bd. 13, S. 165–169, und Franz Schnabel, Deutschlands geschichtliche Quellen und Darstellungen in der Neuzeit, Leipzig und Berlin 1931 (Neudruck Darmstadt 1972), S. 274f.

3 Vgl. Hermann Heimpel, Deutsche Reichstagsakten Ältere Reihe. In: Die Historische Kommission bei der Bayerischen Akademie der Wissenschaften 1858–1958, Göttingen 1958, S. 83f.

4 Da Hessen im 16. Jahrhundert »... eine hochwichtige Rolle in allen Reichsverhandlungen gespielt hat, so wird es auch im wohlerkannten Interesse einer hohen Staatsregierung liegen, die Veröffentlichung solcher Verhandlungen in jeder Art zu unterstützen und zu befördern«. Bericht Rommels 1847, Aug. 6, in StA MR Best. 156c XXXIII.

5 Christoph v. Rommel, Philipp der Großmütige, Landgraf von Hessen. Ein Beitrag zur genaueren Kunde der Reformation und des 16. Jahrhunderts. Nebst einem Urkundenbande. 3 Bde, Gießen 1830.

6 Denkschrift des Marburger Archivars Gustav Könnecke 1876 über den Zustand der hessischen Archive (in StA MR Best. H, Nr. 104a, S. 155).

7 Urkunden aus der Reformationszeit, Kassel 1836; Merkwürdige Aktenstücke aus dem Zeitalter der Reformation, Nürnberg 1838; Neue Beiträge zur Geschichte der Reformation, Leipzig 1841. Über Neudecker vgl. ADB Bd. 23, S. 479ff.

8 Die Benutzungsanträge der auswärtigen Gelehrten in den Akten des kurhessischen Außenministeriums (StA MR Best. 9a, Nr. 1544, 1552) und des Innenministeriums (Best. 16.I, 18, Nr. 33).

9 Außer der in Anm. 14 zitierten Schrift über das Marburger Religionsgespräch sind u.a. zu nennen Arbeiten über die Beziehungen Englands zur Reformation in Deutschland (1859), über die Doppelehe des Landgrafen Philipp (1852), über die hessischen

Generalsynoden (1847), über die Einführung der Verbesserungspunkte unter Landgraf Moritz. Ein vollständiges Schriftenverzeichnis Heppes mit genauen bibliographischen Angaben geben die Annalen der Universität Marburg 1879, vgl. auch Ernst Bizer, Heinrich Heppe. In: Lebensbilder aus Kurhessen und Waldeck 1830–1930 (= Veröffentlichungen der Historischen Kommission für Hessen und Waldeck 20), Bd. 6, Marburg 1958, S. 112–127. Die Benutzerakten Heppes in StA MR Best. 156c, Nr. XXX.

10 Vgl. dazu Carl Knetsch, Das Staatsarchiv zu Marburg. In: Archivalische Zeitschrift 39, 1930, S. 43–54.

11 Briefwechsel des Landgrafen Wilhelm IV. mit Caspar Peucer, dem Schwiegersohn Melanchthons, und anderen in StA MR Best. 3 I (Politisches Archiv der Söhne des Landgrafen Philipp).

12 Briefwechsel des Landgrafen Wilhelm IV. mit Kurfürst Friedrich III. von der Pfalz (ebd.).

13 Briefwechsel des Landgrafen Wilhelm IV. mit Pfalzgraf Ludwig (ebd.).

14 Heinrich Heppe, Die fünfzehn Marburger Artikel vom 3. October 1529 nach dem wieder aufgefundenen Autographon der Reformatoren als Facsimile veröffentlicht und nach ihrer historischen Bedeutung bevorwortet, Kassel 1847.

15 Erlaß des preuß. Staatsministeriums über die Verlegung der Kasseler Archive nach Marburg vom 6. Nov. 1868 (in StA MR Best. 150, Nr. 153).

16 Vgl. das Verzeichnis der an der Universität Marburg in den Fachgebieten Mittelalterliche und Neuere Geschichte angefertigten Dissertationen bei Ingrid Kräling, Marburger Neuhistoriker 1845–1930. Ein Beitrag zu Historiographie und Studium an der Philippine (= Academia Marburgensis Bd. 5), Marburg 1985.

17 Der Marburger Archivar Gustav Könnecke erhielt schon 1875 die Genehmigung, paläographische und diplomatische Übungen für Studenten der Geschichtswissenschaften abzuhalten (vgl. StA MR Best. 156e, Nr. 1161). Zu einer engeren Zusammenarbeit zwischen Universität und Staatsarchiv trug die 1893 eingerichtete Archivschule bei, in der zahlreiche Lehrveranstaltungen von Hochschullehrern übernommen wurden. Vgl. dazu Wolfgang Blöß, Anfänge archivarischer Berufsausbildung in Deutschland. In: Archivmitteilungen 9, 1959, S. 52–59.

18 Vgl. die Notiz in Hessenland 34, 1920.

19 Vgl. Paul Kehr, Ein Jahrhundert preußischer Archivverwaltung. In: Archivalische Zeitschrift 35, 1925, S. 321; und Hermann Heimpel, Über Organisationsformen historischer Forschung in Deutschland. In: Historische Zeitschrift 189, 1959, S. 163. Zur Biographie Sybels: Helmut Seier, Heinrich von Sybel. In: Hans-Ulrich Wehler, Deutsche Historiker, Göttingen 1973, S. 132–146.

20 Bd. 1 erschien 1880 als fünfter Band in der Reihe der von Sybel begründeten »Publikationen aus den k. preußischen Staatsarchiven«.

21 Als Bd. 1 der von der Historischen Kommission bei der Bayerischen Akademie der Wissenschaften herausgegebenen »Briefe und Akten zur Geschichte des 16. Jahrhunderts (...)«.

22 Politische Korrespondenz Straßburgs im Zeitalter der Reformation, Bd. 1, bearb. von Hans Virck, Straßburg 1882.

23 Vgl. Herbert Grundmann, Deutsche Reichstagsakten, Jüngere Reihe. In: Die Historische Kommission (wie Anm. 3), S. 132ff.

24 Genaue bibliographische Nachweise ebd. S. 231.

25 Vgl. Herbert Grundmann, ebd. S. 138.

26 In StA MR Best. 156e.

27 Die folgenden Titel, zu ihrer Zeit Standardwerke, sind zum Teil bis heute nicht ersetzt: Friedrich von Bezold, Geschichte der deutschen Reformation, Berlin 1890; ders., Briefe des Pfalzgrafen Johann Casimir, 3 Bde., München 1892–1903; Georg von Below, Die Ursachen der Reformation, Berlin 1917; Moriz Ritter, Deutsche Geschichte im Zeitalter der Gegenreformation und des dreißigjährigen Krieges, 3 Bde., Stuttgart und Berlin

1889–1908; Gustav Wolf, Quellenkunde der deutschen Reformationsgeschichte, 3 Bde., Gotha 1915–1923; Johannes Kühn, Die Geschichte des Speyrer Reichstags 1529, Leipzig 1929.

28 Zum Stand der Edition der Reichstagsakten vgl.: Historische Kommission bei der Bayerischen Akademie der Wissenschaften 1858–1983, München 1984.

29 Politische Korrespondenz des Herzogs und Kurfürsten Moritz von Sachsen, Bde. 3 (1547–1548) und 4 (1548–1551), bearb. von Johannes Herrmann und Günther Wartenberg, Berlin 1978 und 1992. – Es stehen noch 2 Bde. für die Zeit bis zum Tode des Kurfürsten aus.

30 D. Martin Luthers Werke. Kritische Gesamtausgabe (Weimarer Ausgabe), 4. Abt.: Briefwechsel, 17 Bde., Weimar 1930–1983.

31 Vgl. z.B. Wilhelm Martin Leberecht de Wette, Dr. Martin Luthers Briefe, Sendschreiben und Bedenken, 6 Bde., Berlin 1826–1856.

32 Vgl. Fritz Wolff, Luther in Marburg, Marburg 1983, Anhang.

33 Friedrich Küch, Politisches Archiv des Landgrafen Philipp des Großmütigen von Hessen. Inventar der Bestände, 2 Bde. (= Publikationen aus den k. preußischen Staatsarchiven 78 und 85), Leipzig 1904 und 1910.

34 Vgl. Franz Schnabel, Deutschlands geschichtliche Quellen (wie Anm. 2), S. 166.

35 Vgl. Hermann Heimpel, Über Organisationsformen (wie Anm. 19), S. 164.

36 Bd. 3, Marburg 1954, Bd. 4, Marburg 1959 (= Veröffentl. der Historischen Kommission für Hessen und Waldeck 24. 1 und 2).

37 Die Akten darüber in StA MR Best. 156c I.2.

38 Vgl. die Einleitung zu Bd. 1 des Polit. Archivs (wie Anm. 33), S. XVII.

39 Urkundliche Quellen zur hessischen Reformationsgeschichte, Bd. 1, bearb. von Walter Sohm, Territorium und Reformation in der hessischen Geschichte; Bd. 2, bearb. von Günter Franz, Akten 1525–1547; Bd. 3, v.dems., Akten 1547–1567; Bd. 4, v.dems., Wiedertäuferakten (= Veröffentl. der Historischen Kommission für Hessen und Waldeck 11. 1–4), Marburg 1915, 1951–1955.

40 Vgl. Ewald Gutbier, Zur Geschichte der Waldecker Archive. In: Archivalische Zeitschrift 39, 1930, S. 55–68.

41 Vgl. Dieter Waßmann, Waldeck. Geschichte einer Landeskirche (= Monographia Hassiae 10), Kassel 1984, S. 25ff.

42 Vgl. Gerhard Menk, Die Beziehungen zwischen Hessen und Waldeck von der Mitte des 16. Jahrhunderts bis zum Westfälischen Frieden. In: Geschichtsblätter für Waldeck 75, 1987, S. 77ff.

43 Vgl. Victor Schultze, Das Tagebuch des Grafen Wolrad II. zu Waldeck zum Regensburger Religionsgespräch 1546. In: Archiv für Reformationsgeschichte 7, 1909/10, S. 135–184, 294–337; und C. L. P. Tross, Des Grafen Wolrad von Waldeck Tagebuch während des Reichstages zu Regensburg 1548, Stuttgart 1861 (Neudruck Hildesheim 1980).

44 In StA MR Best. 115.1 Pak. 77.

45 Vgl. Hans Körner, Die Archive der Freiherren von und zu der Tann. In: Mitteilungen für die Archivpflege in Bayern 22, 1976, S. 57.

46 Franz Gundlach, Die hessischen Zentralbehörden von 1247–1604 (= Veröffentl. der Historischen Kommission für Hessen und Waldeck 16), Bd. 3: Dienerbuch, Marburg 1930.

47 Bei der Bearbeitung des Polit. Archivs des Landgrafen Philipp von Friedrich Küch und seinen Mitarbeitern angelegt, in StA MR Best. R, Nr. 926.

48 In StA MR Best. H, Nr. 104c.

49 Zuletzt das Repertorium zu Best. 115.7 (Waldeck, Ältere Kanzleien, Kirchensachen), bearb. von Gerhard Menk, Marburg 1988 (Ms.).

50 So z.B. unbekannte Briefe von Martin Butzer und Jakob Sturm 1546 in Best. 115.2 Münster Nr. 2.

Superintendent Caspar Kauffunger
Ein Lebensbild aus der Reformationszeit

Von Günter E. Th. Bezzenberger †

Nach Einführung der Reformation in der Landgrafschaft Hessen (1526) wurde der ehemalige Lesemeister des Karmeliterklosters und Kaplan der Hofkapelle, Johannes de Campis, im Jahre 1531 zum ersten Superintendenten des Visitationsbezirkes (Diözese) Kassel ernannt.[1] Ihm folgten nach seinem Tode: Johannes Fontius (1536–1538), Johannes Kymäus (1538–1547)[2] und danach Caspar Kauffunger (1547–1569). Dessen Leben und Wirken spiegelt exemplarisch den Verlauf der hessischen Reformation wider. Ein kurz vor seinem Tode verfaßter eigenhändiger Lebenslauf überliefert einige besondere biographische Angaben.[3] Die dennoch spärlichen Lebensdaten und die urkundlichen Erwähnungen gewinnen erst Farbe, wenn sie in ihrem kirchengeschichtlichen Kontext dargestellt werden.

1. Herkunft und Jugend

Der Nachname »Kauffunger« erinnert an seinen Geburtsort, das traditionsreiche Dorf Oberkaufungen, östlich von Kassel. Neben dieser Herkunftsbezeichnung werden von ihm noch andere Nachnamen gebraucht, der Dorfname seiner Familie: »Wagner«, die Berufsbezeichnung seines Vaters: »Fleischhauer«, die er nach Humanistenbrauch auch ins Lateinische übersetzt: »Lanius«. Gelegentlich latinisiert er ebenfalls seine Herkunftsbezeichnung: »Confugianus«. Ferner findet sich die Kurzform »Herr Caspar« als Unterschrift. Familiennamen waren damals noch nicht festgeschrieben.

»Wagner« ist ein im 16. Jahrhundert mehrfach nachweisbarer Familienname in Oberkaufungen.[4] Durch den Hinweis Caspar Kauffungers auf seinen Geburtsort ist somit dieser Familienname bereits für das 15. Jahrhundert belegt. Seine Eltern waren Hermann Wagner und dessen Ehefrau Katharina, deren Mädchenname nicht bekannt ist. Kurz vor dem Jahre 1500 dürfte er geboren sein, Hütteroth nimmt als Geburtsjahr 1498 an.[5]

Caspar Kauffunger berichtet in seinem Lebenslauf, daß er auf Veranlassung eines »Vetters« (damit ist im damaligen Sprachgebrauch allgemein ein Verwandter gemeint, in diesem Fall vermutlich ein Onkel) Partikularschüler in Kassel wurde. Der junge Caspar muß diesem Verwandten, dem Kasseler Kanonikus Hermann Reymbold[6], als besonders bildungsfähig und förderungswürdig aufgefallen sein. Partikularschüler wohnten nicht im Schulinternat, sondern bei einer Familie und nahmen nur am Unterricht teil. Luthers Schulzeit in Magdeburg und Eisenach bietet dafür Parallelen.[7] Es ist denkbar, daß Caspar im Hause seines Verwandten Reymbold aufgenommen wurde.

Mit fünfzehn Jahren brachte man ihn zur schulischen Weiterbildung und zur Vorbereitung auf ein Studium nach Naumburg/Saale. Dieser vorgezeichnete Weg wurde durch Caspars plötzlichen und ohne Rücksprache mit den Eltern und Verwandten gefaßten Beschluß, in das Zisterzienserkloster Pforta bei Naumburg einzutreten, jäh unterbrochen. Im Rückblick schreibt er, dies habe er aus »furwitz« (= Unbesonnenheit) getan. Auch während seiner Ordenszugehörigkeit förderte man seine weitere Ausbildung. Er wurde zum Theologiestudium an die 1409 von den Markgrafen Friedrich IV. und Wilhelm II. von Meißen gegründeten Universität Leipzig entsandt. Dort besaß der Zisterzienserorden seit 1427 ein eigenes Studieninstitut, das von der Zisterze Altzelle unterhaltene St. Bernhardskolleg. 1522 erlangte Caspar Kauffunger den Magistergrad und wurde Determinator am St. Bernhardskolleg. Drei Jahre später erreichten seine Eltern den Austritt aus dem Orden und die Rückkehr in die hessische Heimat. Inzwischen hatte hier auch die Reformation Fuß gefaßt.

2. Kaplan in Kirchditmold und Diakon in Kassel

Caspar Kauffungers Rückkehr dürfte durch eine bereits in Sachsen erfolgte Hinwendung zur Reformation zumindest mitveranlaßt worden sein. Wenn auch die Leipziger Universität streng scholastisch geprägt war, so haben gewiß Luthers Auftreten bei der Leipziger Disputation (1519) und die Nähe Wittenbergs hinreichend auf die kirchliche Reformbewegung und ihre Einstellung zum Klosterleben aufmerksam gemacht.[8] Bereits im Jahre seiner Rückkehr (1525) wurde Caspar Kauffunger von dem Kasseler Hofprediger und Visitator Adam Krafft als Kaplan in Kirchditmold eingesetzt. Die Bestellung Adam Kraffts zum Hofprediger erfolgte am 15. August 1525. Caspar Kauffunger wurde demnach etwa im Frühherbst dieses Jahres ordiniert.

Die Berufung zum Kaplan in Kirchditmold hatte einen besonderen Grund. Der dortige Pfarrer D. Walter[9], der letzte katholische und erste evangelische Pfarrer, konnte wegen Krankheit sein Amt nicht versehen und erhielt deshalb Caspar Kauffunger als Hilfskraft an die Seite gestellt. Zehn Jahre, vermutlich bis zum Tode »D.« Walters (1534), blieb er dessen Kaplan. Danach wurde er Diakon (= 2. Pfarrer) der Freiheiter (Martinskirche) und der Altstädter Gemeinde (Brüderkirche) in Kassel. Die Versetzung nach Kassel läßt erkennen, daß sich Caspar Kauffunger während seiner Kirchditmolder Tätigkeit als fähiger reformatorischer Theologe und Seelsorger bewährt hatte und Landgraf Philipp auf ihn aufmerksam geworden war.

Die in den Städten tätigen Pfarrer hatten von der mittelalterlichen Kirchenorganisation herkommend eine »Metropolitan-Funktion« gegenüber den Pfarreien im Umland.[10] Sie bildeten das kirchliche »Stadtministerium«, waren Vertreter der Pfarrerschaft in theologischen und kirchlichen Angelegenheiten und wurden vom Landgrafen als Berater hinzugezogen. So findet sich nun auch der Name Caspar Kauffungers unter manchen Gutachten und Dokumenten aus der Aufbauzeit der protestantischen Kirche in der Landgrafschaft Hessen.

3. Die Wiedertäuferbewegung

Ein besonderes, den Aufbau der reformatorischen Kirche gefährdendes Problem entstand in den 30er Jahren durch das verstärkte Auftreten von Wiedertäufern in der Nachfolge von Melchior Rinck[11], der 1528 zunächst im thüringisch-hessischen Grenzgebiet tätig war. Zentren der Wiedertäuferbewegung gab es in Hessen u.a. in Treffurt, Fritzlar, Marburg, Allendorf und Gießen. Die Forderungen der Wiedertäufer sind aus hessischen Landesordnungen, z.B. der Visitationsordnung von 1537[12], aus Gutachten, die Landgraf Philipp einholte, und aus den Protokollen über Verhöre von Wiedertäufern ersichtlich.[13] Unter ihnen gab es radikale Kräfte, deren Ziel die Überwindung weltlicher Herrschaft durch die Errichtung eines theokratischen Staates war, und gemäßigtere, die abseits vom vorfindlichen Gemeindeleben, in dem sie Laxheit und Unglaubwürdigkeit beobachteten, ein »schriftgemäßes Christsein«, wie sie es verstanden, zu verwirklichen trachteten.

Landgraf Philipp sah mit Besorgnis das Anwachsen der Täuferbewegung, obschon eine Reihe ihrer Häupter in Gewahrsam genommen war. Er erkannte, durch harsches Vorgehen könne ihre Verbreitung nicht gehemmt werden. Die Auseinandersetzung mit den Wiedertäufern hatte inzwischen dahin geführt, daß die hessischen Theologen kaum mehr von ihnen als Gesprächspartner akzeptiert wurden. Darum sah sich Landgraf Philipp nach einer Persönlichkeit um, die durch das bisherige Vorgehen nicht belastet war. Seine Wahl fiel auf Martin Bucer, den Straßburger Reformator, mit dem er seit 1529 in Briefwechsel stand und der die Täuferbewegung von Straßburg her genau kannte. Er wurde nun sein entscheidender Berater, zu dem er volles Vertrauen hatte und der in der Folgezeit starken prägenden Einfluß auf die Gestalt der protestantischen Kirche in der Landgrafschaft gewann.

Landgraf Philipp lud Martin Bucer nach Hessen ein. Der folgte dem Ruf und kam im Oktober 1538 zunächst nach Kassel. Danach nahm er Gespräche mit den Häuptern der Wiedertäuferbewegung auf. Sie führten zu Verständigungen und zur Bereitschaft, ihre Anhänger zur Kirche zurückzuführen. Deutlich blieb aber ihre Forderung, die mangelnde Seelsorge der Pfarrer und die Versäumnisse an evangeliumsgemäßer Lebensweise in den Gemeinden zu bessern. Zu diesem Zweck entwarf Martin Bucer eine »Christliche Kirchenzucht-Ordnung« (= Ordnung zur christlichen Gemeindeerziehung). Sie wurde zwischen dem 25. und 30. November 1538 in Ziegenhain einer Zusammenkunft von landgräflichen Räten, Abgesandten der Städte und hessischen Theologen zur Begutachtung vorgelegt und von ihnen befürwortet. Nach Berücksichtigung einiger Änderungswünsche des Landgrafen ging die Ordnung im Januar 1539 in Druck.[14]

Die »Ziegenhainer Kirchenzuchtordnung« wurde Bestandteil der »Kasseler Kirchenordnung«[15], die Martin Bucer mit einigen niederhessischen Theologen, darunter Caspar Kauffunger, und Pfarrer Pistorius aus Nidda[16] Ende November 1538 erarbeiteten. Sie legt das gottesdienstliche Leben für die Stadt Kassel dar, enthält aber keine liturgischen Formulare. Als »Metropolitan-Ordnung« sollte sie natürlich für die gesamte Diözese prägend sein. Die Kasseler Kirchenordnung wurde am 8. Dezember Landgraf Philipp überreicht und von ihm gebilligt. Ihr Druck erfolgte im Januar 1539 in Marburg.

In Zusammenhang mit dieser Kirchenordnung erstellten die Kasseler Theologen einen Auszug aus dem von Martin Bucer stammenden »Straßburger Katechismus« von 1534. Der »Kurze Katechismus für Schüler und andere Kinder zu Kassel«[17], der 1539 in Erfurt publiziert wurde, war zunächst für den Gebrauch in der im gleichen Jahr eröffneten Lateinschule am Martinsstift gedacht. Er ist kennzeichnend für den Einfluß Martin Bucers auf die Kasseler Hoftheologen und ihre vermittelnde Tendenz zwischen den reformatorischen Richtungen im Einklang mit der Kirchenpolitik des Landgrafen. Dies brachte eine gewisse Distanzierung zur Theologie Martin Luthers mit sich; ihr blieb der Marburger Superintendent Adam Krafft dagegen sein Leben lang ungeschmälert verpflichtet.

4. Die Judenfrage

Im Jahre 1532 hatte Landgraf Philipp den in Hessen ansässigen Juden einen Schutzbrief ausgestellt, der ihnen für sechs Jahre unter für die damalige Zeit milden Bedingungen einen friedlichen Verbleib erlaubte und ihnen Schutz vor Übergriffen zusicherte. Nach Ablauf der Frist sollten sie sich entweder taufen lassen oder außer Landes gehen. Für die gewährte Duldung mußten die Juden den üblichen »Schutzpfennig« entrichten.

Nachdem nun die sechsjährige Frist verstrichen war, mußte sich der Landgraf erneut mit der Judenfrage befassen. Aus diesem Anlaß hatte vermutlich die hessische Judenschaft ihre Wünsche dargelegt, die in der landgräflichen Kanzlei zu einem sieben Artikel umfassenden »Vorschlag« umgearbeitet wurden. Da Landgraf Philipp die ablehnende Haltung der hessischen Pfarrerschaft zu einer weiteren Duldung der Juden bekannt war, erbat er zunächst von einer Theologenkommission eine Stellungnahme zu dem »Vorschlag«. Als Mitglieder wurden bestellt: der Kasseler Superintendent Johannes Kymäus, Hofprediger Dionysius Melander, Pfarrer Johannes Lening aus Melsungen, Johannes Pistorius aus Nidda und Caspar Kauffunger. Ferner gehörte ihr Martin Bucer an. Die Kommission trat Anfang Dezember 1539 in Melsungen zusammen und verfaßte einen »Ratschlag«, der deutlich Martin Bucers Handschrift trug und von der Grundeinstellung geprägt war, daß die Juden »bey den volkern, bey denen sie wonen, die vndersten vnd der schwanz sein vnd am aller herttesten gehalten werden sollen«.[18] Mildernd wird hinzugefügt, die christliche Obrigkeit solle den

Juden für die Berufe, die ihnen gestattet werden, Schutz gewähren. Von den Christen wird erwartet, daß sie sich ihnen gegenüber barmherzig und freundlich verhalten, keinen Spott mit ihnen treiben und sie dadurch christliches Mitleid und Liebe erfahren lassen.

Obschon die beteiligten hessischen Theologen den von Martin Bucer geprägten »Ratschlag« unterzeichneten, betonten sie, daß sie dennoch eine generelle Ausweisung der Juden für die beste Lösung hielten, weil sie befürchteten, die landgräflichen Behörden seien nicht in der Lage, die Grundsätze des »Ratschlags« zu realisieren, und die Judenschaft fände daher Wege, die landgräflichen Ordnungen zu umgehen. Dennoch hofften sie, daß es »mit Gott« gelänge, den »Ratschlag« zu realisieren und die Juden im Lande zu belassen. Diese Bedenken, die der grundsätzlichen Billigung des »Ratschlags« angefügt sind, erweisen die überlegene, wenn auch fragwürdige theologische Argumentation Martin Bucers, auf die im Rahmen dieser Darstellung nicht weiter eingegangen werden kann.[19] 1539 erließ Landgraf Philipp eine Judenordnung, die vom »Ratschlag« abwich und wiederum von einem für die damalige Zeit milderen Verhalten gegenüber den im Lande ansässigen Juden geprägt war.

5. Die Doppelehe des Landgrafen

In das Jahr 1540 fällt ein tragisches Ereignis, das bald im ganzen Reich politisch wie theologisch zu starker Beunruhigung und Betroffenheit führte. Es beeinträchtigte deutlich das Ansehen des Landgrafen als Protagonisten der reformatorischen Bewegung und zeitigte schwere Folgen für sein weiteres Lebensschicksal: die Doppelehe mit Margaretha von der Saale.[20] Die Trauung fand durch Hofprediger Dionysius Melander am 4. März im Rotenburger Schloß statt. Mehrere landgräfliche Räte, Martin Bucer und Philipp Melanchthon, den man ohne Mitteilung des Grundes aus Schmalkalden, wo er sich gerade aufhielt, herbeigerufen hatte, nahmen an der Eheschließung teil. Die Heiratsurkunde stellten der Hersfelder Prediger und kaiserliche Notar Balthasar Raid aus.

Im Zusammenhang mit dieser Doppelehe hatte sich Pfarrer Johann Kirchhain, Kassel-Neustadt, in einer Predigt, ohne einen Namen zu erwähnen, gegen die Bigamie ausgesprochen. Die Sache wurde stadtbekannt, und da der Hofprediger Melander auswärts war, wurde Caspar Kauffunger beauftragt, Pfarrer Kirchhain wegen des Vorfalls zu befragen. Der Bericht, den dann Melander an den Landgrafen schickte, ist auch von Superintendent Kymäus und Caspar Kauffunger unterzeichnet. Vor den Unterschriften steht der besorgte Hinweis Melanders: »Bitt E. F. G. wollen diese sache beherzigen, den ich besorghe, sie werde bosse ende nemen, wo nicht geradten wirt.«[21]

Den Sturm der Entrüstung, den die Doppelehe im protestantischen Lager auslöste, und die Bedrängnis, in die Martin Luther durch seinen der Doppelehe zustimmenden Beichtrat geraten war, versuchte Landgraf Philipp durch persönliche Schreiben und durch Denkschriften seiner Theologen zu dämpfen. Vor allem bemühte er sich, zu einer Verständigung mit dem sächsischen Kurfürsten Johann Friedrich zu gelangen, der neben ihm Haupt des »Schmalkaldischen Bundes« evangelischer Territorien und Städte war. Schließlich gelang es, den Kurfürsten zu einem Konvent in Eisenach zu bewegen, auf dem die strittigen Fragen erörtert werden sollten.[22] Die Versammlung fand am 28. Juli 1540 statt; Martin Luther stand an der Spitze der angereisten sächsischen Theologen. Zur hessischen Delegation gehörten Kanzler Johannes Feige und einige Theologen, unter ihnen Caspar Kauffunger. Der Konvent begann mit einer zornerfüllten Anklage Martin Luthers, der sich von Landgraf Philipp wegen des Bekanntwerdens des Beichtrates und der Doppelehe hintergangen fühlte, und endete mit dem Übereinkommen, eine Nebenehe dürfe unter bestimmten Voraussetzungen um des Gewissens willen und zur Verhütung größerer Sünden gestattet werden. Uneins blieb man in der Frage, ob eine Nebenehe absolutes Geheimnis bleiben müsse oder gegebenenfalls, wie die hessischen Theologen argumentierten, auch bekannt werden dürfe. Die Beteiligung Caspar Kauffungers am Eisenacher Konvent zeigt ihn auf der Seite des Landgrafen. Er rechtfertigte die Doppelehe wie sein Melsunger Kollege Johannes Lening, der ebenfalls am Eisenacher Konvent teilnahm und den Schritt des Landgrafen auch literarisch verteidigte. Ablehnend verhielt sich dagegen der Alsfelder Superintendent D. Tilemann Schnabel.

Betrachtet man allgemein die Gutachten und Stellungnahmen hessischer Theologen aus jener Zeit zu den verschiedensten Sachfragen, so fällt auf, daß sie häufig theologisch geringen Tiefgang haben, eher pragmatisch als grundsätzlich sind, mehr referieren als argumentieren[23] und sich oft darin erschöpfen, die Vorhaben des Landgrafen zu bestätigen oder den Entwürfen und Vorlagen von Beratern, wie z.B. Martin Bucer, zuzustimmen. F. W. Hassenkamp führte diese Beobachtung zu dem kategorischen Urteil: »Selbständig und schöpferisch auf theologischem Gebiet aufzutreten war in der ganzen Reformationszeit niemals die Sache der hessischen Pfarrer.«[24] – Doch der nun folgende Zeitabschnitt offenbart eine besondere Qualität der hessischen Pfarrerschaft: ihre standhafte Treue zum reformatorischen Bekenntnis.

6. Superintendent der Diözese Kassel

Das Amt des »Superintendenten« wurde in den protestantischen Territorien zuerst durch die »Kursächsische Visitationsordnung« von 1527 eingeführt.[25] Es hat zwei Wurzeln. Zum einen das mittelalterliche Amt der von Bischöfen oder Ordensoberen auf Zeit eingesetzten »Visitatoren« mit speziellem Auftrag; zum andern das Amt der »Erzpriester« (Archipresbyter), die die kirchliche Aufsicht in den Unterbezirken der Bistümer ausübten. Den weltlichen Verwaltungseinheiten entsprechend umfaßten die Archipresbyterate meist mehrere Gerichtsbezirke.

Die Reformation bezeichnete unter Bezug auf das Neue Testament den Gemeindepfarrer als Ortsbischof und stellte damit seine eigenständige Aufgabe und seinen geistlichen Rang heraus.[26] Die Bezeichnung »Superintendent« war zunächst in der Alten Kirche nichts anderes als die lateinische Übersetzung des griechischen Wortes »episcopos« und findet sich bereits bei Hieronymus und Augustinus. In der Spätscholastik wurde der Begriff speziell für die Regierungsfunktion der Bischöfe als geistliche Landesherren gebraucht. Mit der Übernahme dieses Begriffes in die protestantischen Kirchenordnungen wurde ein besonderes Amt installiert, das zwischen den Ortsbischöfen und dem Landesherrn als »summepiscopus« stand. Dieses neue Amt war mit kirchenregimentlichen Aufgaben ausgestattet und mit den weltlichen Verwaltungseinheiten verkoppelt. Amtmann und Superintendent sollten sich in ihren Aufgaben ergänzen und somit innerhalb der christlichen Grundordnung des Landes zu dessen Wohl zusammenwirken.

Der Superintendent hatte die Aufsicht über die Pfarrerschaft seiner Diözese, die besonders durch Visitationen ausgeübt wurde. Er verwaltete und verteilte die Gelder, die der Landesherr zur Aufbesserung der Pfarrerversorgung zur Verfügung stellte. In Hessen hatte er Voruntersuchungen bei Ehestreitigkeiten und Unzuchtsfällen zu führen und Gutachten für die Entscheidungen der Gerichte zu erstellen. Mit den anderen Superintendenten gehörte er zu den Beratern des Landesherrn in kirchlichen Angelegenheiten. Die jährliche Zusammenkunft (Synode) der Superintendenten bildete die Kirchenleitung und beriet z. B. über die Besetzung freigewordener Pfarrstellen. Die Beschlüsse bedurften der Zustimmung des Landgrafen. Die erste Ordnung über Auftrag und Umfang der Tätigkeit der Superintendenten erließ Landgraf Philipp durch die »Kirchendienerordnung« von 1531[27], in der eingangs die bereits ernannten Superintendenten namentlich erwähnt werden.

Vor Weihnachten 1546 erlitt der Kasseler Superintendent Johannes Kymäus einen Schlaganfall und konnte sein Amt nicht mehr ausüben. Im folgenden Jahr trat Caspar Kauffunger an seine Stelle, der nun zugleich erster Pfarrer von Kassel-Altstadt wurde. Zur Diözese Kassel gehörten über 80 Pfarrstellen. Caspar Kauffunger übernahm sein Amt gegen Ende des »Schmalkaldischen Krieges«, dessen bedrückende Folgen die ersten Amtsjahre überschatteten.

7. Das Interim

Durch eine mit den Türken ausgehandelte Waffenruhe hatte Kaiser Karl V. freie Hand bekommen, seine protestantischen Widersacher, die sich im »Schmalkaldischen Bund« zusammengeschlossen hatten, niederzuringen. Sein erklärtes Ziel war, die religiöse Reichseinheit und damit zugleich die Vormacht des Kaisers wiederherzustellen. Der Krieg begann im Todesjahr Martin Luthers (1546) und endete mit der Niederlage des »Schmalkaldischen

Bundes« am 24. April 1547 in der Schlacht auf der Lochauer Heide bei Mühlberg a.d. Elbe. Kurfürst Johann Friedrich I. von Sachsen wurde gefangengesetzt, wie auch Landgraf Philipp nach seinem Fußfall vor dem Kaiser (Halle, 19. Juni 1547). Harte Auflagen und Kontributionen bedrückten nach der Niederlage die Landgrafschaft Hessen.

Mit einem im Mai 1548 vom »Augsburger Reichstag« verabschiedeten »Interim«, das bis zu einem endgültigen Konzilsbeschluß gelten sollte, versuchte der Kaiser die Wiederherstellung der Glaubenseinheit im Reich einzuleiten. Priesterehe und Laienkelch wurden den Protestanten vorläufig zugestanden, im übrigen sollte die alte kirchliche Ordnung wiederhergestellt werden.

Landgraf Philipp trachtete voll Ungeduld danach, von der unerwarteten und schmachvollen Gefangensetzung freizukommen. Eine Chance sah er darin, daß das »Interim« dem Reichstagsbeschluß gemäß in der Landgrafschaft eingeführt werde. Er ließ auch dem Kaiser mitteilen, nur durch seine Anwesenheit in Hessen könne das »Interim« Geltung erlangen. Nach seiner Freilassung dachte er allerdings Wege zu finden, die seine taktische Entscheidung revidierten.

Um dem Willen des Landgrafen zu entsprechen und seine Instruktionen den hessischen Pfarrern bekanntzugeben, lud die Kasseler Regierung die Superintendenten zum 1. August 1548 nach Kassel ein. Sie sollten fünf oder sechs der »furnembsten Predicanten« ihrer Diözesen mitbringen.[28] Zwei Tage vor diesem Datum schrieb die Kasseler Regierung an den Landgrafen, nach ihrem Eindruck hätte die Pfarrerschaft »wenig anmutung und neigung«, das »Interim« anzunehmen[29] – und sie hatte recht mit dieser Vermutung.

Die Antwort der hessischen Theologen auf das Ansinnen des Landgrafen war eindeutig ablehnend.[30] Sie »gedenken und verhoffen ... bei der reinen lehr des evangelii zu beharren« und bezogen sich auf Worte der Heiligen Schrift, die zum eindeutigen Bekennen mahnen und vor fremder Lehre warnen. Grundsätzlich betonten sie ihre Dienstwilligkeit und Treue gegenüber dem Landgrafen, sagten aber abgrenzend: »allein glauben, gewissen, gott und sein wort ausgenommen«, und sollten sie auch das Land verlassen müssen. Das Schreiben schließt mit den Worten: »Wen wir also mit gottes hulf bestendig bleiben, haben wir menschen und teufel zu feinden. Die menschen mussen sterben, die teufel seind verdampt. wenn wir aber die wahrheit verleugnen, so haben wir godt, alle engel und heiligen zu feinden, welcher zorn und feindschaft ewig wehret, dafür godt u.g.f. und h. alle liebe christen und uns behuten wolle ewiglich. Amen.«

Nach der erfolglosen Zusammenkunft bereisten landgräfliche Kommissionen das Land, um die Pfarrerschaft zur Durchführung des »Interims« zu bewegen. Vergleicht man die positiven Kommissionsberichte, die sicher auch die kaiserliche Kanzlei im Auge hatten, mit den schriftlichen Erklärungen der hessischen Theologen, so wirken sie deutlich geschönt. Zum Teil mögen sich wohl Pfarrer in Anwesenheit der Kommissionen auch ausweichend zustimmend geäußert haben. Nur wenige Theologen befürworteten das »Interim« öffentlich. Zu ihnen gehörte zunächst der Melsunger Stadtpfarrer Johannes Lening. Wegen dieser Haltung verspottete ihn das Volk und die Geistlichkeit als »Judas«.[31]

Durch Agenten und Spitzel war der Kaiser über die hessischen Verhältnisse und die ablehnende Haltung der Pfarrerschaft gegenüber dem »Interim« genau unterrichtet. Am 6. Oktober 1548 beschwerte er sich bei der Landgräfin Christine über »ungebürliche, unerlaubte und schmähliche Worte« des Kasseler Rentmeisters Heinrich Enders und von Prädikanten über das »Interim«. Er forderte Untersuchung der Angelegenheit und Bestrafung der Betreffenden, damit er feststellen könne, daß auch die Landgräfin solche Zwischenfälle mißbillige. Namentlich werden in dem kaiserlichen Schreiben dem Hofprediger Dionysius Melander und dem Superintendenten Caspar Kauffunger angelastet, Wortführer gegen das »Interim« zu sein. Sie hätten in Predigten geäußert, »der Kaiser sehe sich eben fur, hat er diesen krieg mit lust angefangen, es mochte im das ende noch wol laid genug werden«.[32] Zudem würden die beiden Genannten diejenigen Pfarrer, die das »Interim« durchführen wollten, »verfolgen«. Für Dionysius Melander und Caspar Kauffunger war der bedrohliche Inhalt des kaiserlichen Schreibens deutliches Signal, Kassel alsbald zu verlassen und sich zu verbergen. Zweifellos waren den Kasseler Räten die Aufenthaltsorte der beiden bekannt. Das ergibt sich aus Rechtfertigungsschreiben, die sie Ende Dezember 1548 der Landgräfin übersandten.[33] Diese antwortete am 29. Dezember dem Kaiser[34] und verteidigte die drei Beklagten, die beteuert hätten, sich nicht mehr gegen das »Interim« geäußert zu haben, nachdem sie seinen Inhalt gründlich zur Kenntnis nehmen konnten. Die Landgräfin schloß ihr Schreiben mit dem Hinweis, das »Interim« ließe sich leichter durchführen, wenn die beiden Prädikanten sich nicht mehr an einem geheimen Ort aufhielten und erbat Gnade für die beiden »armen, alten, betagten, erlebten mennern«.

Während der Zeit, in der sich Caspar Kauffunger versteckt hielt, verwaltete Pfarrer Johann Hesse, Immenhausen, das Kasseler Superintendentenamt.[35] Er bemühte sich um die Einführung der liturgisch reicheren, wittenbergisch geprägten Marburger Kirchenordnung in der Diözese Kassel als äußeren Nachweis, daß man dem »Interim« entgegenkomme.

Die Zeit des »Interims« führte in Hessen zu einer bedrohlichen Auflösung der kirchlichen Ordnung, der Gottesdienstbesuch war rückläufig und sittliche Verwahrlosung trat zutage, »vollsaufen und andere ubermaß« verbreiteten sich.[36] Eine Reihe von Pfarreien waren vakant, weil ihre Inhaber das Land verlassen hatten.

Landgraf Philipp war über das Abwandern und Untertauchen von Pfarrern informiert und schrieb am 6. Mai 1549 an seinen Sohn Landgraf Wilhelm und an die Räte in Kassel[37]: die Pfarrer sollen im Lande bleiben und sich zufrieden geben, »und (wenn) sie schon nit predigen, so erhaltet sie doch, bis ich komme, Dionisium (Melander), herr Caspar (Kauffunger), Adam Fulda

(Krafft), den pfarher zu Gudensberg (Katzenberger), den pfarher zu Gießen (Ulich), den pfarrer zu Melsungen (Lening), her Jost (Winter) zu Rotenberg, den pfarher zu Hersfeld (Raid), den pfarrer und andere fromme menner«. Die Namen weisen auf Personen hin, zu denen Landgraf Philipp besonderes Vertrauen hatte und die ihm nach seiner Rückkehr aus der Gefangenschaft für den Wiederaufbau der hessischen Kirche wesentlich erschienen.

Am 14. Juni 1548 hatte der Kaiser ein »Reformedikt« mit dem Ziel erlassen, das geistliche Leben in den katholischen Territorien, das dringend reformbedürftig war, zu bessern und dadurch Widerstände gegen das »Interim« zu beheben. Das Edikt enthielt in Kapitel 20 die Anordnung an die Bischöfe, ihre Diözesen zu visitieren; Kapitel 22 forderte die Einberufung von Diözesansynoden. In beiden Anordnungen sahen die Erzbischöfe Sebastian von Heusenstamm, Mainz, und Johann von Isenburg, Trier, Ansatzpunkte zum Wiedergewinnen der Jurisdiktion über die Landgrafschaft Hessen. Verstärkt wurde dieses Bemühen später durch einen Hirtenbrief des Mainzer Erzbischofs vom 27. Juni 1549[38], in dem er zur Durchführung des »Interims« mahnte und dessen Hauptartikel erläuterte. Beratungen der Kasseler Regierung mit hessischen Theologen im Oktober 1548 führten zu dem einhelligen Ergebnis, an der Mainzer Synode nicht teilzunehmen.[39] Dieser Beschluß blieb nicht unwidersprochen. Der Superintendent der Diözese Rotenburg, Jost Winter, teilte Bedenken einiger Pfarrer mit, die der Meinung waren, eine Ablehnung könne zu weiteren Schwierigkeiten hinsichtlich des »Interims« führen.[40] Doch die Kasseler Regierung tat recht daran, keine Teilnehmer zur Diözesansynode zu entsenden, die zum 16. November 1548 einberufen war. Den hessischen Pfarrern blieb die unwürdige Behandlung erspart, die den vier anwesenden pfälzischen Pfarrern aus dem Herzogtum Zweibrücken widerfuhr.[41]

Im August 1549 lud die Kasseler Regierung die Superintendenten und einige Pfarrer zu Beratungen wegen der geplanten Visitationen der Erzbischöfe in der Landgrafschaft ein.[42] Adam Krafft hatte dafür eine klar ablehnende Vorlage erarbeitet. Der schloß sich die Versammlung an und verweigerte damit den vorgesehenen Visitationen die Zustimmung. Die Antwort an Mainz[43] begrüßte die Absicht des Erzbischofs, das kirchliche Leben zu bessern, berichtete vom Bemühen, das »Interim« in Hessen durchzuführen, und wies auf die dadurch aufgetretenen gemeindlichen Notstände hin. Am Schluß des Schreibens findet sich der verschlüsselte Hinweis auf die Verweigerung der Visitation: über den Augsburger Abschied von 1548 (= Interim) hinaus könne man sich auf nichts einlassen und bitte daher den Erzbischof, sich damit zufriedenzugeben. Der Entwurf des Briefes wurde von allen Teilnehmern an der Kasseler Verhandlung unterschrieben, auch von Dionysius Melander und Caspar Kauffunger, die inzwischen ihre Verstecke verlassen hatten und wieder ihre Ämter versahen.

Die spanische Unterdrückungspolitik Kaiser Karls V. führte 1551 zur Gründung eines Fürstenbundes, an dessen Spitze Kurfürst Moritz von

Sachsen trat. Er verhandelte im Januar 1552 mit Frankreich und erhielt die Zusage für Hilfsgelder zu einem Feldzug gegen den Kaiser, den Kurfürst Moritz taktisch sehr geschickt im März 1552 begann. Der Kaiser wurde in Innsbruck überrascht und konnte mit Not entkommen. Das hessische Aufgebot erstürmte die Ehrenburger Klause in Tirol. Die Gegner einigten sich nach diesen Ereignissen auf Friedensverhandlungen, deren Ergebnis der »Passauer Vertrag« vom 15. August 1552 war. Durch ihn wurde das »Interim« aufgehoben und Friede bis zum nächsten Reichstag vereinbart. Und für Landgraf Philipp schlug nun endlich am 4. September 1552 die Stunde der Freiheit zur Rückkehr in sein arg angeschlagenes Land.

8. Der kirchliche Wiederaufbau in Hessen

Nach dem erfolglosen Ringen, die religiöse Reichseinheit wiederherzustellen, und nach den Unruhen und Kriegen im Reich wuchs unter den Landesherren der Wunsch nach einem dauerhaften Frieden. Im protestantischen Lager vereinbarte man Konvente zur Beilegung von theologischen Streitigkeiten, zu Erörterungen über ein gemeinsames Verhalten im Blick auf den nächsten Reichstag und das geplante Konzil sowie zur Vorbereitung von Gesprächen mit der katholischen Seite. Am ersten Konvent, der im Mai 1554 in Naumburg/Saale stattfand, nahmen als hessische Theologen die Superintendenten Adam Krafft, Caspar Kauffunger und Johannes Pistorius teil.[44] Der dann im folgenden Jahr in Augsburg anberaumte Reichstag beschloß am 25. September 1555 den »Augsburger Religionsfrieden«, der die konfessionelle Spaltung in Deutschland besiegelte und zugleich den Territorien konfessionelle Geschlossenheit bestätigte – entweder durch Zugehörigkeit zur »Familie der Augsburgischen Konfession« oder zur alten Religion. Der »Zwinglianismus« blieb ausgeschlossen.

Der »Augsburger Religionsfriede« führte nach der Zäsur des »Interims« zur zweiten Phase im Aufbau der protestantischen Kirche in der Landgrafschaft Hessen. Zum raschen Wiederaufbau und zur weiteren Formung des kirchlichen Lebens war die feste Haltung der hessischen Regierung und der Pfarrerschaft während des »Interims« eine wesentliche Vorgabe.[45]

Der weitere Weg der protestantischen Kirche in der Landgrafschaft Hessen ist besonders mit dem Wirken des Marburger Theologieprofessors Andreas Hyperius[46] verbunden, der in jener Zeit als das geistliche Haupt der hessischen Kirche bezeichnet werden kann. Neben ihm standen der aus Treysa stammende Pfarrer Nikolaus Rhodingus, seit 1555 Pfarrer in Marburg, und der Superintendent Johannes Pistorius, Nidda. Von außerhalb trat Philipp Melanchthon als enger Berater hinzu. Er nahm die Stelle von Martin Bucer ein, der während des »Interims« nach England ausgewichen war und dort 1551 verstarb.

Zwar blieb Caspar Kauffunger auch weiterhin an theologischen Gutachten beteiligt, doch scheint sein weiteres Wirken zunehmend auf die Tätigkeit als

Superintendent der Kasseler Diözese bezogen gewesen zu sein. 1553 erwarb er für vier Gulden das Kasseler Bürgerrecht und wurde Mitglied der »Hansegrebengilde«, der vornehmen Kasseler Zunft von Tuchhändlern und Kaufleuten.

Die 1556 von Landgraf Philipp angeordnete »Allgemeine hessische Kirchenvisitation« bezog auch die Tätigkeit der Superintendenten ein.[48] Caspar Kauffunger trug vor, daß er dem »Augsburgischen Bekenntnis« gemäß lehre. Er beklagte das unzüchtige Leben in Kassel und die Feststellung, daß die Kasseler Ratsherren seit längerer Zeit nicht mehr zum Abendmahl gingen. Für die »alphabetarii« in Kassel regte er aus pädagogischen Gründen besondere Schulen an.[49] Von seinem Engagement in Schulfragen zeugen auch seine Verhandlungen zur Errichtung einer Schule im ehemaligen Kloster Hasungen.[50]

Zur Tätigkeit des Superintendenten gehörten Verhandlungen bei Ehefragen und die Beilegung von Streitigkeiten unter den Pfarrern. Gelegentlich tauchen auch noch Auseinandersetzungen mit einzelnen Wiedertäufern auf. Nachdrücklich setzte sich Caspar Kauffunger für die Verbesserung der meist dürftigen Einkünfte der Pfarrer ein. Auch klagte er darüber, daß die Kasseler Ratsherren ihrer Pflicht, die Pfarrhäuser zu unterhalten, kaum nachkämen.[51]

Regelmäßig nahm er an den jährlich stattfindenden Synoden teil, die außer den Regularien auch Grundsatzfragen zu behandeln hatten, wie z. B. im Jahre 1558 bei der Synode in Ziegenhain das Ergebnis des »Frankfurter Konvents« (März 1558) zur Beilegung theologischer Streitigkeiten im protestantischen Lager (»Frankfurter Konkordie«).[52]

Ein besonderes seelsorgerliches Problem stellte offenbar die verbreitete Trunksucht unter der Pfarrerschaft dar. Sie war Thema der Synode von 1559[53] und führte zu einem geharnischten Ausschreiben des Landgrafen an die Pfarrerschaft.[54] Sechs Jahre später (1565) sahen sich die Superintendenten genötigt, wegen dieses Übels eine gemeinsam unterschriebene Mahnung an die Pfarrerschaft zu richten.[55]

Die mancherlei Mißstände und fehlenden Grundlinien für das kirchliche und gemeindliche Leben machten deutlich, daß eine ausführliche, verbindliche Kirchenordnung dringlich sei.[56] Der Synode des Jahres 1560 lag ein entsprechender Entwurf vor, mit dessen Abfassung Landgraf Philipp einige namentlich nicht bekannte Theologen beauftragt hatte. Der Entwurf wurde als ungenügend empfunden; Professor Andreas Hyperius und Stadtpfarrer Nikolaus Rhodingus erhielten den Auftrag zur Überarbeitung. Ein Teilergebnis lag der Synode 1561 vor. Die beiden Verfasser wurden nun gebeten, die Arbeit rasch abzuschließen, damit 1562 die Kirchenordnung verabschiedet werden könne. Doch dauerte es noch vier Jahre bis sie ihre endgültige Form erhielt, allerdings fehlte noch ihr vierter Teil (Kirchenzucht). Die 1566 gedruckte Kirchenordnung schließt den Aufbau der reformatorischen Kirche in Hessen zur Zeit des Landgrafen Philipp des Großmütigen ab, der am 31. März 1567 starb. Wenngleich ihr die rechtliche Geltung versagt blieb, hatte sie doch erkennbaren Einfluß auf die weitere Entwicklung der Ordnung des kirchlichen Lebens.

Nach dem Tode des Landgrafen Philipp und der Teilung des Landes unter seine Söhne, gemäß seines Testaments vom 6. März 1560[58], sollte die Landeseinheit voll erhalten bleiben. Für den kirchlichen Zusammenhalt waren jährliche Generalsynoden vorgesehen. Die erste fand 1568 in Marburg statt.[59] Caspar Kauffunger konnte wegen Krankheit nicht teilnehmen. Ihn vertrat der Dekan des St. Martinsstiftes und Pfarrer der Freiheiter Gemeinde in Kassel, Bartholomäus Meier, der bei dieser Generalsynode mit der Ausarbeitung des noch fehlenden vierten Teils der Kirchenordnung betraut wurde.

Die zweite Generalsynode trat im folgenden Jahr in Kassel zusammen.[60] An ihr nahm anfangs Caspar Kauffunger teil und gab einen Bericht über die »Gebrechen« in seiner Diözese. Danach legte er sein Amt als Superintendent nieder. Die Wahlversammlung der Pfarrer der Diözese Kassel, die das Vorschlagsrecht für den Nachfolger hatte, wählte während der Generalsynode am 16. Juni 1569 Bartholomäus Meier. »In ihm erhielt die hessische Kirche den tatkräftigsten und treusten Superintendenten der nächstfolgenden Zeiten« (Heinrich Heppe[61]).

Caspar Kauffunger starb am 14. Mai 1570 (Pfingstsonntag) und wurde am folgenden Tag begraben. Der Eintrag im Kirchenbuch der Altstädter Kirchengemeinde lautet: »Der Ehrwürdige Caspar Lanius (Kauffunger), Superintendent und Pfarrherr uff der Altstadt zu Cassel, christlich und wohl im Herrn entschlafen, dem und uns allen Gott wolle geben eine fröliche ufferstehung AMEN.«[62]

Über das familiäre Leben von Caspar Kauffunger ist uns wenig bekannt. Aus dem Urteil eines Rechtsstreites um das Erbe seiner Witwe[63] zwischen Marten Hoemann und dessen »consort« als Kläger und Johann Kauffunger und seiner Schwester Katharina im Jahre 1589 ist der Vorname der »nachgelassenen Witwe« Caspar Kauffungers, Katharina, bezeugt. Der Rechtsstreit legt nahe, daß keine direkten Nachkommen lebten. Die Ehefrau Caspar Kauffungers könnte eine geborene Hoemann gewesen sein, und vermutlich waren die erwähnten Beklagten, Johann und Katharina Kauffunger, Geschwisterkinder ihres Ehemanns.

Für die damalige Zeit war Caspar Kauffunger eine sehr lange Lebenszeit beschieden. Die Ereignisse der Reformationszeit und des Aufbaus der protestantischen Kirche in der Landgrafschaft Hessen, an dem er über vierzig Jahre lang beteiligt war, sind deutlich in sein Leben eingewoben. Als Pfarrer, Superintendent und Berater des Landgrafen trug er umsichtig, verantwortungsvoll und standhaft die große Bürde seiner Verantwortung.

Anhang: Eigenhändiger Lebenslauf von Caspar Kauffunger*

TRANSSKRIPTION**

*Dysßer zeit versihet mit gotteß hulpf berurte pfar Caspar Kauffunger von Oberkauffungen burtick geboren von Hermann Wagenerß und seiner geliepten hausfrauen Katarinen zu Cassel, im particular durch anhalten seines vetter, herr Hermann Reymbolt selig, weiland canonico zu Cassel, im funpftzehenen jar aber seines alters gegen Naumburck zu Meisßen abgefertiget zur schule. Ist also ausß furwitz sine consensu parentum et cognatorum inß closter pforten kommen, im anfang aber deß evangelii wider von seinen Eltern, da er zehn jare darinne geweßen, wider herauß gefordert. mitler wyle aber zu Leypzick in collegio dmi Bernhardi studiret und insignia magisterii entpfangen. Im lande aber X jahr zu kyrchdietmol durch den hern …*** magistrum adamum zum capellan befurdert. Doctor Walter ist pfarher zu der zeit geweßen zu kyrchdietmol, hat aber durch sich selbst den dienst nicht verwaltet. nach außlauf aber der zehen jar zu Cassel XXXIIII jar der Kyrchen daselbst beide, auff der freyheit und aelternstat für eynen diaconum und pfarhern gedienet.*

Annos natus sexaginta novem *Caspar Kauffunger ßt*

ÜBERTRAGUNG

Zur Zeit versieht mit Gottes Hilfe die oben genannte Pfarrei (Kassel-Altstadt) Caspar Kauffunger aus Oberkauffungen gebürtig, Sohn des Hermann Wagner und seiner geliebten Hausfrau Katharina. Partikularschüler in Kassel auf Veranlassung seines Verwandten, des verstorbenen Herrn Hermann Reimbold, der Kanoniker in Kassel war. Mit 15 Jahren nach Naumburg in Meißen zur Schule geschickt. Ist dann aus Leichtsinn, ohne Zustimmung der Eltern und Verwandten, in das Kloster Pforta eingetreten. Nachdem er zehn Jahre darinnen war, wurde er zu Beginn der Reformation von seinen Eltern wieder herausgefordert. Mittlerweile hatte er zu Leipzig im St. Bernhardskolleg studiert und den Magistergrad erreicht. In der Heimat war er zunächst zehn Jahre in Kirchditmold, nachdem er durch Magister Adam Krafft zum Kaplan ernannt worden war. D. Walter ist zu dieser Zeit Pfarrer in Kirchditmold gewesen, hat aber selber nicht den Dienst verwaltet. Nach Ablauf der zehn Jahre diente er 34 Jahre in Kassel als Diakon und Pfarrer der Freiheiter- und der Altstädter Kirche.

Er ist 69 Jahre alt. (Unterschrift)

* Der eigenhändige Lebenslauf findet sich in einem Verzeichnis der Kirchengüter und Pfarreieinkünfte, das Landgraf Wilhelm IV. für die Generalsynode 1569 angefordert hatte (StAM 315.1 Nr. 320). Die Stelleninhaber wurden aufgefordert, dem Kompetenzregister einen eigenen Lebenslauf anzufügen.
Der Lebenslauf ist abgedruckt bei Hugo Brunner, a.a.O.

** Die sorgfältige Nachprüfung der Transkription verdanke ich Herrn Professor Dr. Hans Schneider, Marburg.

*** Textrasur bzw. Streichung; noch lesbar: Johannem Wa(lter?).

Literatur

Brunner, Hugo, Lebensläufe einer Anzahl von Geistlichen in Kassel und den Dörfern der drei Kasseler Gerichte aus dem Jahre 1569. In: Beiträge zur Hessischen Kirchengeschichte 4/1911, S. 187–198
Classen, Wilhelm, Die kirchliche Organisation Alt-Hessens im Mittelalter, Marburg 1929
Francke, Rudolf, Kaspar Lanius al. Kauffunger. In: Pastoralblatt für Hessen-Kassel, Mai 1937, S. 76–78
Franz, Günther, Urkundliche Quellen zur hessischen Reformation (UQHR), 4 Bde., Marburg 1951–1957
Hassenkamp, F. W., Hessische Kirchengeschichte seit dem Zeitalter der Reformation, 2 Bde., Frankfurt/M. 1864
Heinemeyer, Walter, Hessen im alten Deutschen Reich – Das Zeitalter der Reformation. In: Walter Heinemeyer (Hrsg.), Das Werden des Landes Hessen, Marburg 1986, S. 225–266
Heppe, Heinrich, Geschichte der hessischen Generalsynoden von 1568–1582 (GHG), 2 Bde., Kassel 1847
Heppe, Heinrich, Kirchengeschichte beider Hessen (KG), 2 Bde., Marburg 1876
Herbst, Kurt, Der Student in der Geschichte der Universität Leipzig, Leipzig 1961
Herrmann, Fritz, Das Interim in Hessen, Marburg 1901
Heutger, Nicolaus, Zisterzienserklöster in der Zeit der Reformation. In: Zisterzienser – Ordensleben zwischen Ideal und Wirklichkeit, Bonn 1980, S. 255–266
Hütteroth, Oskar, Die althessischen Pfarrer der Reformationszeit (APR), Marburg 1953–1966
Hütteroth, Oskar, Kurhessische Pfarrergeschichte (KPG), 2. Bd.: Die Stadt Marburg, Eschwege 1927
Jürgesmeier, Friedhelm, Das Bistum Mainz, Frankfurt/M. 1988
Kohls, Ernst-Wilhelm, Die Judenfrage in Hessen während der Reformationszeit. In: Jahrbuch der Hessischen Kirchengeschichtlichen Vereinigung, Bd. 21/1970, Darmstadt 1970, S. 87–100
Maurer, Wilhelm, Martin Butzer und die Judenfrage in Hessen. In: Wilhelm Maurer, Kirche und Geschichte, 2. Bd., Göttingen 1970, S. 347–365
Meyer, Fritz, Oberkaufungen, herausgegeben von der Gemeinde Oberkaufungen, 1962
Salfeld, Siegmund, Die Judenpolitik Philipps des Großmütigen. In: Philipp der Großmütige – Beiträge zur Geschichte seines Lebens und seiner Zeit, herausgegeben von dem Historischen Verein für das Großherzogtum Hessen, Marburg 1904, S. 519–544
Sehling, Emil, Die evangelischen Kirchenordnungen des 16. Jahrhunderts, 8. Bd.: Hessen, 1. Hälfte: Die gemeinsamen Ordnungen, Tübingen 1965
Schlieper, Edith, Das früheste Kirchenbuch der Altstadt Kassel 1565–1598, Kassel 1988
Schwarz, Klaus, Die Türken als Hoffnung der deutschen Protestanten zur Zeit des Interims. In: Gereon Sievernich u. Hendrik Budde (Hrsg.), Europa und der Orient 800–1900, Berlin 1989, S. 51–55
Steitz, Heinrich, Geschichte der Evangelischen Kirche in Hessen und Nassau, Marburg 1977
Uckeley, Alfred, Die Kirchenordnungen von Ziegenhain und Kassel 1539, Marburg 1939
Zeihe, Wolfgang, Das Niederkaufunger Dorfbuch, herausgegeben von der Gemeinde Niederkaufungen, 1967

Anmerkungen

1 Hütteroth KPG II, S. 4.
2 Von Hütteroth in APR, S. 479 nicht erwähnt, jedoch APR, S. 196.
3 Text mit Quellenangabe siehe Anhang.

4 Meyer, a.a.O., S. 316; in Niederkaufungen taucht der Name erst seit 1669 auf, Zeihe, a.a.O., S. 51.

5 Addiert man die im handschriftlichen Lebenslauf genannten Jahre, so ergibt sich das Geburtsjahr 1500; jedoch ist fraglich, ob Kauffunger bereits im Jahr seiner Naumburger Einschulung in das Kloster Pforta eintrat.

6 Der Name Reimbold ist im 16. Jahrhundert in Oberkaufungen bezeugt, Meyer, a.a.O., S. 315, er könnte der Mädchenname der Mutter Caspar Kauffungers sein.

7 Vgl. Heinrich Boehmer, Der junge Luther, 3. Aufl., Leipzig 1939, S. 26ff.

8 Vgl. Martin Luthers Schrift »De votis monasticis« (1521), WA 8, 573–669 u. Nicolaus Heutger, a.a.O.

9 Vorname Hektor (Hütteroth APR, S. 389) wohl ein Lesefehler des handschriftlichen Lebenslaufes Caspar Kauffungers (Hector statt Doctor).

10 Siehe Kauffungers Beteiligung an der Visitation im Amt Felsberg (1536), Franz UQHR I, Nr. 327.

11 Hütteroth APR, S. 282.

12 Sehling, a.a.O., S. 82–91.

13 Siehe Franz UQHR, Bd. 4: Wiedertäuferakten.

14 Sehling, a.a.O., S. 101–112.

15 Sehling, a.a.O., S. 113–130.

16 Seit 1541 Superintendent der Diözese Alsfeld, Hütteroth APR, S. 16.

17 Sehling, a.a.O., S. 131–142.

18 Martin Bucer, Deutsche Schriften 7, S. 356.

19 Siehe Maurer, a.a.O., S. 355ff.

20 Gest. 1566.

21 Franz UQHR I, Nr. 414.

22 Siehe Hassenkamp, a.a.O., I, S. 481ff.

23 Dies gilt besonders auch für die beiden Gutachten der ober- und niederhessischen Pfarrer zur »Vergleichung der Religionsstreitigkeiten« Franz UQHR I, Nr. 514; am niederhessischen Gutachten war Caspar Kauffunger beteiligt.

24 Hassenkamp, a.a.O., I, 612.

25 Vgl. zum folgenden RE, Bd. 19, Leipzig 1907, S. 167ff.

26 Siehe z.B. Homberger Kirchenordnung 1526.

27 Sehling, a.a.O., S. 71–74, erweitert durch die Kirchendienerordnung von 1537, Sehling, a.a.O., S. 92–100.

28 Franz UQHR II, Nr. 605–607.

29 Franz UQHR II, Nr. 609.

30 Franz UQHR II, Nr. 613 u. 615.

31 Franz UQHR II, Nr. 650a, Hütteroth APR, S. 202ff.

32 Franz UQHR II, Nr. 653A.

33 Franz UQHR II, Nr. 653B + C.

34 Franz UQHR II, Nr. 653E.

35 Franz UQHR II, Nr. 690.

36 Franz UQHR II, Nr. 688.

37 Franz UQHR II, Nr. 704.

38 Franz UQHR II, Nr. 709.

39 Franz UQHR II, Nr. 662.

40 Franz UQHR II, Nr. 668 u. 670.

41 Hermann, a.a.O., S. 138ff.

42 Franz UQHR II, Nr. 715.

43 Franz UQHR II, Nr. 717.

44 Franz UQHR II, Nr. 770; Hassenkamp, a.a.O., I, S. 704f.

45 Hermann, a.a.O., S. 163.

46 Geb. 1511, 1542–1564 in Marburg, vgl. Hütteroth APR, S. 156, Hassenkamp, a.a.O., II, S. 453ff.

47 Siehe z.B. bei Franz UQHR II, Nr. 882 u. 883.
48 Franz UQHR II, Nr. 797; die Visitationsordnung wurde »von den Theologen zu Kassel« aufgesetzt.
49 Franz UQHR II, S. 211.
50 Franz UQHR II, Nr. 335.
51 Franz UQHR II, Nr. 812.
52 Franz UQHR II, Nr. 834.
53 Franz UQHR II, Nr. 845.
54 Franz UQHR II, Nr. 846.
55 Franz UQHR II, Nr. 936.
56 Heppe HKG I, S. 291 ff.
57 Sehling, a.a.O., S. 176–337; Hassenkamp, a.a.O., S. 461 ff.
58 Franz UQHR II, Nr. 814.
59 Sehling, a.a.O., S. 347–350; Heppe GS I, S. 24–38.
60 Sehling, a.a.O., S. 351–353, die Anwesenheit Caspar Kauffungers wird nicht erwähnt; Heppe GS I, S. 39–60.
61 Heppe GS I, S. 60.
62 Schlieper, a.a.O., S. 105.
63 StAM Protokolle Kassel C.b. – Nr. 1, Bd. II, 1581–1603 (Urteilsbuch); Hinweis und Text verdanke ich Herrn Kirchenarchivar Ernst-Otto Braasch, Kassel.

Zur »Demokratisierung« des Wissens im 16. und 17. Jahrhundert

Die Auswirkungen unterschiedlicher Lehr- und Lernkonzepte auf das christlich-jüdische Verhältnis*

Von Friedrich Battenberg

I.

In einem umfangreichen Geleitsbrief aus dem Jahre 1578 gewährte Herzog Julius von Braunschweig-Wolfenbüttel, der bekannte Stifter der Universität Helmstedt, den Juden seines Landes verschiedene Freiheiten, durch die ihre Wiederzulassung im Territorium begründet wurde. Unter Berufung auf die *vernünftige Anleitung anderer im Heiligen Reich Deutscher Nation fürnemer Stände und wohlverordneter Regierung Exempel* gestattete er einer bemessenen Zahl von jüdischen Familien die Ansiedlung im gesamten Land. Doch geschah dies mit einer bemerkenswerten und auf den ersten Blick unter dem Vorzeichen der neuen reformatorischen Freiheit nicht unbedingt einsichtigen Einschränkung. Es hieß[1]:

»Und dann, daß sie, die Juden und Jüdinnen [...] unsern Christlichen Glauben nicht anfechten oder sich sonsten einiger unchristlicher Gotteslästerung gelüsten lassen, noch von ihrem Judenglauben und -wahn unsern Unterthanen und Verwandten heimlich noch öffentlich [...] nichts einbilden, noch in einige Disputation einlassen.«

Eine Erläuterung dieses Disputationsverbotes, wie man es wohl nennen darf, wurde in einem undatierten Formular eines Geleitsbriefes gegeben, der die Grundlage für die Einzelabreden mit den neu aufzunehmenden Juden bilden sollte. Es fand sich im Staatsarchiv Wolfenbüttel. Danach sollten die Juden *»mit unseren Unterthanen und Verwanten«* – wie es wörtlich hieß – *»von Glaubenssachen, ohne was familiariter und zu Erkundigung und Erlernung des rechten, wahren, seligmachenden Glaubens aus gutem Fursatz wolmeiniglichen geschicht, keineswegs disputirt oder dieselbige[n] auf seine Meinung zu verleiten und auf Abwege zu führen fürnemen oder sich bemühen«*.

---

* Der vorliegende Beitrag führt die Gedanken eines Beitrags der Festschrift Dohna weiter, auf dessen Literaturangaben deshalb insgesamt verwiesen wird, s. Friedrich Battenberg, Reformation, Judentum und Landesherrliche Gesetzgebung. Ein Beitrag zum Verhältnis des protestantischen Landeskirchentums zu den Juden, in: Andreas Mehl/Wolfgang Christian Schneider (Hrsg.), Reformatio et Reformationes. Festschrift für Lothar Graf zu Dohna zum 65. Geburtstag, Darmstadt 1989, S. 315–346.

Mit anderen Worten: Die Juden sollten mit Christen in Fragen des Glaubens nicht disputieren, sofern sie nicht die Absicht hatten, den christlichen Glauben ihrerseits anzunehmen und zu diesem Zweck die notwendigen Fragen stellten. In jedem Fall aber sollte vermieden werden, daß durch eine Religionsdisputation ein Christ in seinem Glauben verunsichert würde.

Daß diese Vorschrift tatsächlich Gegenstand einzelvertraglicher Abreden der christlichen Obrigkeit mit Juden wurde, beweist ein Schutzbrief im Hildesheimer Stadtarchiv aus dem Jahre 1608. Er wurde vom Stadtrat mit Zustimmung des Kölner Erzbischofs zugunsten des Juden Nathan Schay ausgestellt[2], und zwar in wörtlicher Anlehnung an den Geleitsbrief Herzog Julius' von 1578. Nathan sollte verpflichtet sein,

»erstlich und vor allen Dingen, daß er unsern christlichen Glauben nicht anfechten oder sich sonsten einer unchristlichen Gotteslästerung, wie und was gestalt dieselbe immer geschehen muchte, gelüsten noch in einige Disputation einlaßen«.

Ohne an dieser Stelle auf die Hintergründe des braunschweigischen Disputationsverbotes eingehen zu wollen, ist fürs erste festzuhalten, daß offenbar eine große Angst davor bestand, mit Juden religiöse Angelegenheiten zu disputieren, zumal für den Fall, daß auf christlicher Seite theologische Laien als Gesprächspartner auftraten. Man hatte – wohlgemerkt, in einem lutherischen Territorium und im Rahmen der Vorstellung vom allgemeinen Priestertum der Gläubigen – nicht das rechte Vertrauen in die Bibelkenntnis der Gläubigen. Gleichzeitig ging man davon aus, daß die Juden in Bibelkenntnis und Argumentationstechnik den Christen überlegen seien und deswegen eine Religionsdisputation eher zum Nachteil der Christen ausgehen mußte als zum Schaden der Juden.

Natürlich könnte das Disputationsverbot in den Rahmen der überlieferten kirchlichen und staatlichen Gesetzgebung gestellt werden, die stets darauf bedacht war, die Juden als gesonderte soziale Gruppe kenntlich zu machen und sichtbar von der Gemeinschaft der Gläubigen abzuheben. In einer langen Tradition der Patristik, der Konzilsgesetzgebung, der päpstlichen und kaiserlichen Schutzmandate und Privilegien hatte sich die Vorstellung herausgebildet, daß die theologisch begründete Schutzherrschaft über die Juden nur dann gewährleistet sei, wenn man die Judenschaft von der Bevölkerungsmehrheit segregierte und in einen von kirchlicher und staatlicher Herrschaft abhängigen Status hineinzwängte. Und in der Tat gab es in der kirchlichen Gesetzgebung auch schon Bestimmungen, die eine Trennung von Juden und Christen durch ein Disputationsverbot vervollständigen sollten. Zu denken ist hier besonders an die Vorschrift eines Wiener Provinzialkonzils von 1267, die ausdrücklich zur Wiederherstellung der Glaubensreinheit *(puritas catholice sanctitatis)* den Juden verbot, mit Laien über Glaubensangelegenheiten zu diskutieren *(nec presumant de fide catholica cum simplicibus disputare).* Doch ist festzustellen, daß derartige Disputationsverbote im Rahmen der überkommenen Segregationsbestimmungen nur ganz selten auftauchen. Sie wurden

Formular eines Judengeleitbriefs 1578–89, Staatsarchiv Wolfenbüttel, 1 Alt 9 Nr. 372 Bl. 30–36 (hier: Bl. 31).

VOn Gottes gnaden Wir Julius / Hertzog zu Braunschweig vnd Lüneburg / ꝛc. Bekennen hiemit vor vns / vnsere Erben/vnd jedermenniglichen/ vnd geben zu wissen / Das wir auff hiebeuor von Römischer Keyserlicher Maiestat/ Herrn Maximiliani des Andern/ höchst Christmilter gedechtnus / vnsers allergnedigsten Herrn/ an vns gnedigst beschehenes Intercediren / vnd gesinnen / Vnd darauff von vns vnderthenigst gewilligts/publicirts/ vnd angeschlagenes gemeines Juden Gleid / vnd ferners fleissigs vntertheniges anruffen

Auch sein Weib/Kinder/vnd Haußgesinde/ so sich nicht befreyen/ noch jr eigen gewerbe vnd hantierung treiben/ vnd alle seine Haab vnd Güter / in vnsern schirm/ schutz / vnd sicher Gleid Zwölff Jar lang nach einander/ so lange es von vns oder den vnsern/ jme vmb den seinen/ in gebürlicher frist nicht wider auffgekündigt. Es auch jhme vnd den seinen gelegen sein/ vnd sich gleidtlich verhalten wird/ auff vnd angenommen etc. vnd jhne mit den seinen in vnseren/ Fürstenthumb an den örten / so wir nach vnserer gelegen-

gelegenheit nodturfft vnd anordnung auff den Greintzen/vnd Heerstrassen/ oder sonsten zu jhrer Jüdischen nahrung albereit außweisen oder inkünfftig noch außweisen lassen werden / Oder an dem ort / da er albereit seine nahrung hat zubesetzen vnd doselbst zuwohnen nachgegeben vnd vorstadtet haben / Dero gestalt / das er seines glaubens / dabey gleichwol friedlich eingetzogen ohne ergernus leben / vnd neben andern seines glaubensgenossen die Synagogen an örtere da Jüden wohnen gleich mithalten. Doch aber mit vnseren Vnterthanen vnd verwanten von Glaubenssachen / ohne was Familiariter / vnd zu erkündigung/vnd erlernung des Rechten Wahren Seligmachenden Glaubens / aus gutem fursatz wolmeiniglichen geschicht / keines weges Disputirt oder dieselbige auff seine meinung zuuerleiten/vnd auff abwege zuführen / fürnemen oder sich bemühen / Viel weniger vnsere ware wolgegründete vnzweiffelhafftige Christliche Lere vnd Religion/ bey vermeidung Leibes vnd Lebens straff/ verachten / schimpfflich oder schmehlich dauon reden / noch den vnsern einige ergernis mit Worten oder wercken geben/ daneben in vnserm Fürstenthumb vnd Landen durchaus handeln / keuffen oder verkeuffen/ vnd sich aller hantierung vnd gewerbe/ so

jme

weder Teil der offiziellen kanonischen Gesetzgebung noch fanden sie Eingang in die mittelalterliche Reichsgesetzgebung. Um so erstaunlicher erscheint, daß das beschriebene Disputationsverbot nun plötzlich in neugläubigen Territorien des 16. Jahrhunderts, besonders in den Ländern der Augsburgischen Konfession, wieder auftauchte, und zwar – wie noch zu zeigen ist – in recht massiver Form und ohne Bezugnahme auf das altkirchliche Recht. Demgegenüber fand das Disputationsverbot in die Judenordnungen der katholischen Territorien des 16. und 17. Jahrhunderts keinen Eingang.

Dies führt zu der Überlegung, daß offenbar nur in lutherischen Territorien ein dringendes Bedürfnis bestand, Laiendisputationsverbote gesetzlich zu statuieren und einzelvertraglich zu vereinbaren. Hatte es damit zu tun, daß man hier unter dem Einfluß Luthers und Melanchthons eine breitere Bildung der Laien forderte, diesen damit auch eine Eigenverantwortlichkeit für ihren Glauben zuerkannte? War man sich unter dem Eindruck dieser Forderung darüber bewußt geworden, daß die neu begründete Verantwortlichkeit zugleich neue und bisher unbekannte Gefahren schuf? Die nämlich, daß unerfahrene und theologisch nicht vorgebildete Laien von talmudisch geschulten Juden in Diskussionen verwickelt werden könnten, denen sie nicht oder noch nicht gewachsen waren? War man sich vielleicht sogar dessen bewußt, daß das christliche Erziehungskonzept dem der Juden hinterherhinkte?

Wenn man sich die Situation der Zeit etwas näher anschaut, bekommt man in der Tat den Eindruck, daß man sich im Rahmen des humanistischen und reformatorischen Aufbruchs zuviel vorgenommen hatte und im Zuge des konfessionellen Klärungsprozesses zur Stabilisierung des Erreichten die geistige Öffnung zugunsten einer Dogmatisierung wieder schloß. Die freie Diskussion war nicht mehr gefragt, da durch sie das Erreichte verwässert werden konnte und die Herrschaftsstabilisierung verloren zu gehen drohte. Im Verhältnis der lutherischen Landesherrschaften zu den Juden bedeutete dies, daß man die Gefahr einer Judaisierung heraufkommen sah, die man als Preis für die »Freiheit eines Christenmenschen« nicht zahlen wollte.

Ob eine freie Diskussion in Glaubensfragen zwischen Christen und Juden überhaupt möglich gewesen wäre, solange zumindest erstere einen absoluten Wahrheitsanspruch erhoben und nicht bereit waren, eigene Ansichten zu problematisieren, ist eine Frage, die hier nicht weiter erörtert werden kann. Entscheidender ist, daß man es für nötig hielt, ein Religionsdisputationsverbot expressis verbis zu errichten, obwohl man vorher alle Voraussetzungen dafür geschaffen hatte, Lernen und Wissen zu »demokratisieren« und zu einer Grundlage freier Diskussion werden zu lassen.

Wie es zu dieser Verhärtung im Verhältnis von Christen und Juden kam, kann nur durch eine Analyse der Bildungssituation im Heiligen Römischen Reich im späten 15. und frühen 16. Jahrhundert, durch eine Beurteilung des humanistischen und reformatorischen Gedankenguts im Hinblick auf diese und durch einen Blick auf die Genese und Herkunft der eingangs zitierten Verbotsbestimmungen geklärt werden. Es zeigt sich, daß sich das Lehr- und Lernkonzept der Juden von dem des vorreformatorischen Christentums grundlegend unterschied und daß eine Angleichung und Parallelisierung der Lerninhalte durch die Reformatoren erstrebt wurde, ohne je erreicht zu werden. In den Vorstellungen des Memminger Laientheologen Sebastian Lotzer, auf die hier kurz einzugehen ist, wird das ideale Konzept einer freien Diskussion zwischen Juden und Christen deutlich, und noch die erste große Schrift Luthers über die Juden hielt eine Auseinandersetzung in Glaubensfragen zwischen Christen und Juden für sinnvoll und nützlich. Erst die Einbindung der reformatorischen Lehre in die Landesherrschaften und die als notwendig erachtete Dogmatisierung der Lehre gegen Abspaltungen und Mißverständnisse, wie sie aus der Sicht der Reformatoren etwa im Bauernaufstand und in den Wiedertäuferbewegungen kulminierten, bewirkten eine Neubewertung der Laiendiskussion in Glaubensfragen in Richtung auf eine Tabuisierung.

Unternommen wird damit der Versuch, zu zeigen, daß die Geschichte des Erziehungswesens durchaus einen Beitrag zu zivilisationsgeschichtlichen Problemen zu leisten vermag, nämlich des Umschlags einer vergleichsweise fortschrittlichen Konzeption in eine dogmatische Position, die den Zeitgenossen allein noch Stabilität zu garantieren schien.

II.

Betrachtet man zunächst das spätmittelalterliche und frühneuzeitliche Erziehungs- und Bildungswesen der Juden, so ist dazu allgemein zu sagen, daß ihre Erziehung, nicht anders als die der Christen, in erster Linie eine religiöse Erziehung war. Dem männlichen Nachwuchs der Judengemeinden wurde schon frühzeitig, meist vom sechsten Lebensjahr an, Unterricht in der Torah erteilt, und zwar entweder in der Wohnung des Lehrers – dafür ist die Bezeichnung Cheder, also Stube, gebräuchlich – oder in derjenigen der Eltern. Der deutschen Gewohnheit entsprach überwiegend das Letztere, da nur schwer Unterrichtsraum zu gewinnen war. Die Reichsstadt Nürnberg etwa setzte 1406 fest, daß die Juden keinen Anspruch auf Schulraum geltend machen könnten, denn – so wörtlich – *»di mugen ire Kinder yder in seinem Hawse wol lernen lazzen, als daz von Alter her Gewunheit itz gewesen, und sullen auch darauf iren Meister Rabbi varen lazzen und hinschicken«*[3]. Man muß freilich bedenken, daß diese Elementarschule nicht nur für einzelne Bessergestellte da war, sondern daß sie jedem Knaben zugute kam, und zwar unabhängig von Herkunft und Vermögen. Da die Torah als Allgemeingut aller Juden angesehen wurde, an dem auch Frauen Anteil hatten, lag diese auch ihrem Unterricht außerhalb der Cheder zugrunde. Schon das Ende des 14. Jahrhunderts entstandene und 1542 gedruckte »Sittenbuch« des Rabbi Lipmann Mühlhausen[4] sah Bestimmungen über die Erziehung der Mädchen vor; für sie wurden eigens Übersetzungen der Torah angefertigt, um ihnen die eigenständige Lektüre in ihrer Volkssprache zu ermöglichen[5].

Als weiterführende Schulen gab es seit der Spätantike die talmudischen Lehrhäuser, die Jeschiwot. Die Jeschiwah, die häufig in einem Anbau einer Synagoge untergebracht war (wie heute noch z. B. in der Wormser Synagoge sichtbar), wurde von einem Rabbiner geleitet; ihr Ansehen und ihre Zugkraft hing von der Autorität des Rabbiners ab. Bisweilen gab es mehrere konkurrierende Jeschiwot an einem Ort, sofern genügend finanzielle Mittel zur Unterhaltung vorhanden waren. Der Besuch einer Jeschiwah war Voraussetzung zur Erlangung einer höheren Gelehrsamkeit, die zum Amt eines Rabbiners befähigte. Zugang hatte jeder, und die Studenten des Lehrhauses, die Bachurim, erhielten den Vorzug freier Verköstigung in der Gemeinde[6]. Die Jeschiwah wurde allerdings nur noch von denjenigen besucht, die eine besondere Gelehrsamkeit erlangen wollten. Der Unterricht fand nicht in einer isolierten Glashausatmosphäre statt, sondern unter Beteiligung der ganzen Gemeinde. Gelehrt wurde der Talmud im Rahmen der verfügbaren Kommentarliteratur, namentlich Raschis und des autoritative Geltung erlangenden Kommentars Rabbi Isserleins von Wiener Neustadt aus dem späten 15. Jahrhundert. Da der Talmud außer theologischem Fachwissen in hohem Umfang auch lebenspraktische Inhalte vermittelte, bis hin zu naturwissenschaftlichen Materien und sonstigen »Realien«, kann man annehmen, daß durch den Talmudunterricht eine vergleichsweise umfassende Bildung der Juden erzielt wurde[7].

Wichtig erscheint nun im angesprochenen Zusammenhang, daß der Lehrstoff nicht vorlesungsweise vermittelt wurde, sondern durch Diskussion und Argumentation zwischen Lehrern, Schülern und Gemeindegliedern. Man ging von einem Problemsachverhalt aus und versuchte diesen anhand einschlägiger Bestimmungen der Torah, der Kommentare und eventueller gutachterlicher Äußerungen zeitgenössischer Autoritäten zu lösen. Es konnte sich daraus eine spitzfindige Argumentationstechnik entwickeln, die den Boden zur Wirklichkeit verlor und als Pilpul-Methode im 17. und 18. Jahrhundert in Mißkredit geriet. Für die hier interessierende Zeit freilich stand diese Lehrmethode noch in hohem Ansehen und verschaffte den Juden auch über ihre eigene Sozialgruppe hinaus Anerkennung.

Wieweit das System des Ba'jit Midrasch, des Lehrhauses, die breite Masse der Juden erfaßte, ist schwer zu sagen, und ein gewiß großer Prozentsatz der Bevölkerung beschränkte sich auf die Cheder-Bildung. Selbst derjenige, der keine Talmudschule besucht hatte, hatte im Unterricht der Cheder eine Grundlage erhalten, die ihn in die Lage versetzte, theologisches Wissen im praktischen Leben umzusetzen. Er war im täglichen Leben nicht unbedingt auf das Urteil der Rabbiner angewiesen, sondern konnte sich auf der Grundlage seiner Torah- und Talmudkenntnisse einen persönlichen Heilsweg suchen. Seine berufliche Tätigkeit in Handel und Gewerbe, besonders im Zins- und Pfandleihgeschäft, beließ ihm zumeist den notwendigen Spielraum, das Bibelstudium weiterzupflegen und auszubauen. Auch wenn er in der sozialen Rangordnung, an deren Spitze die Rabbinen standen, gefolgt von den angesehenen Gelehrten und den Bachurim, an unterster Stelle rangierte, und als Hausherr (Baal ha-ba'jit) der Kategorie der Nichtgelehrten zugerechnet wurde, verfügte er kraft der erworbenen Bildung über hohes Ansehen. Ausschlaggebend für dieses war eben der Grad der Bildung und nicht der Umfang des Besitzes[8], und die vier genannten Kategorien repräsentierten eine Stufenleiter, die von jedem männlichen Gemeindeglied erklommen werden konnte und niemanden kastenmäßig festhielt, deshalb auch nicht einmal eine stratifikatorische Qualifizierung bewirkte.

Die religiöse Lehrtätigkeit stand jedermann frei und verlieh aber auch demjenigen, der sie ausübte, Einfluß, Macht und Ansehen[9]. Die Existenzgefährdung der Juden seit der zweiten Hälfte des 14. Jahrhunderts allerdings bewirkte, daß die bisher jedem zugängliche Rabbinatstätigkeit an formale Voraussetzungen geknüpft wurde. Rabbi Meir ha-Levi aus Wien hat unter dem Eindruck der Pestverfolgungen der späten vierziger Jahre des Jahrhunderts den Morenu-Titel eingeführt, der die Venia docendi an Lehrhäusern beinhaltete; dessen Übertragung war mit einer förmlichen Ordination durch Handauflegung verbunden, der Semicha. Dadurch konnte das prinzipiell unentgeltlich ausgeübte Rabbinatsamt im Ansehen gestärkt und auf ein gleichmäßiges Niveau gehoben werden[10]. Letztlich bedeutete dies eine gewisse institutionelle Absicherung des Unterrichtswesens, ohne daß damit ein berufsmäßiges Priestertum verbunden war, in dem die theologische Lehre als Geheimwissen tradiert wurde. Das verfügbare Wissen der Torah, des Talmuds und der Kommentarliteratur blieb weiterhin Allgemeingut und konnte in einer gleichsam demokratisierten Form von jedermann eingesetzt werden.

Die Grundprinzipien des jüdischen Lehr- und Lernbetriebs in Mitteleuropa sind somit wie folgt zusammenzufassen:

1. In abgestufter Form erfaßte der auf religiöser Grundlage vermittelte Unterricht die gesamte Bevölkerung, mit Einschränkungen auch Mädchen und Frauen.

2. Es gab keine abgeschlossene Gelehrtenschicht; das religiöse Wissen war vielmehr demokratisiert, also jedermann unabhängig von Herkunft und Einkommen zugänglich.

3. Das Rabbinat nahm in der sozialen Rangordnung den ersten Platz kraft einer besonderen Kumulation von religiösem und lebenspraktischem Wissen ein, nicht etwa kraft einer theologischen Sonderstellung, etwa in dem Sinne, daß durch dieses der Zugang zu Gott und den Heilswahrheiten vermittelt wurde.

4. Der Wissensstoff wurde durch Diskussion in einem gleichsam dialektischen Lernprozeß vermittelt und in dieser Weise an Dritte weitergegeben. Selbst der Lernende (Lomed) war nicht passiv Beteiligter, sondern arbeitete an der Vermehrung des Wissens aktiv mit.

Welche Konsequenzen dies alles im Verhältnis zur christlichen Mehrheitsbevölkerung haben mußte, liegt auf der Hand. Der Vorsteher des Frankfurter Lehrhauses, Josef (Juspa) Hahn aus Nördlingen, hat in seinem 1630 entstandenen »Jossef Omez«, einem Handbuch religiöser Gebräuche, aufgrund eigener Erfahrungen einige Regeln für religiöse Disputationen mit Christen zusammengestellt[11], und zwar im Rahmen einer Erziehungslehre, die ihrerseits das Wissen und den Erfahrungsschatz des 15. und 16. Jahrhunderts zusammenstellt[12]. Drei zentrale Regeln gibt er dem Schüler an die Hand, die er bei jeder Diskussion beherzigen solle.

1. Auf eine christlicherseits gestellte religiöse Streitfrage solle man zunächst damit reagieren, daß man eine Lösung nur aufgrund des hebräischen Urtextes für sinnvoll hält. Die Bibel der Christen sei nämlich nur eine Übersetzung aus der heiligen Sprache. »Versteht nun der Fragende« – so wörtlich – »nicht die heilige Sprache, dann kann man auch mit ihm nicht streiten; denn es ist möglich, daß die Übersetzung sich in etwas von dem heiligen Text unterscheidet; in Wahrheit weichen ja ihre (d.h. der Christen) Übersetzungen voneinander ab«. Auf diese Weise könne man Mißverständnissen entgehen.

2. Sollte es aber möglich sein, mit den Christen auf der Basis des Urtextes zu diskutieren, so müsse man den Grundsatz beachten, daß »eine jede Stelle der Schrift, welche die Gegner zur Veranlassung nehmen, um die heilige Lehre zu bestreiten, die Antwort gleich zur Seite« habe. Man solle jeweils »auf die nächstfolgenden Schriftverse achten«, worauf es sich bald herausstelle, daß die Erklärungen der Christen »im Schriftvers selbst ihre Widerlegung finden«, wie es wörtlich heißt. Es geht ihm also um eine Argumentation aus dem Gesamtzusammenhang.

3. Es kommt nicht auf eine besondere Redegewandtheit an, sondern darauf, daß der diskutierende Jude »in den erwähnten Schriften zuhause ist«, wie es formuliert wurde. An anderer Stelle fügt Juspa Hahn hinzu, daß mit dem Lernenden in der Cheder ein Bibelabschnitt so lange behandelt werden soll, »bis er ihn erfaßt hat«. Nicht auf das Auswendiglernen, sondern auf das Verständnis komme es an[13].

III.

Sieht man sich demgegenüber das christliche Erziehungssystem der vorreformatorischen Zeit an, so fallen einige schwerwiegende Unterschiede ins Auge.

Zunächst ist davon auszugehen, daß das hoch- und spätmittelalterliche Unterrichtswesen ganz auf die Bedürfnisse der das theologische Wissen tradierenden und auf die weltliche Herrschaftssphäre umsetzenden Geistlichkeit zugeschnitten war. Bildung wurde nicht vermittelt, um die Lehren der Bibel, der Kirchenväter und der geistlichen Autoritäten der breiten Masse des Volkes bekanntzumachen oder um dem Einzelnen die Schwierigkeiten des praktischen Lebens zu erleichtern. Es sollte vielmehr nur das über Jahrhunderte seit Entstehung der Bibel entstandene Wissen erhalten und einem Kreis von dazu besonders qualifizierten Personen weitergegeben werden. Erziehung, Ausbildung und wissenschaftliches Forschen vollzogen sich demgemäß in der Gewißheit, daß die Fülle der Wahrheit mit Christus offenbar geworden und in der Kirche immanent vorhanden sei, zu deren fortschreitender Erkenntnis wiederum der Mensch verpflichtet sei[14]. Wie alle Reformbestrebungen sich als »renovatio«, Erneuerung des Alten, erwiesen, so erfüllte sich der Sinn von Bildung in der Wiederholung des Wesentlichen in der Gegenwart durch Gehorchen und Hören auf das Wort des Wissenden.

Die Konsequenz bestand darin, daß sich recht bald eine kleine Gruppe von litterati, der Gebildeten, von einer großen Masse der *»illiterati«*, den Ungebildeten, abhob. Erstere wurden weitgehend mit den Klerikern gleichgesetzt, zumal das kanonische Recht dem *»illiteratus« (inscius litterarum)* den Zugang zum Priesteramt verbot[15]. Hinzu kam, daß sich die Kleriker vor den Laien nicht nur durch erhöhtes Wissen auszeichneten, sondern kraft ihrer theologischen Stellung vor allem und in erster Linie den Zugang zu den Heilswahrheiten vermittelten. Sie eigentlich waren die Verwalter des tradierten religiösen Wissens und bedienten sich dazu einer besonderen Amts-, Liturgie- und Wissenschaftssprache, eben des Lateinischen. Der einzelne Laie konnte – jedenfalls zunächst – nur dadurch Anteil am tradierten Wissensvorrat erhalten, daß er über gottesdienstliche Liturgieformen, öffentlich zugängliche Armenbibeln, metaphorische und symbolhafte Malereien und Plastiken an Bauwerken die Fülle der Tradition verkürzt in sich aufnahm.

Eine gewisse Änderung ergab sich im Spätmittelalter insofern, als durch die Ausweitung der öffentlichen Verwaltung ein gesteigerter Bedarf an theologischen und besonders an juristischen Fachexperten entstand, die man zur Unterstützung von Herrschaftsträgern benötigte. Dies bewirkte, daß die Grundkonstellation von »clerici« als *»litterati«* und von *»laici«* als »illiterati« gesprengt wurde[16] und daß Wissen jetzt auch als Herrschaftswissen unabhängig von kirchlichen Implikationen tradiert werden konnte. Das alte kirchliche Bildungsmonopol wurde durchbrochen. Es erhielt in einer wachsenden Beteiligung der Bevölkerung an dem zeitgenössischen Wissensvorrat eine ernsthafte Gefährdung. In den spätmittelalterlichen Städten wuchs die des Lesens und Schreibens kundige Bevölkerung auf durchschnittlich 10–30%[17], und der bürgerliche Anteil an Universitätsstudenten stieg rapide an[18]. Es entstanden Gruppierungen, die die Laienbildung in besonderer Weise pflegten, so z.B. die Reformbewegung der »Devotio moderna« und die von Gert Groote in Deventer ausgehenden Verbindungen der »Brüder vom Gemeinsamen Leben«, die sich die Lektüre in Laienkreisen besonders angelegen sein ließen[19]. Es ist klar, daß die Erfindung der Buchdruckerkunst Mitte des 15. Jahrhunderts einen zusätzlichen Anstoß zur »Demokratisierung« des Lernens gab[20]. Differenzierte und zusammenfassende Wissensdarstellungen für ein breiteres Publikum konnten schließlich den Bildungshorizont erheblich ausweiten[21].

Doch all diese Fortschritte im Laufe des 15. Jahrhunderts, die durch die humanistischen Vorstellungen der Zeit noch erheblich weitergetrieben wurden, ließen den tiefen Hiatus zwischen einer breiter werdenden, aber immer noch elitären Bildungsschicht und einer erheblich größeren Schicht der *»illiterati«* bestehen. Die Differenzierung des alten Lehrsystems der Artistenfakultäten, also dem Trivium von Grammatik, Rhetorik und Dialektik und dem Quadrivium von Arithmetik, Geometrie, Musik und Astronomie, hatte Auswirkung nur auf die modernere Wissensvermittlung in den Universitäten und den entstehenden Lateinschulen, nicht jedoch auf die Volksbildung, sofern sie überhaupt ins Auge gefaßt wurde. Die Wissensvermittlung für das Volk geschah letztlich weiterhin nur in der Liturgie des Gottesdienstes, im Predigtwesen und vielleicht noch im Katechumenenunterricht, seit dem späten 15. Jahrhundert z.T. auch in Form von Flugschriften. Für den durchschnittlichen Laien bildeten Gottesdienst und praktischer Unterricht eine Erlebniseinheit.

Mit diesen wenigen Daten ist gewiß nichts Neues vermittelt. Dennoch seien die Hauptprinzipien des christlichen Systems noch einmal zusammengefaßt:

1. Die christliche Ordnung Mitteleuropas, um die es hier besonders geht, kannte kein System der allgemeinen Wissensvermittlung, durch das die Kenntnis der Heiligen Schrift einer breiten Masse von Gläubigen hätte übertragen werden können. Vielmehr wurde das überkommene religiöse Wissen aus Bibel, Patristik und Konzilsliteratur innerhalb eines kleinen Kreises von Geistlichen tradiert, die ihre Kenntnis teils den Kloster- und Pfarrschulen verdankten, teils universitärer Ausbildung.

2. Durch die Differenzierung der öffentlichen Aufgaben und durch die Vervielfältigung von Herrschaftspositionen wurden Wissen und Bildung über den Kreis der Geistlichkeit hinausgetragen. Besonders städtische Führungsschichten erwarben sich Anteile am Gesamtwissensvorrat, den sie – das sei hier angefügt – ihrerseits auf weitere Themenbereiche und besonders auf Herrschaftswissen jeder Art ausdehnten. Die Gruppe der *»illiterati«* wurde zwar kleiner, aber in keiner Weise an das bestehende Bildungssystem angeschlossen.

3. Die Wissensvermittlung in durchschnittliche Laienkreise geschah zunächst allein in metaphorisch-symbolischer Art, durch Verbreitung bildhafter Vorstellungen, durch die Abstrakta zu allgemeinem Verständnis umgesetzt wurden. Sie diente allein der Verbreitung von Heilswahrheiten, nicht aber der praktischen Lebensbewältigung. Freilich bedurfte der Einzelne nach der Auffassung der Zeit auch kaum eines eigenen Wissensvorrats, da er zur Erreichung des in der Bibel verheißenen Heils der Vermittlung des Priestertums bedurfte.

4. Erste Ansätze zu einer allgemeinen Verbreiterung des Wissens entstanden – sieht man von den gescheiterten Laienprediger- und Armutsbewegungen des 13. Jahrhunderts ab – in den religiösen Laienvereinigungen des 14.

und besonders 15. Jahrhunderts. Sie verhießen erstmals eine Art persönlichen Zugang zu Gott, und sie mußten deshalb auch auf die religiöse Laienbildung Wert legen. Die »Humanistische Bewegung« hat, obwohl sie nur eine geistige Oberschicht erfaßte und deshalb hier nicht im einzelnen kommentiert werden kann, zur Veränderung des allgemeinen Bewußtseins insofern beigetragen, als der verfügbare Wissensvorrat stärker als bisher von seinem religiösen Kern abgehoben und auf weltliche Schriften ausgedehnt wurde. Mit seiner Aufwertung der Volkssprachen hat der Humanismus bekanntlich weitere Grundlagen zu allgemeiner Wissensvermittlung gelegt.

IV.

Ebenso stellt es nichts Neues dar, wenn man darauf hinweist, daß die reformatorische Lehre Martin Luthers und Philipp Melanchthons in Fortführung des humanistischen Ideenguts erstmals Perspektiven einer allgemeinen Volksbildung erkennen ließ. Im Rahmen dieser Arbeit sind dazu nur einige knappe Bemerkungen möglich.

Theologischer Ausgangspunkt für die veränderte Haltung der Reformatoren war das von Luther geforderte allgemeine Priestertum der Gläubigen. Schon in der Schrift »Von der Freiheit eines Christenmenschen« aus dem Jahre 1520 tritt dieses Prinzip klar zutage:

»Überdies sind wir Priester; das ist noch viel mehr, denn König [zu] sein, darum, daß das Priestertum uns würdig macht, vor Gott zu treten und für andere zu bitten. Denn vor Gottes Augen zu stehn und bitten, gebührt niemand denn den Priestern.«

Nur die eine Einschränkung machte Luther, daß nicht jeder kraft seines Priestertums zum Predigtamt berufen sei: *»Denn ob wir wohl alle gleich Priester sind, so können wir doch nicht alle dienen oder schaffen und predigen«*[22]. Diese Vorstellung hatte notwendigerweise zur Folge, daß das bisher von einem engen Kreis von Gebildeten tradierte Wissen auf alle Gläubigen zu übertragen sei. In der Tat setzte sich Luther in zahlreichen Äußerungen für eine Neubegründung des Unterrichts und eine Neudefinition der Erziehungsziele ein. Am deutlichsten geschah dies in einem Sendschreiben *»an die Ratsherren aller Städte deutschen Landes, daß sie christliche Schulen aufrichten und halten sollen«*, wie es im Titel hieß, aus dem Jahre 1524[23]. Nicht von ungefähr war diese Schrift als Appell an die weltlichen Obrigkeiten der Städte formuliert, mit deren Hilfe Luther eine Reform des Erziehungssystems in die Wege zu leiten gedachte[24]. Von den bestehenden Kloster- und Pfarrschulen hielt er nicht viel. Sie waren für ihn *»Eselsställe und Teufelsschulen«*[25], *»Kinderfresser und -verderber«*[26] und Verkörperungen der Hölle und des Fegefeuers[27]. Täglich würden Kinder geboren, ohne daß jemand da sei, der sich des jungen Volks annehme und es erziehe, *»da läßt mans gehen, wie es gehet«*[28]. Die Errichtung neuer Schulen durch die Städte könne bewirken, daß diese *»viel feiner, gelehrter, vernünftiger, ehrbarer*

[und] wohlgezogener Bürger« gewönnen[29]. Besonderen Wert legt er darauf, daß dort die Sprachen der Bibel gelehrt werden.
»Weil denn nun den Christen gebührt, die Heilige Schrift zu üben als ihr eigen, einziges Buch«, so sei es eine Sünde und eine Schande, *»daß wir unser eigen Buch nicht wissen, noch unsers Gottes Sprach und Wort nicht kennen.«*
Um über die Bibel urteilen zu können, solle man die Kunst der Sprachen erlernen[30]. Erst durch eine Kenntnis der biblischen Sprachen könne man den rechten Text erfassen und werde man gerüstet und geschickt *»zu fechten für den Glauben wider den Irrtum«*[31]. Um dies alles bewerkstelligen zu können, sollten Schulen in den Städten eingerichtet werden und zwar gleichermaßen für Mädchen und Knaben. Außer den Sprachen solle besonders auch die Geschichte gelehrt werden. Die Schüler könnten daraus hören, *»wie es dieser Stadt, diesem Reich, diesem Fürsten, diesem Mann [oder] diesem Weibe gegangen wäre, und könnten also in kurzer Zeit gleichsam der ganzen Welt von Anbeginn Wesen, Leben, Rat und Anschläge, Gelingen und Ungelingen für sich fassen wie in einem Spiegel, daraus sie dann ihren Sinn schicken und sich in der Welt Lauf richten könnten mit Gottesfurcht, dazu witzig und klug werden aus denselben Historien, was zu suchen und zu meiden wäre in diesem äußerlichen Leben«*[32]. Zugleich aber ergäben sich aus den Chroniken Gottes Wunder und Werke[33].

Philipp Melanchthon hat die Gedanken Luthers, die auch in zahlreichen weiteren Schriften geäußert und präzisiert wurden, in ein effektives Unterrichtssystem umgesetzt. Auch wenn ihm vor allem an der Reformierung der Lateinschulen als Vorstufe der Universitäten gelegen war, so hat er doch auch die Grundlage für das entstehende Volksschulwesen gelegt, das ein gewisses Maß von Bildung in eine breitere Allgemeinheit trug. Daß es noch längere Zeit dauerte, bis der überkommene Fächerkanon durch praktische Fächer nichtreligiösen Inhalts erweitert wurde – soweit bekannt, hat erstmals eine braunschweigische Schulordnung von 1651 die Fächer Geschichte und Geographie verbindlich eingeführt und damit politisches Handlungswissen zum Lehrziel erklärt[34] –, kann nichts daran ändern, daß die allgemeine Wissens- und Bildungserweiterung als Projekt in den Forderungen Luthers und Melanchthons angelegt war. Die Homberger Reformationsordnung Landgraf Philipps des Großmütigen von Hessen aus dem Jahre 1526 gab erstmals den Anstoß zur Einrichtung von Volksschulen auf der Ebene der Landesherrschaften. Es heißt hier[35]:
»In allen größeren sowohl als kleineren Städten und in den Dörfern sollen Schulen sein, in welchen die Knaben in den Elementarlehren und im Schreiben solange unterrichtet werden, bis die, welche es wollen, zum Studium in Marburg befähigt, sich dorthin zur höheren Ausbildung sich begeben. Und wenn hie und da in den Landschulen ein vollständiger Elementarunterricht unmöglich ist, so sollen wenigstens die Geistlichen oder ihre Gehilfen den Unterricht im Lesen und Schreiben erteilen. Außerdem sollen in den großen und kleinen Städten, womöglich auch in den Dörfern, Mädchenschulen

eingerichtet werden, unter der Leitung gebildeter und in den Jahren vorgerückter frommer Frauen.«
Sieht man sich nun kurz nochmals die Grundprinzipien der lutherischen Reformforderungen im Vergleich zu denen des jüdischen Erziehungssystems an, so ist festzustellen, daß beide im wesentlichen miteinander übereinstimmten. Als Projekt zumindest könnten die drei vorhin zitierten ersten Grundprinzipien des jüdischen Systems auch hier gelten:

1. In abgestufter Form sollte der auf religiöser Grundlage vermittelte Unterricht das gesamte Volk, mit Einschränkungen auch den weiblichen Teil der Bevölkerung, erfassen.
2. Es sollte keine abgeschlossene Gelehrtenschicht bzw. Priesterschaft geben; vielmehr sollte das religiöse Wissen jedermann unabhängig von Herkunft und Einkommen zugänglich werden.
3. Die entstehende Pfarrerschaft, entsprechend dem jüdischen Rabbinat, sollte in der sozialen Rangordnung kraft einer besonderen Kumulation von religiösem und lebenspraktischem Wissen einen ersten Platz einnehmen, nicht aber eine theologische Sonderstellung erhalten, weil durch sie etwa der Zugang zu Gott und den Heilswahrheiten vermittelt wurde.

Lediglich die Einübung des Wissensstoffes durch Diskussion entsprach nicht reformatorischem Gedankengut, offenbar, weil eine tiefe Abneigung gegen scholastische Argumentationstechniken bestand. Den jüdischen Vorstellungen jedoch entsprach die Forderung Luthers, die Bibel möglichst in der Ursprache kennenzulernen, um sie besser verstehen zu können.

V.

Auf dieser Basis, so sollte man meinen, hätte sich ein neues Zusammenleben zwischen Christen und Juden entwickeln können. Das sowohl im Kreise der Christen als auch in dem der Juden »demokratisierte« religiöse Wissen hätte eine neue Art freier, gleichsam »herrschaftsfreier« Disputationsformen mit sich bringen können. Die beiderseitige Kenntnis der Bibel im Urtext oder zumindest in einer dem Urtext nahekommenden Übersetzung hätte eine gemeinsame Diskussionsbasis schaffen können. Dem rückschauenden Historiker mag eine derartige Konzeption, auch wenn die bildungsmäßigen Voraussetzungen dazu vorhanden gewesen wären, als Utopie erscheinen, zumal sich bis heute, also mehr als 450 Jahre nach der Reformation, noch keine wirklichen Fortschritte im jüdisch-christlichen Religionsgespräch eingestellt haben. Doch finden sich in zeitgenössischen Schriften Ansätze zu einer neuen jüdisch-christlichen Disputationsform, auch wenn sie in erster Linie vom Impetus der Missionierungsabsicht lebten. Beispielhaft dafür steht das Werk des Memminger Laientheologen Sebastian Lotzer, eines in Horb geborenen Kürschnergesellen, der bekanntlich die bedeutenden »Zwölf Artikel« der Bauern als wichtigste Programmschrift des Bauernkriegs von 1525 konzipiert hatte[36]. Es erscheint in diesem Zusammenhang nicht uninteressant, seine Konzeption als gleichsam revolutionäre Konsequenz der reformatorischen Forderung kennenzulernen.

In zwei Flugschriften aus dem Jahre 1523, beide in Kenntnis des reformatorischen Programms Martin Luthers verfaßt, fordert Lotzer die Bürger des damals vorderösterreichischen Städtchens Horb am Neckar auf, mit dem von Luther geforderten allgemeinen Priestertum der Gläubigen Ernst zu machen. In der ersten Schrift bittet er darum

»ihr wölt euch befleyßen, und eyn yeder, so es vermüg, das hailig Neu Testament zu kaufen; da findt ihr die rechte lebendige Speyß eurer Seelen«[37].

Konkret rät er den Bürgern[38]: *»Welcher zwen Röck hat, er verkaufte den ain und keufte ain Neu Testament. Da möchtend ihr die lebendigen Wort Gottes selbs lernen und möchten verston, wa man euch verfüren wolt.«*

In Anknüpfung an den humanistischen Einfältigkeitstopos[39] hält er theologisch nicht vorgebildete Laien für besonders geeignet, die Bibel zu lesen. Es gäbe nichts besseres, als die Schrift selbst zu lesen; gerade den Einfältigen sei das göttliche Wort gegeben, denn Christus sei bei seiner Geburt den Hirten verkündet worden, nicht aber den Schriftgelehrten und Pharisäern. Dem Schlichten öffne Gott das rechte Verständnis des Gotteswortes. Dieser sei nämlich, *»der recht Schulmaister; kann ain[er] in ainer Stund mehr lernen, dann ob ainer funfzig Jar der hohen Schul stiend«*. Er sei überzeugt davon, daß Gott alle *»glatte Predigt und alles was von hohen Dingen leret«*, ausrotten wolle.

Während Lotzer in dieser ersten Flugschrift noch recht allgemein die Konzeption eines Laienchristentums entwickelt, das sich durchaus noch in den traditionellen Rahmen der Laienbewegungen des Spätmittelalters einpaßt und diese mit humanistischem und reformatorischem Gedankengut verbindet, stellt er in seiner zweiten Flugschrift vom August 1523 ein konkretes Programm auf, wie er sich das Laienpriestertum im Umgang mit Andersgläubigen vorstellt[40]. Er reagiert hier auf die ihm zugetragene Warnung, in Glaubensdingen zu disputieren. Zunächst wiederholt er seine im ersten Sendschreiben geäußerte Ansicht vom allgemeinen Priestertum der Gläubigen und fügt dem hinzu, daß auch der Laie in der Lage sei, die Heilige Schrift zu verstehen. Jeder Gläubige habe sogar die Pflicht, sich eigenverantwortlich zu informieren und sich nicht auf die Kommentare der Gelehrten zu verlassen: *»Es wirt dich nit helfen«*, so erklärt er wörtlich, *»daß ein andrer vil kann. Du must selbs Rechnung für dich geben.«*

Sodann aber beschäftigt er sich mit der Frage der Glaubensdisputation mit Juden. Seiner These von der Eigenverantwortlichkeit des christlichen Gläubigen in Fragen des Glaubens entspricht es, daß er Laien aufgrund seiner Schriftkenntnis eine Religionsdisputation zutraut. Wörtlich erklärt er[41]:

»Unsere Schul-Lerer hond bißher gesagt, es sollen sich die Layen nit mit den Juden in ein Disputatz [be]geben; dann sy seien gelert in ihrem Gesetz [und] möchten ein[en] etwa überwinden. – Ja, freilich sind sy gelert; sy leren ihr Kind von Jugent auf ihr Gesetz [zu] verston. So wöllen[t] ihr uns solchs wörn und

verbieten? Ist es nit zu Erbarmen gewesen, daz wir unsern Jesum Christum und sein heiligs Wort nit haben dürfen bekennen vor den Juden und Ungläubigen?«
Freilich müsse man sich dazu auch die Kenntnis des Alten Testaments verschaffen. Aus diesem gerade könne man die Juden überführen, daß sie und ihre Vorväter wider Gott gesündigt haben und daß Christus von den Propheten vorher verkündigt worden sei.

Es soll hier unberücksichtigt bleiben, daß Lotzer die Religionsdisputation zwischen Christen und Juden nicht aus dem Geist der Toleranz, sondern ganz in Missionierungsabsicht fordert, um den Juden das Wort Gottes aus christlicher Sicht verkünden zu können. Es soll weiter unberücksichtigt bleiben, daß Lotzer selbst wohl kaum konkrete Erfahrungen mit Religionsdisputationen aufzuweisen hatte, da es in dieser Zeit weder in Horb[42] noch in Memmingen[43] Juden gab, Memmingen sogar über ein Privileg *»de non tolerandis iudeis«* verfügte. Entscheidend dürfte sein, daß er die theologische Aussage Luthers vom allgemeinen Priestertum der Gläubigen im Verhältnis zu den Juden konsequent zuende denkt, ohne freilich deren erziehungspolitische Implikationen zu übernehmen. Er setzt sich ausdrücklich von der Auffassung der Schul-Lehrer, also seiner theologischen Lehrmeister, ab, die dem ungebildeten Laien wenig zutrauten, schon gar nicht eine Glaubensdisputation mit Juden. Repräsentativ für diese ist der im 13. Jahrhundert predigende Berthold von Regensburg († 1272), der etwa in der Zeit der vorhin zitierten Wiener Synode von 1267 vor jeder laienhaften Auseinandersetzung mit Juden warnte, da diese *»wolgelert in der Schrift«* seien. Es könne nämlich geschehen, daß der christliche Laie aufgrund jüdischer Argumente in seinem Glauben geschwächt werde[44].

Auch wenn also die Forderung Sebastian Lotzers zumindest für seine Zeit sozialutopischen Charakters war und kaum eine Chance der Realisierung hatte, so zeigt sie doch die Richtung an, in der humanistische und reformatorische Gedanken hätten weiterentwickelt werden können. Immerhin hätte der Gedanke eines allgemeinen Priestertums der Gläubigen, der sich nicht auf ein ohnehin nicht zu verwirklichendes allgemeines theologisches Traditionswissen stützte, sondern auf eine Kenntnis allein der Heiligen Schrift, eine Konvergenz jüdischer und christlicher Haltungen bewirken können. Unter den protestantischen Theologen sind vor allem Andreas Osiander in Nürnberg und Wolfgang Capito in Straßburg diesen Weg jüdisch-christlicher Verständigung weitergegangen, wurden in ihm freilich schon recht bald isoliert.

VI.

Die Wendung in Richtung auf einen Abbruch aller Verständigungsansätze zu den Juden ging im wesentlichen von Luther selbst aus, war aber nur möglich im Rahmen einer aus dem späten 15. Jahrhundert überkommenen, noch

immer anhaltenden Zeitstimmung, wie sie in dem 1530 erschienenen Werk *»Der gantz Jüdisch Glaub«* des Regensburger Konvertiten Antonius Margaritha ihren radikalsten und wirkungsmächtigsten Ausdruck gefunden hatte[45]. Die veränderte Haltung deutete sich bei Luther erstmals in einer 1538 entstandenen Gelegenheitsschrift *»Wider die Sabbather an einen guten Freund«* an, in der er zu den »judaisierenden« Tendenzen im Protestantismus Stellung bezog. Ihren radikalsten Niederschlag fand die Haltung Luthers, die im Grundsatz bereits in seiner frühen Theologie angelegt war, in seinem 1543 erschienenen umfangreichen Werk *»Von den Juden und ihren Lügen«*. An dieser Stelle soll nur interessieren, daß Luther die bisher propagierte Eigenverantwortlichkeit der Gläubigen jedenfalls im Verhältnis zu den Juden beschränkt. Da die Juden durch Argumente nicht zum christlichen Glauben zu bewegen seien, hielt er eine Disputation mit ihnen für sinnlos. Wörtlich erklärt er:
»Es ist mein Furhaben nicht, das ich wolle mit den Juden zancken oder von inen lernen, wie sie die Schrift deuten oder verstehen; ich weis das alles vorhin wol. Viel weniger gehe ich damit umb, das ich die Juden bekeren wolle, denn das ist unmüglich.« Er empfiehlt daher den Adressaten seiner Schrift: *»Disputire nicht viel mit Juden von den Artickeln unsers Glaubens; sie sind von Jugent auf also erzogen mit Gift und Grol wider unsern Herrn, das da kein Hoffnung ist, bis sie dahin komen, das sie durch ir Elend zuletzt mürb und gezwungen werden, zu bekennen, daß Messias sey komen und sey unser Jhesus. Sonst ists viel zu frue, ja gar umbsonst, mit inen zu disputiren, wie Gott dreyfaltig, Gott Mensch sey, Maria Gottes Mutter sey.«*
Luther stützte sich, was aber jetzt nicht weiter ausgeführt werden kann, im wesentlichen auf altkirchliche Autoritäten wie Nikolaus von Lyra, der im 14. Jahrhundert, und Paulus von Burgos, der im 15. Jahrhundert wirkte. Der mit seiner schon zitierten Schrift *»Der gantz Jüdisch Glaub«* 1530 in Augsburg gescheiterte und von einer kaiserlichen Kommission aus der Stadt verbannte Antonius Margaritha vermittelte Luther persönlich die Judenfeindschaft der altkirchlichen Theologie, nachdem er 1531 als Lektor der hebräischen Sprache nach Leipzig gegangen war und dort eine dritte Auflage seiner Schrift verbreiten ließ[46]. Josel von Rosheim, der auch von den Christen anerkannte und geachtete »Befehlshaber« der Juden des Heiligen Römischen Reiches, vermerkt diese unheilige Allianz zwischen Luther und Margaritha, zwischen neukirchlichem Reformimpuls und altkirchlicher Tradition im Umgang mit den Juden, in seinen 1547 abgeschlossenen Erinnerungen mit Trauer. Der persönliche Erfahrungshorizont Luthers in der Auseinandersetzung mit Juden war ebenso wie der Sebastian Lotzers begrenzt, und so waren es die katholischen Lehrautoritäten und jüdischen Renegaten, die am Ende den Ausschlag für die unversöhnliche Haltung gaben.

Daß der Umschwung in Luthers Einstellung zu den Juden erst in den späten dreißiger Jahren erfolgte und sein andersgeartetes Erziehungs- und Lernkonzept überlagerte, hat nichts mit Altersstarrsinn zu tun, sondern hat offenbar eine sachliche Grundlage in der veränderten Realität. Seit den dreißiger Jahren traten die originären theologischen Impulse in der Auseinandersetzung mit der altkirchlichen Lehre in den Hintergrund. Die neue reformatorische Lehre hatte an Durchsetzungskraft gewonnen und war zu einem politischen Faktor im Ganzen des Heiligen Römischen Reiches geworden. Besonders das sich konstituierende Landesfürstentum hatte die befreienden Chancen und die emanzipatorische Kraft der neuen Sichtweise auf sich konzentriert. Mit der Speyerer Protestation von 1529 und der Augsburger Bekenntnisschrift des Folgejahres hatte sich aus der theologischen Lehrmeinung eine verfassungsrechtliche Komponente gebildet, die es zu stabilisieren galt. Fast unversehens wurde Luther, der in zahlreichen Stellungnahmen Fragen mit politischen und reichsrechtlichen Implikationen zu klären hatte, zum Dogmenwächter, der das Erreichte auf landeskirchlicher Ebene abzusichern hatte und nicht etwa in versöhnlichem Geist für die Gegner der neuen Lehre offenhielt[47]. Als Luther durch die *»Confutatio«* und die sich konstituierende Ablehnungsfront sein Lebenswerk gefährdet sah, wandte er sich in zunehmendem Umfang an die Landesherren und Stadtobrigkeiten als die vorläufig tätigen Gralshüter seiner Theologie. Die Bedürfnisse des Landeskirchentums traten in den Vordergrund. Im Interesse seiner Stabilisierung wurden neue Abgrenzungsstrategien entwickelt und theologisch untermauert. Und in genau diesem Zusammenhang sind auch die Schriften gegen die Juden zu sehen, von denen ein Stück beispielhaft zitiert wurde.

Zwei Grundströmungen kamen also in den protestantischen Territorien seit den dreißiger und vierziger Jahren zusammen, die sich eigentlich gegenseitig ausschlossen: Auf der einen Seite die *humanistische Strömung*, wie man sie nennen könnte, die angesichts der geforderten Eigenverantwortlichkeit jedes christlichen Gläubigen eine Öffnung der Lehre und den freien Diskurs hätte bedeuten müssen. Eine von neuen, auf die Juden und Christen gemeinsame Bibel zurückgeführten Wahrheiten überzeugte Haltung hätte die Argumente der Juden nicht fürchten müssen. Auf der anderen Seite aber die *dogmatische Strömung*, die sich mit dem Teilergebnis des Landeskirchentums zufriedengab und an der Sicherung wenigstens dieser Entwicklungsstufe interessiert war. Ihr war daran gelegen, mögliche Störfaktoren von vornherein auszuschalten, Disputationen mit Außenstehenden deshalb den dazu ausgebildeten Theologen zu überlassen. Daß sich nach anfänglichen Richtungskämpfen die dogmatische Haltung durchsetzte, hat mit der spezifischen Konkurrenzsituation zu tun, der man sich in der protestantischen Kirche gegenüber dem Judentum ausgesetzt sah. Bereits weiter oben wurde darauf hingewiesen, daß das »Bildungs«- und Erziehungskonzept Luthers und Melanchthons zusammen mit der Vorstellung vom allgemeinen Priestertum aller Gläubigen eine Angleichung an jüdische Sozialisationsvorstellungen brachte. Nicht zufällig haben zahlreiche Juden aufgrund der frühen Flugschriften Luthers dessen Auftreten begrüßt und daran die Hoffnung für ein neues

Zusammenleben zwischen Juden und Christen geknüpft[48]. Im Zeichen der beginnenden Konfessionalisierung und Dogmatisierung im Verhältnis zwischen Neu- und Altgläubigen jedoch konnte die an sich einigende Kraft des übereinstimmenden Erziehungskonzepts eine gegenteilige Wirkung entfalten und zwar insofern, als man auf Konkurrenzsituationen zur Stabilisierung der eigenen Position besonders sensibel reagierte. Berührungsängste wurden gesteigert und allenthalben sah man Gefahren der Verwässerung für das eigene Dogma. Die Konsequenz war, daß die in der Binnenkommunikation zwischen den Protestanten freigegebene theologische Diskussion nach außen hin besonders dann unterbunden wurde, wenn angesichts eigener, noch ungenügender Argumentationserfahrung die Gefahr des Unterliegens bestand.

VII.

Noch nicht geklärt ist jetzt die Frage, ob die eingangs zitierten braunschweigischen Disputationsverbote wirklich ihre Herkunft der Dogmatisierung des neukirchlichen Erziehungs- und Lernkonzepts verdanken, oder ob sie vielleicht doch nur eine unreflektierte Wiederaufnahme älterer, altkirchlicher Vorstellungen bedeuten. Es sei deshalb abschließend noch das verbindende Beweisglied vorgestellt, das den Zusammenhang zwischen dogmatischer Verhärtung und gesetzlicher Neuregelung liefert.

Dieses noch fehlende Verbindungsstück liegt in der 1539 entstandenen Judenordnung Landgraf Philipps des Großmütigen für Hessen, der ersten umfassenden Judenordnung eines protestantischen Landesfürstentums überhaupt. Diese beruhte unmittelbar, in teilweise wörtlicher Übereinstimmung, auf einem theologischen Gutachten des Straßburger Reformators und landgräflichen Beraters Martin Bucer. Es kann vermutet und auch durch den Briefwechsel Bucers mit dem Landgrafen wahrscheinlich gemacht werden, daß sich Bucer, der unmittelbar vor Anfertigung seiner gutachtlichen Stellungnahme bei Luther in Wittenberg weilte, dessen veränderte Einstellung zu den Juden kannte und in die politische Wirklichkeit transponierte. Kurz vorher war Luthers zitierte Schrift »*Wider die Sabbather*« entstanden, von der Bucer zweifellos Kenntnis erhielt.

Im Rahmen der Religionsbestimmungen der Judenordnung von 1539 wurde u. a. festgesetzt, daß die neu aufzunehmenden Juden jeweils versprechen sollen,

»*mit niemants der unsern von der Religion zu disputiren in eynichen Weg, dann alleyn mit denen Predigern, die wir darzu besonders verordnen werden*«.

Den Juden wurde also ein allgemeines Disputationsverbot auferlegt, das nur für den Fall aufgehoben wurde, daß besonders damit beauftragte Prediger anwesend sind. In einer *interpretatio authentica* von 1543 wurde ergänzend bestimmt, daß die Juden »*von unser Religion und Glauben nicht spöttisch reden noch mit yemants darwider disputiren«.* Man befürchtete also eine Argumentationsweise, die die Lehrinhalte des christlichen Glaubens nicht ernst nahm. Spätere hessische Judenordnungen, und zwar in allen Teilterritorien, übernahmen die zitierten Verbotsbestimmungen in zumeist wörtlicher Anlehnung, und zwar bald mit dem weiteren erklärenden Zusatz, daß mit den »Unserigen« insbesondere die *»einfältigen Leyen«* gemeint seien.

Das Verbot der Disputation zwischen Christen und Juden, das Bucer in seinem Gutachten ausdrücklich forderte, ist auch vor dem Hintergrund der judenfeindlichen Haltung des Straßburger Reformators zu sehen. In seinen 1535 verfaßten »Dialogi« hatte dieser ehemalige Dominikaner unter Berufung auf das Corpus Juris Civilis zunächst für eine generelle Ausweisung der Juden plädiert, falls diese für ihren Glauben Propaganda trieben oder den christlichen Glauben verspotteten[49]. Die Ausweisung hatte er auch in seinem Gutachten im Grundsatz befürwortet, weil er befürchtete, daß eine Duldung der Juden *»bei vielen Ergernis und Verletzung brechte, nemlich [bei] einfaltigen und auch andern furwitzigen Leuten«*[50]. Entscheide man sich gleichwohl für die Duldung der Juden – so Bucer – so müsse die in der reformatorischen Lehre angelegte freie Diskussion zum Schutze der »einfältigen Laien« beschränkt werden, sofern sie nicht von besonders geschulten Theologen geführt oder unterstützt werde. Wörtlich führt er in seinem Gutachten aus:
»Die Juden [sollen] mit niemands der Religion halber [...] disputiren in einigen Weg, denn allein mit den Predigern, die man dorzu in Sonderheit verordenen würde. Denn welche nicht wol in der Schrift und Erkantnus unserer Religion gegründet, die konten durch die Juden, als die in der Bibel leuftig und sonderlich in den falschen Argumenten wider Christum uberaus wolgeübet, gar l[e]ichtlich irregemacht und im Schein überwunden werden. Dardurch denn solches Disputiren mit den Juden nicht meher würde außrichten, denn daß die Juden in ihrem Irthumb gesterckt und die Christen, so mit inen disputirten oder zuhörten, in irem Glauben geschwecht würden.«
Nirgends wurde der Sinn des Disputationsverbotes deutlicher herausgestellt. Bucer war sich dessen bewußt, daß die Juden sich in der Bibel nach wie vor besser auskannten als die breite Masse der Christen. Im Argumentieren waren sie geübt und waren deshalb leicht in der Lage, einzelne, in der Argumentationstechnik weniger geübte Christen in ihrem Glauben zu verunsichern und zu schwächen. Die von den Reformatoren geförderte Bereitschaft aller Gläubigen, über den eigenen Glauben eigenverantwortlich nachzudenken und sich nicht mehr auf autoritativ festgesetzte Richtlinien der Kirche zu verlassen, beschwor neue Gefahren herauf, denen man nur noch durch ein Disputationsverbot in Glaubenssachen begegnen zu können glaubte.

Da sich aus erhaltenen Korrespondenzakten ergibt, daß das von Herzog Julius von Braunschweig-Wolfenbüttel 1578 gewährte Judengeleit auf den Bestimmungen der philippinischen Judenordnung basiert, ist der genetische Zusammenhang nun klar. Er führt von Luthers antijudaistischer Judenschrift von 1538 über das Bucersche Gutachten und die hessische Judenordnung zum braunschweigischen Judengeleit. Die beiden letztgenannten Ordnungen entfalteten vor dem Hintergrund des konfessionellen Zeitalters im protestantisch-lutherischen Einflußbereich eine Breitenwirkung, die ohne die Kenntnis der genetischen Zusammenhänge nicht erklärbar wäre.

VIII.

Im Ergebnis ist also festzuhalten: Die durch die humanistische Einstellung möglich gewordene und durch die reformatorischen Frühschriften projektierte Öffnung des christlichen Erziehungskonzepts durch Einbeziehung des selbstverantwortlichen Laien ließ eine Annäherung an vergleichbare jüdische Vorstellungen zu. Gleichwohl wurde ein umfassendes Religionsgespräch zwischen Juden und Christen nur von wenigen Sozialutopisten, wie Sebastian Lotzer, gefordert. Dogmatisierung und beginnende Konfessionalisierung verhinderten ein Ausnützen der Chancen, die sich noch in den zwanziger Jahren des 16. Jahrhunderts gezeigt hatten. Letzten Endes war es das in Bucers Gutachten zum Ausdruck gekommene Eingeständnis der Überlegenheit jüdischer Bildungskonzeptionen und Argumentationstechniken, das den Rückzug der protestantischen Theologen und in ihrem Gefolge der Landesherrschaften mit sich brachte. Zugleich war es ein Zeichen dafür, daß man dem eigenen, auf dem allgemeinen Priestertum der Laien beruhenden Lehr- und Lernkonzept noch wenig zutraute und an der Realität der »einfältigen Laien« nicht vorübergehen konnte oder wollte.

Anmerkungen

1 M. Wiener, Geschichte der Juden in der Residenzstadt Hannover, vorzugsweise während des 16. Jahrhunderts. In: Monatsschrift für Geschichte und Wissenschaft des Judentums 10, 1861 (ND 1969), S. 121–258, hier: S. 254 ff.

2 Stadtarchiv Hildesheim, Best. 1 Nr. 432 a; die Kenntnis dieses Schutz- und Geleitbriefs verdanke ich Frau Dr. Rotraud Ries, der ich dafür an dieser Stelle herzlich danken möchte. S. Rotraud Ries, Soziale und politische Bedingungen des jüdischen Lebens in Niedersachsen im 15. und 16. Jahrhundert, Teile 1 und 2, phil. Diss., Münster 1990, S. 56 ff. (jetzt im Druck erschienen unter dem Titel: Jüdisches Leben in Niedersachsen im 15. und 16. Jahrhundert, Hannover 1994).

3 Moritz Güdemann, Geschichte des Erziehungswesens und der Cultur der Juden in Deutschland während des 14. und 15. Jahrhunderts, Bd. 3, Wien 1888 (ND Amsterdam 1966), S. 68. Vgl. Hildegard Feidel-Mertz, Jüdisches Lernen. In: Neues Lexikon des Judentums, Gütersloh/München 1992, S. 244 ff.; Elijah Bortniker, Jewish Education in the Middle Ages. In: Encyclopaedia Judaica 6, Jerusalem 1971, Sp. 403–413.

4 Ebd. S. 223 ff.

5 Ebd. S. 112. Siehe auch Rachel Monika Herweg, Die jüdische Mutter. Das verborgene Matriarchat, Darmstadt 1994, S. 80 ff.; Avraham Grossman, The Status of Jewish Women in Germany (10th–12th Centuries). In: Julius Carlebach (Hrsg.), Zur Geschichte der jüdischen Frau in Deutschland, Berlin 1993, S. 17–35.

6 Michael Riff, Das osteuropäische Judentum. In: Franz J. Bautz (Hrsg.), Geschichte der Juden von der biblischen Zeit bis zur Gegenwart, München 1987, S. 115–139, hier: S. 123.

7 Güdemann, Geschichte (wie Anm. 3), S. 69f.
8 Ebd. S. 89f.
9 Ebd. S. 31f.
10 Ebd.
11 Helga Heubach (Hrsg.), Jüdisches Leben in Frankfurt, Materialien I (Ghettozeit 1462–1796), Frankfurt a.M. 1988, S. 35ff.
12 Julius Höxter, Quellenbuch zur jüdischen Geschichte und Literatur, Teil 4, 1927 (ND Zürich 1983), S. 96ff.
13 Ebd. S. 97.
14 Laetitia Boehm, Das mittelalterliche Erziehungs- und Bildungswesen. In: Propyläen Geschichte der Literatur. Literatur und Gesellschaft der westlichen Welt, Bd. 2: Die mittelalterliche Welt 600–1400, Berlin 1982, S. 143–181, hier: S. 151.
15 Ebd. S. 155.
16 Ebd. S. 160.
17 Ebd. S. 161.
18 Rainer Christoph Schwinges, Deutsche Universitätsbesucher im 14. und 15. Jahrhundert. Studien zur Sozialgeschichte des Alten Reiches, Mainz 1986.
19 Boehm, Erziehungs- und Bildungswesen (wie Anm. 14), S. 162.
20 Ebd. S. 144.
21 Ebd. S. 178; Christoph Hubig, Humanismus – die Entdeckung des individuellen Ichs und die Reform der Erziehung. In: Propyläen Geschichte der Literatur. Literatur und Gesellschaft der westlichen Welt, 3. Bd.: Renaissance und Barock 1400–1700, Berlin 1984, S. 31–67, hier: S. 35f.).
22 Hier benutzt: Ausgabe H. H. Borcherdt/Georg Merz (Hrsg.), Martin Luther. Ausgewählte Werke, Bd. 2, München 1962[3], S. 267–287, hier: S. 276f. Art. 16f.
Volkstümliche Ausgabe: Günther E. Th. Bezzenberger (Hrsg.), Freiheit und Bindung. Vier Schriften Martin Luthers, Kassel 1983, S. 33–72.
23 Ausg. H. H. Borcherdt/Georg Merz (Hrsg.), Martin Luther. Ausgewählte Werke, Bd. 5, München 1962[3], S. 80–104 (*»An die Ratsherren aller Städte deutschen Landes, daß sie christliche Schulen aufrichten und halten sollen«*, 1524).
24 Willy Moog, Geschichte der Pädagogik Bd. 2, Osterwieck 1933 (ND Ratingen/Hannover 1967), S. 131f.
25 Borcherdt/Merz, Luther Werke 5 (wie Anm. 23), S. 86.
26 Ebd. S. 88.
27 Ebd. S. 98.
28 Ebd. S. 88.
29 Ebd. S. 89.
30 Ebd. S. 95.
31 Ebd. S. 96.
32 Ebd. S. 98.
33 Ebd. S. 103.
34 Günther Böhme, Wirkungsgeschichte des Humanismus im Zeitalter des Rationalismus, Darmstadt 1988, S. 161ff.
35 Max Georg Schmidt, Untersuchungen über das hessische Schulwesen zur Zeit Philipps des Großmütigen (Beiträge zur Geschichte der Erziehung und des Unterrichts in Hessen-Nassau-Waldeck), Berlin 1904, S. 19.
36 G(ünter) Franz, Art. »Sebastian Lotzer«. In: Die Religion in Geschichte und Gegenwart Bd. 4, Tübingen 1960[3], S. 458.
37 Wilhelm Vogt, Zwei oberschwäbische Laienprediger. In: Luthards Zeitschrift für kirchliche Wissenschaft Jg. 1885, S. 413–425, hier: S. 416f.
38 Vogt, Laienprediger (wie Anm. 37), S. 418f.
39 Hubig, Humanismus (wie Anm. 21), S. 37ff.
40 Vogt, Laienprediger (wie Anm. 37), S. 420ff.
41 Güdemann, Geschichte (wie Anm. 3), S. 144; Vogt, Laienprediger (wie Anm. 37), S. 422f.

42 Paul Sauer, Art. »Horb«. In: Arye Maimon (Hrsg.), Germanica Judaica 3: 1350–1519, Teilband 1, Tübingen 1987, S. 573.

43 Walter Braun, Art. »Memmingen«. In: Erich Kayser/Heinz Stoob (Hrsg.), Bayerisches Städtebuch 2, Stuttgart/Berlin/Köln/Mainz 1974, S. 361–372, hier: S. 370.; demnächst auch in Germanica Judaica (wie Anm. 42) Teilband 2, Tübingen 1994, zu »Memmingen«.

44 Georg Bossert, Sebastian Lotzer und seine Schriften, 1906; zitiert nach Druckausgabe Staats- und Stadtbibliothek Augsburg, Hs. 4° ThH Nr. 1690.

45 Selma Stern, Josel von Rosheim – Befehlshaber der Judenschaft im Heiligen Römischen Reich Deutscher Nation, Stuttgart 1959, S. 83ff.

46 Ebd. S. 88f. So neuerdings bes.: Leonore Siegele-Wenschkewitz, Josel von Rosheim. Juden und Christen im Zeitalter der Reformation. In: Kirche und Israel 6, 1991, S. 3–16. Vgl. auch: Eckhardt Opitz, Johannes Reuchlin und Josel von Rosheim. Probleme einer Zeitgenossenschaft. In: A. Herzig/J. H. Schoeps/S. Rohde (Hrsg.), Reuchlin und die Juden, Sigmaringen 1993, S. 89–107.

47 Walter Bienert, Martin Luther und die Juden. Ein Quellenbuch mit zeitgenössischen Illustrationen, mit Einführungen und Erläuterungen, Frankfurt 1982, S. 115ff.

48 Hayim Hillel Ben-Sasson, The Reformation in Contemporary Jewish Eyes. In: Proceedings of the Israel Academy of Sciences and Humanities, Bd. 4, Jerusalem 1971, S. 239–326, hier insb. S. 269; Pinchas E. Lapide, Stimmen jüdischer Zeitgenossen zu Martin Luther. In: Heinz Kremers (Hrsg.), Die Juden und Martin Luther – Martin Luther und die Juden. Geschichte, Wirkungsgeschichte, Herausforderung, Neukirchen/Vluyn 1987[2], S. 171–185, hier: S. 176ff.

49 Robert Stupperich (Hrsg.), Martin Bucers Deutsche Schriften Bd. 7: Schriften der Jahre 1538–1539 (= Martini Buceri Opera Omnia series 1), Gütersloh/Paris 1964, S. 91f.

50 *»Ratschlag, wie die Juden geduldet mochten werden, von etlichen ubergeben«*, abgedruckt bei: Wigand Lauze, Leben und Thaten des durchleuchtigsten Fürsten und Herren Philippi Magnanimi, Landgraffen zu Hessen, 1. Bd., Kassel 1841, S. 395–406, hier: S. 399.

»Unser aller ehrlichsten und besten Führer hat Candia verschlungen«

Die wiederentdeckte Traueransprache bei der Grablege Josias II. am 7. April 1670 in Niederwildungen (Stadtkirche)

Von Dieter Waßmann

Der 21. März 1670 ist in der Geschichte der Stadt Wildungen ein bedeutsames Datum. An diesem Tage erreichte der Trauerzug mit dem Leichnam des Grafen Josias II. von Waldeck dessen Heimatstadt. Am 7. April erfolgte dann die Beisetzung in der vom regierenden Grafen Christian Ludwig zu Waldeck erworbenen Geismarschen Kapelle neben der Stadtkirche. Hatte diese bislang der Familie von Geismar seit dem 15. Jahrhundert als Grablege gedient, so nahm sie – angefangen mit Josias II. – nunmehr Angehörige des Waldecker Grafenhauses auf.[1] Mit der Beisetzung fand ein bemerkenswertes Leben seinen Abschluß. Die Trauerfeier ist in ihrer Abfolge nicht überliefert. Sie dürfte jedoch – wie es damals üblich war – abends bei Fackellicht im Beisein vieler Menschen aus dem Grafenhaus, Untertanen und Heer erfolgt sein. Die Traueransprache hielt Feldprediger Conrad Leonhardi, der Josias II. nach Kreta begleitet hatte.[2] Für lange Zeit galt diese Ansprache als verschollen.

Im Sommer 1988 gelang Lektor Otto Mette (Edertal-Mehlen) eine bemerkenswerte Entdeckung. Bei der Durchsicht des Pfarreiarchives der Kirchengemeinde Edertal-Affoldern stieß er auf die »Leichenpredigt«. Auf zehn eng beschriebenen Blättern hatte Feldprediger Leonhardi den Text niedergeschrieben. Wie seine Ansprache nach Affoldern gelangte, ist bislang noch nicht festzustellen gewesen.

I. Vorgeschichte

Graf Josias wurde am 31.7.1636 im Schloß von Wildungen geboren.[3] Da sein Vater, Graf Philipp VII., auf der Seite der katholischen Partei unter Kaiser Ferdinand III. diente, wurde dieser 1645 in der Schlacht bei Tabor (Böhmen) von den Schweden gefangengenommen und widerrechtlich erschossen. Die Regentschaft übernahm sein älterer Sohn Christian Ludwig, zunächst unter der Vormundschaft der Mutter. Nach der für die jungen Adeligen üblichen Bildungsreise durch Frankreich und Italien trat Josias in das Reiterregiment seines Onkels, Graf Georg Friedrich, ein. 1656 wurde er brandenburgischer Rittmeister, 1660 schwedischer Oberst. Verwundet und zusätzlich erkrankt, kehrte er in die Heimat zurück und übernahm 1660 die Regierung über das Amt Wildungen, später auch über die Ämter Wetterburg und Landau. Er bildete – solange er lebte – somit eine neue Linie Wildungen-Landau. 1659 vermählte er sich mit Wilhelmine Christine, Tochter des Grafen Wilhelm von Nassau-Siegen. Ihre beiden Kinder – eine Tochter und ein Sohn – verstarben jeweils innerhalb weniger Monate. Sie selbst überlebte ihren Mann und verstarb am 21. Januar 1707.

Mit großem Einsatz und Geschick widmete sich Josias II. der Regierung seines Landesteils und dem Wohl seiner Untertanen. Aber nicht lange blieb ihm diese Ruhepause vergönnt.

Der Angriff der Türken im Mittelmeerraum

Im Mittelmeerraum ballte sich politischer Konflikt zusammen. 1663–1664 drangen türkische Truppen unter Großwesir Mustafa erneut über Griechenland nach Westeuropa vor.[4] Am 19. Oktober 1663 schloß sich Josias II. der Reichsarmee an. Er wurde als kaiserlicher Generalmajor und Befehlshaber eines kölnischen Regimentes eingesetzt. Aufgrund der Niederlagen am St. Gotthard und in Raab mußte die Hohe Pforte mit dem Kaiser einen zwanzigjährigen Waffenstillstand schließen. Auf dem Festland besiegt, nutzte sie jedoch die Zeit des Waffenstillstands dazu, den seit 1644 andauernden Kampf um den Besitz der Insel Candia (Kreta) verstärkt fortzuführen. Seit dem 13. Jahrhundert besaß der Staat Venedig diese strategisch so bedeutsame Mittelmeerinsel. Aber Venedig unterließ es, sich dem türkischen Ansturm energisch zu widersetzen.[5] Seit 1644 gewannen die Türken zunehmend Einfluß über die Insel, nur noch die Hauptstadt widerstand ihrer heftigen Belagerung.

Den Hilferufen Venedigs verschlossen sich Papst und christliche Fürsten nicht. Es gelang Papst Clemens IX., 200 Kaiserliche und weitere 1500 Söldner, vorwiegend aus deutschen Bistümern, anzuwerben. Aber auch evangelische Reichsfürsten beteiligten sich an der Unterstützungsaktion. Der Welfenherzog Georg Wilhelm (von Celle) entsandte Ende 1668 3300 Mann unter der Führung von Josias II. Unter ihnen befanden sich eine Reihe Waldecker Landeskinder sowie der Feldprediger Conrad Leonhardi aus Neerda (Waldeck). Er war dort als Pfarrer von 1661–1666 tätig gewesen. Die Ernennung zum Feldprediger stand allein im Ermessen des Regenten. Er berief zumeist kurzfristig Gemeindepfarrer zu diesem Dienst, dessen Dauer oftmals nicht abzusehen war.[6] Über den Einsatz Leonhardis während des Fußmarsches von Hannover bis zur Einschiffung an der Etsch (Rovereto) berichtete wiederholt Matthäus Merian.[7] Am 22. Februar 1669 hielt Leonhardi bei der Rast in Livo einen Feldgottesdienst. Insgesamt legten die Soldaten die rund 1150 Kilometer in 50 Marschtagen bei 15 Ruhetagen zurück.[8]

Empfang in Venedig und Weiterfahrt und Ankunft in Candia

Ungeachtet der großen politischen Sorgen verlief der Empfang der Hilfstruppen in Venedig mit dem gewohnten Prunk. Am 14. März erhielt Josias II. eine feierliche Audienz bei dem Dogen. Der sicherte ihm zu, »daß, wie sie nicht zweifelten, GOTT werde diese Waffen gegen den Erbfeind segnen zumalen sie gleichsam wie ein Leitstern wären zu ihnen kommen dem anitzo andere folgeten«.[9] Josias erhielt eine goldene Ehrenkette, und es wurde ihm eine Ehrensäule in Venedig versprochen, die aber nicht errichtet wurde.

Am 26. März bestiegen die Truppen die Schiffe zur Weiterfahrt. Diese aber waren wenig ermutigend: viele von ihnen waren leck, mußten während der Überfahrt ständig leergeschöpft werden, die Verpflegung war mangelhaft und krankheitserregend. Während einer Zwischenlandung auf der griechischen Insel Zanten ließ der Graf am 23. April »unsern Gottesdienst allhie ... öffentlich auf dem Markt verrichten, welches die Griechen mit Verwunderung ansahen, zumalen vorher niemalen eine evangelische Predigt unter ihnen öffentlich gehalten worden ist«. Daher war »unser Pfarrer, Conrad Leonhardi, als der erste evangelische Prediger in Griechenland allhie anzumerken«.[10] Nach sechswöchiger Überfahrt gingen die Truppen am 14. Mai in Candia von Bord. Nur mit Mühe konnten sie unter türkischem Feuer ihre Schiffe verlassen.

Josias erbat sich die gefährdete San-Andrea-Stellung[11] und die Wasserseite als Verteidigungsabschnitt. Sie wurden ihm zugleich übergeben, da sie von den Italienern verlassen und durch eindringende Türken schon bedroht waren. Immer mehr zogen sich die Venezianer aus der Verteidigung heraus und überließen es den Hilfstruppen, sich für die christliche Sache gegen die Ungläubigen einzusetzen. Mit dem Erfolg, daß von der Truppe Josias nach vier Monaten nicht weniger als drei Viertel verwundet, krank oder gefallen waren. Er selbst erlitt wiederholt Verwundungen.

Josias Tod in Candia

Am 16. Juli erlitt Josias »zum andern mal an dem rechten Bein« eine Verwundung; da die »Nerven mit lädieret wurden«, mußte er »forthin wiederum im Bette und zu Hause bleiben«.[12] Diesmal aber genas er nicht mehr. Es kam Fieber hinzu. Am 2. August vermerkte der Chronist: »Mit Ihrer Excellenz Wunde an dem Bein stund es sehr schlecht und konnte die Inflammation noch nicht gestillet werden.« Die notwendigen weiteren Beinoperationen verursachten ihm großen Schmerz, so daß er »bekennen mußte, daß (er) solchen unmöglich in die Länge ausstehen« könnte.[13] Dennoch fand er immer die Kraft, sich um die Belange seiner Soldaten zu kümmern, die unter der Arroganz der Venezianer und anderen Hilfstruppen sehr zu leiden hatten.

Am 8. August vollendete sich sein Leben. Angesichts des nahen Todes äußerte er mühsam und sehr leise, »daß, wenn es Gott haben wollte möchten sie (die Exzellenz) noch gerne Ihrer Gemahlin zum Trost wie auch zu Nutz ihrer armen Untertanen und zum Besten und Befreiung der von ihr hiereingeführten armen Landsknechte etwas länger leben«.[14] Gegen Mitternacht entschlief er »sanft und selig«. Zuvor hatte er den Obristen empfohlen, »fleißig (zu) communicieren« und »der Ordre des Capitan-Generals (Morosini) zu folgen«.

Sein Tod rief nicht nur unter den deutschen Landsknechten große Trauer hervor. Der Leichnam wurde am 9. August einbalsamiert und in einen doppelten Sarg gebettet.

Am 11. August ging die Todesnachricht an seinen Onkel, Graf Georg Friedrich, heraus unter gleichzeitiger Mitteilung der finanziellen Notlage der Truppe. Seit Monaten war kaum Sold ausbezahlt worden. Am Abend wurde Josias von zehn Leutnanten zu Grabe getragen. Mit Wachskerzen in ihren Händen folgten ihm die Offiziere des deutschen katholischen Adels in die St.-Katharinen-Kirche. Die Reste der deutschen Regimenter senkten die Fahnen. Mitten in dem feierlichen Akt läuteten die Sturmglocken, alles eilte wieder zu den Waffen auf die Schanzen. Der Kampf gegen den Untergang ging weiter. Nach dem Tod Josias' ließ der Zusammenhalt der Regimenter fühlbar nach. Sie wurden zudem noch offenkundiger von den Vertretern Venedigs benachteiligt.

Das Ende der Stadt Candia vollzog sich nunmehr rasch. Am 4. September wurde ein Waffenstillstand abgeschlossen, am 5. September erfolgte der Friedensschluß. Schon am 8. September kam es zu einer 80 Artikel umfassenden Regelung.[15] Die sah unter anderem die Aussiedlung der christlichen Bewohner nach Clissa in Dalmatien vor. Ehrenhalber wurde der Besatzung die Mitnahme einer großen Anzahl von Kanonen erlaubt. Ab 10. September begann die Ausschiffung: zunächst der Waffen, dann der Bewohner, zuletzt kamen die Truppen selbst an die Reihe. Am 23. September erfolgte die Überführung des Sarges von Josias II. auf das Schiff »Europa Venetia«, begleitet von den Resten seiner Regimenter und Feldprediger Leonhardi.[16]

Die letzte Ausbootung vollzog sich in der Nacht vom 26. auf den 27. September. Damit endete die Herrschaft Venedigs über die Insel Kreta, die es rund 450 Jahre besessen hatte. Ein 25jähriger erbitterter Krieg war zu Ende, an dem sich in den letzten drei Jahren das christliche Abendland mit hohem menschlichen und auch finanziellem Einsatz beteiligt hatte.

Der Heimweg der deutschen Truppenreste mit dem Sarg des Grafen führte zunächst über Venedig. Die ursprüngliche Absicht, dort einen Zinksarg herstellen zu lassen, konnte aus Zeitgründen nicht verwirklicht werden. Erst in Kassel wurde dieser in Auftrag gegeben und angefertigt. Am 21. März 1670 kam der Trauerzug in Wildungen an.

II. Der Inhalt der Leichenpredigt

Der Beginn des Manuskriptes fehlt (zwei Seiten);wir werden Zeugen, wie Leonhardi die Situation der Candia-Überlebenden schildert. »Wir bringen leider selbigen (Josias) auch nicht zurück, sondern das bloße Haus, darin die edle Seele hinfort« nicht mehr wohnt. Er zitiert Psalm 118, 24 »Hoc est dies, quam fecit dominus«, bricht dann aber in den Ausruf aus »es muß lauten: Dies ist der Tag unserer Trübsal ... Unsere Freude ist verschwunden.« Im Vergleich zu den Römern, die bei der siegreichen Rückkehr ihrer Helden in die Hände schlugen und »Vivat, vivat in multos annos« schrieben, »müssen wir unser Klagelied anstimmen«. Als Kriegsleute seien sie das Sterben gewohnt, aber dieser »betrübte Fall« mache so wehmütig, daß »wir auch fast weinend der Weiber Trost bedürfen«.[17] »Wir winseln nochmals ... Ach, wer will sich unser annehmen?« Diese Frage gibt ihm die Möglichkeit, die Persönlichkeit und die Fürsorge Josias' für die Seinen zu entfalten. Der Verlust wird bis ins Unerträgliche geschildert. »Ach, daß die tückischen Flitzebogen und Feuerkugeln unser nicht verschont hätten.« »Flete, flete, weinet, weinet mit uns.«

In einem neuen Ansatz wird erneut die Trauer entfaltet: »Sind wir anstatt Freudensängern bejammernswerte Leidträger geworden.« Nachdem er so die tiefe Trauer der Zurückgekehrten (vielleicht auch als Alibi für seine Ansprache) dargestellt hat, wendet sich der Feldprediger an die Trauergemeinde selbst. »Es ist wahr, ihr redlichen Leute, ihr habt viel verloren, aber was haben wir verloren? ... Optimus Josias mortuus est.«

Als zutiefst Mitfühlender, der zugleich auch den Leichnam zurückbrachte, stellt er nun die innere Gemeinsamkeit mit den anwesenden Trauernden her.

In sechs Überschriften[18], denen später die inhaltliche Ausgestaltung folgt, stellt er die Bedeutung des Gefallenen für einzelne Personengruppen dar. In einer sehr breit angelegten, den Schmerz über den Verlust nochmals vertiefenden Ausdrucksweise empfiehlt er sich als einer, der die Anwesenden sehr genau kennt. Er ist daher der für sie geeignete Seelsorger. Als erste redet er die Witwe an, denn sie verlor ihren »allerbesten, treusorgenden Ehegemahl«. Dann wird der Verlust als Vater, Sohn, Bruder, Blutsfreund und Landesvater herausgestellt. Am Beispiel der Ausführungen über die Ehe beider läßt sich auch darstellen, wie er die anderen Stichworte inhaltlich ausgestaltet. Er beschreibt ihre Ehe als »ein irdisches Paradies. Ein Himmel auf Erden!« Und er fährt wiederum fort: »Weinet, winselt! Flete, flete. Weinet, weinet, mit der herzbetrübten Wittibin.« Mit der Zitierung von Klageliedern Jeremiae 1, 20 unterstreicht er diesen Gefühlsausbruch wirkungsvoll.[19] – Ähnlich persönlich legt er den Verlust für die anderen Personengruppen dar. Fürst Georg Friedrich[20] wird angesprochen: »Sollte nun der Tod dieses frommen, aufrichtigen und klugen Herrn denjenigen nicht betrüben, der Urheber seines in der Welt glänzenden Lebens gewesen?«[21]

Die anwesenden adeligen Herren (u.a. Graf von Sayn-Witgenstein) vergleicht er mit dem Verhältnis von Josias zu Georg Friedrich. Sie seien des Verstorbenen Josiasse gewesen und er ihr Georg Friedrich. »Ich bejammere euch nicht wenig, euer Stern wird finster sein in seiner Dämmerung.«

Den Untertanen stellt er den Toten als den »allerbesten und frommsten Regenten« vor, der in der Furcht des Herrn lebte. Die Furcht des Herrn ist »eine Krone der Weisheit« (Sirach 1, 22). Daher erwähnt Leonhardi jetzt auch den Geistlichen, der den Prinzen erzogen hatte. »Ach, wie hat den Prinzen sein gewesener Seelenhirte auch in seinem Trauersermon beklaget: Ich habe verloren einen frommen Kirchgänger, ein frommes und gehorsames Kirchenkind. Mit nassen Augen hat er seine Frömmigkeit und darauf erfolgten seligen Abschied nicht verschweigen können.«[22] Emphatisch fährt er fort: »Ich rufe alle zu Zeugen, alle rufe ich zu Zeugen, daß unser seliger Herr unser aller Vater gewesen, welcher wohl gelernet, quod princeps totus sit.«

Er stellt die rhetorische Frage: »Wer wird unseren optimum Josiam beschuldigen können, daß er seine Untertanen bedränget?« Seine Regentschaft beurteilt er als »vernünftig im Beschluß, standhaft im Vollführen, verschwiegen in Geheimnissen, mutig in Gefahr, sittsam im Glück, herzhaft in Widerwärtigkeit«. Dieser Tugendkatalog erfährt eine abschließende Würdigung: »Gerechtigkeit war ihr (der Majestät) Kleinod und Mäßigkeit war ihre gräfliche Krone.«[23] Er habe sich durch sein Verhalten eine »Statuam und eherne Säule der Liebe bei seinen Untertanen aufgerichtet ... nicht von Marmor, sondern von seinen guttätigen Meriten, welche rufen bis in den Himmel«. Luthers Lehre von der Rechtfertigung allein aus dem Glauben wird zugunsten wirkungsvoller Sentenzen vergessen. Sich noch steigernd fährt Leonhardi fort: »Gott hat uns unsere Ehre ausgezogen und die Krone von unserer Landschaft genommen.« Ja, »Gott hat unseren Hirten geschlagen«. Sacharja 13, 7 wird hier sinnentstellt wiedergegeben. Ursprünglich bedeutete dieses Prophetenwort die Ankündigung des Gerichtes Gottes über sein von ihm abgefallenes Volk, hier dient es aber einer überhöhten Darstellung des Landesherrn. Ebenso verwendet er anschließend Amos 9, 9f. dazu, um die Trauer der Grafschaft zu beschreiben: »Ich will eure Feiertage in Trauer ... verwandeln.« Eschatologische Aussagen werden für diesen Anlaß herbeigezogen.[24]

Wieder schiebt er einen Reflexionsabschnitt über seine Aufgabe ein: »Aber ich weiß ja, wenn Traurige Traurige, wenn Betrübte Betrübte trösten wollen, daß dero Schmerzen sich nicht mindern, sondern vielmehr vermehren ... Schwerlich kann man anderen ein Kraftöl einflößen, wenn man selbst dessen benötigt.«

Jetzt stellt Leonhardi selber fest, durch Betrübnis die Trauer zu nähren, vermittle keinen Trost. Wenn man den Schmerzen zu langen Zaum ließe, erstickten sie die »Lebensgeister«. Er ruft daher zum Gottvertrauen auf. Der sei der »Urheber« aller »Ursachen und Begängnisse«. Und zugleich schirmt er Gott gegen die sich konsequenterweise anschließende Theodizeefrage ab.

»Darf ein Knecht seinen Herrn fragen ... wann er diese oder jene ihm gefällige Aktion tut? Darf ein Kind seines Vaters Anordnungen verkehren?« Gott ist unabhängig von menschlichen Wünschen, Plänen und Erwartungen. Er ist der Schöpfer. »Er machet aus Toten Lebendige und Lebendige tot ohne unseren Rat. Hic dei mos est.«[25]

Ebenso lehnt Leonhardi die selbstquälerischen Fragen ab, ob der Tod nicht zu vermeiden gewesen sei. »Wenn unser S. Josias nicht Tag und Nacht unter den Granaten und Bomben seine Belustigung und Gewöhnung gesucht, wäre ihm dieser Vorfall nicht zugestoßen?« Er fragt dagegen: »Aber hanget unser Leben an unserer Vorsorge?« Wenn Gott »unsere Tage abkürzen will«, helfen ihm dazu nicht nur »andere Geschöpfe«, sondern wir selbst – etwa durch unseren sträflichen Leichtsinn. Der Gedanke der Prädestination klingt hier kurz auf, ohne weiter entfaltet zu werden. Ebenso lehnt er die Trauer darüber, daß Josias »in der Fremde«, fern der Heimat, gestorben sei mit dem Hinweis ab, überall wo wir sterben, sind wir »in dem, das unserem großen Gott zugehört«.

Nach diesen einleitenden Bemerkungen und einer eindrucksvollen Schilderung des Sterbens des Grafen, wendet er sich nun der Auferstehung selbst zu. Er vertritt die Auffassung, daß Josias sofort nach dem Tode in die Ewigkeit entrückt worden sei von derselben »Lichtwolke«, die auch Jesus in den Himmel aufnahm. Eine Reihe von Bildern aus dem Alten und Neuen Testament (daher auch aus ihren Zusammenhängen gerissen) dient ihm dazu, dies als Realität zu verkünden. Es entsteht ein Trostgemälde, das kaum noch die christliche Auferstehungshoffnung – aufgrund des Opfertodes Jesu Christi – durchschimmern läßt. Josias befindet sich im Schoß Abrahams, er ist »im sicheren Port im Lande der Lebendigen angelandet«, der »winselnde Kranich, die girrende Taube und Schwalbe« hat »das ewige freudenreiche Nest gefunden«. Dort triumphiert er wie der Auferstandene Herr selbst über die Sünde und »über die Welt, deren Unflat (er) nunmehr selbst unter seinen Füßen liegen siehet«.[26]

Mit diesen Behauptungen soll sich die junge Witwe trösten, denn ihr Mann hat es jetzt viel besser als in der »bösen Welt«. Ist es nicht besser, ihn »an einem vornehmen Potentanten-Hof zu sehen, oder in einer zwar ansehnlichen, doch beschwerlichen Dienstbarkeit«? Gemeint ist dabei das kleine Grafentum in Waldeck.

Und noch mehr Trost mobilisiert Leonhardi. Er gibt ihr die Zusage des konkreten Wiedersehens. »Der Tod hat euch nicht gänzlich, sondern eine Zeit lang von einander geschieden.« Daher solle sie hinfort »nicht auf etliche Angststunden, sondern auf eure Zusammenkunft im Himmel sehen«! Diese Gewißheit wird ihr das Leben leichter machen: »Euer Josias lebt noch, aber in einem weit besseren Leben als sein voriges gewesen.«[27]

Auch die zu Beginn Angeredeten bezieht der Feldprediger wieder in seine Ansprache ein. Der Mutter des Josias sagt er: »Lasset euch genügen, daß Gott euch gesegnet, daß ihr den Himmel bepflanzet, daß ihr euren Sohn dahin, worum ihr (selber) streitet, vorher gesendet.«[28] Harte Sätze neben betont gefühlsbetonten Sentenzen.

Anhand seiner Karriere wird verdeutlicht, daß Josias eigentlich mit 34 Jahren für Gott »nicht zu jung« zum Sterben gewesen ist. Er hatte die militärische Laufbahn in europäischen Armeen bis zum General in Candia durchlaufen. Ihn zeichnete die Weisheit (das Vorrecht der »grauen Haare«) und ein »unbeflecktes Leben« (das »Recht alter Menschen«) aus. »Wie viele betagte Grafen von Waldeck sind in höchster Ehre gestorben, die solchen Ruhm in der Welt nicht erreicht«, den ihm neben Schweden fünf weitere europäische Reiche zuerkannten. »Sein Name, sein Fleiß, sein Leben, ja sein Tod wird diesen Gerechten verewigen.«[29] Massiv spricht hier wieder der weltliche Ruhm, ohne durch die biblische Verkündigung korrigiert zu werden.

Sein tapferer Soldatentod ist nicht Anlaß zur Trauer, sondern zur Freude und zum Stolz, wie Leonhardi durch den Rückgriff auf die griechische Geschichte nachzuweisen sucht. Er stellt Josias als ein auserwähltes Werkzeug Gottes dar, denn »viel herrlich Ding hat der Herr bei ihm getan«. Seine Tugend ist »von dem Blut des Lammes gereinigt und helle gemacht«. Einer der wenigen Anklänge in seiner Leichenpredigt, der von der Rechtfertigung des Sünders spricht. Leonhardi geht aber gleich darüber hinweg, indem er fortfährt: »Nichts ist an ihrem (des Grafen) Namen verdorben, denn derselbe wird wie ein ausgeschüttet Balsam« genannt.[30]

Die erneute Anrede der Trauernden (wie die jungen Anverwandten, die Landsknechte) nützt der Prediger dazu, weitere Eigenschaften des Verstorbenen zu preisen. Zwar stellt er rhetorisch fest: »Wir wissen noch nicht, was wir verloren.« Aber da er seit etwa zwei Stunden darüber predigt, ist das wohl nur ein bloßes Stilmittel.

Für das Ende der Predigt hebt er sich noch eine Vision auf: Gott konnte Josias auch deshalb sterben lassen, weil er zugleich für einen würdigen Ersatz für das Grafenhaus sorgen wollte. Gott wird einem »Baumeister« verglichen, der nur dann ein Haus abreißt, wenn er etwas Neues an dessen Stelle setzen will. Ähnlich ergeht es mit Josias, dem »besten Pfeiler hiesigen gräflichen Hauses«.[31]

Die Predigt endet – bis auf wenige völlig verwischte Zeilen – mit einer paränetischen Ausschmückung von Hosea 6, 1: »Kommt, wir wollen wieder zum Herrn, denn er hat uns zerrissen, er wird uns auch heilen, er hat uns geschlagen, er wird uns auch verbinden.«

III. Würdigung der Leichenpredigt

Diese Predigt des Feldpredigers Leonhardi ist in ihrer Gestalt und ihrem Aufbau typisch für die besonders in der Barockzeit ausgestaltete Form der Leichenpredigten.[33] Sie dürfte etwa die Dauer von zwei Stunden beansprucht haben, wie es ebenfalls üblich war. Ihrer Intention nach ist sie seelsorgerlich ausgerichtet und theologisch flach.

Welchen Trost spendet der Pfarrer?

a) Beurteilung des Verstorbenen:

Leonhardi war dem Grafenhaus sehr verbunden. Daher stellt er Josias in einem äußerst günstigen Lichte dar.[34] Darin unterscheidet er sich nicht von der Mehrzahl seiner Berufsgenossen. Es gelingt ihm nicht, den Verstorbenen zu ehren, ohne zugleich in unwürdigen Lobpreis zu verfallen. Die zweifellos vorhandenen christlichen und auch menschlichen Tugenden sind überbetont. Daß es ein Leben unter der Sünde war – wie bei jedem Menschen –, findet bei ihm keine Beachtung. Den Satz: »de mortuis nil nisi bene« nimmt er zu wörtlich. Er will oder kann den Ruhm nicht theologisch relativieren. Das hat sicherlich auch soziale Gründe. Leonhardi hatte vom Grafen die Pfarrstelle in Altwildungen zugesagt bekommen, nun wollte er sich ihrer als würdig erweisen.[35]

b) Das selige Sterben:

Die Schilderung der letzten Stunde ist auch bei ihm fester Bestandteil der Predigt. Sie vermittelt die Gewißheit, daß der Graf ein seliges Ende nahm und deshalb seine Seele bereits bei Gott ist. Die Lehre vom Zwischenzustand (das Warten auf die Auferweckung von den Toten) findet keine Berücksichtigung. Andererseits wird durch diese Schilderung der Gemeinde gezeigt, wie ein gottgefälliges Ende aussieht und sie zugleich ermahnt, sich selber auch darauf vorzubereiten.[36]

c) Der Tod als Übergang in ein besseres Leben:

Leonhardi setzt sich nicht über die Bitterkeit des Todes hinweg, aber in weitaus stärkerem Maße betont er die Vorzüge des Lebens in der Ewigkeit. Der »winselnde Kranich« hat »das ewige freudenreiche Nest gefunden«. Den positiven Wert irdischen Lebens verschweigt er.[37]

d) Leben in der Ewigkeit:

Mit einer Reihe von Bildern stellt er das Leben des Grafen in der Ewigkeit vor. Er scheut sich nicht, ihn in die Nähe Jesu zu rücken, wenn er ihn in seinem neuen Zustand und in seinem Triumph über das Böse darstellt. Unkritisch, allein dem seelsorgerlichen Antrieb ausgeliefert, gerät seine Verkündigung in wahrheitswidrige Gedankengänge.

e) Die Hoffnung auf das Wiedersehen:

Der Tod ist nicht das Ende der Liebe. Sie lebt vielmehr über ihn hinaus von der Sehnsucht nach dem Wiedersehen. Leonhardi gebraucht starke, zum Teil unbiblische Bilder, diese Erwartung zu nähren: Das durch den frühen Tod so jäh unterbrochene Glück wird sich in der Ewigkeit fortsetzen. Eine Vorstellung, die sicherlich in der Stadtkirche die Witwe tröstete, den Pfarrer als einfühlsamen Seelsorger betonte, aber letztendlich anthropozentrische Illusionen mit der göttlichen Verheißung verwechselte. Barocke Wunschvorstellungen werden in die Ewigkeit Gottes projiziert.[38]

Zusammenfassung

Die Predigt ist weder klar noch straff gegliedert. Sie ist betont persönlicher Art und enthält doch Aussagen allgemeiner Wahrheiten. Leonhardis Trost beruht nur zum Teil auf biblischer Verkündigung. Zwar soll ihn mit Hilfe der Konkordanz die reiche Verwendung von Bibelzitaten (zumeist ungenau zitiert) in seiner Auslegung bestätigen, aber es fehlt die theologische Exegese.[39] Da er sich nicht eines Bibelwortes als Predigtgrundlage bedient, gerät das Ganze zu einer Themapredigt, die schwierige theologische Probleme ausklammert (wie Rechtfertigung, Prädestination, Bedeutung der Sakramente). Es ist weithin eine Verherrlichung des Toten. Sicherlich muß man in der Beurteilung der Qualität dieser Leichenpredigt nicht ganz so weit gehen wie Schian, der »die Zeit um 1700 (als) einen äußersten Tiefstand der lutherischen Predigt« bezeichnete.[40] Aber weithin trifft diese Kritik auch auf Leonhardi zu.

Andererseits aber haben wir hier ein historisch wertvolles Zeitdokument, das Auskunft gibt über eine herausragende Gestalt waldeckischer Geschichte und ihre enge Verbindung zur evangelischen Kirche. Es ist die Momentaufnahme eines Ereignisses, das zugleich ein Licht auf diesen Zeitabschnitt des Barock wirft.

Epilog

Schon ein Jahr nach seiner Einführung als Pfarrer in Altwildungen wechselte Conrad Leonhardi 1671 die Pfarrstelle. Er verließ seine Gemeinde, weil das Einkommen zu gering war. Statt – wie versprochen – mit Bargeld entlohnt zu werden, gab man ihm viel zu hoch in ihrem Verkaufswert berechnete Frucht. Davon konnte er nicht leben. Er übernahm die Pfarrstelle in Usingen.[41]

1674 ließ Gräfin Wilhelmine Christine zur Erinnerung an ihren Mann von Heinrich Pape (Giershagen bei Brilon) aus weißem Kalkstein und schwärzlichem Marmor ein circa zwölf Meter hohes Epitaph gestalten, das an der Chorseite der Stadtkirche aufgestellt wurde.[42]

Anmerkungen

1 Die Geismarsche Kapelle und die Stadtkirche zu Wildungen als Grabstätte. Mein Waldeck, Heimatkundliche Beilage zur »Wildunger Zeitung«, Bad Wildungen, April 1934, Nr. 7, S. 26; Dr. Walter Kramm, Grabdenkmal des Grafen Josias im Chor der Stadtkirche. Heimatschollen, Blätter zur Pflege hessischer Art, Geschichte und Heimatkunst, Melsungen 1931, Nr. 4, S. 31f.

2 Heinrich Nebelsieck, Die evangelischen Geistlichen des jetzigen Kreises der Eder seit der Reformation. In: Geschichtsblätter für Waldeck, Mengeringhausen 1935, 35. Band, S. 11f.
3 Jakob Hoffmeister, Historisch-genealogisches Handbuch über alle Grafen und Fürsten von Waldeck und Pyrmont seit 1228, Kassel 1883, S. 61–65; Dieter Waßmann, Waldeck – Geschichte einer Landeskirche, Kassel 1984, S. 58.
4 Wilhelm Kohlhaas, Candia 1645–1669. Die Tragödie einer abendländischen Verteidigung mit dem Nachspiel Athen 1687 (= Studien zur Militärgeschichte, Militärwissenschaft und Konfliktforschung, Bd. 12), Osnabrück 1978.
5 Kohlhaas, S. 21ff.
6 Nebelsieck (wie Anm. 2), S. 11f. – Georg Berckemeyer (seit 1666 Pfarrer in Obershagen/Burgsdorf) erhielt am 13.6.1674 einen Brief des Herzogs Georg Wilhelm (Celle), der ihn zum Feldprediger berief: »... Nachdem Seine Fürstliche Durchlaucht bey denen zum Rendezvous beschriebenen Truppen Euch auf eine Zeitlang zu gebrauchen gnädigst resolviret, so habt Ihr Euch den 15. Junius anhero zu erheben und weiteren Befehls und Nachrichten zu erwarten.« (Bilder und Texte aus der Soldatenseelsorge 1550–1945, Hg. Ev. Kirchenamt für die Bundeswehr, Bonn 1983, S. 7)
7 Matthäus Merian, Das lange bestrittene Königreich Candia von Anno 1645–1669, Frankfurt 1670, S. 31.
8 Kohlhaas (wie Anm. 4), S. 181.
9 Merian (wie Anm. 7), S. 35; Kohlhaas, S. 181.
10 Merian, S. 42.
11 Kohlhaas, S. 182.
12 Merian, S. 68.
13 Ebd., S. 72.
14 Ebd., S. 74; Kohlhaas, S. 183.
15 Kohlhaas, S. 22f.
16 Merian, S. 83.
17 Manuskript, S. 2 (Archiv Pfarramt Affoldern, ohne Signatur).
18 Ebd., S. 3.
19 Ebd., S. 3.
20 Reichsfürst Georg Friedrich (1620–1692). Theodor Heuß, Georg Friedrich von Waldeck. In: Schattenbeschwörung, Tübingen, 3. Aufl. 1960, S. 19; Waßmann (wie Anm. 3), S. 58–62.
21 Manuskript, S. 6.
22 Ebd., S. 8.
23 Ebd., S. 9.
24 Steinle, Walter, Amos, p + m Projekte und Modelle zum Dialog mit der jungen Generation. Band 13, Stuttgart 1979, S. 72ff.; Volkmar Herntrich, Amos der Prophet Gottes (= Wege in die Bibel 4), Göttingen 1941, S. 74ff.
25 Manuskript, S. 12.
26 Ebd., S. 15.
27 Ebd., S. 16.
28 Ebd., S. 16.
29 Ebd., S. 17.
30 Ebd., S. 18.
31 Ebd., S. 19.
32 Eberhard Winkler, Die Leichenpredigt im deutschen Luthertum bis Spener (= Forschungen zur Geschichte und Lehre des Protestantismus. Zehnte Reihe, Band XXXIV), München 1967; Martin Schian, Orthodoxie und Pietismus im Kampf um die Predigt (= Studien zur Geschichte des neueren Protestantismus, 7. Heft), Gießen 1912; Alfred Niebergall, Die Geschichte der christlichen Predigt (= Leiturgia, Band 2), 1955, S. 288ff.
33 Winkler (wie Anm. 32), S. 70f., 231.

34 Winkler zitiert Jean de la Bruyere, einen katholischen Schriftsteller (2. Hälfte 17. Jahrhundert): »Sollte es wirklich genügen, daß man zu den Großen und Mächtigen dieser Welt gehört hat, um des Lobes würdig oder unwürdig zu sein und angesichts des heiligen Altars und auf der Kanzel der Wahrheit, bei seinem Leichenbegängnis gepriesen und gefeiert zu werden? Gibt es keine andere Größe als die des Ansehens oder der Geburt? ... Was man Leichenrede nennt, wird heutzutage von den meisten Zuhörern nur dann günstig aufgenommen, wenn sie sich möglichst weit von der christlichen Predigt entfernt oder, wenn man lieber will, einer weltlichen Lobrede gleicht« (wie Anm. 32, S. 236).
35 Nebelsieck (wie Anm. 2), S. 11f.; Winkler (wie Anm. 32), S. 231.
36 Winkler, S. 68, 133.
37 Ebd., S. 185.
38 Ebd., S. 41, 69f.
39 Schian zitiert J. L. Mosheim (1763). Er sprach von der »Kunst, mit Hilfe der Konkordanz ein geistlicher Schwätzer zu werden« (wie Anm. 32, S. 26).
40 Schian, S. 33.
41 Nebelsieck, S. 12.
42 Kreis der Eder. Die Bau- und Kunstdenkmäler des Landes Hessen. Regierungsbezirk Kassel. Hg. Landeskonservator von Hessen. Korbach 1960, S. 73f.; Alfred Uckeley, Die Stadtkirche zu Bad Wildungen, Bad Wildungen 1937, S. 34ff.

Das Darmstädter Cantional von 1687 und andere Kirchengesangbücher in Hessen-Darmstadt

Von Manfred Knodt

Die Festgabe an den hymnologisch dozierenden Jubilar und die Einführung eines neuen evangelischen Kirchengesangbuchs geben willkommenen Anlaß, auf die im alten Hessen-Darmstadt durch die Jahrhunderte gebräuchlichen Gesangbücher seiner evangelischen Gemeinden hinzuweisen. Spätestens durch die Einführung des evangelischen Kirchengesangbuchs 1950 ist im deutschsprachigen Protestantismus Übereinstimmung erzielt worden, welche gottesdienstlichen Lieder mehr oder weniger zum Stamm (Kanon) des Liedgutes zu gehören haben. Durch die Regelung, den Landeskirchen einen Anhang zuzugestehen, blieb diesen die Möglichkeit, das für unaufgebbar angesehene Liedgut weiter anzubieten. Freilich sollte das verantwortliche Gesangbuchgremium die Landeskirchen dahingehend beeinflussen, ihre Anhänge möglichst kleinzuhalten, damit nicht die berechtigte Tendenz, größtmögliche Übereinstimmung im gottesdienstlichen Liedgut zu erzielen, beeinträchtigt wird.

Es ist offenkundig, daß nicht alle Landeskirchen gleich große Beiträge für die Gestaltung eines evangelischen Gesangbuches geleistet haben: die Stammlande der Reformation, Kursachsen und der Thüringische Raum, waren dabei führend. Der Oberdeutsche Raum hatte in Straßburg ein wichtiges Zentrum. Bei der geringen Zahl reformierter Territorien in Deutschland hat der »Genfer Psalter« erst später seine Rezeption gefunden, zumal das reformierte Bekenntnis erst 1648 reichsrechtliche Anerkennung gefunden hat und es den beiden protestantischen Konfessionen schwerfiel, einander anzuerkennen.

Sowohl durch die enge lokale Nachbarschaft als auch die fürstliche Versippung zwischen Kursachsen und der Landgrafschaft Hessen lag es nahe, daß Hessen sich, was Kirchenordnung und geistliches Liedgut betraf, den Einflüssen Kursachsens willig öffnete. Die erste hessische Kirchenordnung, auf der Homberger Synode 1526 verabschiedet, wurde auf Luthers Empfehlung nicht eingeführt, weil sie von einer »mündigen Gemeinde« ausging, die es so nicht gab. Maßgebend wurde dann für die nach dem Tod Philipps im Jahre 1567 durch Teilung entstandenen vier Landgrafschaften Hessen-Kassel, Hessen-Marburg, Hessen-Rheinfels und Hessen-Darmstadt die 1574 publizierte »Agenda, das ist: Kirchenordnung, wie es im Fürstentum Hessen mit Verkündigung Göttlichen Wortes, Reichung der Heiligen Sakramente und anderen christlichen Handlungen und Ceremonien gehalten werden soll«. Diese Agende wurde für Hessen-Darmstadt 1662 in zweiter und 1724 in dritter Auflage erneut verlegt, natürlich erweitert durch neuerliche Vorschriften. Bedeutsam ist in der zweiten Auflage die »Erklärung Unser Georgen [II.] von Gottes Gnaden Landgrafen zu Hessen, Grafen zu Catzenelnbogen, Diez, Ziegenhain und Nidda etc. über etliche, bei jüngst gehaltener General-Kirchen-Visitation zu einer allgemein gehenden Anstalt und Verbesserung ausgesetzte Punkten«, publiziert Anno 1629, gedruckt zu Marburg durch Caspar Chemlin, wiederum aufgelegt und gedruckt zu Darmstadt bei Christoph Abeln 1661.

In dieser gesamthessischen Agende findet sich der Vorläufer des ersten hessischen Gesangbuchs von 1625 (in der zweiten Auflage von 1661 auf den Seiten 245–322) mit dem Titel: »Christlich Teutsche Kirchengesänge, so in obberürten Agenden zu singen verordnet und aber doch in gemeinen Gesangbüchern nicht zu finden«.

Es werden hierin lediglich für die hohen Festtage jeweils Introitus, Kyrie, Gloria und Sequenz aufgeführt, am Schluß in musikalischer Fassung das Vaterunser und die Einsetzungsworte.

In der Anweisung für den Gemeindegesang heißt es, daß in Städten, wo des Lateins Kundige vorhanden sind, auch ein Introitus oder Psalm in Latein möglich ist, aber auf Dörfern nur deutsche Gesänge gebraucht werden sollen. Es sollen die »Gesänge aufs Kürzeste angestellt und vor der Predigt auf die Feiertage über eine halbe, auf die Werktage aber über eine viertel Stunde aufs Höchste nicht erstreckt werden, damit das Volk nicht aufgehalten, und ehe dann die Predigt angeht, zum Überdruß verursacht werden möge«. Wird das heilige Abendmahl gefeiert, so sollen »erstlich die Schüler mit gebogenen Knien ›Komm heiliger Geist‹« singen. Die Gottesdienstordnung weist obige liturgische Stücke der Gemeinde zu, die auch das Credo singt »von Wort zu Wort oder wie es Doctor Luther Paraphrastice in Gesangsweise gestellt hat oder das ›Symbolum Nicenum‹ deutsch, man mag auch bisweilen nach dem Evangelium das deutsch ›Grates nunc omnes‹ (Dank sagen wir alle Gott unserm Herrn Christo, der uns mit Seinem Wort hat erleuchtet und uns erlöst durch den Tod aus des Teufels Gewalt. Den sollen wir alle mit seinen Engeln loben mit Schalle, singen Preis sei Gott in der Höhe) singen«.

Kursachsen hatte noch zu Luthers Lebzeiten zwei größere Gesangbücher, das nach dem Wittenberger Verleger Joseph Klug genannte »Klugsche Gesangbuch« (erstmals 1529 mit 50 Liedern, davon 24 von Luther) und das dieses erweiternde »Babstsche Gesangbuch« (1545 nach dem Leipziger Drucker Valentin Babst mit 128 Liedern). Für Hessen ist erst 1625 (ein nicht mehr vorhandenes) Gesangbuch nachweisbar, dessen Verfasserschaft unbekannt ist. Von dem Darmstädter Superintendenten Tobias Plaustrarius (1575–1632, ab 1628 Superintendent) ist das Gesangbuch redigiert, das im Jahre 1633 in Frankfurt bei Johann Nikolaus Stoltzenberger erscheint und in Verlegung Zacharias Thomentz, Buchhändler in Darmstadt, das »Gesangbuch Christlicher Psalmen und Kirchenlieder Herrn D. Mart. Luth. und anderer Gottseliger Lehrer und frommen Christen. Von neuem übersehen und nach der Jahrzeit und Herrn Luth. Catechismo fein und ordentlich zugerichtet für die Hessische Kirche[n] der oberen Grafschaft Catzenelnbogen und Herrschaft Epstein, wie auch andere, so der ungeänderten Augsburgischen Konfession sind zugetan«. Auf diesem Gesangbuch, das noch nicht den Namen »Darmstädter Gesangbuch« verwendet, fußt das 1677 von Superintendent Balthasar Mentzer (1614–1679, Superintendent ab 1652) erstellte »Neuvermehrtes Gesangbüchlein geistlicher und bishero in denen evangelischen Kirchen gebräuchliche Kirchenlieder, aufs neue übersehen und mit vielen geistreichen Gesängen vermehret, samt einem schönen trostreichen Gebet-, Beicht- und Communionbüchlein, meistlich Dr. Joh. Habermanns, mit Fürstl. Hess. Lands-Befreiung. Darmstadt bei Henning Müllern, Anno 1677«.

Mit seinen 329 Liedern hat dieses Gesangbuch offiziellen Charakter, obwohl es seine Absicht »zur Erhaltung und Fortpflanzung des Lobes Gottes, sonderlich in denen Kirchen dieses Hessen-Darmstädtischen Fürstentums und Landen ein vollständiges Darmstädtisches Gesangbuch aus der hiesigen Buchdruckerei verfertigen zu lassen«, noch nicht hatte erreichen können. Dieses Gesangbuch von 1677 hat viele Auflagen erlebt, die vierte im Jahre 1729, die fünfzehnte im Jahre 1767. In dem Artikel »Das Darmstädter Gesangbuch von 1670–1799« hat H. Bräuning[-Oktavio] Betrachtungen darüber angestellt, in welchem Ausmaß in den revidierten späteren Auflagen das Liedgut der ersten Auflage 1677 gewahrt resp. verändert worden ist.

Als Verleger erscheint hier bei einem Darmstädter Gesangbuch erstmals Henning Müller, der nach Heirat 1685 mit Maria Elisabeth Briegel Schwiegersohn und auch Verleger vieler Kompositionen des Hofkapellmeisters Wolfgang Carl Briegel wurde. Aus dieser Zusammenarbeit erwuchs auch im Jahre 1687 das »Große Cantional oder Kirchen-Gesangbuch, in welchem nicht allein D. Martin Luthers sondern auch vieler anderer gottseliger Lehrer der christlichen Kirchen geistreiche Lieder begriffen: Mit sonderbarem Fleiß zusammengetragen, in gewöhnliche Melodien gesetzet und auf vielfältiges Verlangen in Druck gebracht«.

Im Unterschied zu den Gesangbüchern für die Hand des Gottesdienstbesuchers handelt es sich bei diesem Cantional um einen Folianten von 25 mal 37 cm und einer Buchstärke von 8,3 cm, ein Buch mit einstimmigen Melodien für den Gebrauch durch den liturgischen Chor, gedacht, auf dem Pult des Chorleiters zu liegen und umstellt von den Chorknaben, die die Melodie vorsingen und dann den Gemeindegesang anführen. »Da die Gesänge immer mehr und mehr zugenommen und nun seit einigen Jahren viele Pfarrherrn und Cantores nach einem großen Cantional oder Kirchengesangbuch mit grobem Druck und vorgesetzten Noten, in welchem neben den alten gewöhnlichen Kirchengesängen auch die neuen begriffen, Verlangen getragen, und ich zum öftern ersucht worden ein solches in Druck zu bringen, habe ich mich schuldig erachtet, solches zu Gottes sonderbaren Ehren,

Hofkapellmeister Wolfgang Karl Briegel

Kirchen und Schulen zum Besten zu verfertigen«, schreibt der Drucker und Verleger Müller.

Müller widmet das Cantional seiner Landgräfin Elisabeth Dorothea (1640–1709), die nach dem Tod ihres Gemahls Ludwig VI. 1678 zehn Jahre lang Regentin für ihren unmündigen Sohn Ernst Ludwig war, aus drei Gründen: »1. weil es land- und weltkundig ist, daß der Fürstin größte Sorge dahin gerichtet ist, daß in dero Fürstentum und Landen der wahre Gottesdienst sowohl mit Singen und Beten eifrig möchte gehalten werden; 2. weil der Herausgeber in den beinahe zwanzig Jahren in dieses Hoch-Fürst. Hauses Diensten gestanden und von demselben große Gnad und Guttaten genossen habe und noch genieße; 3. weil die Erfahrung bezeugt, daß die mir anvertrauten und gnädigst privilegierten Bücher an verschiedenen Orten geändert, nachgedruckt und in Euren Fürstl. Landen, als ob es unsere Bücher wären, verkauft werden.«

Der Drucker Henning Müller hoffte, daß die Fürstin nicht nur den von ihm angewandten Fleiß anerkenne und sich die Arbeit wohl gefallen lassen, sondern ihn auch gegen alle Schadenstifter schützen möge.

In seiner Vorrede an den »geneigten Leser« wird nochmals erwähnt, daß der Herausgeber mit dem Cantional in großem Druck dem Wunsche vieler entsprochen hat und »zu solchem Ende seinen respective Herrn Schwiegervater Wolfgang Carl Briegel, Hoch-Fürstl. Hess. Capellmeister zu Darmstadt, bittlich ersuchet, ihm hierbei hilfreiche Hand zu leisten«, die Melodien zu revidieren und zu den noch unbekannten neuen Liedern Melodien zu komponieren, wie es dann auch geschehen ist. Müller entschuldigt sich dafür, daß die Nachricht, daß dieses Cantional im Druck sei, viele veranlaßt hat, Lieder zur Aufnahme einzusenden, was einmal zur Erweiterung des Buches geführt hat, wie auch zur Anfügung eines Anhangs. So sind einige Lieder im Anhang untergebracht worden und nicht in der zuständigen Rubrik.

Müller beklagt, daß bei den Kirchen- oder Choral-Liedern eine solche Unordnung eingerissen sei, daß sowohl in Melodien als vielen Liedern sich öfters eine Ungleichheit befindet und sie in einem Land, Stadt oder Dorf nicht wie im andern gesungen werden. »Daher auch ein jeder Director Chori ersuchet wird, wo etwa ein oder andere Noten sollten gefunden werden, so seiner Landes Art nicht stünden, solche nach Belieben zu ändern.«

Landgräfin Elisabeth Dorothea hat für das Aufblühen der Musik in Darmstadt, der weltlichen als auch der geistlichen, einen ganz entscheidenden Anstoß gegeben. Es ist nicht übertrieben zu sagen, sie hat den Ruf Darmstadts als Musikstadt eigentlich begründet. Einmal brachte sie aus ihrem Land und ihrem Elternhaus eine große musikalische Tradition und Liebe zur Musik mit. Briegel, der als Hofkapellmeister ihrem Vater, Ernst dem Frommen (1601–1775, Regent ab 1640) zwanzig Jahre lang (1651–1671) in Gotha diente, rühmte an der Herzogstochter Elisabeth Dorothea als seiner Schülerin »hohe Zuneigung, guten Verstand und Qualität, sowohl in der Vocal- als Instrumentalmusik«.

Dadurch, daß sie gegen großen Widerstand ihres Vaters dessen Hofkapellmeister Briegel zur Übersiedlung nach Darmstadt gewinnen konnte, leitete sie den Aufschwung auf musikalischem Gebiet in Darmstadt ein, der alle bisher von den drei Vorgängern ihres Mannes praktizierte Musikpflege weit in den Schatten stellte. Elisabeth Noack hat in ihrer Monographie über Briegel wie auch in ihrer »Musikgeschichte Darmstadts vom Mittelalter bis zur Goethezeit« sowohl Briegel als auch Landgräfin Elisabeth Dorothea ausführlich beschrieben und gewürdigt. Die sehr energische Landgräfin hat in den zehn Jahren, in denen sie vormundschaftlich für ihren Sohn regierte, nachhaltig gewirkt. Durch Verordnungen gegen Kleiderluxus wie durch eine Musikantenordnung für die Kirchenmusik in der Hof- und Stadtkirche hat sie Praktiken, die ihr mißfielen, besseren Lösungen zugeführt. Die Erweiterung der Altstadt nach Osten erfolgte zu ihrer Zeit, in dem neuen Viertel erhielt auch Briegel ein eigenes Haus im Birngarten 4 (heute Alexanderstraße). In zweijähriger Bauzeit erweiterte sie die Stadtkirche (1685–1687), schuf neue Grüfte und setzte in den Chorbogen einen Fürstenstuhl. Das Jahr des Cantional ist auch das der Wiederweihe der Stadtkirche. So ist das Große Cantional gewissermaßen eine Morgengabe, die sie ihrem Kapellmeister, der auch der Kantor war, und der Drucker Müller seinem Schwiegervater aufs Dirigentenpult legten.

Mit Briegel fingen die allsonntäglichen Motetten oder Kantaten in der Hofkirche an, ein Brauch, den auch dann Briegels Nachfolger Christoph Graupner (ab 1709 in Darmstadt) nach Briegels Ableben 1711 bis zu seinem Tod 1760 fortführte. Elisabeth Dorotheas Sohn, Ernst Ludwig (1676–1739), übernahm 1688 das Regentenamt; er war nicht nur musikalisch hochbegabt, sondern hat auch beachtliche Kompositionen geschaffen. Seine Leidenschaft galt dem Theater, nicht nur in Darmstadt, auch dem in Homburg. Daß er mit seiner Jagd- und Bauleidenschaft sein Land an den Ruin brachte, verzeiht man ihm etwas, wenn man seine Förderung der Musik dagegenstellt.

Einige Angaben zum Inhalt des Cantionale. Nach dem Register sind insgesamt 412 Lieder verzeichnet, bei Nachprüfung sind es jedoch nur 400, im Hauptteil 294 und 106 im Anhang. 260 Melodien finden sich im Hauptteil, vier davon sind Zweitmelodien. Im Anhang sind von 106 Liedern 63 mit Melodien versehen, die übrigen sind nach bekannten Weisen zu singen, die angegeben werden. Bei sieben Melodien im Hauptteil und bei vier im Anhang wird durch Beifügung der Initialen WCB am Ende der Noten darauf hingewiesen, daß die Melodie von Briegel stammt. Alle Melodien Briegels im Hauptteil sind solche zu »Leichgesängen«, jener Rubrik, die mit 52 Liedern besonders stark vertreten ist. Von den vier Briegelschen Liedern im Anhang sind zwei ins »Hessen-Darmstädtische allgemeine Gesangbuch« von 1781 übernommen worden: »Trau auf Gott in allen Sachen, die dich jetzo traurig machen« und »Sollt es gleich bisweilen scheinen, als ob Gott verließ die Seinen«. Das zweitgenannte Lied stand sowohl in dem rationalistischen Gesangbuch, das, von Kirchen- und Schulrat Friedrich Ludwig Wagner

Landgräfin Elisabeth Dorothea

redigiert, von 1814 bis 1880 in Geltung war, als auch im letzten Gesangbuch der Landeskirche Hessens von 1880–1951, freilich nicht mit Briegels Melodie.

Ehe die Lieder beginnen, findet sich auf sechs Seiten ein »Register der Gesänge, so mit den Fest- und Sonntäglichen Evangelien und Episteln übereinkommen«, also Liedvorschläge zu den Perikopen.

So werden z.B. zum Sonntag Invocavit empfohlen: »Ein feste Burg ist unser Gott«, »Gott der Vater, wohn uns bei« und »In Dich hab ich gehoffet, Herr«. Bis bei Revision der Wochenlied-Vorschläge »Ein feste Burg« dem Sonntag zugeordnet wurde, hieß das Wochenlied: »Gott der Vater, wohn uns bei«.

Nach dem Introitus: »Komm hl. Geist, erfüll die Herzen« folgen die Lieder unter folgenden Rubriken: Advent, Weihnachten, Neujahr, Hl. Drei Könige, Passion, Ostern, Himmelfahrt, Pfingsten, Hl. Dreifaltigkeit, Katechismus-Lieder (nach der Einteilung von Luthers 5 Hauptstücken), Lob- und Danklieder (darunter drei Lieder zu Mariae Verkündigung), Psalmlieder, Bet-, Klag- und Buß-Lieder, Geistreiche Lehrgesänge (darunter z.B. »Durch Adams Fall ist ganz verderbt«, »Es ist das Heil uns kommen her«, »Kommt her zu mir, spricht Gottes Sohn«), Von Kreuz und Anfechtung, Morgen-, Abend- und Tischgesänge, Leichgesänge, Von Auferstehung der Toten und Jüngstem Gericht.

Von den 294 Liedern im Hauptteil finden sich 127 in unserem Evangelischen Kirchengesangbuch (EKG), von den 106 Liedern des Anhangs 30.

Von 31 Lutherliedern im EKG sind 25 im Cantional, von den 30 Liedern Paul Gerhardts im EKG im Cantional 15. Die Lutherlieder sind alle im Hauptteil des Cantional, während von Paul Gerhardt 7 Lieder im Hauptteil und 9 im Anhang stehen. Der Grund ist ersichtlich, Gerhardt war erst elf Jahre tot und seine Lieder setzten sich erst langsam durch.

Die Nachträge bzw. Ergänzungen durch den Anhang bestehen aus Liedern zu den Kirchenjahreszeiten, 4 Adventsliedern zu den 2 im Hauptteil, 10 weiteren Weihnachtsliedern zu den 10, 11 Passionsliedern zu den 10 im Hauptteil, 15 weiteren Bet-, Klage- und Bußliedern und 27 geistreichen Lehrgesängen. Der auffallend hohe Liedschatz von 36 unter »Kreuz und Anfechtung« und der 52 Leichgesänge wird nicht weiter ergänzt.

Sprachlich hält sich das Cantional an die Originalfassungen und bringt auch die oft sehr zahlreichen Liedstrophen. Wie eklektisch – mit Recht – das EKG »Weizen von der Spreu« scheidet, ist am Lied: »O Mensch, bewein dein Sünde groß« zu ersehen: von den 23 Versen der Urfassung hat das EKG lediglich den ersten und letzten übernommen.

Der Liedbestand im Cantional war – so auch Noack – der der Hessen-Darmstädtischen Kirche, die Kernlieder des 16. Jahrhunderts und die Lieder der »Praxis pietatis melica« (= musikalische Frömmigkeitsübung) von Johannes Crüger (1598–1662), dazu Lieder Paul Gerhardts. Crüger war ab 1622 Kantor von St. Nikolai zu Berlin, wo ab 1657 Paul Gerhardt (1607–1676)

Das grosse

CANTIONAL,

Oder:

Kirchen-Gesangbüch/

In welchem

Nicht allein D. Martin Luthers/ sondern auch
vieler anderer Gottseliger Lehrer der Christlichen Kir-
chen/ geistreiche Lieder begriffen:

Mit sonderbahrem Fleiß zusammen getragen/
in gewöhnliche Melodyen gesetzet/ und auff vielfältiges
verlangen in Druck gebracht.

Darmstatt/

Drucks und Verlags Henning Müllers/ Fürstl. Buchdr.

Im Jahr Christi 1687

Psalm-Lieder. 187
Ie schön leuchtet der mor-
Du sohn Davids/ auß Ja-
genstern/ Voll gnad und warheit von dem Herrn/
cobs stam̄/ Mein kö nig und mein bräu ti gam/
Die süs se wur tzel Jes se/
Hast mir mein hertz be ses sen/
Lieblich/
Freundlich/ Schön und herrlich/ Groß und ehrlich/
Reich von gaben/ Hoch und sehr prächtig er haben.
Aa 2
2. Ey

2. Ey mein perle / du werthe cron / Wahr Gottes und Marien Sohn / Ein hochgebohrner König :/: Mein hertz heisst dich ein lilium / Dein süsses Evangelium / Ist lauter milch und honig. Ey mein / Blümlein / Hosianna / Himmlisch manna / Das wir essen / Deiner kann ich nicht vergessen.

3. Geuß sehr tieff in mein hertz hinein / Du heller Jaspis und Rubin / Die flamme deiner liebe :/: Und erfreu mich / daß ich doch bleib / An deinem außerwehlten leib / Ein lebendige rippe. Nach dir / Ist mir / Gratiosa / Coeli rosa / Kranck und glimmet / Mein hertz durch liebe verwundet.

4. Von Gott kommt mir ein freudenschein / Wann du mit deinen äugelein / Mich freundlich thust anblicken :/: O Herr Jesu mein trautes gut / Dein wort / dein Geist / dein leib und blut / Mich innerlich erquicken: Nimm mich / Freundlich / In dein arme / Daß ich warme / Werd von gnaden / Auff dein wort komm ich geladen.

5. HErr Gott Vatter / mein starcker held / Du hast mich ewig für der welt / In deinem Sohn geliebet :/: Dein Sohn hat mich ihm selbst vertraut / Er ist mein schatz / ich binn sein braut / Sehr hoch in ihm erfreuet. Eya / Eya / Himlisch leben / Wird er geben / Mir dort oben / Ewig soll mein hertz ihn loben.

6. Zwingt die saiten in cythara / Und lasst die süsse musica Gantz freudenreich erschallen :/: Daß ich möge mit Jesulein / Dem wunder-schönen bräutgam mein / In stäter

liebe

Der

Durchleuchtigsten Fürstin und Frau/

Fr. Elisabethen Dorotheen/

Landgräffin zu Hessen / Fürstin zu Herßfeld/2c. Gebohrnen Hertzogin zu Sachsen/ Jülich/

Cleve und Berg 2c. Gräfin zu Catzenelnbogen/ Dietz/ Ziegenhain Nidda / Schauenburg / Ysenburg und Büdingen 2c. Wittib/ Vormünderin und Regentin 2c.

Meiner gnädigsten Fürstin und Frau.

GOttes Gnade und Segen / sampt allem Hoch-Fürstl. Auffnehmen und gedeylichem Wohlergehen:

Durchleuchtigste Fürstin / Gnädigste Fürstin und Frau:

DAß der Gesang ein der vornembsten Stücken des Gottesdienstes seye/ und von Gott selbsten gebotten/ kan nicht widersprochen werden;. Wir finden solches Gebott außdrücklich hin und wieder in heiliger Schrifft/ sonderlich (Alten Testaments) in dem güldenen Psalter-Büchlein des Königs und Propheten Davids/ im 49. und 50. Psalmen/ da sich der H. Geist durch den König und Propheten David also verneh-me[illegible]sst: **Singet dem Herrn ein neues Lied / die Gemeine der Heiligen soll ihn loben 2c.** Im Neuen Testament thut ebenmässig

a 2 der

):o:(

Dem geneigten Leser viel Heyl!

Günstiger geneigter Leser: Demnach eine geraume Zeit hero viele Evangelische Prediger und Cantores nach einem grossen Cantional oder Kirchen-Gesangbuch mit grossen Noten und grobem Truck Verlangen getragen/ und ich zum öfftern ersucht worden/ ein solches in Druck zu bringen/ habe endlich/ GOtt zu sonderbahrem Lob und Ehren/ auch zu Beförderung Christlicher Andacht/ solche Arbeit willig und unverdrossen angetretten/ auch zu solchem Ende meinen respective Herrn Schwieger-Vatter/ Wolffgang Carln Brügeln/ Hoch-Fürstl. Hess. Capellmeistern zu Darmbstadt bittlich ersuchet/ mir hierbey hülffliche Hand zu leisten/ die Melodyen zu revidiren/ und zu den noch unbekanten neuen Liedern Melodyen zu componiren/ inmassen dann auch geschehen: Nachdem aber hin und wieder das Gerüchte erschollen/ daß dieses Werck unter der Preß/ seynd mir von unterschiedlichen Orten noch viele Lieder eingesandt worden/ und Ansuchung geschehen/ daß solche noch mit eingerücket werden möchten; Welches dan̄ verursachet/ daß verschiedene Lieder nicht unter gehörigen Titul kommen/ und deßwegen ein Anhang gemacht worden/ und also das Buch grösser worden/ als anfänglich die Anlage gewesen. Ob ich nun wohl von Hertzen wünschen mögen/ daß dieses Werck also eingerichtet werden können/ daß es einen jeden contentirte/ so habe doch gleich Anfangs die Vnmüglichkeit gefunden; Wie dann Vorsängern/ Organisten/ und andern so das Singen und die Chör dirigiren/ ohne mein melden/ zur gnüge bekand/ daß in unsern Evangelischen Kirchen/ bey den Kirchen- oder Choral-Liedern/ eine solche Vnordnung eingerissen/ daß so wohl in Melodyen/ als vielen Liedern selbsten sich öffters eine Vngleichheit befindet/ und in einem Land/ Stadt oder Dorff nicht wie im andern gesungen werden: Dahero dann auch ein jeder Director Chori freundlich ersuchet wird/ wo etwann ein und andere Noten solten gefunden werden/ so seiner Lands Art nach nicht stünden/ solche nach Belieben zu ändern. GOTT der Allmächtige/ zu dessen Ehren dieses gerichtet/ gebe/ daß es in seiner Kirchen viel Nutzen schaffen möge/ in dessen Schutz ich **den geneigten Leser** hiemit treulichst empfehle und Zeit Lebens verbleibe

Desselben

Dienstwilligster

Henning Müller.

Register

)ː(o)ː(

Register aller Gesäng dieses Buchs / auff die Zahl der Blätter gerichtet.

A.

ACh bleib bey uns Herr Jesu Christ 231
Ach bleib mit deiner Gnade 477
Ach Gott/ ach Gott/ ach hast du mein 354
Ach Gott erhör mein Seufftzen und 229
Ach Gott thu dich erbarmen/ durch 584
Ach Gott und Herr/ wie groß und schwer 240. und 242
Ach Gott vom Himmel sieh darein 174
Ach Gott wie lang vergissest du mein 176
Ach Gott wie manches Hertzenleid 237
Ach Herr du allerhöchster Gott 356
Ach Herre du gerechter Gott 359
Ach Herr du Vatter Jesu Christ 253
Ach Herr mich armen Sünder 172
Ach Herr mit grossen Schmertzen 770
Ach HErr wie sind meiner feind so viel 170
Ach höchster Gott verleihe mir 401
Ach lieben Christen seyd getrost 365
Ach lieben Christen trauret nicht 372
Ach treuer Gott barmhertzigs Hertz 389
Ach was hat dich doch bewogen 648
Ach was ist doch unser Leben 520
Ach was soll ich Sünder machen 246
Ach wie elend ist unser Zeit 532
Ach wie nichtig / ach wie flüchtig 506
Ach wie sehnlich wart ich der Zeit 541
Ach wir armen Sünder 655
Allein auff Gott setz dein Vertraun 294
Allein Gott in der Höh sey Ehr 132
Allein zu dir Herr Jesu Christ 235
Allein zu Gott mein Hoffnung steht 378
Alle Menschen müssen sterben 537
Alle Welt was kreucht und webet 157
Als Christus gebohren war 631
Als Jesus Christus unser Herr 120
Also hat Gott die Welt geliebt 318
Also heilig ist der Tag 662
Am Sabbath früh der Marien drey 661
An Wasserflüssen Babylon 211
Auff diesen Tag bedencken wir 74
Auff meinen lieben Gott 248
Auß meines Hertzens Grunde 412
Auß tieffer Noth schrey ich zu dir 209

B.

Befiehl du deine Wege 756
Bereite dich mein Hertz auß allen Kräfften 692
Bescher uns Herr das täglich Brod 491
Brunnquell aller Güter 91

C.

Christ der du bist der helle Tag 449
Christe der du bist Tag und Licht 452
Christe du Lamb Gottes 652
Christ fuhr gen Himmel 79
Christ ist erstanden von dem Todt 660
Christ ist erstanden von der Marter alle 66
Christe König außerkohren 715
Christ lag in Todes Banden 60
Christ unser Herr zum Jordan kam 111
Christus der ist mein Leben 535
Christus der uns selig macht 41
Christum wir sollen loben schon 11
Cœlos ascendit hodie. 666

D

Da Jesus an dem Creutze stund 43
Da Jsrael auß Egypten zog 146
Das alte Jahr ist nun dahin 29
Das alte Jahr vergangen ist 28
Das neugebohrne Kindelein 26
Das walt Gott Vatter und Gott Sohn 435
Dancket dem Herren/ denn er ist sehr freundlich 490
Dancket dem Herren heut und allezeit 486
Danck sagen wir alle/ Gott 689
Danck sey Gott in der Höhe 420
Den Herren meine Seel erhebt 764
Der du bist drey in Einigkeit 675
Der Herr ist mein getreuer Hirt 181
Der Herr sprach in seinm höchsten Thron 705
Der Tag bricht an und zeiget sich 441
Der Tag der ist so Freudenreich 17
Der tag hat sich geneiget 466
Der tag vertreibt die finstre nacht 416
Des H. Geistes reiche gnad 668
Des morgens wann ich früh auffsteh 450
Die helle Sonn leucht jetzt herfür 411
Die Nacht ist hin der Tag bricht an 447
Die Sonn hat sich verkrochen 464
Diß sind die H. zehen Gebott 100
Dreyeinigkeit der Gottheit wahrer Spiegel 97
Du bist ein Mensch/ das weisst du wohl 758
Du Frieden-Fürst Herr Jesu Christ 222
Du o schönes Weltgebäude 316
Durch Adams Fall ist gantz verderbt 266

E.

Ein Engel schon auß Gottes Thron 160
Ein veste Burg ist unser Gott 189
Einen guten Kampff hab ich 545
Ein Kindelein so löbelich 18
Ein Kind gebohrn zu Bethlehem 21
Ein Würmlein bin ich arm und klein 504
Eitelkeit/ Eitelkeit vieler Verderben 554
Ephraim/ was soll ich machen [illegible]
Erbarm dich mein O Herre Gott [illegible]
Erhalt uns Herr bey deinem Wort 117.
Ermuntre dich Hertz/ Muth und Sinn [illegible]
Ermuntre dich mein schwacher Geist [illegible]
Erschienen ist der herrliche Tag 70.
Erschröcklich ist es/ daß man nicht 597
Erstanden ist der H. Christ [illegible]
Erwache mein Gemüthe [illegible]
Es ist das Heyl uns kommen her 209.

Es ist

Register..

Es ist gewißlich an der Zeit und 583
Es spricht der Unweisen Mund wohl 177
Es stehn für Gottes Throne 606
Es woll uns Gott genädig seyn 196

F.

Fleuch mein Seelchen auff zu Gott 774
Freu dich sehr o meine Seele 566
Freut euch alle die ihr Leyde tragt 375
Freut euch ihr Christen alle 664
Freut euch ihr lieben Christen 630
Frölich soll mein Hertze springen 617
Für deinen Thron tritt ich hiemit 471

G.

Gelobet seyst du Jesu Christ 12
Gen Himmel auffgefahren ist 666
Gib Fried O frommer treuer Gott 721
Gib Fried zu unser Zeit O Herr 220
Gleichwohl hab ich überwunden 577
Gott der du selber bist das Licht 430
Gott der Vatter wohn uns bey 96
Gott deß Himmels und der Erden 414
Gott hat das Evangelium 588
GOTT ist mein Heyl / { Glück / mein } Hülff und Trost 312
Gott lob die Stund ist kommen 514
Gott mein Gott du wollst beystehen 393
Gott sey danck durch alle Welt 616
Gott sey gelobet und gebenedeyet 133
Gott sey uns gnädig und barmhertzig 672
Gott Vatter Ursprung / Quell und Grund 673
Groß-Fürst hoher Cherubinen 604

H.

Hast du dann Jesu dein A… ht gäntzlich 332
Helfft mir Gottes Güte pre… 31
Herr Christe treuer Heyland w… 651
Herr Christ der einig Gottes S… 732
Herr Christ man danckt dir in ge… n 642
Herr Christ wann ich bedencke 550
Herr deinen Zorn wend ab von uns … Gnaden / Such:
Wend ab deinen Zorn o liebe … Gott 708
Herr der du vormahls hast dein Lan… 699
Herr dir trau ich all mein Tage 762
Herr Gott dein Treu mit Gnaden 769
Herr Gott der du erforschest mich 213
Herr Gott der du deinem Lande 367
Herr Gott dich loben wir 135
Herr Gott dich loben wir / Regier 685
Herr Gott du bist von Ewigkeit 114
Herr Gott mein Jammer hat ein End 530
Herr Gott nun schleuß den Himmel auff 562
Herr Gott nun sey gepreiset 486
Herr höre / was mein Mund 694
Herr ich habe mißgehandelt 244
Herr Jesu Christ dich zu uns wend 608
Herr Jesu Christ du Gott der Ruh 478
Herr Jesu Christ du höchstes Gut Q. 251
Herr Jesu Christ ich schrey zu dir 552
Herr Jesu Christ ich weiß gar wohl 498
Herr Jesu Christ ich weiß gar wohl / daß ich 569
Herr Jesu Christ wahr Mensch und Go… 502
Herr nicht schicke deine Rache 326
Herr schaff uns wie die kleine Kind 682
Herr straff mich nicht in deinem Zorn 386
Herr wie du wilt so schicks mit mir 542
Herr wie lange wilt du doch 342
Hertzliebster Jesu was hast du verbrochen 644
Hertzlich lieb hab ich dich O mein Herr 508
Hertzlich thut mich verlangen 559
Heut ist des Herren Ruhe-Tag 687
Heut triumphiret Gottes Sohn 72
Hie lieg ich armes Würmelein 540
Hilff Gott das mirs gelinge 52
Hilff Gott wie geht es immer zu 768
Hilff Herre Gott uns Würmelein 228
Hilff Herr Jesu laß gelingen 639
Hilff mir mein Gott / hilff daß nach dir 730
Hinunter ist der Sonnen schein 461
Hört auff mit trauren und klagen 548

J.

Jam mœsta quiesce querela. 548
Jammer hat mich gantz umgeben 395
Jauchtz Erd und Himmel dich ergell 86
Ich armer Sünder komm zu dir 713
Ich armer Sünder weiß o Gott 249
Ich dancke dir Gott von Hertzen 462
Ich danck dir lieber Herre 406
Ich dancke dir o Gott in deinem Throne 428
Ich danck dir schon durch deinen Sohn 409
Ich danck dir Vatter daß du hast 476
Ich erhebe Herr zu dir 701
Ich glaub an Gott Vatter 105
Ich hab in Gottes Hertz und sinn 339
Ich hab mein Sach Gott heimgestelt 494
Ich hab mich Gott ergeben 557
Ich heb mein Augen sehnlich auff 334
Ich ruff zu dir Herr Jesu Christ 233
Ich war ein kleines Kindelein 561
Ich weiß daß mein Erlöser lebt 519
Jesaia dem Propheten das geschah 129
Jesu der du meine Seele 718
Jesu du mein liebstes Leben 124. 125
Jesu / Jesu du bist mein 726
Jesu meine Freude 304
Jesu meiner Freuden Freude 634
Jesu meine Liebe 310
Jesu meines Lebens Leben 653
Jesu meiner Seelen Licht 49
Jesu meiner Seelen Wonne 741
Jesu nun sey gepreiset 632
Jesus Christus unser Heyland / der den Tod 62
Jesus Christus unser Heyland der von uns 118
Jesus meine Zuversicht 68
Jetzo muß des Nachtes Schrecken 438
Jetzund so bitten wir dich HErr 610
Ihr Christen außerkohren 628
Ihr lieben Christen freut euch nun 590
In dem Leben hier auff Erden 384
In dich hab ich gehoffet Herr 182
In dieser Abendstunde erheb ich meine Stimm 458
In dieser Morgenstund will ich dich loben 444
In dulci Jubilo 19

Register.

K.

Keinen hat Gott verlassen 324
Komm Gott Schöpffer H. Geist 81
Komm heiliger Geist / erfüll die Hertzen 1
Komm heiliger Geist Herre Gott. 82
Kommt her zu mir spricht Gottes Sohn 278
Kommt ihr traurigen Gemüther 343
Kommst du / kommst du Licht der Heyden 613
Kyrie / GOtt Vatter in Ewigkeit 3
Kyrie Eleison 257

L.

Lasset ab ihr meine Lieben 575
Lasset ab von euren Thränen 533
Lasst ab von Sünden alle 593
Liebster Jesu das ist Pein 724
Liebster Jesu wir sind hier / 609
Litania 257
Lob und Danck sag ich dir 424
Lobet den Herren alle die ihn fürchten 426
Lobet den Herren / lobet den Herren 482
Lobet den Herrn ihr Heyden all 151
Lobet den Herrn und dancket 484
Lobet Gott unsern Herren 152
Lobt Gott ihr Christen allzugleich 22
Lobt Gott in seinem Heiligthumb 781

M.

Mag ich Vnglück nicht widerstahn 285
Man spricht wen Gott erfreut 369
Mein Augen schließ ich jetzt in Gottes Nahmen zu 456
Mein junges Leben hat ein End 564
Mein Sach hab ich zu Gott gestellt 360
Mein Seel erhebt den Herren mein 167
Meine Seel erhebt den Herren / und 162
Mein schönster und liebster Freund 738
Mein Wallfahrt ich vollendet hab 516
Meinen Jesum laß ich nicht / dann der ist 352
Meinen Jesum laß ich nicht / weil er sich 328
Mensch wilt du hinfort selig seyn 771
Mensch wilt du leben seliglich 676
Mit Fried und Freud ich fahr dahin 497
Mitten wir im Leben sind 500

N.

Nicht so traurig nicht so sehr 306
Nicht uns nicht uns O ewiger Herr 148
Nimm von uns Herr du treuer Gott 322
Noch dennoch must du drumb nicht gantz 345
Nun bitten wir den H. Geist 84
Nun dancket alle Gott 154
Nun dancket al und bringet Ehr 158
Nun freut euch Gottes Kinder all 76
Nun freut euch lieben Christen gmein 272
Nun gibt mein Jesus gute Nacht 657
Nun GOtt Lob es ist vollbracht 782
Nun gute Nacht ihr Liebsten mein 518
Nun jauchtzet all ihr Frommen 614
Nun ist es Zeit zu singen hell 627
Nun ist vollbracht auch dieser Tag 473
Nun komm der Heyden Heyland 5
Nun lasset Gottes Güte 750
Nun lasst uns gehn und tretten 637
Nun lasst uns Gott dem Herren 155
Nun lasst uns den Leib begraben 580
Nun liebe Seel nun ist es Zeit 640
Nun lob mein Seel den Herren 144
Nun ruhen alle Wälder 469
Nun sie wie fein und lieblich 703
Nun welche hie ihr Hoffnung gar 203
Nun wolle Gott daß unser Gesang. 635

O allerhöchster Gott 362
O du allersüßte Freude 93
O du mein Heyland Jesu Christ 557
O Ewigkeit du Donner-Wort 600
O Fürsten Kind auß Davids Stamm 620
O Gott du frommer Gott 283
O Gott du höchster Gnadenhort 99
O Gott ich thu dir dancken 418
O Gott sehr reich von Güt 716
O grosser Gott von Macht 224
O Haupt voll Blut und Wunden 649
O Heylige Dreyfaltigkeit 437
O H. Geist kehr bey uns ein 669
O Herre Gott begnade mich 193
O Herre Gott dein göttlich Wort 275
O Herre Gott in meiner Noth 570
O Herr dich thun wir ruffen an 709
O Herr gedenck in Todes-Pein 543
O Herr wer wird sein Wohnung han 179
O Jesu Christ mein höchstes Licht 753
O Jesu Christ meins Lebens Licht 522
O Jesu Christe wahres Licht 737
O Jesu Gottes Lämmelein 536
O Jesu wie so lang soll ich allhier 572
O König aller Ehren 643
O Lamb Gottes unschuldig 48
O Lux beata Trinitas 675
O meine Seel erhebe dich 677
O Mensch bewein dein Sünde groß 34
O starcker Gott ins Himmels Thron 712
O traurigkeit O Hertzenleyd 59
O Vatter aller Frommen 110
O Welt ich muß dich lassen 512
O Welt sieh hier dein Leben 45
O wie selig seyd ihr doch ihr Frommen 546
O wir armen Sünder. Such:
Ach wir armen Sünder 655

P.

Puer natus in Bethlehem 21

S.

Sag was hilfft alle Welt 510. und 511
Schmücke dich O liebe Seele 116
Schönster Jesu / liebstes Leben 735
Schöpffer Himmels und der Erden 776
Schwing dich auff zu deinem Gott 363
Selig / ja selig wer willig erträget 772
Sey gegrüsset Jesu gütig 646
Sey Lob / Ehr / Preiß und Herrlichkeit 671
Sey Lob und Ehr mit hohem Preiß. Such: 272
Es ist das Heyl uns kommen her 57
Sey mir tausendmahl gegrüsset 24
Singet dem Herrn ein neues Lied 480
Singen wir auß Hertzen grund 489
So dancket nun mit gantzem Fleiß 683
So wahr ich leb spricht Gott der Herr

Register.

So wünsch ich nun ein gute Nacht 525
Sollen Herr die Eiffers Ruthen 404
Solt es gleich bißweilen scheinen 751
Spann auß / spann auß / ach frommer Gott 574
Spiricus S. Gratia 668

T.

Trau auff Gott in allen Sachen 748
Treuer Gott ich muß dir klagen 722

V.

Valet will ich dir geben 556
Vatter unser im Himmelreich 108
Vergebens ist all Müh und Kost 697
Verleyh uns Frieden gnädiglich 218
Verzage nicht O frommer Christ 289
Uns ist ein Kindlein heut gebohrn 626
Unsre müden Augen-Lieder 467
Vom Himmel hoch da komm ich her 14
Vom Himmel kam der Engel Schaar 16
Von Adam her so lange Zeit 611
Von allen Menschen abgewand 728
Von Gott will ich nicht lassen 292
Unser Vatter in dem Himmel 680

W.

Wach auff mein Hertz und singe 436
Wacht auff rufft uns die Stimme 596
Walts Gott mein Werck ich lasse 474
Wann dich Unglück thut greiffen an 281
Wann ich in Angst und Nöthen bin 381
Wann mein Hertz sich Gott ergiebet 779
Wann meine Sünd mich kräncken 55
Wann mein Stündlein vorhanden ist 492
Wann nun erlösen wird der Herr 205
Wann wir in höchsten Nöthen seyn 226
Wär Gott nicht mit uns diese Zeit 200
Warumb betrübst du dich mein Hertz 286
Warumb bist du so betrübet 733
Warumb solt ich mich dann grämen 746
Warumb wilt du draussen stehen 8
Was förchst du Feind Herodes sehr 32
Was Gott gefält mein frommes Kind 348
Was ich begehr das kan ich nicht 544
Was ist der Mensch auff dieser Welt 551
Was mein Gott will das gscheh allzeit 330
Was soll ein Christ sich fressen 382
Was wilt du dich betrüben 320
Welt hinweg ich bin dein müde 527
Weltlich Ehr und zeitlich Gut 297
Wend ab deinen Zorn O lieber Gott in Gnaden 708
Wenn wir in höchsten Nöthen seyn 226
Wer Gott vertraut / hat wohl gebaut 309
Wer in dem Schutz des Höchsten ist 197
Werde munter mein Gemüthe 453
Wer nur den lieben Gott läst walten 300
Wie der Hirsch in grossen Dürsten 184
Wie ist der Mensch doch so bethört 578
Wie lang O Herr wie lange soll ich mich 399
Wie nach einer Wasserquelle 302
Wie schön leuchtet der Morgenstern / 187
Wie schön leuchtet der Morgenstern / vom Firmam. 422
Wie soll ich dich empfangen? 6
Wies Gott gefält / so gefält mirs auch 336
Wir Christen Leuth habn jetzund Freud 620
Wir dancken dir Herr Jesu Christ 659
Wir dancken dir O frommer Gott 460
Wir glauben all an einen Gott 102
Wir singen all mit Freudenschall 663
Wir singen dir Emanuel 624
Wo Gott der Herr nicht bey uns hält 201
Wo Gott zum Hauß nicht gibt sein Gunst 207
Wo soll ich fliehen hin 254
Wohl dem der den Herren scheut 706
Wohl dem der in Gottesfurcht steht 208
Wohl dem der ohne Wandel 777
Wohl dem Menschen der wandelt nicht 169
Wohl stehts im Land 731

Z.

Zeuch ein zu deinen Thoren 88
Zion klagt mit Angst und Schmertzen 314
Zu Zion wird dein Nahm erhoben 690
Zwey Ding O Herr bitt ich von dir 488
Zweyerley bitt ich von dir 711

ENDE.

Pfarrer war. Crüger hat nicht nur die Melodien zu vielen Paul-Gerhardt-Liedern komponiert, sondern mit seiner »Praxis pietatis melica« einem Jahrhundert von 1640–1736 ein ganz bedeutendes Gesangbuch geschenkt, das in dieser Zeit insgesamt 44 Auflagen erlebte.

»Möglich, daß die sehr ausführlichen Registeraufstellungen der in Darmstadt gebräuchlichen Kirchenlieder durch Landgraf Ludwig VI. (Elisabeth Dorotheas Gemahl) aus dem Marburgisch und Krügerischen Gesangbuch nach den dort verzeichneten Ausgaben der ›Praxis pietatis melica‹ von 1656 Frankfurt, 1657 Berlin Edition VII, 1664, 1669 Frankfurt und Berlin, Edition XI, die der Landgraf sorgfältig angab, die er auch verglich und mit Vermerk der Abweichungen versah, überhaupt den ersten Anlaß zu dem Druck des Cantionals gaben. ... Die Einteilung des Cantionals ruht im wesentlichen auf derjenigen, die in den Marburger Gesangbüchern bis 1670 und dem Mentzerschen von 1677, im ganzen auch dem heutigen EKG statthat«, so E. Noack.

Ludwig VI., der neun Jahre vor dem Erscheinen des Cantionals verstorben war, hatte ein besonderes Interesse an geistlicher Dichtung. Er war Mitglied der »Fruchtbringenden Gesellschaft oder Palmenorden« mit dem Namen »der Unerschrockene«, der 1617 in Weimar gestifteten ersten und wichtigsten Sprachgesellschaft. Die bis 1670 bestehende Gesellschaft, der Fürsten, Adelige und bürgerliche Gelehrte (z.B. Opitz und Gryphius) angehörten, hatte sich die Pflege der deutschen Sprache und Literatur, Normierung von Rechtschreibung und Grammatik sowie Bekämpfung der Fremdworte als Aufgabe gestellt. Ludwig VI. hatte sich durch Gedichte und eine Psalmenübersetzung: »Der Psalter des Königlichen Propheten Davids in teutschem Reim der Opitzianischen Art gemäß verfaßt von 1657« einen Namen gemacht.

Es läßt sich nicht mehr ermitteln, wie hoch die Auflage des Cantional gewesen ist, sicher war sie gering, zumal es für die Hand der Kantoren und ihrer Chorschüler gedacht war. Für die Gemeindeglieder blieb das »Hessen-Darmstädtische Gesangbuch«, wie es erstmals 1677 von Superintendent Mentzer herausgebracht wurde, maßgebend, ebenso wie auch die nachfolgenden Neuauflagen.

Abgelöst wurde es durch das in höchstem Auftrag von Kirchen- und Schulrat Friedrich Ludwig Wagner (1764–1835) redigierte »Allgemeine Evangelische Gesangbuch für das Großherzogtum Hessen«, das 1811 veröffentlicht und 1814 eingeführt wurde. Das ganz im rationalistischen Denken und Vokabular geschaffene Gesangbuch stellte den absoluten Tiefstand hymnologischer Arbeit dar. Das reformatorische Liedgut fehlte darin fast völlig, oder wenn Lieder dieser Zeit Aufnahme fanden, wurden sie bis zur Unkenntlichkeit entstellt. Bis 1880 galt dieses rationalistische Gesangbuch, gegen das aus erweckten Kreisen unter Mitwirkung von Wilhelm Baur (1826 in Lindenfels geboren, als Generalsuperintendent 1897 in Koblenz verstorben, seine kurze Vikarzeit in Darmstadt-Arheilgen 1852/53 war Auslöser der dortigen Erweckung) schon im Jahre 1850 das sogenannte »Schwarze Büchlein« mit dem Titel: »Evangelische Kirchenlieder nach alter Lesart und Singweise, Freunden und Vereinen kirchlichen Gesangs dargeboten zur Belebung des öffentlichen und zur Wiedererweckung des häuslichen Gottesdienstes und des christlichen Hausgesangs« Front gemacht hatte.

1876 beauftragte das Oberkonsistorium in Darmstadt den Direktor des Friedberger Predigerseminars, Franz Alexander Schwabe (1813–1884), mit der Herausgabe des »Gesangbuchs für die evangelische Kirche im Großherzogtum Hessen«, das 1880 eingeführt wurde. Es wurde 1914 revidiert und 1915 mit einem Anhang versehen. So galt es bis zur Einführung des EKG im Jahre 1951.

Der Vollständigkeit halber sei noch erwähnt, daß es neben den offiziellen Gesangbüchern auch noch solche gab, die durch die Initiative einzelner oder aus einer bestimmten theologischen Tendenz herausgegeben wurden. So zeichnete der Darmstädter Stadtprediger und Erbauer des Waisenhauses, Eberhard Philipp Zühl (1662–1730), verantwortlich für die beiden pietistischen Gesangbücher: das »Geistreiche Gesangbuch, vormals in Halle gedruckt, nun aber allhier mit Noten der unbekannten Melodien und 123 Liedern vermehret, wie auch von vielen im vorigen gefundenen Druckfehlern verbessert, 1698 bei Sebastian Griebel in Darmstadt gedruckt«, und: »Neu verfertigtes Darmstädtisches Gesangbuch, worin Hn. D. Lutheri und anderer Evangelischer Lehrer gewöhnliche / wie auch noch ferner 160 aus andern Gesangbüchern ausgelesene geistreiche Lieder / worunter 84 wegen der Melodie unbekannte mit Noten versehen sind / und unterschiedliche Gebetsformeln befindlich, Nebst einer das sehr erbauliche Singen der ersten Christen in sich haltenden Vorrede Eberh. Philipps Züehlen, jüngeren Stadtpredigers und Definitors daselbst, Darmstadt / gedruckt und zu finden bey Sebastian Griebel, Fürstl. Buchdruckern. Im Jahre Christi 1699.«

Für die Hofkirche schuf der Hofprediger Ludwig Benjamin Ouvrier (1735–1792) 1772 das »Neue Darmstädtische Gesangbuch für die Hofgemeinde«. Den Auftrag dazu hatte Landgräfin Caroline (1721–1774) erteilt, weil sie das »Darmstädtische Gesangbuch« für überlebt ansah und für die »Darmstädter Empfindsamen« ein »Gesangbuch nach der Mode und mit Klopstockscher Muse« wünschte. Dieses Gesangbuch war nur von kurzer Lebensdauer in der Darmstädter Hofkirche und der Gießener Garnisonskirche.

Dem von Landgraf Ernst Ludwig dem Gießener Theologieprofessor Johann Jakob Rambach (1693–1735) in Auftrag gegebenen »Neu eingerichteten Hessen-Darmstädtischen Kirchengesangbuch, 1733 im Druck in Darmstadt bei Johann Christoph Forter verlegten« war auch keine lange Lebensdauer beschieden. Es wurde abgelehnt, weil es zu viel geändert hatte. Mit seinem Lied »Ich bin getauft auf deinen Namen« hat es uns ein kostbares Geschenk gemacht.

Der Rückblick auf frühere Gesangbücher nötigt nicht nur Gesangbuchmacher, sondern auch Gesangbuchbenutzer zu der grundsätzlichen Erwägung – so der Herausgeber des »Geistreichen Gesangbuchs« von 1698, Zühl –: »ob denn der Canon und die Summa der geistreichen Lieder nunmehro geschlossen und versiegelt sei, daß keinem vergönnt werden könne, dergleichen mehr aufzusetzen? Wer solches wollte statuieren und behaupten, der brächte gewißlich etwas Neues vor, welches weder unsre Vorfahren haben können, noch die Nachkömmlinge werden glauben, sie müßten denn ganz von Verstand gekommen sein.

Oder sollten nur die Vorfahren ihre Lieder aus der Kraft und Andacht des Geistes, andere aber aus unheiligem Sinn aufgesetzt haben? Welches ja allzu parteiisch herauskäme.«

Literatur

W. Diehl, Gesangbücher, in: »Hassia sacra«, Band II, 1925, S. 576–579

H. Bräuning-Oktavio, »Das Darmstädtische Gesangbuch von 1670 bis 1779«, in: »Ich dien«. Festgabe zum 60. Geburtstag von Wilhelm Diehl, 1931, S. 316–348

E. Noack, Wolfgang Carl Briegel, ein Barockkomponist seiner Zeit, 1963

Dieselbe: Musikgeschichte Darmstadts vom Mittelalter bis zur Goethezeit, 1967, bes. S. 122–168

M. Knodt, Das große Cantional, eine kostbare Neuerwerbung für Darmstadts Kirchengemeinden, in: »Das Evang. Darmstadt«. Kirchenblatt für Darmstadt (Ausgabe von »Weg u. Wahrheit«) Nr. 12, 13 u. 14, 20. Jahrg. 1966

Guillaume Barjon Hugenottenpfarrer in den Cevennen und Mitbegründer von Bad Karlshafen an der Weser

Von Jochen Desel

I. In den Cevennen und auf der Flucht

Leben und Wirken der Hugenottenpfarrer hat schon immer interessiert. Waren sie doch Menschen, die durch die Umstände der Zeit, in der sie lebten, durch Verfolgung, Flucht und Neuanfang im Refuge besonders gefordert worden. Es war und ist jedoch schwierig, ihre Tätigkeit und ihre Lebensumstände vor der Flucht in den reformierten Gemeinden Frankreichs zu rekonstruieren. Viele Unterlagen sind verlorengegangen. Die Erinnerung an die Prediger der R. P. R., der »religion prétendue réformée«, sollte ausgelöscht werden im Zuge der Rekatholisierung der protestantischen Landstriche, vor allem im Süden Frankreichs.

Für Guillaume Barjon sind wir in der glücklichen Lage, einiges über seine Anfänge als reformierter Pfarrer in den Cevennen auszusagen und seinen Fluchtweg über die Schweiz nach Deutschland zu verfolgen.

Guillaume Barjon wurde am 29. Juli 1635 in St.-Etienne-de-Valfrancesque, heute St.-Etienne-Vallée-Française, Kanton St.-Germain-de-Calberte im Departement Lozère, in den Cevennen geboren und dort von seinem Vater Pierre Barjon getauft. Die Taufe wurde für reformierte Verhältnisse spät am 14. September 1635 im temple des Ortes vollzogen, in dem der Vater 28 Jahre lang als »ministre de la parole de dieu« amtierte (Goulon-Sigwalt 2). Ab 1644 übernahm Pierre Barjon die reformierte Gemeinde in Florac (Cevennen) und verstarb dort am 18. Oktober 1652. Der Vater Guillaume Barjons war wie eine Reihe von reformierten Pfarrern Frankreichs mit einer Frau aus adeligem Hause verheiratet, und zwar mit Jeanne de Belcastel, eine der elf Töchter des Edelherrn Pierre de Belcastel, Seigneur de Montvaillant. Zu ihrer Hochzeit mit dem – sicher nicht sehr begüterten – jungen Pfarrer erhielt die Braut als elterliche Mitgift 1800 Pfund (Geld), vier Kleider, zwei Truhen und 150 Pfund (Geld) für Ketten und anderen Schmuck.

Guillaume de Belcastel, Vetter mütterlicherseits, wurde Pate Guillaume Barjons, der nach reformiertem Brauch den Vornamen des Onkels übernahm (zur Adelsfamilie Belcastel vgl. Goulon-Sigwalt 1, insbesondere S. 508/509).

Über Kindheit, Jugend, Schulbesuch und Studium Guillaume Barjons gibt es keine verläßlichen Nachrichten. Es ist zu vermuten, daß der junge Pfarrerssohn in die Fußstapfen seines Vaters trat und in Nîmes oder an der protestantischen Akademie in Die im Dauphiné (heute Dep. Drôme) evangelische Theologie studierte.

Seine erste Pfarrstelle bekleidete Guillaume Barjon in Pont-de-Montvert in den Cevennen mit dem Filialdorf Fraissinet (Departement Lozère) (Goulon-Sigwalt, 2, Haag, Sp. 840).

Auch in der Teilnehmerliste der Nationalsynode der reformierten Kirche Frankreichs 1660 in Loudun (Dep. Vienne) wird Guillaume Barjon als Pfarrer von Pont-de-Montvert und Fraissinet im Colloque von Saint Germain in den Cevennen aufgeführt (BSHPF Bd. XV, 1866, S. 582).

In der Zeit von 1663–1666 war Guillaume Barjon reformierter Pfarrer in Vébron bei Florac (Dep. Lozère), von Oktober 1666 bis Ende 1677 in Barre (Dep. Tarn. Haag, Sp. 840). Während der Dienstzeit in der Cevennengemeinde Barre hatte Barjon die Kirchengemeinde von Saint-Laurent-de-Trèves mitzuversehen.

Seine letzte Pfarrstelle in der Cevennenheimat fand Guillaume Barjon in St. Marcel-de-Fontfouillouse und Les Plantiers für die Zeit von 1678 bis wahrscheinlich Ende August 1685 (St. Marcel ist heute Ortsteil von Les Plantiers, Dep. Lozère. Goulon-Sigwalt 2).

Am 1. Juli 1678 heiratete Guillaume Barjon wie sein Vater eine Adelige, nämlich Bernardine de Tourtoulon, geboren um 1657, also mehr als 20 Jahre jünger als ihr fast 43jähriger Bräutigam. Bernardine war die Tochter des Sieur François de Tourtoulon, Herr von Valsecure oder Vallobscure (der Name ist abzuleiten von dem Vallée Obscure nahe des Gardon-Flusses bei St.-Jean-du-Gard in den Cevennen). Die Mutter von Bernardine de Tourtoulon war Antoinette geb. Béringuier. Die kirchliche Trauung des Paares vollzog Pfarrer Etienne Grongnet von Saint-Roman-de-Tousque (Dep. Lozère), der 1684 nach England flüchtete. Die Trauung fand in der Kirche des Bräutigams Guillaume Barjon in St. Marcel/Les Plantiers statt (Goulon-Sigwalt 2).

Ein bisher ungeklärtes Problem bleibt die Frage nach den ersten beiden Kindern von Guillaume Barjon und seiner jungen Frau. Nach Kirchenbucheintragungen, die der Vater selbst im schweizerischen Aarau machte, soll der erste Sohn François bereits 1678 als zweites Kind geboren worden sein, und als erstes Kind ein Mädchen, dessen Name nicht überliefert worden ist und das wahrscheinlich schon kurz nach der Geburt starb. Bei der bekannten Sittenstrenge der Hugenottenpfarrer in Frankreich ist eine Zeugung des ersten Kindes vor der Eheschließung unwahrscheinlich. Sollte Guillaume Barjon Kinder aus einer uns nicht bekannten ersten Ehe gehabt haben?

Das abrupte Ende des pastoralen Wirkens von Guillaume Barjon in St. Marcel und dem Filial Les Plantiers kam im Zusammenhang mit den sich zuspitzenden Verfolgungen der Reformierten in den Cevennen und der Aufhebung des Toleranzediktes von Nantes im Oktober 1685. Per Gerichtsbeschluß vom 29. August 1685 wurde die Zerstörung der reformierten Kirche von Plantiers angeordnet und die »Religion prétendue réformée (in dem Ort) verboten. Das Gerichtsurteil hat folgenden Wortlaut:

»Les Plantiers.

Urteil vom 29. August 1685 die Zerstörung der Kirche (temple) wird befohlen und das Verbot der angeblich reformierten Religion ausgesprochen. Die Bewohner werden zu Kosten- und Auslagenersatz verurteilt, weil sie in der Kirche Rückfällige (relaps), Katholiken und Kinder von Katholiken und darunter Neubekehrte (nouveaux convertis) 14 Jahre lang geduldet haben.

Die Klage des Pfarrers Guillaume Barjon ist abgewiesen worden, wie auch die von Louis Rousset, Notar von St. Marcel-de-Fontfouillouse; er wird beschuldigt, ein Rückfälliger zu sein« (Übersetzung nach BSHPF, Bd. 26, 1877, S. 502).

Nach diesem verheerenden Urteil wird die weitere Wirksamkeit Guillaume Barjons in den ihm anvertrauten reformierten Gemeinden nicht mehr möglich gewesen sein. Sollte er sich noch in den Cevennen aufgehalten haben, war das nur im Verborgenen möglich. Seinen Entschluß, das heimatliche Land zu verlassen, wird spätestens das Revokationsedikt von Fontainebleau besiegelt haben, in dem Ludwig XIV. von Frankreich am 18. Oktober 1685 alle reformierten Pfarrer bei Androhung der Galeerenstrafe aufforderte, das Land binnen 14 Tagen zu verlassen. Als Konsequenz dieser Bestimmung haben im Languedoc einschließlich der Cevennen von 128 reformierten Pfarrern 74 ihren Paß verlangt und Frankreich verlassen, zumeist in Richtung Genf. Unter ihnen war auch Guillaume Barjon. Er wird in der zweiten Jahreshälfte 1685 zusammen mit Frau und Kindern und einer Magd jene schweizerische Stadt erreicht haben, die mit ihren hilfsbereiten Bewohnern als Zentrum der französischsprachigen Reformierten allen Refugianten offen stand. Weil die Quartiere dort infolge des Flüchtlingsstroms nach der Aufhebung des Ediktes von Nantes überfüllt waren, zog Barjon weiter nach Lausanne am Genfer See.

In den berühmten Hirtenbriefen (Lettres Pastorales), die der nach Rotterdam geflüchtete reformierte Theologe Pierre Jurieu an seine in Frankreich zurückgebliebenen Glaubensgenossen in den Jahren 1686–1689 schrieb, begegnen wir Guillaume Barjon wieder. Als Lausanner Réfugié bezeugt er den Wortlaut eines Briefes, den sein Schwiegervater, der Sieur de Vallobscure, am 17. Dezember 1685 an ihn geschrieben hatte. In diesem Brief geht es um das in den Cevennen mehrfach beobachtete und bezeugte Phänomen des »Psalmengesangs in den Lüften«. Vorwiegend protestantische Frauen hatten vor allem abends und im Freien geheimnisvolle Psalmengesänge gehört. Diese Nachrichten stehen offensichtlich in Verbindung mit den Verfolgungen und Bedrängungen durch die auch in den Cevennen um sich greifenden Dragonaden. Der Brief an Barjon hatte folgenden Wortlaut (Übersetzung):

»Wir beobachten seltsame Vorgänge in allen Gegenden der Cevennen: man hört nachts in der Luft Psalmen singen, als wäre es in einer Kirche. Vergangenen Mittwoch habe ich allein in meinem Zimmer geschlafen, und ungefähr um Mitternacht hörte ich auf dem Dach eine hell klingende Stimme, die mich weckte, und dann fünf oder sechs Stimmen, die sie begleiteten und fünf bis sechs Verse von Psalm 5 sangen. Alle im Haus haben sie mehrmals gehört, und das hat man in unserem ganzen Land vernommen.«

Barjon bezeugte für Jurieu noch einen zweiten Brief seines Schwiegervaters an ihn vom 27. Januar 1686. Wieder hörte der Sieur de Vallobscure Psalmengesang. Er fügte hinzu: »Jetzt hörte man einen Tambour schlagen, als ob Kriegsleute marschierten, und das ist am hellen Tag in vielen Orten gehört worden.«

Jeanne des Vignolles, Schwester von Monsieur de la Valette von St.-Jean, übermittelt die Auslegung, die die Reformierten der Sache gaben: »Wir können nicht daran zweifeln, daß es Engelscharen sind, die Gott uns zu unserem Trost schickt, um uns zu beteuern, daß Gott uns nicht gänzlich verlassen hat, und daß unsere Erlösung nahe ist.« (Jurieu, Pierre: Lettres Pastorales addresseés aux fideles de France ... 3. Aufl. Rotterdam 1688. 7. Brief, S. 164. BSHPF S. 6, 1907, S. 529–532).

Der Schreiber der beiden Briefe an Guillaume Barjon, sein Schwiegervater François de Tourtoulon, Seigneur de Valescure, wurde später am 15. November 1689 vom Präsidialgericht in Nîmes zu lebenslanger Galeerenstrafe verurteilt, weil er sich den Anordnungen des Königs widersetzt hatte (wahrscheinlich ist die Teilnahme des Verurteilten an den verbotenen Gottesdiensten »in der Wüste« gemeint). Der Verurteilte starb dann mit ca. 62 Jahren am 13. August 1691 im Krankenhaus (Goulon-Sigwalt 2).

Die Akten der Berner Exulantenkammer registrieren unter dem Datum des 12. Februar 1686 auch Unterstützungszahlungen an den Lausanner Réfugié Guillaume Barjon (Ebrard 1, S. 75). Wie lange der Cevennenpfarrer dort gelebt hat, war bisher nicht zu ermitteln. Die Chance einer dauerhaften Ansiedlung (dort) war jedenfalls nicht gegeben. Deshalb zog Barjon auf der »Schweizer Straße des Refuge« weiter Richtung Osten. Über Yverdon und von dort auf dem Wasserwege über den Neuenburger und Bieler See und weiter aareabwärts kam er nach Aarau an der Aare, wo er um 1690 eintraf und erstmals am 1. November 1691 nachzuweisen ist (Ebrard 1, S. 75).

In einer Unterstützungsliste der Jahre 1693/94 wird Guillaume Barjon, Pfarrer, mit seiner Frau, vier Kindern, seiner Schwägerin und einer Magd als Flüchtling im Amt Echallens aus dem Languedoc stammend aufgeführt (Piguet, Bd. 83, S. 71). Bei der Registrierung der französischen Réfugiés im Kanton Bern in den Monaten Februar und März 1696 ist es Guillaume Barjon selbst, der die Mitglieder der Aarauer Kolonie aufführt. Als 61jähriger Pfarrer aus den Cevennen setzte er sich zusammen mit »demoiselle de Valobscure«, seiner Frau, an den Anfang der Liste (Piguet, Bd. 85, S. 45).

Die Gründe, die Guillaume Barjon zu einem mehrjährigen Zwischenaufenthalt in Aarau auf seinem Weg ins deutsche Refuge bewogen, lassen sich nur vermuten. Vielleicht veranlaßt ihn sein Schwager, der Kaufmann Paul Janin aus Brignoles in der Provence, der bereits in Aarau ansässig geworden war, zum Bleiben.

Aarau, das damals noch zum Kanton Bern gehörte (später Hauptstadt des

Kantons Aargau), zeichnete sich um 1700 durch eine rege Gewerbe- und Manufakturtätigkeit seiner Bewohner aus. Die Stadt integrierte bald nach 1685 eine Anzahl begüterter französischer Réfugiés, die bedeutende Handelsunternehmen gründeten. Insbesondere die im Barjonschen Kirchenbuch als anciens nachgewiesenen Angehörigen der Familie Eynard und Bruguier sind hier zu nennen (Ebrard 1, S. 77/78). Für die größere Anzahl der unbemittelten hugenottischen Refugianten war jedoch in Aarau eine dauerhafte Ansiedlung nicht möglich.

Zu Anfang des Jahres 1692 übernahm Barjon in Aarau pfarramtliche Funktionen für seine aus Frankreich geflohenen Landsleute.

Am Sonnabend, dem 14. Mai 1692, taufte er Magdeleine Fabre, die drei Tage alte Tochter des Kaufmannes François Fabre und seiner Ehefrau Magdeleine geb. Janin. Es ist die erste Eintragung einer Amtshandlung durch Pfarrer Barjon in einem von ihm geführten Kirchenregister, das er in Aarau und später in Helmarshausen und Karlshafen benutzte. Der kleinformatige, in Schweinsleder eingebundene Band (16 × 10 cm) mit 171 beschriebenen Seiten trägt die auf dem Schweinsleder der vorderen Umschlagseite von der Hand Barjons stammenden und teilweise unleserlichen Überschriften:

> Livre des Bâtemes, Mariages et Mortuaires de la colonie françoise à Aarau, und
>
> Suite des actes concernant les batemes, mariages et mortuaires de la colonie françoise à helmarsausen. 1699 –.

Die Eintragungen Barjons sind mit einer bräunlichen Tinte in gut lesbarer Schrift erfolgt, teilweise jedoch im Laufe der Jahre verblaßt. Vier am Vorder- und Rückdeckel angebrachte Lederbänder ermöglichten ein sicheres Verschließen des Buches. Die Bezeichnung des Bandes durch Ebrard als »Journal« (S. 109) ist irreführend. Ein Tagebuch enthält Angaben verschiedenster Provenienz. Das Barjonsche Buch dagegen trägt ausgesprochen kirchlichen Charakter und muß deshalb als Kirchenbuch bzw. Kirchenregister charakterisiert werden, das dem Pfarrer zur Eintragung der kirchlichen Amtshandlungen – vor allem Taufe, Trauung, Beerdigung und Wiederaufnahme in die Gemeinde – diente.

Von besonderer Bedeutung für die Entwicklung der französisch-reformierten Gemeinde in Aarau ist eine Eintragung auf S. 5 und 6 des Barjonschen Kirchenbuches vom 24.7.1692. Es ist das Protokoll der Wahl des Presbyteriums (compagnie) der durch diese Wahl gegründeten französisch-reformierten Gemeinde Aarau. Eine französische Kolonie ist in Aarau zwar schon seit 1685 bezeugt (Ebrard, S. 72). Doch wird erst nach der Ankunft von Pfarrer Barjon in Aarau eine Kirchengemeinde gegründet worden sein, die nach den verbindlichen Regeln der discipline ecclésiastique vom consistoire – hier compagnie genannt – geleitet wurde. Wegen der grundsätzlichen Bedeutung des Dokumentes sei der Wortlaut in deutscher Übersetzung wiedergegeben (französischer Text bei Ebrard 1, S. 110 und 111).

»Am Sonntag abend, dem 24. Juli 1692, nach Anrufung des Namens Gottes: Von einem aus der Kolonie ist vorgestellt worden, daß es wünschenswert wäre, eine gewisse Anzahl zu wählen, die die Inspektion über die übrigen haben sollen. Mit allgemeinem Einverständnis hat die Versammlung (compagnie) ihre Augen auf Herrn Jean Bruguier, Herrn Jacques Fabre, Meister Paul Combes und Meister Jean Felix geworfen, und es ist für gut befunden worden, daß Herr Pfarrer Barjon das am nächsten Donnerstag bekannt geben soll gemäß der Ordnung (discipline) der reformierten Kirchen Frankreichs.

Man hat die Bekanntmachung am Sonntagmorgen, dem letzten Julitag, fortgeführt, und die übrige Kolonie hat durch ihr Schweigen der Wahl der Obengenannten zugestimmt. Nach der Sonntagabendpredigt am letzten Julitag hat Herr Barjon die Genannten ermahnt, ihre Schuldigkeit zu tun und sich um die Gemeinde (troupeau) zu kümmern, insbesondere um die Armen, was sie öffentlich versprochen haben. Herr Bruguier ist beauftragt worden, die Armengelder einzunehmen, und Meister Paul Combes soll an einer der Kirchentüren darum bitten.

Es wurde auch beschlossen, sich nach der Donnerstagspredigt zu versammeln, damit man sich mit den Angelegenheiten befassen kann, die künftig in der Kolonie vorkommen werden. Es haben das vorliegende Protokoll (acte) ⟨zusätzlich⟩ mit Herrn Salomon Ravanel, der die gleiche Befugnis hat, unterschrieben:
gez. Bruguier, Combes, Fabre, Felix, Ravanel, Barjon, pasteur refugié«
(Ebrard 1, S. 110/111. Übersetzung Hildegard Cronjaeger).

Die transitorische Existenz der französisch-reformierten Gemeinde in Aarau, die von Barjon in seinen Eintragungen kirchenrechtlich inkorrekt als »Colonie« bezeichnet wird, läßt sich durch das Ausscheiden zweier Mitglieder des consistoire in den Jahren 1692 und 1693 belegen: Am 21.11.1692 wird »nach seiner Abreise« Jacques Fabre durch Paul Janin (merchand) ersetzt, und am 20.8.1693 beantragt Jean Felix die Entbindung von seinem Amt als Ältester. Nach Prüfung der Gründe (sie werden nicht genannt) wird dem Antrag stattgegeben. Dem Ausscheidenden wird Dank gesagt für seine Mühen in der Leitung der Kolonie.

Interessant sind die Einträge des Kirchenbuches, die von der Wiederaufnahme abgefallener Hugenotten in die reformierte Gemeinde berichten. Die drei ersten seien im Auszug in deutscher Paraphrase wiedergegeben: Am 25.6.1693 erscheint der 16jährige Jean Alexandre Roque aus Montpellier vor dem Pfarrer Barjon und seinem Presbyterium. Vor den »Inspektoren der französischen Kolonie« Aarau erklärt er, wie er in das allgemeine Unglück der Verfolgung der Protestanten in Frankreich geraten war und wie er gezwungen an der Messe teilnahm, was er jetzt bedauert.

Er verspricht »in Leben und Sterben« (de vivre et de mourir) »unsere heilige Religion« zu bekennen. Er unterzeichnet das Protokoll, nachdem er von Gott Vergebung für seine Schuld und den von ihm verursachten Skandal erbeten hat. Der Eintrag ist ein Beleg für die oftmals nachgewiesene Zwangsbekehrung von Kindern und Jugendlichen zur katholischen Kirche im Frankreich Ludwigs XIV. und für den Glaubensernst eines jungen Mannes, der im Schweizer Refuge den Weg zur reformierten Kirche zurückfand.

Am 12.8.1694 unterschreibt Lazarè Ronnevole aus Montpellier das Wiederaufnahmeprotokoll. Er war katholisch geworden, hat aber seinen Fehler (abus) erkannt, den er begangen hat. Jetzt umarmt er »unsere heilige Religion«, schwört den Irrtümern Roms ab und verspricht »in unserer Religion zu leben und zu sterben«. Wie alle Aufnahmeverhandlungen wurden auch diese von dem »pasteur moderant« Barjon geleitet.

Am 25.9.1694 erscheint der französische Flüchtling Charles Badon aus Metz vor Barjon und sagt aus, daß er schon lange vor hatte, den Schoß der katholischen Kirche zu verlassen, der er im Zuge der allgemeinen Verfolgung 1685 in Frankreich beigetreten war. Er beteuert, daß er dem (katholischen) Kultus und seinen Irrtümern nicht angehangen habe, sondern daß er im Gegenteil in der Gesinnung der wahren (reformierten) Religion treu geblieben sei. Er bezeugt durch Tränen seine Reue über die begangenen Fehler und erbittet demütig die göttliche Vergebung. Er bittet Pfarrer Barjon um Zustimmung zu dem Protokoll einer Aufnahme, die auch erteilt wurde.

Die Mehrzahl der Eintragungen im barjonschen Kirchenbuch beurkunden Taufen, Trauungen und Beerdigungen. Taufen und Trauungen hat Pfarrer Barjon im »temple« von Aarau gehalten. Gemeint ist wohl die deutschreformierte Stadtkirche. Die Toten der Kolonie wurden auf dem Stadtfriedhof beerdigt, und zwar in der Regel am Abend des Tages nach dem Abscheiden. Der Leichenzug (convoy) bestand aus Verwandten und Freunden des Toten. Die Funktion des Pfarrers bestand lediglich in der Beurkundung der Amtshandlung, die von den Zeugen mitunterschrieben wurde.

Auch die Pfarrersfamilie erlebte Freud und Leid im eidgenössischen Refuge: am 9.2.1694 wird Rozine Barjon geboren und am dritten Tag, dem 11. Februar, von dem Aarauer Pfarrer Daniel Nüisperlin auf den Namen der Patin (Rosine) Unsicker getauft.

Am 10. September 1696 folgte »der vierte Sohn und das achte Kind« des Ehepaares Barjon, der mit dem Namen der Mutter »Jacob Vallobscure« vom Vater in das Kirchenbuch eingetragen wird. An ihm wird – wie in der Aarauer französisch-reformierten Gemeinde üblich – am dritten Tag nach der Geburt die Taufe vollzogen (13.9.1696).

Am 26. Januar 1698 alter Zeitrechnung stirbt der Sohn Louis Barjon mit zwölf Jahren, vier Monaten und einigen Tagen. Dieser »dritte Sohn und viertes Kind« war zwölf Tage lang krank gewesen.

Auch das neunte und letzte Kind des Ehepaares Barjon wurde in Aarau geboren. Kurz vor der Abreise der großen Familie in Richtung Basel, am 5. Juni 1699, erblickte Marie Margueritte Barjon das Licht der Welt und wurde vom Aarauer Pfarrer Rudolf Ernst am 18.6.1699 auf den Namen der Patin Jeanne Margueritte Sinner geb. Jenner getauft, der Ehefrau des Amtmannes von Lenzburg. Der Taufeintrag markiert das Ende der Wirksamkeit Guillaume Barjons in Aarau. Wir wissen nicht, warum Barjon nur wenige Wochen nach der Geburt des Kindes Aarau mit seiner Familie verließ, und zwar offensichtlich ohne Begleitung seiner Gemeindeglieder, die anders als ihr Pfarrer zu einem Teil von Aarau aus in das fränkische und Hamelner Refuge weiterzogen.

Anfang August 1699 verließ Pfarrer Barjon mit seiner Familie die Stadt Aarau, die ihm circa 9 Jahre Gastrecht gewährt hatte, und zog zunächst mit seiner Familie aareabwärts bis Brugg. Von dort fuhr er am 3. August 1699 »unter göttlichem Geleit« mit seiner neunköpfigen Familie und insgesamt 53 Personen der 21. Schiffahrt des Jahres 1699 von Brugg nach Basel. Man kam (dort) mit einem »Quart von einem Stuhlschiff« (Bezeichnung für die Größe des Schiffes) am Freitag, dem 4. August, an. Die Réfugiés empfingen in Basel Unterstützungen an Geld und Brot und fuhren weiter rheinabwärts bis Gernsheim (Kreis Groß-Gerau). Dort stellte Pfarrer Barjon stellvertretend für alle Mitreisenden der 21. Schiffahrt dem Schiffer Jacob Steiger eine Bescheinigung aus. Sie besagte, daß der Schiffer und die »compagnie bâteliers« der Stadt Basel die Schiffsinsassen gut nach Gernsheim gebracht hatten. In Gernsheim war man nach viertägiger Fahrt am 8. August 1699 eingetroffen (StA. Basel, Kirchenakten L 12).

II. In Helmarshausen und Karlshafen

Ehe der Karlshafener Gründungspfarrer Guillaume Barjon das eidgenössische Aarau verließ, kamen seine neuen Gemeindeglieder bereits in Hessen an. In Abwesenheit des gerade verreisten Landgrafen Carl von Hessen-Kassel trafen am 21. Juni 1699 circa 270 Réfugiés in der Residenzstadt Kassel ein (StAM 5/15464, Bl. 236). Sie gehörten zu der Flüchtlingsbrigade Jacques Portal, der wie viele seiner Mitreisenden aus den Cevennen, und zwar aus St.-Hippolyte-du-Fort, stammte. Die Flüchtlingsbrigade war mit der 10. Schiffahrt des Jahres 1699 von Basel rheinabwärts nach Gernsheim gefahren und von dort auf dem Landweg nach Hessen weitergezogen (Cronjaeger 1, S. 27). Man übernachtete in Kassel in der vorwiegend von Hugenotten bewohnten Oberneustadt und zog dann weiter zu dem vorläufigen Endpunkt der Fluchtreise, dem Diemelstädtchen Helmarshausen. Von dort aus sollte nach dem Willen des Landgrafen an der nahen Einmündung der Diemel in die Weser eine hessische Hafen- und Handelsstadt gegründet werden, die zunächst Sieburg und seit 1717 nach dem Gründer Karlshafen hieß.

Als die Réfugiés am 24. Juni 1699 in der Klosterstadt Helmarshausen ankamen, wie es eine Eintragung im Barjonschen Kirchenbuch belegt, reichte der Platz für die am 6./7. Juli 1699 registrierten 233 Personen nicht aus (StAM 5/15464, Bl. 264). Deshalb gingen 25 Familien zurück nach Hofgeismar und 19 weitere in das Ackerbürgerstädtchen Immenhausen.

Der conducteur Jacques Portal blieb mit circa 150 Personen, deren Namen in der Kolonieliste vom 27.10.1699 enthalten sind, in Helmarshausen (StAM 40a XXV Grebenstein).

Pfarrer Guillaume Barjon kam später als die Mitglieder der Brigade Portal ins Hessenland. Wie wir wissen, traf er mit der 21. Schiffahrt 1699 am 8. August 1699 in Gernsheim ein. Auch er wird auf dem Landwege mit seiner großen Familie und dem Säugling weitergereist sein. In den Frankfurter Distributionslisten ist sein Name nicht enthalten (Mitteilung des Stadtarchivs Frankfurt/Main).

Das besagt jedoch lediglich, daß er in Frankfurt, der »Drehscheibe des deutschen Refuge«, keine Unterstützung erhielt. Er zog weiter nach Hessen-Kassel, wo ihn der hessische Landgraf Carl mit Reskript vom 25. August 1699 »ad interim«, also vorübergehend, als Prediger nach Helmarshausen entsandte. Dort war er – nach den eigenen Angaben im Karlshafener Protokollbuch (S. 2) – am 22. August 1699 eingetroffen und hatte den Predigtdienst am letzten Sonntag im August aufgenommen (LB Kassel 2° Ms. Hass. 363). Barjon sollte nach dem Willen der landgräflichen Behörde bis zur Ankunft des bereits für Helmarshausen bestellten und anreisenden Predigers (sein Name wird nicht genannt) bei der französischen Kolonie pfarramtliche Funktionen wahrnehmen. Die dafür zugesagte Vergütung von zwei Talern sollte der landgräfliche Schultheiß in Helmarshausen an Barjon auszahlen (StAM 40a XXV Helmarshausen, o.S.). In den Wirren, die bei der Unterbringung der vier in der Landgrafschaft Hessen im Jahre 1699 fast gleichzeitig eingetroffenen Flüchtlingszüge entstanden, blieb der »falsche« Pfarrer Barjon bei französischen Flüchtlingen, die zwar wie er zum großen Teil aus den Cevennen stammten, jedoch vorher mit ihm keinen Kontakt gehabt hatten.

Schon mit Wirkung vom 10. Oktober 1699 wurde die wöchentliche in eine jährliche Vergütung von 100 Talern umgewandelt. Zusätzlich erhielt die Familie Barjon an Naturalleistungen 6 Viertel Korn, 6 Viertel Gerste und 6 Klafter Holz (StAM 5/10346, Bl. 3 u. 4). Die beibehaltene interimistische Anstellung änderte der fürstliche Befehl vom 13. Februar 1700 in eine endgültige um (StAM 40a XXV o.S.). In den Helmarshäuser Kolonielisten vom 27.10., 1.12. und 28.12.1699 wird Barjon mit seiner neunköpfigen Familie jeweils als unterstützungswürdiges Koloniemitglied verzeichnet (StAM 40a XXV o.S.).

Am 9. Dezember 1700 bewilligte der Landgraf Pfarrer Barjon auf Antrag eine zusätzliche einmalige Zahlung von 30 Talern und 3 Viertel Korn »in gnädigster Consideration, daß er mit einer starken Familie beladen« (StAM 5/10346, B. 6).

Die beiden ersten Beerdigungen in der französischen Kolonie Helmarshausen auf dem Stadtfriedhof erfolgten vor dem Eintreffen von Pfarrer Barjon ohne geistliche Mitwirkung. Am 6. Juli 1699 wurde der Wollkämmer Moyse Souveiran aus Millièrines, Kirchspiel St. Martin in den Cevennen (heute St.-Martin-de-Corconac, Dep. Gard), zu Grabe getragen (Cronjaeger 1, S. 60).

Am 7. August 1699 folgte die Beisetzung des verstorbenen Ackermannes Etienne Baissier aus St.-Martin-d'Agusan bei St.-Hippolyte-du-Fort (Dep. Gard). Die beiden Verstorbenen wurden von Freunden aus den Cevennen zum Friedhof geleitet, die Pfarrer Barjon nach seiner Ankunft in Helmarshausen im August 1699 die entsprechenden Angaben für die Eintragung im Kirchenbuch machten (Kirchenbuch Barjon, S. 49 u. 50).

Seine erste Amtshandlung vollzog Guillaume Barjon dann mit der Taufe von Jeanne Marie, Tochter des am 18. Juni 1699 in Marburg/L. verstorbenen Antoine la Porte und der Anne geb. Avenat aus Campredon, Gemeinde Valleraugue in den Cevennen. Das Kind wurde zwei Tage nach der Geburt am 6. September 1699 in der Helmarshäuser Kirche getauft, in der die französischen Flüchtlinge bei der deutsch-reformierten Gemeinde Gastrecht hatten (Kirchenbuch, S. 52. Cronjaeger 1, S. 57). Die eigentliche Gemeindegründung der französischen Réfugiés erfolgte gemäß den Bestimmungen der discipline ecclésiastique am 17. April 1700. In dem bereits mehrfach veröffentlichten Gründungsprotokoll wurde folgendes festgehalten:

Die gesamte in der Helmarshäuser Kirche versammelte Gemeinde (colonie) wählt unter der Leitung von Pfarrer Barjon und dem nach Helmarshausen mitgekommenen Berner Flüchtlingskommissar Louis von Bonstetten, der 1703 nach Bern zurückkehrte, das erste Presbyterium (StAM Protokolle II, Kassel cb 10, Bd. VIII). Im Gründungsprotokoll war an dieser Stelle zunächst »consistoire« geschrieben worden. Weil diese Bezeichnung in Hessen nicht geduldet wurde (das Konsistorium war die leitende Kirchenbehörde des Landgrafen), wurde consistoire durchgestrichen und durch »presbytere« ersetzt.

Als erster Kandidat für das Presbyterium wird der Kolonieführer Jacques Portal vorgeschlagen, der die Wahl aber zunächst nicht annimmt, weil Vorwürfe und Anschuldigungen gegen ihn erhoben worden waren. Die versammelte Gemeinde diskutiert in Abwesenheit des Kandidaten Portal den Vorfall und spricht ihm anschließend einstimmig das Vertrauen aus. Pierre Michel, der die Vorwürfe gegen Portal erhoben hat, wird aufgefordert, seine böswilligen Anschuldigungen zurückzunehmen, was er am 14. März 1700 vor der versammelten Gemeinde tut.

Nach der Rechtfertigung von Herrn Portal werden als weitere sechs Kirchenälteste gewählt: Jacques Etienne Saltze, maître chirurgien aus Le Vigan; Jacques Galland, maître apoticaire aus Veynes bei Gap im Dauphiné; Etienne Bouliannes, Tuchweber aus Quint im Dauphiné (Dep. Drôme); Jean Lasalle, Wollwarenfabrikant aus Monoblet im Languedoc (Dep. Gard); Etienne Olive, Zimmermann aus Foissac (Dep. Gard); Gabriel Menard, Handschuhlederzurichter aus den Cevennen und Jean Lapra, Vorsänger (chantre) aus Châteauneuf-le-Vernon im Vivarais.

Die mit der Gemeindeversammlung vom 21. Januar 1700 begonnene Wahlhandlung wird nach dreimaliger Bekanntgabe des Ergebnisses an den folgenden Sonntagen mit einer Sitzung des neugebildeten Presbyteriums am

17. April 1700 abgeschlossen. Der ancien und Sekretär der Gemeinde Gabriel Menard erhält den Auftrag, alles »Wort für Wort« in ein »registre des actes et délibérations du presbytère«, ein Protokollbuch des Presbyteriums, einzutragen.

Wohl wegen dieses Beschlusses verzichtete Barjon im Gegensatz zu dem in Aarau geübten Brauch auf einen Eintrag der Wahlhandlung in sein Kirchenbuch und legte statt dessen zusätzlich ein Protokollbuch für die Kirchenvorstandsbeschlüsse an, in dem nicht nur das Wahlprotokoll mit seinem offiziellen, wohl auch für den Landgrafen bestimmten Wortlaut übernommen wurde, sondern auch weitere Eintragungen, die den Beginn der französisch-reformierten Gemeinde Helmarshausen-Karlshafen markieren.

Eine Eintragung (S. 2) weist auf den Tatbestand hin, daß die Wahl der anciens gemäß der vom Landgrafen zugelassenen »discipline des Eglises réformées de France« erfolgte. Sie nennt auch die im offiziellen Wahlprotokoll fehlenden Namen der zu Wählenden.

Eine weitere Eintragung im Protokollbuch (S. 3) konstatiert, daß die »proclamation«, die Bekanntmachung der Namen der zu Wählenden gemäß der Kirchenordnung an drei Sonntagen erfolgte. Dabei hat die ganze Kolonie die Wahl gebilligt. Das wird festgestellt am 14. März 1700 durch Unterschrift der zu Wählenden (acht Unterschriften) und der zusätzlichen Unterzeichnung durch Pfarrer Barjon, der hinzufügt, daß er die Wahl der Obengenannten gebilligt habe.

Auf Seite 3a und 4 folgt dann das offizielle, auch als gesonderte Urkunde ausgestellte Wahlprotokoll. Es ist von Barjon und sieben Ältesten unterschrieben. Die Unterschrift Portals fehlt. Im Protokollbuch ist das Dokument im Unterschied zum Datum der selbständigen Urkunde über die Wahlhandlung (dort 17.4.1700) mit dem 14. März 1700 angegeben. Die Ungereimtheiten der Beurkundung der Wahl des ersten Presbyteriums der neugegründeten Gemeinde Helmarshausen-Karlshafen spiegeln wider, daß es nicht unerhebliche Divergenzen unter den Réfugiés gab. Vor allem scheint man die Autorität des Brigadeführers Portal nicht allgemein akzeptiert zu haben. In dieser schwierigen Situation hielt sich Barjon als Wahlleiter strikt an die Bestimmungen der Kirchenordnung, und die Wähler bewiesen ein hohes Maß an demokratischer Gesinnung, die in der reformierten Tradition auch anderwärts nachgewiesen werden kann.

Nachzutragen bleiben die Wahlen, die innerhalb des Presbyteriums noch folgten:

Am 21. März 1700 schlug Barjon in einer von ihm geleiteten Sitzung vor, Gabriel Menard aus der Mitte der Kirchenältesten zum Sekretär zu ernennen. Der Vorschlag fand die Billigung der anderen (S. 5).

Am 24. September 1700 versammelte sich das Presbyterium (la compagnia) im Hause des Pfarrers Barjon, um über die Diakonie in der neugegründeten Gemeinde zu beraten. Die Ältesten Galland und Menard werden bestimmt, die Verteilung der Armengelder und Gaben vorzunehmen. Die Auszahlung soll nach Anweisung auf einem Zettel durch Pfarrer Barjon an Herrn Galland erfolgen (LB Kassel 2° Ms. Hass. 363 I, 2, Bl. 9 u. 10).

Über die gleiche Sitzung des Presbyteriums, das diesmal unter Rückfall in den von Frankreich gewohnten Sprachgebrauch »compagnie du consistoire« bezeichnet wird, berichtet auch eine Eintragung im Karlshafener Protokollbuch. Hier ist zu lesen, daß Etienne Olive die Distribution vornimmt. Als Diakone der Gemeinde fungieren nach dieser Eintragung Jacques Galland und Jacques Portal. Es ist nicht aufzuklären, wie es zu den Divergenzen in der Beschlußüberlieferung kam (Protokollbuch, S. 7).

Am 19. November 1700 stellte Pfarrer Barjon erstmals ein Attest zur Unterstützung der großen und bedürftigen Familie von Robert Chardin aus. Am 26. November 1700 quittierte der Empfänger den Erhalt von 2 Talern, die aus landgräflichen Mitteln über das Presbyterium weitergeleitet wurden (2° Ms. Hass. 363 I, 2, Bl. 9–11).

Der Umzug der französischen Kolonie in Helmarshausen mit ihrem conducteur Jacques Portal und ihrem Pfarrer Guillaume Barjon nach Sieburg-Karlshafen erfolgte dem Baufortschritt entsprechend und zog sich über mehrere Jahre hin. In der Anfangszeit fanden alle Amtshandlungen der Gemeinde in der reformierten deutschen Kirche in Helmarshausen und die Beisetzungen der Verstorbenen auf dem dortigen Friedhof statt. In Helmarshausen wohnte auch der Pfarrer mit seiner Familie.

Die erste Taufe in der neugegründeten Stadt »au Bourg de Sibourg« vollzog Pfarrer Barjon am 17. Oktober 1701 – mehr als zwei Jahre nach Ankunft der Flüchtlinge in Helmarshausen – an dem sechs Tage alten Charles Giraud, Sohn des cordonnier Jacques Giraud und seiner Ehefrau Isabeau Fransichon. Der Bedeutung des Ereignisses entsprechend übernahm Landgraf Carl von Hessen selbst das Patenamt und ließ sich bei der Taufhandlung durch den Beauftragten der Berner Flüchtlingsbehörden Jacques Marquis de Barjac Seigneur de Rochegude vertreten (Kirchenbuch Barjon, S. 81).

Die erste Trauung in der entstehenden neuen Stadt an der Einmündung der Diemel in die Weser wurde am 9. Juli 1702 zwischen Jean Roux, cardeur de laine, aus Frutgères bei Pont-de-Montvert in den Cevennen und Marie Benoit aus Guillestre im Dauphiné geschlossen (Kirchenbuch Barjon, S. 88).

Im Jahre 1705 wurde der erste Friedhof in Sieburg angelegt, der sich nahe dem im gleichen Jahre fertiggestellten Invalidenhaus befand. Die erste Beerdigung dort datiert vom 22. Mai 1705. Der einen Tag vorher verstorbene Jean Audibert wird von den Notablen der Kolonie – unter ihnen Jacques Portal und Jacques Galland – und seinen Freunden und Nachbarn zu Grabe getragen. Guillaume Barjon ist nicht dabei. Er trägt die Amtshandlung in sein Kirchenbuch ein (S. 116).

Mit der allmählichen Verlagerung der französischen Kolonie in Helmarshausen nach Sieburg-Karlshafen ergab sich auch für Pfarrer Barjon und seine Familie die Notwendigkeit der Übersiedlung dorthin. Sie bedeutete das Ende der Flucht aus den Cevennen über die Schweiz nach Deutschland. Am 22.

Oktober 1699 unterschrieb Barjon letztmalig eine Kirchenbucheintragung als »pasteur refugié« (S. 57). Danach fiel der Zusatz »refugié« fort, weil mit dem Baubeginn in Sieburg-Karlshafen eine neue, bleibende Heimat für die Flüchtlinge und ihren Pfarrer entstand. Allerdings sollte es noch eine Zeit dauern, bis die letzte Familie zunächst in Baracken, dann in die aus landgräflichen Mitteln erbauten Häuser einziehen konnte.

Francke behauptet, Barjon habe mit seiner Familie zunächst in einem Hause am Berge (zum Reinhardswald hin) gewohnt. Danach sei er mit seiner Familie in eine Haushälfte an der Weserstraße (Nr. 68) umgezogen, die 1888 verkauft worden sei (3. Aufl. 1928, S. 20f.). Diese Vermutungen lassen sich nicht bestätigen. Ein landgräfliches Reskript vom 20. September 1703 läßt erkennen, daß die Familie Barjon zunächst im Hause des Manufakturisten (wo?) wohnte. Da 1703 das für Barjon vorgesehene Haus noch nicht fertiggestellt werden konnte, mußte er vorübergehend im landgräflichen Hause wohnen (StAM 5/10346). Das Pfarrhaus wird sich dann als Doppelhaushälfte der typischen Karlshafener Häuserzeilen in der Carlstraße unmittelbar neben dem Invalidenhaus und der dort integrierten Kapelle befunden haben (Nr. 13 alte Zählung. Das heute dort befindliche zweistöckige Gebäude Carlstraße 18 ist ein Ersatzbau aus späterer Zeit. Arthur Meinhard erwarb dieses Gebäude 1915 als Invalidenstraße Nr. 13.). Das Portal des Barjonschen Pfarrhauses wurde schon bald nach dem Einzug der Familie repariert (StAM 5/10346, Bl. 12 o. Datum).

Die Verlagerung der französischen Gottesdienste von Helmarshausen nach Sieburg-Karlshafen ist in Verbindung mit der Fertigstellung des Invalidenhauses im Jahre 1705 zu sehen. Danach bestand die Möglichkeit der Nutzung der dortigen Kapelle. Zu einem geplanten eigenen Kirchbau kam es dagegen nicht. Barjon mußte sich die Invalidenhauskapelle an den Sonntagen mit der deutsch-reformierten und seit 1708 zusätzlich mit der deutsch-lutherischen Gemeinde teilen. Das machte Absprachen erforderlich und brachte Probleme mit sich. Im Streit um den beliebten Frühgottesdienst bleibt der französischen Gemeinde das Nachsehen: »weil der Herr Kapitän Conradi am 30. Jan. letzhin auf Befehl sr. Exc. des Herrn Präsidenten notifiziert, daß die Teutschen zuerst und hernach die Franzosen im Lazarett in dem Saal solange bis dasige Kirche eingeweiht, den Gottesdienst verrichten sollen, so laße es dabei solange bewenden. Sibourg 21. Februar 1708. H. Hackeborn.« (LB Kassel 2° Ms. Hass. 363 II, 1, Bl. 1). Das Nebeneinander von drei Kirchengemeinden der kleinen Stadt Karlshafen ohne Kirchengebäude mit Gottesdiensten und Abendmahlsfeiern in einem Betsaal brachte über Jahrzehnte hin das Erfordernis gegenseitiger Rücksichtnahme und Toleranz.

In einem Schreiben an den landgräflichen Kommissar für Sieburg, Hackeborn, hatte Barjon den französischen Standpunkt erläutert. Er hatte Pfarrer Johann George Bitter, dem deutschen lutherischen Kollegen, der seine Antrittspredigt in der Invalidenhauskapelle am 29. Januar 1708 gehalten hatte, die landgräfliche Genehmigung gezeigt zur Versammlung der französischen Gemeinde »aux invalides« und weiter ausgeführt, daß Deutsche und Franzosen die Gottesdienstzeiten »en bonne intelligence« selbst regeln könnten, ohne daß der eine den anderen belästige (LB Kassel 2° Ms. Hass. 363 II, 1, Bl. 1). Guillaume Barjon hatte das Zusammenwirken mit deutschsprachigen Pfarrern und Gemeinden schon in Aarau eingeübt. Er war bereit, sich anzupassen und den Deutschen den Vortritt zu lassen, der ihnen letztendlich vom Landgrafen auch zugestanden wurde (a.a.O.).

Im übrigen fällt auf, daß wir von der Karlshafener Tätigkeit Barjons wenig wissen. Er ist nicht »aktenkundig« geworden. Offensichtlich hat er unfruchtbaren Streit vermieden und mit Gottesdiensten und Amtshandlungen seiner Gemeinde in der Stille gedient. Mit seiner gut lesbaren Schrift hat er sein in Aarau begonnenes Kirchenbuch in Helmarshausen und Karlshafen bis kurz vor seinem Tode weitergeführt.

Die letzten Jahre seiner Amtstätigkeit waren überschattet von Krankheit. Seine Unterschrift im Kirchenbuch wurde immer zittriger. Schließlich konnte er selbst die Eintragungen gar nicht mehr unterzeichnen.

Am 5. Januar 1712 bewilligte der Landgraf »in gnädigster consideration seines erreichten hohen Alters und ganz abständigen Zustandes« Guillaume Barjon und seiner Familie noch einmal auf zwei Jahre zusätzlich zum regulären Gehalt jährlich zwei Viertel Korn.

Am 20. April 1712 starb Guillaume Barjon »âgé d'environ quatrevingt ans«. In Wirklichkeit wurde er 77 Jahre alt, das schwere Lebensschicksal hatte seine Kräfte aufgezehrt. Am 26. April trugen ihn seine Kollegen Jean Jacques le Fèvre aus Carlsdorf und Louis de Lescure aus Mariendorf auf dem Karlshafener Friedhof neben dem Invalidenhaus zu Grabe.

Seine Witwe Bernardine geb. Tourtoulon beantragte beim Landgrafen das Sterbe- und Gnadenquartal. Dabei wies sie auf die schweren und langen Krankheiten ihres Ehemannes hin, die er vor seinem Tode erlitten hatte. Dem Bittgesuch wurde mit Wirkung vom 3. Juni 1712 stattgegeben (StAM, Protokolle II Kassel cb 10, Bd. XII o.S.).

Jean Baptiste Teissier aus Arzier im Kanton Bern, der Schwiegersohn und Nachfolger Barjons im Amt, schrieb die Karlshafen betreffenden Seiten aus dem Kirchenbuch Barjon in drei neu angelegte Kirchenbücher für Taufe, Trauungen und Beerdigungen ab. Im Trauungsbuch (S. 19) würdigte er den Tod seines Schwiegervaters mit einer ganzseitigen Eintragung:

»Fin du Ministére de feu Monsieur le Pasteur Guillaume Barjon, ce Fidéle & docte Prédicateur de l'Evangile de Christ; Lequel sortit du Royaume de France en 1692 a cause des cruelles Persecutions éxercées par le Papisme, sous le Régne de Louis Quatorze, contre les Chrêtiens Reformés qui faisoient Profession du St. Evangile, & qui vouloient pas adhérer aux erreurs détestables de la Papauté. Refugié. Ensuite avec toute la Colonie Françoise, Recueillié & étabilié à Carlshaven, dit cy-devant Siebourg. Sous la haute & Gracieuse Protection de S.A.Sme Charles Premier, Landgrave de Hesse, Prince de Hirschfeld. & & & & ses Glorieuse Successeurs.«

(Vgl. den ähnlichen Text im Kirchenbuch Karlshafen, Taufen 1699–1825, S. 79.)

Ende der Amtszeit des verstorbenen Herrn Pfarrers Guillaume Barjon, dieses treuen und gelehrten Predigers des Evangeliums von Christus. Er verließ das Königreich Frankreich 1692, veranlaßt durch die grausamen Verfolgungen durch das Papsttum unter der Regierung Ludwig XIV. gegen die reformierten Christen, die das heilige Evangelium bekannten und den verabscheuungswürdigen Irrtümern des Papsttums nicht zustimmen wollten. Geflohen. Schließlich mit der ganzen französischen Kolonie in Karlshafen, früher Sieburg genannt, aufgenommen und niedergelassen, unter dem hohen und gnädigen Schutz seiner Hoheit Carls des Ersten, Landgraf von Hessen, Fürst von Hersfeld usw. usw. usw. und seiner glorreichen Nachfolger. (Übersetzung)

Guillaume Barjon und seine Familie

I. PIERRE BARJON

Reformierter Pfarrer, »ministre de la parole de dieu«, 1614 Pfarrer in Castagnol (heute Gemeinde Vialas, Dep. Loziere); seit seiner Heirat 1619 Pfarrer in St.-Etienne-de-Valfrancesque (heute Saint-Etienne-Vallée-Française, Dep. Lozère); ab 1644 bis zu seinem Tode am 18.10.1652 Pfarrer in Forac (Dep. Lozère)

heiratet 1619 in der Kirche von St.-Etienne-de-Valfrancesque JEANNE DE BELCASTEL,
eine von elf Töchtern (und vier Söhnen) des Edelherren Pierre II. de Belcastel, Herr von Montvaillant und dessen Ehefrau Louise de Vabres.

II. GUILLAUME BARJON, Sohn des Pierre Barjon

geboren 29. Juli 1635 in Saint-Etienne-de-Valfrancesque
getauft 14. September 1635 von seinem Vater Pierre Barjon
Pate Guillaume de Belcastel, Herr von Caila, sein Vetter mütterlicherseits
heiratet 1. Juli 1678 in der Kirche von St. Marcel-de-Fontfouillouse
(Getraut durch Etienne Grognet, Pfarrer in Saint Roman de Tousque, Dep. Lozère. Er flüchtet 1684 nach England.)
BERNARDINE DE TOURTOULON, geboren ca. 1657, Tochter des Edelherren François de Tourtoulon, Herr von Valescure (oder Valobscure) und dessen Ehefrau Antoinette de Béringuier.
Sie stirbt in Karlshafen am 6.12.1729, begraben 10.12.

GUILLAUME BARJON war reformierter Pfarrer:
1660–1663 in Pont de Montvert und Fraissinet (Dep. Lozère)

	Okt. 1666 bis Ende 1677	in Barre in den Cevennen (Dep. Tarn); Mitversehung von Saint-Laurent-de-Trèves (Dep. Lozère)
	1678–1685	in St. Marcel-de-Fontfouillouse und Les Plantiers (Dep. Gard)
	1685–1691	Fluchtaufenthalte in Genf und Lausanne
	1691–1699	in Aarau in der Schweiz
	August 1699 bis 1712	in Helmarshausen und Karlshafen
stirbt	20. April 1712	in Karlshafen, begraben 26. April alt 80 Jahre

9 KINDER:

1. TOCHTER
   geboren?, gestorben wahrscheinlich bald nach der Geburt

2. FRANÇOIS
   geboren 1678 in St. Marcel-de-Fontfouillouse
   27.2.1696 in Aarau: 18 Jahre
   Kaufmann in Karlshafen
   gestorben 24. Februar 1732 Karlshafen, begraben 26. Februar

3. JEAN
   geboren 7. März 1683, getauft 12. März 1683 im temple von Les Plantiers
   27. Februar 1696 in Aarau: 13jähriger Lateinschüler
   1702 und 1710 ist er Kaufmann in Karlshafen

4. LOUIS
   getauft am 29. September 1685 in Saint-Etienne-de-Valfrancesque, weil die reformierte Religion in Plantiers schon verboten war
   gestorben Aarau am 26. Januar 1698, 12 Jahre 4 Monate 4 Tage
   Er war 12 Tage krank und wird als 4. Kind und 3. Sohn bezeichnet.

5. ANNE CATHERINE
   geboren am 27. Dezember 1689 – wo?
   gestorben Aarau 18. Mai 1692

6. ANNE MADELEINE
   getauft Aarau am 1. November 1691
   heiratet am 9. November 1713 in Sieburg/Karlshafen Pfarrer Jean Baptiste Teissier aus Arzier im Kanton Bern
   gestorben Karlshafen 15. April 1723, begraben 17. April

7. ROSINE
   geboren Aarau am 9. Februar 1694
   heiratete den landgräflichen Hauptmann Helmeke
   gestorben/begraben Karlshafen 25. August 1777

8. JACOB/JACQUES BARJON (bei der Taufe Valescure)
geboren Aarau 10. September 1696
gestorben 17. September 1714 mit 18 Jahren,
begraben 19. September 1714

9. MARIE MARGUERITTE
geboren Aarau 5. Juni 1699
gestorben Helmarshausen oder Sieburg 11. Februar 1700 mit 8 Monaten

Quellen

Taufregister der reformierten Kirchengemeinde Saint-Etienne-de-Valfrancesque 1630–1668 (Archives Departementales de la Lozère in Mende).

Register der Taufen, Trauungen und Beerdigungen der reformierten Kirchengemeinde Barre in den Cevennen (Archives Departementales du Gard in Nîmes).

Register der Taufen, Trauungen und Beerdigungen der reformierten Kirchengemeinde Saint-Marcel-de-Fontfouillouse (Archives Departementales du Gard in Nîmes).

Katholische Kirchenregister von Florac (Bürgermeisteramt Florac).

Protestantische und katholische Kirchenregister von Génolhac (Departement Gard. Im Bürgermeisteramt Génolhac).

Protokolle des Notars Antoine Cornier von St.-Jean-du-Gard. Repertorium der Notare von Gard aus dem 17. Jahrhundert (Archives Departementales du Gard in Nîmes).

Kirchenbuch des Pfarrers Guillaume Barjon mit Taufen, Trauungen, Beerdigungen und Wiederaufnahmen 1692–1712 (Evangelisches Pfarramt Bad Karlshafen).

Register der Taufen der französisch-reformierten Kirchengemeinde Karlshafen von 1699–1824; Register der Trauungen von 1699–1823 und Register der Beerdigungen von 1699–1825 (von 1699–1712 Duplikate des Barjonschen Kirchenbuches im Evangelischen Pfarramt Bad Karlshafen).

Im Staatsarchiv Marburg/Lahn (StAM) die Bestände 5/10346 und 5/15464; Bestand 40a KA XXV, Paket Grebenstein – Lichtenau; Bestand Protokolle II Kassel cb 10 Bd. XII; Depositum 315e Specialia Konsistorium Kassel.

Landesbibliothek Kassel, Handschriftenabteilung: 2° Ms. Hass. Nr. 363, I, 2 und II, 1.

Staatsarchiv Basel: Kirchenakten L 12 (Schiffahrtslisten).

Literatur

Artikel »Guillaume Barjon«. In: Haag, Eugène u. Emile: La France Protestante. 2. Aufl., Bd. 1, Paris 1877, Sp. 840.

Brunner, Hugo: Ein Protokoll der französischen Kolonie zu Helmarshausen vom Jahre 1700. In: Zeitschrift des Vereins für hessische Geschichte und Landeskunde 1901, NF. Bd. 24, S. 417–419.
Ebenfalls in: Die französische Colonie 1901, XV. Jg., Nr. 5, S. 76–78.
Wieder abgedruckt mit deutscher Übersetzung. In: Der Deutsche Hugenott, August 1941, 13. Jg., Nr. 2, S. 106–110.

Cronjaeger, Hildegard: Die Karlshafener Erstansiedler und ihre Mitreisenden im Jahre 1699 (Cronjaeger 1). In: Desel, Jochen (Hrsg.): Deutsches Hugenottenmuseum Bad Karlshafen, Museumsführer, Obersickte 1983, S. 54–61.

Cronjaeger, Hildegard: Über die Flucht der Hugenotten unter besonderer Berücksichtigung des Transports auf dem Rhein von Basel bis Gernsheim (Cronjaeger 2). In: Rhein-Museum Koblenz. Beiträge zur Rheinkunde 38, 1986, S. 19–28.

Ebrard, Friedrich: Die Hugenottengemeinde Aarau 1685, 1699. In: Argovia 1929, Bd. 50, S. 67–123 (Ebrard 1).

Ebrard, Friedrich: Aus der Vorgeschichte der Hugenottenstadt Karlshafen a.d. Weser (1685–1705). 2. verb. u. verm. Auflage. Geschichtsblätter des Deutschen Hugenotten-Vereins. XVI. Zehnt, Heft 2, Flensburg 1963 (Ebrard 2).
Franke, Rudolf: Die Geschichte der Stadt Carlshafen und ihrer französischen Niederlassung. 3. veränderte und erw. Auflage, hrsg. v. Wilhelm Sostmann. Carlshafen 1928.
Goulon-Sigwalt, Edouard: Pierre de Belcastel (1648–1710). Officier réfugié – ses campagnes – sa famille. In: Cahiers du Centre de Généalogie Protestante Nr. 10. Paris, Société de l'histoire du Protestantisme français 1985, S. 506–555 (Goulon-Sigwalt 1).
Goulon-Sigwalt, Edouard: Fakten zur Geschichte der Familie Barjon. Unveröffentlichtes Manuskript (Goulon-Sigwalt 2).
⟨Jurieu, Pierre⟩: Lettres Pastorales adressées aux Fideles de France, qui gemissent sous la Captivité de Babylon. Rotterdam, 3. Aufl. 1688, 7. Brief, S. 145–168.
⟨Jurieu, Pierre⟩: Le Chant de Psaumes dans les airs à Marvejols (1686). In: Bulletin de la Société de l'histoire du Protestantisme français. Paris 1907, Bd. 56, S. 527–532.
de Lorme, Eduard: Auszüge aus den Kirchenbüchern der französisch-reformierten Gemeinde von Carlshafen a.d. Weser (1699–1825). Geschichtsblätter des Deutschen Hugenotten-Vereins. Band XIII, Heft 9, Magdeburg 1909.
Mogk, Walter: Kirchengeschichtliche Aspekte zur Situation der Französisch-Reformierten Gemeinden im Hessen-Kasselschen Refuge. In: Desel, Jochen u. Mogk, Walter (Hrsg.): Hugenotten und Waldenser in Hessen-Kassel. Monographia Hassiae, Heft 5, Kassel 1978, S. 395–435.
Piquet, Emile: Les Dénombrements généraux de réfugiés au pays de Vaud et à Berne, à la fin du XVIIe siècle. In: Bulletin de la Société de l'histoire du Protestantisme français. Paris 1934, Bd. 83, S. 71; 1936, Bd. 85, S. 45.
Sonne, Otto: Geschichte der Stadt Karlshafen. Karlshafen 1949.
Les Préludes de la révocation dans le Haut Languedoc. In: Bulletin de la Société de l'histoire du Protestantisme français. Paris 1877, Bd. 26, S. 495–505.

Mein besonderer Dank für wertvolle Informationen und Hilfen gilt Frau Hildegard Cronjaeger, Kassel, und Herrn Eduard Goulon-Sigwalt, Paris.

Johann Caspar Lavater und Johann Friedrich Oberlin

Briefwechsel zweier Spätpietisten im Umkreis von Goethe

Von Ernst Schering †

Der hochgeschätzte Kollege, dem diese Seiten zugeeignet seien, hat sich auf vielen Gebieten der Theologie als profunder Sachkenner und fruchtbarer Autor erwiesen. Daß er sich auch intensiv mit der Frankfurter Kirchengeschichte und der Gestalt Goethes beschäftigt hat[1], hat sicherlich gute territoriale und biographische Gründe. Diese Forschungen sind darüber hinaus geistes- und theologiegeschichtlich beachtenswert, denn die nach der Geniezeit einsetzende Klassik stellt unbestritten den Gipfel der deutschen Literatur dar.[2] Nun hat man diese Epoche oft mit einem Planetensystem verglichen, in dessen Mitte Goethe als belebende Sonne erstrahlt, um die größere und kleinere, hellere und dunklere Planeten kreisen.[3] Diese dominierende Stellung erahnte Johann Wolfgang Goethe (1749–1832) in jüngeren Jahren keineswegs. Bei seinem Studium in Straßburg von April 1770 bis August 1771 begegnete er Johann Gottfried Herder (1744–1803), der sich von September 1770 bis April 1771 dort als Erzieher des Prinzen Peter Friedrich von Holstein-Gottorp und wegen einer allerdings erfolgloser Operationen am Tränensäckchen des rechten Auges aufhielt. Fast täglich besuchte der größte Sohn Frankfurts den fünf Jahre älteren, dem Spätpietismus die Wege weisenden Theologen[4], der ihm neue geistige Welten erschloß, Zugang zum Alten Testament eröffnete, so daß dieser für die »reine Luft der Patriarchen« schwärmte.[5] Diese Gespräche waren für ihn »das bedeutendste Ereignis, was die wichtigsten Folgen für mich haben sollte« ... Herders »Anziehungskraft wirkte immer stärker auf mich«.[6] Im Herbst 1771 schrieb er an ihn nach Bückeburg: »Herder, Herder, bleiben Sie mir, was Sie sind. Bin ich bestimmt, Ihr Planet zu sein, so will ich's sein, es gern, es treu sein. Ein freundlicher Mond der Erde. Aber das – fühlen Sie's ganz – daß ich lieber Merkur sein wollte, der letzte, der kleinste vielmehr unter siebnen, der sich mit Ihnen um Eine Sonne drehte, als der erste unter fünfen, die um den Saturn ziehn. Adieu, lieber Mann. Ich lasse Sie nicht los. Ich lasse Sie nicht! Jakob rang mit dem Engel des Herrn. Und sollt' ich lahm darüber werden.«[7]

Straßburg bedeutete für Goethe eine entscheidende Lebenswende. Er rückte vom Herrnhuter Pietismus ab, der ihn bisher stark angezogen hatte, jedoch ist er ebenso wie alle anderen Männer der Klassik und des Deutschen Idealismus von theologischen Fragen nie losgekommen. Das juristische Studium hat er bekanntlich stark zurückgestellt. Ihn beeindruckten vielmehr medizinische Vorlesungen, Kollegs des Staatswissenschaftlers Johann Daniel

Schöpflin (1694–1770) und des Historikers Johann Jakob Oberlin (1735–1806), eines »wackeren Mannes«, der Goethes »leidenschaftliches« Interesse für mittelalterliche Baukunst und Literatur zu wecken verstand.[8] Ob er bei seinen vielen Reisen im Elsaß auch dessen Bruder, dem seit 1767 im Steintal wirkenden Pfarrer Johann Friedrich Oberlin (1740–1826) näher kennenlernte, ist nicht belegbar. Bedeutsam wurde für Goethe die Begegnung mit Johann Caspar Lavater (1741–1801), der in gewisser Weise dem Spätpietismus zuzurechnen ist.[9]

Lavaters Begegnung mit Goethe und Aspekte seiner Korrespondenz

Bei dem Namen Lavater denkt man unwillkürlich an den sprichwörtlich gewordenen Reim Goethes in der Schilderung eines Gespräches bei einer gemeinsamen Wanderung mit diesem und Basedow an der Lahn und am Rhein entlang im August 1774: »Prophete rechts, Prophete links / das Weltkind in der Mitten«. Er fügte sogleich den oft unterschlagenen Satz hinzu: »Glücklicherweise hatte dieses Weltkind auch eine Seite, die nach dem Himmlischen deutete, welche auf eine ganz andere Weise berührt werden sollte.«[10] Damit verwies er auf die Fortsetzung dieser Reise zu Heinrich Jung-Stilling (1740–1817) und anderen Pietisten des Rheinlandes. Der rationalistische Theologe Johann Bernhard Basedow (1723–1790), der im gleichen Jahr die Erziehungsanstalt Philanthropinum gründete, kommt bei Goethe nicht sonderlich gut weg, er nennt ihn griesgrämig, verkniffen, in sich gekehrt.[11] Mit Lavater, der eine »unglaubliche Geduld, Ausdauer und Milde besaß«, dessen »äußerer Beruf mit dem inneren übereinstimmte«[12], verband ihn zwölf Jahre lang eine innige Freundschaft, die bei tagelangen Besuchen in Zürich 1775 und 1779 gefestigt wurde. Lavater, nach J. J. Rousseau (1712–1778) der bedeutendste Schweizer seiner Zeit, ein faszinierender, geistreicher Prediger und gewissenhafter Seelsorger, dessen Kirche immer überfüllt war, wollte auch literarisch seine Zeitgenossen für die Wahrheiten des Glaubens gewinnen. Dem dienten seine zahlreichen Publikationen, insbesondere seine schier unübersehbare Korrespondenz.

Er war neben Voltaire (1694–1778)[13] und Friedrich Nicolai (1733–1811)[14] der eifrigste Briefeschreiber seiner Zeit. Allein in der Zentralbibliothek Zürich lagern über 19000 zum größten Teil unveröffentlichte Briefe von ihm und an ihn.[15] Eine Gesamtausgabe der Korrespondenz, die seine Wirkung auf Zeitgenossen und Nachwelt erhellen könnte, wird wohl ein Desiderat der Forschung bleiben.[16] Als ein »Mann mit ungewöhnlicher Kontaktstärke« verkehrte er als ein »Genie der Freundschaft«[17] mit zahlreichen Zeitgenossen.[18] Die Briefe sind »Aussage und Bekenntnis«; dienen einerseits der Pflege und Förderung der Freundschaft, sind andererseits seelsorgerlicher Dialog.[19]

Dem Briefwechsel mit Oberlin kommt deshalb besondere Beachtung zu, da beide den Spätpietisten zuzuordnen sind, jenen Männern, die, um 1740 geboren, in den Jahrzehnten vor der Jahrhundertwende wirkten, die man bisher nicht recht zu charakterisieren wußte, als »Außenseiter« oder »Sondergestalten« bezeichnete. Sie waren zunächst vom Rationalismus beeinflußt, entdeckten sodann die biblischen Wahrheiten, stritten fortan gegen »tote Vernünftelei« und haben somit der Erweckungsbewegung den Boden bereitet. Sie standen untereinander in regem Gedankenaustausch. In den Briefen Lavaters und Oberlins dominieren die Grundanliegen des Spätpietismus: Erlösungsbedürftigkeit des Menschen, lebendiger Biblizismus, Glaube an die Souveränität Christi, die Überzeugung, Gott erhört Gebete, die Gewißheit, von Gott geführt zu sein, die Aufforderung, für die Ausbreitung des Reiches Gottes auf Erden zu wirken, empfindsame Selbstbeobachtung, die Ermahnung, das eigene Seelenheil zu bedenken, die Sehnsucht nach dem himmlischen Reich und die chiliastische Erwartung der baldigen Wiederkunft Christi und der Aufrichtung seiner Herrschaft auf Erden.[20] Diese Korrespondenz zwischen Lavater und Oberlin läuft zeitlich parallel mit derjenigen mit Goethe, setzt 1773 ein, als Lavater an seinen Physiognomischen Fragmenten arbeitete. Bei dem erwähnten Gespräch auf der Reise längs der Lahn begeisterte sich Goethe zunehmend an der Erschließung einer empirischen Psychologie, sagte seine Mitarbeit zu, lieferte zahlreiche Porträts und Silhouetten, verfaßte das Kapitel über die Schädellehre[21] und vermittelte die Drucklegung von 1775 an.

Jenseitslehre als Erbauung

Als Goethe und Lavater in Bad Ems weilten, hatte dieser bereits die ersten drei Bände der Aussichten in die Ewigkeit[22], die ihn berühmt machten, veröffentlicht, die bei Rationalisten auf Ablehnung gestoßen waren[23], aber bei vielen Lesern Zustimmung hervorriefen und Oberlin dazu bewegten, an den Verfasser zu schreiben. Der äußere Anlaß des Briefes vom 26. Juli 1774 bestand darin, daß Lavater einen Kollektanten, der Spenden für die bei Straßburg gelegene arme Gemeinde Urbach (französisch Fouday) einsammelte, gastfrei aufgenommen hatte: »Geehrtester, liebster, von Angesicht zwar, aber nicht von / Charakter mir unbekannten Freund! / Erlauben Sie dem Pfarrer zu Waldersbach im Steinthal, Ihnen meinen doppelten, recht herzlichen Dank abzustatten. Sie haben unsern Steuersammler für die Kirche zu Urbach, ob wir Ihnen schon unbekannt sind, im verflossenen Jahr mit so vieler Liebe aufgenommen. Sie haben auch selbst dazu gesteuert, obschon Dero Einkommen mit Ihrer ausgebreiteten Liebe und Gutthätigkeit in keine Vergleichung kommt. Der Herr wird dieses Ihm geheiligte Opfer in dem Register der zahlreichen Saat, die Sie ausstreuen, nicht vergessen. / Die andere Sache, die auch zur wärmsten Dankbarkeit gegen Sie verbindet, ist die viele Erbauung, Aufmuntherung, Anfeuerung zur möglichsten Ähnlichkeit mit Jesu, die Ihre schönen erhabenen und gläubigen Aussichten in die Ewigkeit bei uns gewirkt haben. Ja, gesegnet seyen Sie dem Herrn, geehrtester, geliebtester Mitknecht unseres Heilandes – für allen den vielen Segen, den dieses Buch an mir, meiner Frau, meinen Elèves od. Kostgängern, Bekannten u. manchen Pfarrkindern gehabt hat u. vermuthlich noch mehrmalen haben wird. / O Schade, daß die Fortsetzung so eng in dem dritten Theil zusammengepackt ist. Sie glauben nicht, wie viele entzückte Stunden Sie mir u. meinen Freunden u. Freundinnen geschafft haben! Ich hatte schon vorher, nach meiner ganz kleinen Kenntnis der Natur, gar viele Vermuthungen vom Himmel, die von den gewöhnlichen dunklen u. unseren Zeiten unwürdigen Begriffen gar sehr verschieden waren – Vermuthungen, die ich in diesem Lieblingsbuch nun gar unvergleichlich erweitert u. mit neuen Gründen unterstützt antraf, außer dem so vieles darin, das mir ganz neu u. daher umso viel willkommener war. / Ich sehe nun mit großer Sehnsucht demjenigen Werk entgegen, so Sie, gütigster Menschenfreund! uns versprochen. Sie fragen an, in was für einer Schreibart man Ihnen rathen würde es auszuarbeiten. Diese Frage ist freylich an Leute von anderer Wissenschaft und Geschicklichkeit gerichtet, als die ist, die mir der Herr anvertraut hat. Doch wenn ich schon aus meinem Kopf nichts geistreiches, nichts poetisches hervorbringen kann, so empfinde ich doch das Schöne in den Werken derer, die Gott zur Poesie geschickt gemacht. Und daher kommt mir die Kühnheit, Ihnen meinen nicht Rath, nur Wunsch zu äußern – darf ich sagen? – ich wünschte, daß Sie sich in Ausführung Ihrer gesegneten Aussichten an gar keine Schreib- noch Vers-Art bänden, sondern jedesmahl in der schrieben, in der Ihnen die Materie sich am lebhaftesten darstellte – bald in Prosa, bald in Versen – bald gereimten, bald Klopstockschen[24], kurz je nachdem die Materie selbst bald mehr, bald weniger Schwung erforderte oder aber nachdem Sie zu dem od. jenem besser aufgelegt wären. Geister von der Art, wie der meinige, finden sich allzu früh in Poetischen Werken ermüdet, wo die Versart immer die nämliche ist. Wie es andern geht, weiß ich nicht u. kann nur von mir reden u. daher belieben Sie dieses auch nicht als einen Rath anzusehen, nur meinen Wunsch, großen Wunsch, wollte ich Ihnen entdecken, u. dazu hat mich der liebreiche Charakter kühn gemacht, den ich in Dero Schriften gefunden u. den mir meine lieben Freunde zu Straßburg Hr. Pf. Stuber[25], H. Schweighäuser[26], Hebeisen, Emmerich, Dr. Lorenz[27] etc. von Ihnen geschildert haben. Sie wollen mir daher verzeihen u. meine Freyheit Ihnen selbst zu schreiben. / Glauben Sie auch nicht, daß ich eine Antwort erwarte, nein, mein Brief verdient das nicht, nur eine freundschaftliche, liebreiche Aufnahme verdient er u. das wird er auch von Ihnen erhalten. Ich weiß überdas, wie sehr Sie immer beschäftigt sind. Ich weiß auch Dero Geschäfte so wohl zu schätzen, als daß ich nur wünschen wollte, daß Sie um meines Individui willen auch nur den geringsten Theil derselben aufschöben. Und o könnten Sie alle Zeit, die ich Ihnen gern spare u. wünsche, könnten Sie sie außer den Amtsgeschäften zur Durchführung der Aussichten in die Ewigkeit anwenden! O welch reichen Segen hat schon der Entwurf derselben gehabt! Wie manche redliche Seele ist dadurch wie erneuert u. mit ganz frischer Munterkeit angezogen worden! Ich weiß ohngefähr wohl, was so manche Personen wider die Aussichten haben einzuwenden gehabt. Die Unwissenheit in dem Artikel vom Himmel ist bey manchen Christen (bey den meisten, soll ich sagen oder fast allen) ganz unglaublich groß; ich habe es mehrmalen erfahren, und zwar von Personen, die sonst viel lesen u. die man deswegen gar nicht dafür hätte ansehen sollen: fast niemand versteht etwas von der Natur, welche doch ganz andere Begriffe von unseren künftigen Erwartungen gibt, als man sonst hat. Die meisten, sonst redlichen Christen, denen es wohl geht, sind so sehr in Besuche geben und annehmen, in Zeremonienmachen, in Kleiderstaat und anderer Eitelkeit noch eingeflochten, daß sie außer in einigen verdrießlichen Stunden nicht gern an Tod u. Himmel nur denken. Zeigt man ihnen den Himmel schöner als sie ihn glaubten, so sagt ihnen das Gewissen: du solltest dir doch einmal eine solche Seligkeit mehr lassen angelegen seyn, du solltest dem u. jenen noch absagen. Das möchte man nicht, denkt auf Ausflüchte, hilft sich damit, daß der Author doch ja selbst seine Meinung nur meist für Vermuthungen ausgibt, indeß, da doch ein kleiner Stachel bleibt, wird man über den Author und seine Arbeit etwas unzufrieden u. wünschte, er hätte was anderes gemacht! O lassen Sie sich doch durch dergleichen kranken Christen nicht abschrecken! Die künftigen Zeitalter werden Sie segnen u. unsere Kinder, die in ihrer Jugend bessere und aufmunterndere Begriffe vom Himmel bekommen werden, als nun 70-jährige Greise haben, werden Gott über Ihnen u. dem was Er ihnen durch Sie geschenkt hat, preisen. / Ich bitte nochmals gar sehr um Vergebung meiner Kühnheit u. habe die Ehre mit den aufrichtigsten Gesinnungen der Hochachtung u. Liebe zu verbleiben / Geehrtester, geliebtester Freund und Mitknecht / Dero dankbarster Diener / M. Joh. Friedrich Oberlin, Pfarrer / zu Waldersbach in der Grafschaft / Steinthal im Elsaß.«[28]

Lavater antwortete am 20. Oktober 1774: »Mein verehrtester Herr Oberlin! / Ich weiß mich nicht des mindesten zu erinnern, Ihrem Steuer-Sammler für Urbach das Geringste, das Danks verdienen könnte, erzeigt zu haben. / Daß Sie mir für die Erbauung danken, die Ihnen meine Schriften gegeben haben sollen, beschämt und ermuntert mich; beschämt mich, weil ich selbst so oft meiner hohen Bestimmung vergesse, ermuntert mich, meine Kräfte weiter zum Besten meiner Nebenmenschen anzuwenden. Nach wohl zwey Jahr werd' ich nicht zur Ausführung des Gedichtes schreiten. Erst will ich andere Lasten abwerfen u. mir, mit Gott, Raum und Ruhe schaffen. Ihren Rath wegen der Versart lege ich allen eingegangenen bey und werde ihn dann zur Zeit aufs Neue kräftig benützen. / Gott sey mit Ihnen, mein verehrtester Herr Bruder, und lasse seinen Namen durch Sie und mich verherrlicht werden. / J. C. Lavater«[29]

J. M. R. Lenz, Goethes »Waldbruder«, bei Oberlin

Vier Jahre später beabsichtigt Oberlin, eine Reise in die badische Markgrafschaft Hochberg, wo er Schulverhältnisse studieren wollte, mit einer Fahrt in die Schweiz zu verbinden, um dort an der Hochzeit des Genieapostels Christoph Kaufmann (1753–1795) teilzunehmen, vor allem um Lavater aufzusuchen und das Band der Freundschaft fester zu knüpfen. Am 20. Januar 1778 war auf Empfehlung von Kaufmann und Goethes Schwager Johann Georg Schlosser (1739–1799) Goethes Jugendfreund aus der Straßburger Zeit[30], der Dichter Jakob Michael Reinhold Lenz (1751–1792) in Waldersbach eingetroffen und vom Ehepaar Oberlin gastfrei aufgenommen worden. Da diese das literarische Werk des genialischen Wortführers von »Sturm und Drang« bereits kannten, war ein Vertrauensverhältnis sofort gegeben.[31] Nachdem dieser munter gesprochen, ansprechende Scherenschnitte und physiognomische Skizzen erstellt, sodann eine zufriedenstellende Predigt gehalten hatte[32], meinte Oberlin, der aus Livland stammende Vikar könne ihn während der beabsichtigten Reise vertreten und verließ am 26. Januar wohlgemut seine Gemeinde. Doch schon knapp eine Woche später erfuhr er in Colmar, daß der genialische Dichter bei der Beerdigung eines Mädchens, das Friederike hieß, deren Namen ihn an die von ihm angeschwärmte Friederike Brion (1752–1813) erinnerte, sich völlig absurd verhielt, erneut einen schizoiden Anfall erlebte und unzurechnungsfähig war.[33] So mußte Oberlin in seine Gemeinde heimkehren. Lenz wurde zunächst zu Schlosser, sodann von seinem Bruder auf Herders Intervention in die baltische Heimat zurückgeführt.

Lavater als Oberlins Seelsorger

Oberlins Frau Magdalene Salome, geb. Witter, war am 18. Januar 1783 gestorben; am 22. Dezember 1783 schrieb Oberlin an Lavater: »Lieber Lavater! Ich lese in Deinen Betrachtungen über die Evangelien[34] u. geb Dir tausendmal im Geist innig freundschaftlichen Händedruck u. wenn der Dir wohlthut, einen Kuß obendrauf. Ich glaube, bey näherem Umgang würden wir Ein Herz u. Eine Seele seyn. Doch bist Du mir noch zu stark, ich würde Dir nicht nachkommen, nicht ohne (soll ich es Straßburgisch ausdrücken?) gehutzelt folgen können, aber doch nachschauen könnte ich Dir. Ich habe Dich sehr lieb u. mein Herz ist Deiner Gegenliebe gewiß. Lebe wohl. Gott erhalte Dir Deine Liebste! Doch hat Er mir durch u. nach dem Tod der meinigen ganz erstaunliche Gnade erwiesen[35], die schwerlich bey fortdauerndem hiesigen Leben dieses lieben Kindes hätte statthaben können. Lebe wohl. Gott ist erstaunlich groß u. in der harten Strenge erstaunend zärtlich. Du Lieber! Soll ich Sie um Verzeihung bitten, daß ich das Du, das frohklingende Du, gegen Sie gebrauche? Ich kann nicht, ich liebe Sie zu sehr. Mein Herz harmonisiert zu sehr mit Ihnen. O wir werden einst im künftigen Leben recht innige, recht vertraute Freunde werden! / Adieu, lieber Freund – ich liebe Sie sehr / und Sie werden auch einmal lieben Ihren ergebensten / Oberlin, Pfarrer.«[36] Am 21. März 1784 antwortete Lavater: »Lieber Oberlin! / Herzlich brüderlichen Dank für Dein Herzbrüderliches Schreiben vom 22. Dez. 83. Ich glaube den Glauben und liebe die Liebe – aber tausendmal muß ich's sagen – ich bin noch nichts, kann noch nichts, habe noch nichts, weiß noch nichts. O Ihr Lieben! Wenn ich einst was habe, dann werdet Ihr sehen, wie nichts das alles war, was Ihr für etwas hieltet: / ›Nur einen Finger Deiner Hand / in diesem quellenlosen Land‹. / Ich weiß, was Du verloren hast und bewundere Deine Ruhe und Geduld – der Alleinvergüter vergüte! Bete an und hoffe! Dulde und schau' empor! Neige Dich unter Dein Joch und Er wird Dir's abnehmen oder erleichtern. / Meine Gesundheit ist die Zeit her sehr schwankend, doch scheint's bisweilen, daß der Herr in den Schwachen mächtig sey. Wenn Du Passberg kennst, so schreib ihm, laß ihn durch Pfr. Stuber bitten, daß er Dir nach Ostern ein Exemplar meiner Herzenserleichterung[37] schenken soll. / Vale et ama amantem / Richterhof, d. 21. März 1784 / J. C. Lavater.«[38]

Oberlin und Lavaters Physiognomik

Die Sprache der Natur wurde durch Lavater zur »Modewissenschaft und Lieblingsbeschäftigung seiner Zeit«[39], faszinierte in einer heute kaum nachzuvollziehenden Weise die Menschen bis in die Mitte des 19. Jahrhunderts. Gewisse physiognomische Einsichten sind, wie Lavater wußte[40], bereits im Alten und Neuen Testament des öfteren belegt, gründeten sich auf »ein paar Gleichungen zwischen physischen Erscheinungen und moralischen Eigenschaften«.[41] Scholastiker wie Albertus Magnus, Pietro d'Abano, Roger Bacon, vollends Mediziner der Renaissance wie Giambattista della Porta richteten ihr Interesse auf Vergleiche mit der Tierwelt: Furchtsamkeit der Hasen, Torheit der Esel, Mut der Löwen, Grobheit der Bären usw.[42] Lavater hingegen brach mit derartigen zoologischen Vergleichen, griff Gedanken von Paracelsus und Jakob Böhme[43] auf, geht von der biblischen Lehre aus: der Mensch ist das Ebenbild Gottes.[44] Christus ist das »Ebenbild des ewigen Vaters«, das den Menschen zugewandte Antlitz Gottes.[45] Der Mensch ist Abbild dieses Urbildes. Die Gottesebenbildlichkeit erstreckt sich nicht nur auf den Geist, die Seele des Menschen, sondern auch auf seine Leiblichkeit.[46] Nun prolongiert Lavater, wie schon zuvor Swedenborg, die biblische Anthropologie mit der Konzeption metaphysischer Korrespondenzen.[47] Der jenseitigen Welt entspricht die diesseitige, unsere künftige Existenz dem irdischen Dasein, das inwendige Wesen des Menschen seiner äußeren Erscheinung. »Das Unsichtbare im Menschen zeigt sich im Sichtbaren.«[48] »Das Äußere ist nichts anderes als die Endung, Gränzung des Inneren, das Innere eine unmittelbare Fortsetzung des Äußeren.«[49] Gern beruft er sich auf Jesu Wort (Matth. 6, 22): »Das Aug' ist des Leibes Licht: wenn nun Dein Aug' einfältig ist, ist auch der Leib finster.«[50] »Bist Du edler als so viele Deiner Nebenmenschen? – wohlan! freue Dich dess und bete nicht Dich sondern den an, der aus einem Thon ein Gefäß der Ehre und ein Gefäß der Unehre schuf.«[51] Immer wieder bricht Lavaters Optimismus durch. Auch wenn ein Mensch noch so tief fällt, hört er nicht auf, Ebenbild Gottes zu sein; »er kann fallen, er kann auch wieder zurücksteigen«.[52] Ein erfahrener Physiognomist kann »wie durch ein dunkles Glas die Herrlichkeit jedes Menschen sehen«.[53] Mit enormem Einfühlungsvermögen versucht nun Lavater in seinem Werk mit Hunderten von Kupferstichen und Schattenrissen, aufgrund der Gestalt der Stirn, der Augen, der Nase, des Mundes und des Kinns eines Menschen dessen Wesen zu deuten. Oberlin, der mit Lavater gerade in der Jenseitslehre übereinstimmte, konnte sich der Faszination der Physiognomik nicht entziehen. Unmittelbar nach dem Tode seiner Frau Salome versuchte er, deren Wesen sowie auch anderer Gemeindeglieder aufgrund ihrer Gesichtszüge zu entschlüsseln: »Weibliche Nasen ... M. liebe seelige Frau: diese Nase dünkt mich weiblicher, feiner, schneller im Empfinden, Urteilen, Handeln und auch zum Zorn geneigter. (Geisterfeinheit und ein gerader offener Sinn.) / Weibliche Münde: ... wieviel kecker, kürzer, schneller, entschlossener, zielender, unternehmender u. er schluckt weniger hinunter, ist kurz bedacht u. dreist im Antworten, ernsthaft u. nicht witzig, verschlossen u. nicht plauderhaft ... / weibliche Kinne ... viel kecker, unternehmend, vordringender, kommandierender als das obige«.[54] Natürlich ist zu fragen, ob diese Charakteristik seiner Frau aus der Physiognomik oder vielmehr aus der Lebensgemeinschaft abgeleitet ist.[55] Immerhin offenbaren diese Sätze den Versuch Oberlins, sich Leitgedanken Lavaters anzueignen. Drei Jahre später, am 6. August 1787, schrieb er an zwei unbekannte Straßburger Freundinnen, die ihm ihre Silhouetten zur Deutung geschickt hatten: »Warum wollen Sie verkehrte Welt mit mir spielen? Von Lavaters Physiognomik habe ich nur den 2ten Theil ... Sie hingegen wohnen in Straßburg, wo Sie theils selbst aus den Quellen, die ich nicht einmal kenne, schöpfen können, theils mit Personen umgeben sind, die es können ... Und doch wollen Sie von mir die Zergliederung und Auslegung Ihrer Profilzüge ... Beide dünken mich den Lippen nach sehr empfindlich und leicht aufzubringen, doch jede auf sehr verschiedene Art ... Nr. 2 riskiert in ihren Antworten sehr ins harte und grobe zu fallen, insbes. gegen Kameradinnen, wo ihre jungfräuliche Schüchternheit den Lippen keine Fesseln anlegt. Nr. 1 scheint verschlossener. Man muß sich vor Schnauen (d.h. Aufbegehren), unfreundlichem Widersprechen und der Sucht, das letzte Wort zu behalten, hüten ... Beide Nasen scheinen etwas kurz aufgebunden, geschwind aufzubringendes zu haben. Beide haben nicht gar große Geduld in Arbeiten, die etwas Anstrengung erfordern.« Er schließt dann allerdings mit der diese »Erkenntnisse« eingrenzenden Bemerkung: »Alle natürliche Charaktere sind an sich gut, alle müssen geheiligt und nach dem Sinne Christ dirigiert und gestimmt werden; so gibt jedes was vortreffliches.«[56] Gewisse Vorbehalte gegenüber der Physiognomik deutete er an in einem Gespräch am 4. Dezember 1794 mit Octavie von Berckheim, der Tochter von Juliane Freifrau von Krüdener (1764–1824), der späteren

Mentorin des Zaren Alexander I. (1777–1825): »Wir waren fest entschlossen, von Swedenborg, Saint Martin, von den Freimaurern zu sprechen, mit einem Wort: von der Mystik unserer Zeit. Wir glaubten, Oberlin sei ein begeisterter Anhänger all dieser Systeme, aber wir irrten uns. Ohne das eine oder andere völlig zu verwerfen, ohne die Existenz unverständlicher Phänomene zu verneinen, sei es nicht seine Aufgabe, sich aktiv zu betätigen. ›Das Evangelium genügt mir‹, sagte er. ›Ich hätte Angst, die Zeit darauf zu verwenden, die ich für mich und andere nutzvoller anwenden muß, statt für außergewöhnliche, wenn nicht gefährliche Dinge‹ ... Er glaubt fest an die Physiognomik Lavaters, zwar nicht an alle ihre Regeln, jedoch an die Resultate seines Systems ... ›Unser Gesicht nennt man zu Recht den Spiegel der Seele‹.«[57]

Henri Gottfried Oberlin bei Lavater

Lavater und Oberlin waren wie viele Spätpietisten einerseits im Grunde konservativ, besaßen »andererseits ein Sensorium für die Bedürfnisse der Zeit«[58], begrüßten Ideen und Ziele der Französischen Revolution, die die Menschen befreien wollte. Für beide war die Hinrichtung von Ludwig XVI. am 21. Januar 1793 und die folgende Schreckensherrschaft desillusionierend. Beide waren auch zeitweilig inhaftiert, Oberlin vom 27. Juli bis 1. August 1794, Lavater fünf Jahre später. Die erneute Verbindung der beiden Freunde wurde dadurch geknüpft, daß Henri Gottfried Oberlin (1778–1817), der mit fünf Jahren seine Mutter verloren hatte, während der Revolution nicht Theologe werden konnte, sondern ein Handwerk erlernt und etwas Medizin studiert hatte. Von September 1798 bis Februar 1800 gehörte er zu der Armee des aus dem Mannschaftsstand aufgestiegenen Generals André Masséna (1756–1817), die beim 2. Koalitionskrieg in die Schweiz eingerückt war, um die am 12. April 1798 proklamierte Helvetische Republik zu unterstützen, vor allem die dortigen alliierten Truppen zurückzuschlagen. Am 27. April 1798 wurde Zürich erobert. Kaum war der Truppenteil des Soldaten Oberlin dorthin verlegt, erbat dieser einen kurzen Urlaub, suchte Lavater am 30. November 1798 auf. Dieser sagte zu den Seinen, als der durchnäßte schüchterne Jüngling eintrat: »Das ist der Sohn des lieben Pfarrers Oberlin«, und zu dem am Tische sitzenden, nicht freundlich umherblickenden französischen Offizier: »Er ist der Sohn eines würdigen Freundes, und Sie werden mir erlauben, daß ich ihm eine Erfrischung reiche.«[59] Am Tage darauf schrieb er an dessen Vater: »An den Bürger Friedrich Oberlin / Pfarrer / im Steinthal / Mein lieber Pfarrer Friedrich Oberlin, / Nur mit einer Zeile achte ich mich verpflichtet und gedrungen, Dir zu schreiben, daß gestern freitags Mittags Dein Sohn Heinrich glücklich und wohlbehalten Zürich passiert hat, aber sich kaum ein Viertelstündchen bey uns verweilen durfte. Er ist gelassen, ergeben und Gott vertrauend. Ich habe die Ahnung – Gott wird Seine Hand augenscheinlich über ihn halten und ihn immer Freunde und Beruhigungsgründe finden lassen. Ach, ich und die Meinigen fühlten uns wehmütig in seine und der Seinigen Lage hinein, und wünschten sehr, ihn bey uns zu haben. Aber es war unmöglich. / Es ist wenig aber doch alles gesagt, was ich sagen kann. / Ich wünschte ihm was dienen zu können – nach Vermögen soll's geschehen. / Die sonderbaren Erfahrungen, die er auf diesem Wege machen wird, sind nun die einzigtrefflichen Erziehungsmittel, welche die einzige Weisheit und Liebe für ihn ausgedacht hat. Wer den Weg mit Ihm begonnen, sieht das Ende des Weges. Wo er ist, der liebe Heinrich, da ist der Engel des Herrn bey ihm und Sein Geist in ihm, sobald er an den Herrn denken wird. / Haben Sie was an ihn zu schreiben, so melden Sie mir's u. schlagen mir's ein. Ich will es möglichst klug und treu besorgen. / Mein schwaches Gebeth soll nicht ganz schlummern über ihn. Ich fürchte mich aber nicht um seinetwillen, weil mein Herz gegen ihn bewegt ist. / Ich umarme Dich brüderlich. Hoffe, wo nichts zu hoffen scheint. Wir müssen durch Leiden leidensfrey werden. / J. C. Lavater«[60] Der Soldat mußte zur Truppe zurück, logierte sodann in Lavaters Pfarrhaus an St. Peter in Zürich, wurde von dem Truppendienst freigestellt und zur medizinischen Ausbildung einem Officier de Santé unterstellt. Kurz darauf wurde seine Truppe verlegt.

Am 25. Dezember 1798 schrieb er an das Ehepaar Lavater: »Liebste Liebes-Eltern! / Ausdrücken, was mein zwar ach so kaltes Herz für Liebes-Dank und Erbaulichkeiten Gefühle hat, kann ich nicht. Ihr theures Herz möge mir zur Hülfe kommen und der l. Gott mir Einsicht geben (erg. in) die wunderbare Leitung, die Er auch an mir beweist, in ihrem höchstmöglichen Lichte zu erkennen. Ach, welch' ein ganz anderer Mensch wäre ich dann. Doch jetzt schon, bey der so schwachen Dämmerung darin, welche Ruhe schenkt er mir nicht. Ja, nichts thut mir weh, als die Trennung, die Trennung von so lieben und abermalen lieben und theuren väterlichen und mütterlichen Freunden, die Er mir erweckte. Doch ist mir auch ein Ersatz, was Sie, mein Theuerster, in mein Kleinod- und Freundschaftsbuch schrieben. Aber Eines fehlt mir darin – ja, liebste Mama Lavater! Wenige Worte nur von Ihnen wünschte mein Inneres auch darin zu finden. Ihre so mütterliche Güte und Sorgfalt für mich, verschafft mir ein Recht, wenigstens darum zu bitten. Unsere Reise war kalt, ich aber dank Ihrer mütterlichen Sorgfalt war mächtiglich gegen alles Unfreundliche beschirmt.«[62] Am 15. Januar 1799 schrieb er aus Botterens: »Ihr liebstes Briefchen samt allem Zugehörigen habe ich erhalten und danke herzlich für jede kraftvolle Ermunterung. Möge doch der l. Gott mich ferner in seine Zucht nehmen und aber auch die verhältnismäßige Kraft und Muth zum Ausharren mir verleihen. Auch das so gefühlvolle herzerweichende Blättchen Ihrer mir so theuren Gattin war mir sehr zur Stärkung. Aber, ich darf ja nicht meine Gefühle an (erg. den) Tag bringen, weil Sie wollen, daß ich schweige. Nichts bleibt mir übrig als mit Demuth zu empfangen, und mein volles Herz dem Herrn allein zu öffnen und um zurückwirkenden Segen auf Alle, mir durch Ihn so theuer gemachten Seelen zu flehen.«[63] An Frau Lavater schrieb er sodann aus Schwyz am 3. März 1799: »Innigst-geliebte, Theuerste! / Wir sind glücklich angekommen, und jetzt bin ich wohl versorgt beim Arzt vom Orte – früher war ich bei einem Geld reichen aber ich glaube, an Menschenliebe armen Kaufmann, wo ich ein paar Nächte nur auf einer Matratze von getrockneten Baumblättern, die nicht gar weich war, schlafen mußte. Ich war aber doch wohl und bin wohl, bin ruhig und glücklich, *denn Gott ist mit mir!* Dies beweisen mir alle Augenblicke meine Gedanken, die mir von Ihnen Allen, Ihrer Freundschaft und Liebe, Ihren Aufmunterungen Trost und Sorgfalt für mich erzählen, zu welchen Allen ich nur durch *Ihn* geführt werden konnte. Ich schließe mit den dankbarsten Umarmungen und möchte mich gerne nennen / Ihren Pflegesohn / H. G. O.«[64]

Der Vater Oberlin hatte von den seelsorgerlichen Bemühungen und der Fürsorge für seinen Sohn gehört. So schrieb er an Lavater, indem er dem Brief eine doppelte Datumsangabe voranstellte: »14. Windmonat (erg. des Jahres) VII / 4. März 1799 / Lieber Edler Freund. / Nein, das hätte ich nie vermuthen können, daß mich Gott auf dieser Welt noch eine so nahe Verwandtschaft mit einem Manne brächte, den ich so sehr liebe u. mit dem mein Herz so sehr harmonisiert! Und doch ist es so. Du bist es, Freund! Du u. die liebe Mama Lavater u. Deine Kinder[65] u. Tochtermann[66], durch die unser Lieber Herr an meinem Heinrich Gottfried Sein Wort erfüllet, wo Er spricht: Wer aus Gehorsam gegen Ihn Vater, Mutter, Geschwister verläßt, soll sie hier schon allerorten wiederfinden. / Ihm sey Lob u. Ehre u. Dank für Seine äußerst wunderbare u. gnädige Führung meines lieben Sohnes u. für Eure so ausgezeichnete zärtliche väterliche, mütterliche, geschwisterliche Liebe. / A Dieu – liebe, liebe Freunde. In der künftigen Welt werde ich, so Gott will, mit Euch noch mehr davon reden. Hier erlauben mir Zeit u. Kräfte allzu wenig. Ich bin mit der Arbeit von sehr vielerley Art übermäßig überhäuft u. gleichsam erstickt, u. meine Augen sind so sehr geschwächt, daß ich auch mit der Brille oft nichts mehr lesen kann. / Gott, der Gott der Liebe u. Treue, erhalte, leite, regiere Dich, alter lieber Freund meines Herzens u. alle die liebe Deinigen. / Ich bin Dein / äußerst verbundener / Johann Friedrich Oberlin.«[67] Im Dezember 1798 hatte der Jüngling Zürich verlassen. Von seinem neuen Quartier in Schwyz schrieb er an Lavater am 22. April 1799: »Wie sehr ermuntert mich nicht Ihr Briefchen zum Gebeth; ach, wie viele Beweggründe hätte ich nicht, für das liebe Helvetien zu flehen! Die vielen ja in Ewigkeit mir wichtigen Guthtaten, die ich darin genoß und die es mir zu meinem zweyten Vaterland machen. Die sympathische Liebesflamme, die von Jugend auf Sein Name bloß in meinem Herzen entzündete – Ihre Aufforderung – dies alles sind nicht nur Beweggründe, sondern positive mir von Gott gegebenen Befehle, auch mein Möglichstes im Gebeth zu thun. Möge Er mich doch nur stärken, meine so dringende Pflicht zu erfüllen, und wolle Er doch bey allem Schrecklichen, das bevorstehen mag, das mir so liebe Land nur in Seine und nicht in der Menschen Hand fallen lassen.«[68]

Das politische Schicksal der Schweiz brachte der Familie Lavater persönliches Unheil. Er, der bereits seit Jahren gegen die Tyrannei der Franzosen protestiert hatte[69], was auch den Schweizer Behörden ungelegen kam, wurde wegen vermeintlicher konspirativer Aktivitäten gegen Frankreich am 16. Mai 1799 in Baden im Kanton Aargau verhaftet, wo er sich zu einer Kur aufhielt[70], und zum Verhör nach Basel verschleppt. Am 18. Mai schrieb der junge Oberlin von Frauenfeld aus an Frau Lavater: »Ich hoffe bald meine theuren Freunde in Zürich wieder umarmen zu können und sehne mich sehr danach und wünsche nur, daß das Bad die Gesundheit des theuren Herrn Lavaters stärke. Indem ich den Brief schließen wollte, erfahre ich zu meinem Schrekken die Verhaftung des theuren Freundes. Ihr Herz muß Ihnen sagen, was mein Herz da empfand; ich konnte vor Wehmuth kein Wort hervorbringen. Gott, Gott! Du ließest doch dieses Kleinod, dies Dein so theures und bewährtes Kind in die Hände seiner Feinde fallen! und das in einem Augenblick, wo seine zerrüttete Gesundheit ihm so wenig Kraft zur Aushaltung so vieles Ungewohntes läßt. Wie wird der theure Lavater, wie Sie, theuerste Mama! wie Ihre l. Töchter es aushalten! Ich hatte nicht die Kraft zu klagen, ich vergaß den Herrn, ohne es zu wissen. Nur zuweilen konnte ich seufzen: Ach, ja, Gott! Beweise, daß auch dies durch Deine ausdrückliche Zulassung geschehen sey. Stärke auch physisch Deinen Propheten, sey ihm ganz besonders nahe, mache ihm aus seinem Gefängnis so ein Paradies! Stärke, o Gott, doch die l. Mama Oberlin und alle Ihrigen und segne ihre Thränen, erhöre die Gebethe und schenke ihnen völlige Hingebung in Deinen Willen und lebendiges Vertrauen auf Dich. Verherrliche Deinen Namen an Deinem Liebling. Gott, Du himmlischer Vater, Du mußt, Du willst, Du wirst herrlich helfen! Führe uns nicht zu sehr in Versuchung, und gieb doch Glauben. Amen, ja drei mahl Amen.«[71]

Wenige Tage hernach kam der junge Sanitäter erneut nach Zürich, wurde von Frau Lavater gebeten, zum Schutz der Familie bei ihr zu wohnen, von dort aus seinen Dienst zu versehen, war jedoch beunruhigt, da die Österreicher näher rückten. »Am Abend des 5. Juni 1799 kam er auf einige Zeit nach Hause, niedergebeugt und durfte es kaum aussprechen, daß der morgige Tag äußerst schwer für Zürich werden dürfte. Es hat vielleicht in Zürich selbst wenige so treue Bether gehabt, daß Gott die Gefahr abwende, als Oberlin war.«[72] Am folgenden Tage besiegte das an Truppenstärke und Ausrüstung überlegene österreichische Heer unter Erzherzog Karl (1771–1847) den General Masséna, der sich zurückziehen, sich auf Besetzung der Alpenpässe beschränken mußte, um sodann erneut vorzustoßen, Zürich am 26. September 1799 wieder zu erobern. Napoleon beförderte ihn später zum Marschall, nannte ihn das »Lieblingskind des Sieges«, erhob ihn zum Duc de Rivoli und Prinz von Esslingen. Da die gegen Lavater erhobenen Vorwürfe sich als unhaltbar erwiesen hatten, verfügte das Helvetische Direktorium am 10. Juni 1799 seine Freilassung. Er wollte heimreisen, mußte aber erkennen, daß die Region um Zürich von russischen Truppen unter General Alexander Graf Suwarow (1730–1800) besetzt war. So mußte Lavater einige Wochen, allerdings als freier Mann, in Basel verweilen[73], konnte erst am 14. August heimkehren. Beim Einmarsch der Armee des Direktoriums am 26. September sah er, wie französische Soldaten Leute belästigten und ausplünderten; er wollte schlichten, das Gewehr eines Grenadiers beiseite schieben, dabei löste sich zufällig ein Gewehrschuß. Die Kugel in seiner rechten Brusthälfte ließ sich nicht entfernen.[74] Die Verwundung quälte ihn bis zu seinem Tode am 2. Januar 1801. Der Sanitäter Oberlin wurde erneut gebeten, in Lavaters Pfarrhaus zu ziehen, dort wachte er nachts an dessen Bett, pflegte den väterlichen Freund, wobei ihm seine medizinischen Kenntnisse zustatten kamen.[75] Allerdings mußte er mit seiner Truppe nach zwei Wochen weiterziehen.

Lavater schickte ihm am 15. November einen Segenswunsch: »Dich Nathanaels Sohn, Nathanael Oberlin, schützet, wo Du immer seyst, und welches Dein Amt sey, des Herrn Hand. Jeden Gottsucher bewacht ein himmlisches Heer. Und im Menschengedränge verläßt ihn das Auge des Herrn nie.«[76] Dieser antwortete am 20. Dezember 1799 von Basel aus mit einigen Sätzen, aus denen der geistliche Gewinn aus den Begegnungen mit dem Zürcher Pfarrer erkennbar ist: »Machen Sie sich ja kein Gewissen, wenn Sie mir nicht schreiben können. Ich bin schon froh, wenn ich etwas von Ihnen höre, und weiß, Sie denken etwas an mich. Kommt dann ein Wörtchen, so soll es mir ein Bonbon seyn. / Ich bin ganz in meinen Functionen. Ich flehe auch der Herr gebe mir mehr chirurgische Talente. O wenn Er nur wollte mir die nöthige Geisteskraft zu meinem Fache zu geben, denn zu vielem oder großem ist meine Natur nicht geschickt. Das sagt mir immer mein Profil, meine kleine Stirn besonders. / Basel wird mir immer lieber und ich kann sie immer mehr Gott empfehlen, besonders, seit ich weiß, wieviel Gutes sie thut z.B. unsern fränkischen Soldaten im Lazareth. / Aber dann wird *mir,* nach meinem Individuum ewig wichtig diese Stadt seyn! Ja, lieber Herr Lavater! Empfangen Sie da einen schwachen Dank von einem jungen unerfahrenen Erdenbewohner, der bey Ihnen ein neues Licht fand, und der dort oben erst Ihnen recht wird sagen können, wie dankbar er Ihnen ist. Sie führten mich viel näher *zu Jesu,* ohne Ihr Wissen vielleicht. Der liebe Herr Jesus war mir Etwas, davon ich mir selbst nicht Rechenschaft geben kann. Meine Gedanken verweilten nie recht auf Ihn. Ich war bloß gottesfürchtig und kannte Jesum nicht. Ihr liebes Manuskript[77] machte mich zuerst recht aufmerksam auf Ihn. Ich hatte anfangs Mühe, mein Gebeth zu Ihm zu wenden, und nun ist es mir so wohl dabey; man ist so nah der Hülfe der Vorsehung, wenn man einen Herrn Jesum um sich hat. Herr Steinkopf[78], dieser Jesusmann setzt Ihr angefangenes Werk in mir fort und dies eben wird mir Basel unvergeßlich machen. O lieber Gott, Du lieber *Herr Jesus,* wirke doch in meinem Herzen. Gieb mir Dich mehr zu erkennen. Lehre mich doch auch, das Werk der Versöhnung verstehen, begreifen und bedürfen. Daß Du mir nicht bloß nur wichtig und nothwendig, sondern sogar, wie es seyn soll, *unentbehrlich* werdest.«[79]

Der sieche Lavater an Vater Oberlin

Lavater sandte dem ebenfalls erkrankten Oberlin einige Epigramme und kurze Notizen, um in ihm Lebensmut und Glaubenszuversicht zu stärken: »Zürich, den 19.1.1800 / An den kranken Oberlin / Liebe leitet Dein Schicksal, sie führt Dich mütterlich immer. / Bist Du gesund, so bist (erg. Du) es durch sie. Bist Du krank – sie gebot es. / Fürchte Dich nie an der Hand der Dich nie verlassenden Liebe / denn sie führt durch Alles zu einem Ziele, zu *sich* Dich! L.«[80] 29.1.1800: »Lieber Oberlin, wir beyde müssen uns unter die züchtigende Vaterhand Gottes demüthigen; es wird uns beyden gut sein, daß wir diesen u. keinen andern Weg geführt werden. Lasset uns stille halten u. hoffen u. das Beste erwarten u. keinen Augenblick zweifeln. Wir können nicht besser geführt werden, als wir geführt wurden. / L.«[81] 6.2.1800: »Sage: Hat Dich Gott je vergessen, je Dich verlassen? / Fandest Du nicht Freunde stets, die Hände Gottes Dir waren? / Kamen nicht, wo Du kamst, Dir liebende Herzen entgegen? / Ist ein liebendes Herz und Aug' ohn' Spühren der Gottheit? / wo Dir Liebe begegnet, begegnet in Menschengestalt Gott. / Sey der Liebe froh, die in mancher Gestalt Dir begegnet. / Lavater«[82] Schließlich noch Zeilen vom 20.2.1800: »Lieber Oberlin – Wo Du bist, da bist Du in der Hand der allmächtigen Liebe. Gesund u. krank gehörst Du EINEM. Tot und lebend bist Du sein. Der Allmächtige leichtere Deine Beschwerden, u. der Geist Jesu Christi erfülle Dich mit überschwenglichem Troste. / L.«[83]

Anmerkungen

1 Vgl. die Bibliographie Karl Dienst in diesem Band.
2 E. Schering, Hessische Kirchengeschichte in Grundzügen (= Schönberger Hefte, Sonderheft 9), Frankfurt/M. 1989, S. 54.
3 J. Hoffmeister, Die Heimkehr des Geistes. Studien zur Dichtung und Philosophie der Goethezeit, Hameln o.J., S. 78f.
4 M. Brecht, der Spätpietismus – Ein vergessenes oder vernachlässigtes Kapitel der protestantischen Kirchengeschichte. In: Pietismus und Neuzeit (JGP), Bd. 10, 1984, S. 125, 131.
5 H. Lilje, Goethes Glaube, Nürnberg 1949.
6 Goethe, Dichtung und Wahrheit, 2. Teil, 10. Buch, Weimarer Ausgabe (WA), I. Abteilung, Bd. 27, Weimar 1889, S. 302f.
7 Goethes Briefe, WA IV. Abt., 1. Bd., Weimar 1887, S. 264.
8 Dichtung und Wahrheit, 3. Teil, 11. Buch, WA I. Abt., Bd. 28, S. 48.
9 Brecht (wie Anm. 4), S. 126; O. Guinaudeau, J. G. Lavater. Etudes sur sa vie et sa pensée jusqu'en 1786, Paris 1924, S. 315ff.; jedoch Lavaters Distanz zum Herrnhutertum, S. 205ff.
10 Dichtung und Wahrheit, 3. Teil, 14. Buch, WA I, 28, S. 281.
11 S. 271f.
12 S. 259f.
13 A. Noyes, Voltaire, München 1958, bes. S. 379ff.
14 H. Möller, Aufklärung in Preußen. Der Verleger, Publizist und Geschichtsschreiber Friedrich Nicolai, Berlin 1974, S. 38.
15 Guinaudeau (wie Anm. 9), S. II, 492ff.

16 H. Weigelt will demnächst seine Reisetagebücher veröffentlichen. Vgl. H. Weigelt, Edition der Reisetagebücher von J. K. Lavater. In: Bamberger Universitätszeitung 7, 1984, S. 3ff.

17 H. Weigelt, Lavater und die Stillen im Lande. Die Beziehungen Lavaters zu Frömmigkeitsbewegungen im 18. Jahrhundert, Göttingen 1988, S. 9; Guinaudeau (wie Anm. 9), S. 480f.

18 H. Funck, Goethe und Lavater. Briefe und Tagebücher, Weimar 1901; G. A. Benrath, Die Freundschaft zwischen Jung-Stilling und Lavater. In: B. Moeller und G. Ruhbach (Hrsg.), Bleibendes im Wandel der Kirchengeschichte, Tübingen 1973, S. 251ff. Weitere Literaturangaben bei K. M. Sauer, Der Düdelsheimer Schuhmacher Joh. Peter Krämer in Korrespondenz mit J. K. Lavater in Zürich. In: Jahrbuch der Hessischen Kirchengeschichtlichen Vereinigung Bd. 33, 1982, S. 284ff.

19 Sauer (wie Anm. 18), S. 284.

20 Guinaudeau (wie Anm. 9), S. 60f.; 122ff.; 147ff.; vgl. J. Forssman, J. K. Lavater und die religiösen Strömungen des 18. Jahrhunderts. In: Abhandlungen der Herdergesellschaft, Riga 1935, S. 37ff.; S. 120ff.; vgl. Schering (wie Anm. 2), S. 60f. Der Briefwechsel von Jung-Stilling mit Oberlin soll demnächst publiziert werden.

21 A. M. Jaton, Johann Caspar Lavater. Philosoph, Gottesmann, Schöpfer der Physiognomik, Zürich 1988, S. 29.

22 Aussichten in die Ewigkeit in Briefen an Herrn Joh. George Zimmermann, Königl. Großbritannischen Leibarzt in Hannover, Zürich, Bd. 1, 1768; Bd. 2, 1769; Bd. 3, 1773. Lavater hegte damals den später aufgegebenen Plan, die »Aussichten« dichterisch zu überarbeiten. Der 4. Band erschien erst 1778.

23 Guinaudeau, S. 162ff.; vgl. H. Weigelt, Das Verständnis des Zwischenzustandes bei Lavater. Ein Beitrag zur Eschatologie des 18. Jahrhunderts. In: JGP Bd. 11, 1985, S. 111. Ähnlich war es kurz zuvor dem schwedischen Visionär Emanuel Swedenborg (1688–1772) ergangen. Vgl. J. Kant, Träume eines Geistersehers, erläutert durch Träume der Metaphysik, Königsberg 1766, neu hrsg. von R. Malter, Stuttgart 1976. E. Benz, Swedenborg und Lavater. Über die religiösen Grundlagen der Physiognomik. In: Zeitschrift für Kirchengeschichte, Bd. 57, 1938, S. 156ff.

24 Friedrich Gottlieb Klopstock (1724–1803), derzeit der berühmteste deutsche Dichter. Sein vom Geist des Pietismus geprägtes Epos »Der Messias« und seine späteren »Oden« durchbrachen die seit Martin Opitz (1597–1636) geltenden strengen Regeln des Versbaues, wirkten im Zeitalter des Rationalismus wie eine »Offenbarung«, ebneten dem Durchbruch der Empfindsamkeit die Bahn. Nach diesem Vorbild schrieb Lavater sein vierbändiges Werk »Jesus Christus. Die Evangelien und Apostelgeschichte in Gesängen« (1783–1786).

25 Johann Georg Stuber (1722–1797), Vorgänger Oberlins in der Pfarrei Waldersbach, dann Pfarrer an St. Thomas in Straßburg.

26 Schweighäuser, Schwager von Stuber.

27 Siegmund Friedrich Lorenz, Theologieprofessor in Straßburg.

28 Zentralbibliothek Zürich (ZBZ) FA Lav. Ms. 522, Nr. 62. Die Briefe vom 26.7.1774, 22.12.1783 und 4.3.1799 sind bereits abgedruckt bei F. W. Bodemann, Johann Caspar Lavater. Nach seinem Leben, Lehren und Wirken, Gotha 1877, Bd. 2, S. 409–415, alle übrigen Briefe bisher unveröffentlicht.

29 ZBZ FA Lav. Ms. 576, Nr. 71.

30 Goethe hatte ihn während seines Studiums in Straßburg kennen und schätzen gelernt. Dieser hatte Goethe bald vorgeworfen, formlos Friederike verlassen zu haben, reiste selber nach Sesenheim, verliebte sich hoffnungslos in die Verlassene. Im später von Goethe in den Druck gegebenen »Sesenheimer Liederbuch« stammen die meisten, zum Teil von Ludwig van Beethoven (1770–1827) vertonten Gedichte von Lenz, allerdings ohne Namen des Verfassers, so daß diese irrtümlich Goethe zugesprochen wurden. 1775 hatte sich Lenz »unsterblich« in Goethes Schwester Cornelia Schlosser (1750–1777) verliebt. Aus Weimar wurde er im November 1776 nach kurzem Aufenthalt wegen

törichten Verhaltens bei Hofe ausgewiesen, lebte sodann kurze Zeit bei Lavater als Gast. Nach dem Erscheinen der »Leiden des jungen Werthers« (1774) schrieb Lenz 1776 eine Erzählung in Briefform »Der Waldbruder, ein Pendant zu Werthers Leiden«. Herz, die Hauptperson, teilt mit Werther die Verabsolutierung des Gefühls, ist jedoch innerlich zerrissen, psychisch labil, »ein Don Quichotte der Empfindsamkeit«. Vgl. Lenz, Erzählungen, hrsg. von F. Voit, Stuttgart 1988, Nachwort S. 154; Goethe sah in dem Verfasser bald das Dämonische, das er in sich selber überwunden hatte. Dichtung und Wahrheit, 3. Teil, 14. Buch. J. Falk, Goethe aus näherm persönlichen Umgange dargestellt, hrsg. von E. Schering, Hildesheim 1977, S. 126ff.; R. Friedenthal, Goethe. Sein Leben und seine Zeit, Bd. 1, München 1968, S. 177.

31 A. Rosenberg, Der Christ und die Erde. Oberlin und der Aufbruch zur Gemeinschaft der Liebe, Olten 1953, S. 271ff.; E. Psczolla, Aus dem Leben des Steintalpfarrers Oberlin, Lahr 1987, S. 34f.; J. W. Kurtz, Johann Friedrich Oberlin, Metzingen 1982, S. 151f. Betonte man bisher, die Erzählung von Lenz »Der Landprediger« (1776) sei nach dem Roman von Oliver Goldsmith, The Vicar of Wakefield (1766) konzipiert (F. Voit, S. 156f.), so meint E. Psczolla, Oberlin sei das Vorbild gewesen, der durch seine sozialen Aktivitäten und Gründung der ersten Kindergärten weithin bekannt wurde.

32 C. Hohoff, J. M. R. Lenz, Hamburg 1984, S. 119f.

33 Der erste Biograph Oberlins, A. Stöber, hat dessen Bericht von der Erkrankung von Lenz überliefert. A. Stöber, Der Dichter Lenz und Friederike von Sesenheim, Basel 1842. Später las Georg Büchner bei seinem Aufenthalt im Elsaß Oberlins Tagebuch mit Bemerkungen über den Besuch von Lenz und übernahm weithin den Text Oberlins für seine Erzählung. K. Goebel, Georg Büchners »Lenz« und J. F. Oberlins »Tagebuch« mit Materialien, Stuttgart 1979; E. Johann, Georg Büchner, Hamburg 1984, S. 130ff.

34 Betrachtungen über die wichtigsten Stellen der Evangelien. Ein Erbauungsbuch für ungelehrte, nachdenkliche Christen, Dessau und Leipzig 1783.

35 Oberlin hatte nach dem Tode seiner Frau zahlreiche Visionen und Auditionen der Verstorbenen, die ihm Trost spendeten. Vgl. E. Schering, Charismatische Erfahrungen und chiliastische Erwartungen des J. F. Oberlin. In: B. Jendorff und G. Schmalenberg (Hrsg.), Theologische Standorte, Gießen 1986, S. 167ff.

36 ZBZ FA Lav. Ms. 522, Nr. 63.

37 Herzenserleichterung oder Verschiedenes an Verschiedene, St. Gallen 1784.

38 ZBZ FA Lav. Ms. 576, Nr. 72.

39 Forssman (wie Anm. 20), S. 83f., vgl. J. C. Lavater, Physiognomische Fragmente zur Beförderung der Menschenkenntnis und Menschenliebe, hrsg. von C. Siegrist, Stuttgart 1984, Nachwort S. 377.

40 J. C. Lavater, Physiognomische Fragmente zur Beförderung der Menschenkenntnis und Menschenliebe. Erster Versuch (d.h. Bd. I), Leipzig und Winterthur 1775, 4. Fragment, S. 23 u.ö.

41 Jaton (wie Anm. 21), S. 69f.; 96ff.

42 Bd. IV, 1778, 4. Fragm., S. 56ff.

43 Bd. IV, 3. Abschnitt, S. 169ff.

44 Untertitel und Motto des ganzen Werkes: Gott schuf den Menschen sich zum Bilde.

45 J. C. Lavater, Pontius Pilatus oder die Bibel im Kleinen und der Mensch im Großen, Bd. 4, Winterthur 1785, S. 37; Forssman (wie Anm. 20), S. 136.

46 Benz (wie Anm. 23), S. 154f., 207, 215.

47 Benz (wie Anm. 23), S. 163.

48 Bd. I, 2. Fragm., S. 13; 9. Fragm., S. 60; Bd. III, 1777, 3. Fragm., S. 34 u.ö.

49 Bd. I, 5. Fragm., S. 33.

50 Bd. I, 15. Fragm., S. 171.

51 Bd. II, 1776, 3. Fragm., S. 28.

52 Bd. I, 9. Fragm., S. 75.

53 Bd. I, 6. Fragm., S. 42; 8. Fragm., S. 54f.

54 Archives Municipales de Strasbourg (AMS) Ms. 55, S. 16f.; 26.

55 E. Psczolla, Johann Friedrich Oberlin, Gütersloh 1979, S. 68.
56 Zit. nach R. Peter, Johann Friedrich Oberlin als Briefeschreiber. In: Theorie und Praxis der Sozialpädagogik, 84. Jg., 1976, S. 146f.
57 AMS Ms. 172, S. 99f.
58 Brecht (wie Anm. 4), S. 142.
59 ZBZ FA Lav. Ms. 122, 1.
60 ZBZ FA Lav. Ms. 576.
61 Lavater hatte 1766 seine Ehefrau Anna, geb. Schinz, geheiratet.
62 ZBZ FA Lav. Ms. 122, 3f.
63 ZBZ FA Lav. Ms. 122, 4.
64 Ebd.
65 Annette (Anna) hatte den Pfarrer Geßner geheiratet, Heinrich und Luise.
66 Georg Geßner, Pfarrer am Großmünster zu Zürich, schrieb die erste Lavater-Biographie: Johann Kaspar Lavaters Lebensbeschreibung von seinem Tochtermann, 3 Bde., Winterthur 1802f.
67 ZBZ FA Lav. Ms. 522, Nr. 64.
68 ZBZ FA Lav. Ms. 122, 5.
69 Bodemann (wie Anm. 28), S. 321ff.
70 Bodemann (wie Anm. 28), S. 364f. Kaspar Werndli von der Gemeinde St. Peter verglich in einem Brief vom 18. Mai 1799 an Steinkopf Lavaters Gefangennahme mit der Jesu im Garten Gethsemane. H. Weigelt, Lavater, S. 119f.
71 ZBZ FA Lav. Ms. 122, 5.
72 ZBZ FA Lav. Ms. 122, 1.
73 Weigelt (wie Anm. 16), S. 121f.
74 Die in einem Brief Lavaters an Johann Christoph Karg vom 14. November 1799 beschriebene Verletzung an der rechten Seite legt die psychologische Deutung nahe, Lavater, der sich seit langem nach Christus-Erfahrungen gesehnt hatte (Forssman, S. 143, 162ff.), habe letztlich »seine Seitenwunde mit der Christi in Verbindung gesetzt«. H. Weigelt, S. 136. Jung-Stilling schrieb alsbald eine Elegie »Lavaters Verklärung« und hat ihn später als »Blutzeugen der Wahrheit« verherrlicht. Weigelt (wie Anm. 16), S. 169.
75 ZBZ FA Lav. Ms. 122, 2.
76 Zit. nach Psczolla, Aus dem Leben (wie Anm. 31), S. 119.
77 »Jesus Christus, stets derselbe«. Posthumer Traktat von Lavater, abgedruckt bei G. Geßner, J. H. Lavaters Nachgelassene Schriften, Bd. 2, Winterthur 1801, S. 109–220; vgl. Forssman (wie Anm. 20), S. 9.
78 Carl Friedrich Adolf Steinkopf (1773–1859). Wie viele Spätpietisten stritt er für die reine christliche Wahrheit, bekämpfte Rationalismus und ungläubigen »Zeitgeist«, war in Basel von 1795–1801 hauptamtlicher Sekretär der Deutschen Christentumsgesellschaft. Er hatte Lavater bei dessen zwangsweisem, dann freiwilligem Aufenthalt in Basel des öfteren besucht. Als Nachfolger von Steinkopf war vom Komitee J. F. Oberlin gewählt, doch Steinkopf setzte sich erfolgreich für Christian Gottlieb Blumhardt (1779–1838) ein, der 1815 Direktor der Baseler Missionsanstalt wurde. K. Blarer, Mission und Erwekkungsbewegung. In: JGP Bd. 7, S. 129ff. sowie die anderen Beiträge dieses Bandes über die Geschichte der Christentumsgesellschaft.
79 ZBZ FA Lav. Ms. 122, 6.
80 AMS Ms. 168, 16.
81 Ebd.
82 AMS Ms. 168, 17.
83 Ebd.

Die Friedberger Predigtamtskandidaten und die Volksversammlungen in der Wetterau während der deutschen Revolution von 1848–1849

Von Heinrich Steitz

»Noch erinnere ich mich« – berichtet Wilhelm Urich (1825–1901) – »lebhaft des Eindrucks, den ich empfand, als ich am 1. März des Jahres 1848 bei Eintritt in das Kollegienzimmer des Predigerseminars Friedberg von meinen dreißig Kommilitonen[1] mit der Nachricht empfangen wurde:

›In Paris ist die Revolution ausgebrochen, der Julithron gestürzt, Louis Philipp verjagt!‹

Das klang ja wie das Rauschen des Tauwindes, das nach langem Winter endlich den nahen Frühling ankündigt! Denn daß der Sturm aus Frankreich über die deutschen Grenzen herüberfegen und die seitherigen Zustände in unserem Vaterlande über den Haufen werfen würde, daß die alte Zeit vorüber sei und eine neue beginne, das war mir gleichsam mit instinktiver Gewißheit klar und unbestreitbar. Ja, nun steigt die Freiheit, jenes ›süße Engelsbild‹, das bis dahin seinen ›Reigen nur am Sternenzelt geführt‹, zu uns hernieder mit allen nur denkbaren Segnungen und bringt vor allem die Einheit des Vaterlandes, bringt die Erfüllung des alten Kaisertraums, von dem unser Volk nicht gelassen seit Jahrhunderten; die Raben um den Kyffhäuser verschwinden, Kaiser Rotbart steigt herauf aus seinem unterirdischen Schlosse und des alten Reiches Herrlichkeit geht auf in neuem Glanze. Das waren die Hoffnungen, die bei der Nachricht vom Ausbruche der französischen Revolution mein Herz erfüllten. Und warum sollte ich mich schämen, solche Hoffnungen gehegt zu haben, da sie nicht bloß von der ganzen studierenden Jugend, sondern von vielen Tausenden ernster, gereifter Männer geteilt wurden, die um die Zerrissenheit und Ohnmacht des Vaterlandes seit den Befreiungskriegen getrauert hatten und nun die Erfüllung ihrer Jugendträume gekommen glaubten?«[2]

Diese Schilderung entspricht zeitgenössischen Berichten, wie sie von Schülern und Lehrern, von Studenten und Professoren, von Bauern und Handwerkern – kurzum von allen Schichten des Volkes – in gleicher Weise und mit gleicher Überzeugung vorgelegt worden sind. Aber die Hoffnung stellte die politische Frage: Auf welchem Wege kann dieses hohe Ziel erreicht werden?

Bei den Überlegungen, welche politische Entscheidung zu treffen sei, um rasch zum Erfolg zu kommen, gab es die erste Enttäuschung. An jenem Vormittag des ersten März, da die Predigtamtskandidaten die neueste politische Nachricht im Überschwang der Gefühle so eifrig besprachen, ergriff der Seminardirektor Professor Dr. Philipp Peter Crößmann[3] das Wort und erklärte, »jenes französische Ereignis habe für Deutschland kaum Bedeutung, die Polizei werde schon dafür sorgen, daß die Ordnung nicht gestört werde«. Das wirkte wie eine kalte Dusche, und Wilhelm Urich war so erschüttert, daß er noch vier Jahrzehnte später meinte: »Da machte mich das fast böse!« Er fand sich wieder in der Welt zurecht, als er das Seminar verließ und ein Bad in der Begeisterung des Volkes nehmen konnte: »Aber freudig war mein Herz bewegt, als ich nach Schluß der Vormittagsvorlesungen auf die Straße trat und hier und da an den hohen Häusergiebeln schwarzrotgoldene Fahnen wehen sah; denn es war mir ja ein schlagender Beweis dafür, daß die Friedberger Bürgerschaft jenem Ereignis eine ganz andere Bedeutung beilegte, als unser Seminardirektor es getan. Und die Polizei mußte wohl derselben Meinung sein, denn sie duldete nicht bloß diese öffentliche Kundgebung, sie duldete noch gar vieles andere, was noch vor wenig Tagen auf das strengste geahndet worden wäre.«

Die politischen Entscheidungen, welche dem Jahre 1848 große Bedeutung verliehen, erhielten die Bezeichnung »Märzerrungenschaften«. Für die Predigtamtskandidaten wurden die Ereignisse in Friedberg zu solchen erhoben:

»Eine der ersten Märzerrungenschaften war die, daß gleichsam durch eine stillschweigende Übereinkunft zwischen Polizei und Publikum die sogenannte Polizeistunde, nach welcher um 11 Uhr in der Nacht alle öffentlichen Wirtschaften geräumt werden mußten, nunmehr aufgehoben ward; und allabendlich drängte sich nun in den feinen Hotels wie in den Bierkneipen eine politisierende, kannegießende Menge, die nie genug hören und – reden konnte und meist erst in später Mitternachtsstunde nach Hause ging.«

Aus diesen Zusammenkünften gingen gar bald als zweite Märzerrungenschaft die öffentlichen Volksversammlungen hervor, in denen hitzig über die hohen politischen Tagesfragen debattiert wurde. Dabei zeigte sich, daß die Ansichten weit auseinandergingen und gleich von vornherein zwei Richtungen sich klar voneinander abhoben: die konstitutionell-monarchische (Liberale) und die demokratisch-republikanische (Demokraten). Die Gleichgesinnten sammelten sich in »Vereinen«, um nachdrücklicher unter gemeinsamer Fahne zu kämpfen. Da in beiden Gruppierungen Predigtamtskandidaten führend tätig waren, bietet es sich an, den Anteil des Friedberger Predigerseminars an den politischen Entscheidungen des Jahres 1848 zu erläutern.

1. Der freie Bürgerverein in Friedberg[4]

Am 8. April 1848 wurde der Freie Bürgerverein in Friedberg gegründet, »dessen Zweck es ist, politisches Leben und politische Bildung unter seinen Mitbürgern zu erhalten und immer mehr zu verbreiten, um für die erlangte Freiheit mit Bewußtsein tatkräftig wirken zu können ... Auch ist es Zweck dieses Vereins, dahin zu wirken, daß an anderen Orten ähnliche Vereinigungen sich bilden, mit denen in Gemeinschaft in der so sehr und vielfach bewegten Zeit erst ein gedeihliches Wirken möglich ist.« Beamte und ehrbare Bürger der Stadt hatten sich zusammengetan, »um die konstitutionelle Monarchie auf breitester, d.h. demokratischer Grundlage« mit einem Kaiser an der Spitze und einem Parlament zur Seite politisch zu erstreiten.[5]

»Daß aber dieser Verein auf der Höhe der Zeit stand« – vermochte Wilhelm Urich überzeugend vorzutragen – »und in allen Dingen ein völlig reifes Urteil besaß, dafür lieferte seine Präsidentenwahl einen glänzenden Beweis; denn die Ehre, diesem Verein vorzustehen und seine Beratungen zu leiten, ward – mir (Wilhelm Urich) zuteil! Noch jetzt (nach vier Jahrzehnten), da ich dies niederschreibe, frage ich mich halb erschrocken, halb belustigt: Wie kam ich, ein Jüngling, ein gänzlich unbekannter Predigtamtskandidat, zu solcher Ehre? Hatte ich durch mein Auftreten in einigen Volksversammlungen wirklich Aufmerksamkeit erregt? War's die Meinung, daß ich mit meinen wirklich ungewöhnlichen Stimmitteln die Situation beherrschen und die Gegner niederdonnern werde? Ich weiß es nicht, aber die Tatsache ist richtig und gewiß: ich wurde Präsident des Friedberger Bürgervereins und behauptete diese Würde vier ganze Wochen lang. Hernach aber hielt ich's, teils in gerechter Erkenntnis meines Unvermögens, einem solchen Vereine vorzustehen, teils in vernünftiger Berücksichtigung meiner damaligen Lage, die mir's zur Aufgabe machte«, mich ganz meiner beruflichen Tätigkeit zu widmen, »für angemessen, vom hohen Präsidentenstuhl herabzusteigen und die Präsidentenglocke in andere Hände niederzulegen.«

Auf Vorschlag von Wilhelm Urich wurde der Predigtamtskandidat Adam Groh[6] zu seinem Nachfolger gewählt, der dann den Bürgerverein, solange er bestand, mit Geschick und Erfolg geleitet hat.

Seine gut monarchische Gesinnung bekundete auch der Predigtamtskandidat Wilhelm Baur.[7] Er war auch im Bürgerverein tätig. Nach fünf Jahrzehnten berichtete er vom konstitutionellen Bürgerverein, »dessen Schriftführer ich war und wo ich gelegentlich meine junge politische Weisheit zum besten gab«.

Viele Volksversammlungen in der Wetterau wurden durch die Mitwirkung von Predigtamtskandidaten bekannt. Wilhelm Baur wanderte häufig zu auswärtigen Volksversammlungen. Im Frühlingswehen wanderte er einmal nach Nidda, »wo der Pfarrer Ludwig Friedrich Münch (1792–1875) aus Ulfa in pathetischer Rede philosophierender Färbung den Ausdruck gebrauchte: ›Der Universalwille, vulgär Gott genannt‹, ein andermal nach Lich, wo der Fürst dem Bürgerverein eine Fahne schenkte und am Nachmittag auf der Hardt die verschiedensten Geister auf Beamte und bäurische Blaukittel losredeten«.

Was wären die Volksversammlungen in der Wetterau ohne die Friedberger Predigtamtskandidaten? Wilhelm Urich hat ihnen einen bleibenden Platz in der hessischen Kirchengeschichte reserviert. Er berichtet[8]: »Es ward zu einer Art Ehrensache für einen jeden einigermaßen ansehnlichen Ort, auch einmal eine Volksversammlung in seiner Mitte gesehen zu haben. Einer solchen erinnere ich mich noch mit viel Heiterkeit, und zur Erheiterung der Leser meiner Geschichte wird es sicherlich dienen, wenn ich ihnen davon erzähle.

Eines Tages erschienen in Friedberg einige Leute aus Altenstadt unter der Führung ihres Bürgermeisters und erkundigten sich nach den ›Kandidaten, die die Volksversammlungen machen‹. Sie wurden zum Kandidaten Groh verwiesen. Dem erzählten sie dann, sie hätten in Altenstadt auch eine Bürgergarde, die in dieser unruhigen Zeit für Ruhe und Sicherheit sorge, und die dortigen Jungfrauen hätten nun eine Fahne angefertigt und schön bestickt, die dieser tapferen Wehr feierlich übergeben werden solle. Mit dieser Feier solle eine Volksversammlung verbunden werden, und darum ersuchten sie Herrn Groh, zu kommen und ›noch einige gute Redner‹ mitzubringen.

Am Morgen des großen Tages fanden sich die ›großen Redner‹ zusammen. Es waren ihrer fünf, nämlich außer Groh Predigtamtskandidat Gustav Schlosser[9], Architekt Metternich und meine Wenigkeit (Urich) und außerdem Berginspektor Storch vom Dorheimer Bergwerk, ein alter Herr, der mit jugendlicher Begeisterung an unserem Streben Anteil nahm, leider aber durch eine stotternde Zunge behindert ward, seiner Begeisterung den geziemenden Ausdruck zu verleihen.

Zum Einsteigen lud uns ein stattlicher, mit vier Pferden bespannter Leiterwagen ein, ringsum mit frischem Birkenlaub bekränzt, an den vier Ecken mit schwarzrotgoldenen Fahnen geschmückt. Nun gings durch die im Frühlingsschmuck prangende Wetterau. Endlich waren wir am Ziel unserer Fahrt angelangt. Mit lautem Vivat hoch! und Flintenknallen wurden wir empfangen und in die Wohnung des Bürgermeisters, der zugleich Gastwirt war, geleitet, wo zu allererst die Bedürfnisse des knurrenden Magens in liberalster und ausgiebigster Weise befriedigt wurden.

Dann kam die eigentliche Aufgabe des Tages an die Reihe. Denn schon ist die Stunde nahe, wo die Volksversammlung beginnen soll, und bereits haben sich Hunderte um die festlich geschmückte Tribüne geschart, von der herab wir zu ihnen reden sollen.

Auf unsere Frage nach dem Programm erhielten wir die Antwort: ›Ei, das müssen Sie ja wissen, Sie haben ja schon viele Volksversammlungen gehalten.‹ Damit hatten wir freie Hand und waren bald über unser Programm einig. Groh sollte die Fahne weihen und mit schwungvollen Worten dem Führer der Bürgergarde überreichen. Dann sollte ich (Urich) über die Erfordernisse eines Parlamentsabgeordneten reden. Schlosser sollte die Frage, ob Republik oder Kaisertum, behandeln, Metternich über die Begründung einer deutschen Flotte reden und der würdige Berginspektor den Schluß machen. Und so geschah's.

Unter Trommelwirbel zieht pünktlich um zwei Uhr die Bürgerwehr auf. Weißgekleidete Jungfrauen erscheinen mit der Fahne und überreichen sie dem Festredner Groh, der nun wirklich sich selbst überbietet und Unerhörtes leistet im Gebiet des höheren Pathos. Dann schwingt er die Fahne dreimal hin und her, übergibt sie dem Fahnenträger mit Worten ernster Mahnung und schließt mit einem dreifachen Hoch! auf Altenstadts tapfere Wehr und liebliche Jungfrauen. Nun erscheine ich (Urich) auf der Bildfläche und verbreite mich in ausführlicher Rede über die Erfordernisse eines Parlamentsabgeordneten, verweile aber nicht im Theoretischen, sondern zeige an der Persönlichkeit des Landrichters Hofmann, wie ein rechter Abgeordneter zum Parlament beschaffen sein müsse und ich tue das mit solchem Erfolg, daß in das von mir unserem Parlamentskandidaten ausgebrachte Hoch! alle Anwesenden jubelnd einstimmen. Dann tritt Metternich kühn und entschlossen auf und zeigt, wie vergeblich alle Tapferkeit der Deutschen sei, solange der Kampf zu Lande nicht durch eine Flotte auf dem Meere unterstützt werde. Eine Sammlung für die Flottengründung erbrachte wirklich fünfzig bare Gulden. Dann kam Schlosser triumphierend auf die Tribüne und redete überzeugend, daß ein Kaiser gewählt werden solle, daß aber insbesondere unser Großherzog bleiben müsse. Er redete so herzgewinnend, daß einstimmig beschlossen wurde, der Großherzog werde bleiben. Diesem glänzenden Resultate konnte auch die stotternde und stolpernde Schlußrede des verehrten Berginspektors keinen Abtrag tun. Wir kehrten mit der Überzeugung nach Friedberg zurück, einen nicht unwesentlichen Baustein zum Aufbau des deutschen Reiches herbeigetragen zu haben.«

2. Der Demokratische Verein in Friedberg

Am 1. Juli 1848 erschien erstmals das »Wetterauer Volksblatt«.[10] Zur Einführung wurde der Aufruf »An das deutsche Volk« veröffentlicht, der am 22. Juni 1848 »Im Namen der Demokraten Deutschlands« von deren provisorischem »Centralausschuß zu Frankfurt a. M.« erlassen worden war und folgende Entscheidung forderte:

»Nachdem die deutsche Nationalversammlung bereits fünf Wochen getagt, die Majestät und Oberherrlichkeit des deutschen Volkes, aus welcher sie hervorgegangen ist, schon einige Male ... verleugnet hat, so ist sie endlich bei einer Frage angelangt, deren Entscheidung notwendig eine definitive Entscheidung über sie selbst sein muß:

Es ist die Frage über eine provisorische Executivgewalt Deutschlands.«

Die Demokraten sahen zwei Möglichkeiten:

Entweder die Nationalversammlung erfaßt sich als souveräne Macht, als das alle Gewalten in sich vereinigende Organ des Volkes – oder die Nationalversammlung teilt die Souveränität des Volkes und ihre eigene Vollmacht mit der Souveränität der Fürsten und Regierungen!

Das war deutlich: Die Demokraten verfochten den ersten Standpunkt, die Bürgerlichen den zweiten. Der Centralausschuß forderte alle demokratischen Vereine auf, politisch tätig zu werden und das Volk aufzuklären, für seine Souveränität, für Freiheit und Einheit des Volkes zu kämpfen.

Das war ein frischer Wind im politischen Denken der Deutschen; hier wurde ein Ziel gezeigt, für das es sich lohnte, Opfer zu bringen. Bereit zu diesem Opfer war der Predigtamtskandidat Karl Scriba.[11] Vom 15. Oktober 1847 bis 15. September 1848 besuchte er das Predigerseminar Friedberg. In diese Zeit fielen die Ereignisse, die Deutschlands Jugend auf den Plan riefen. In dem Zwiespalt zwischen theologischer oder politischer Arbeit wählte er die politische. Er wurde Redakteur des »Wetterauer Volksblattes«, das am 1. Juli 1848 erstmals und am 30. Juni 1849 letztmals erschien. Diesem Blatt, das »immer republikanischer« wurde, kommt das Verdienst zu, die demokratische Politik klar erläutert und mit brennendem Herzen verfochten zu haben. »Karl Scriba ist zweifellos unter den damaligen Politikern Friedbergs die hervorragende Persönlichkeit gewesen; ein echter Achtundvierziger, eine Persönlichkeit von hohem Idealismus und reiner Gesinnung, der auch bei den politischen Gegnern in Ehren stand.«[12]

Freilich: dieser politische Einsatz war teuer erkauft. Die theologische Arbeit mußte hintangesetzt werden. Im Entlassungszeugnis aus dem Predigerseminar zu Friedberg vom 15. September 1848[13] steht in der Rubrik »Geistesanlagen«: »Ist mir zu wenig nahe getreten, als daß ich ein sicheres Urteil über ihn hätte« (F. F. Fertsch). Und in der Rubrik »Erworbene Tüchtigkeit und Leistungen als Prediger und Liturg«: »Es fehlte durchaus die lebendige, tätige Teilnehmung an den Beschäftigungen des Seminars, daher von erworbener Tüchtigkeit nichts zu melden ist« (F. F. Fertsch). In der Rubrik »Tüchtigkeit und Leistungen als Pädagoge« steht: »Schade, daß sein unbezweifeltes Talent für den Unterricht in dem Gewühle anderer Bestrebungen nicht zur Ausbildung gekommen ist« (Ph. P. Crößmann). In der letzten Rubrik »Besondere Bemerkungen über Charakter und Verhalten« ist zu lesen: »Einzig und allein in demagogischen Bestrebungen befangen, gab er Ursache zu Tadel und Unzufriedenheit« (F. F. Fertsch). Und F. Ch. W. K. Sell schreibt: »Überwiegend weltliche Richtung, starr in Verfolgung politischer Bestrebungen, hat er dem Predigerseminar kaum mehr als dem Namen nach angehört!« Im Prüfungsprotokoll vom 14. September 1848 ist eingetragen: Hauptzensur »unzureichend«; darum wegen unzureichender Befähigung abgewiesen.[14]

Karl Scriba wurde Buchhändler in Friedberg und hat in diesem Beruf Tüchtiges geleistet und hohe Anerkennung gefunden.

Predigtamtskandidat Jakob Schaub war Vorsitzender des demokratischen Vereins zu Friedberg.[15] Er war auf vielen Volksversammlungen in der Wetterau aufgetreten; er hatte Anerkennung gefunden. Er war zu der Überzeugung gekommen, daß die Demokraten in Oberhessen gemeinsam auftreten müßten; nur auf diese Weise könnten die demokratischen Vereine Zustimmung im Volke und damit Wirkung in der Öffentlichkeit gewinnen. Um die Vereinsbildung zu fördern, wurden alle demokratischen Vereine in der Wetterau auf Sonntag, den 16. Dezember 1848, nach Friedberg eingeladen; es kamen etwa 40 Abgeordnete aus 18 Orten. Um 3 Uhr wurde im

Gerlachschen Saal die Sitzung eröffnet und der »Bürger Jakob Schaub« zum Präsidenten gewählt.[16] In den Statuten des Wetterauer Vereinsverbandes wurde bestimmt: »Der Zweck dieses Vereinsverbandes soll sein, die volkstümliche Entwicklung des deutschen Volkes zu unterstützen, die Freiheit, den Wohlstand, die Bildung des Volkes und die Größe unseres deutschen Vaterlandes herbeizuführen. Zur Erreichung dieses Zweckes verbinden sich die Vereine zu einem Vereinsverband, um durch gegenseitigen Wechselverkehr in Wort und Schrift und durch gemeinsames Handeln das wahre Wohl des Volkes begründen zu helfen.« Am 4. März 1849 fand die erste Versammlung des Wetterauer Vereinsverbandes in Friedberg statt. Das war der große Tag für Jakob Schaub.

Der Zusammenschluß von 30 demokratischen Vereinen im Wetterauer Vereinsverband brachte eine erhebliche Unterstützung der Linken in der Nationalversammlung. Diese geriet in Not, da ihre politischen Ziele nicht zu erreichen waren. Um alle politischen Kräfte zusammenzufassen, proklamierten verantwortliche Politiker der Linken den Schutz der Reichsverfassung als vordringliche Aufgabe. Das Wetterauer Volksblatt[17] rief auf, zum Schutze der gefährdeten Revolutionserrungenschaften den Widerstand zu organisieren. Am 7. Mai 1849 erschien der Aufruf[18]: »Mitbürger der Wetterau! Ihr seht, es gilt zu handeln, rüstet euch, bereitet euch vor zur Revolution; sie wird heute oder morgen Deutschland durchbeben. Greift zu den Waffen; das Vaterland ist in Gefahr!«

Der Vorstand des Wetterauer Vereinsverbandes veranstaltete am Sonntag, dem 13. Mai 1849, eine Volksversammlung in der Kirche zu Petterweil; die Kirche war gedrängt voll. Der Präsident, Predigtamtskandidat Jakob Schaub, eröffnete die Versammlung und legte in einer längeren Rede die Lage des Vaterlandes dar sowie die heilige Pflicht aller, mit bewaffneter Hand dem Hochverrat der Fürsten entgegenzutreten. Schaub hatte keinen Erfolg; die Wetterauer beteiligten sich nicht an dem geplanten bewaffneten Aufstand. Am 30. Juni 1849 erschien die letzte Nummer des Wetterauer Volksblattes, die Jakob Schaub redigiert hatte. Damit endete die politische Betätigung des Predigtamtskandidaten.

In der Charakterisierung der am 11. April 1849 aus dem Predigerseminar entlassenen Kandidaten berichtete Direktor F. F. Fertsch[19], daß Jakob Schaub zwar gute Geistesanlagen, viel Verstandesbildung und natürliches Rednertalent besitze; daß er aber den Gegenständen des geistlichen Berufs während seines Aufenthaltes im Seminar zu wenig Teilnahme gewidmet; dagegen beinahe ausschließlich den politischen Bewegungen der Zeit sich zugewendet habe. »Hierin ist der Pfarramtskandidat Schaub meines Wissens bis jetzt sich gleich geblieben, wie es denn eine bekannte Sache ist, daß er als Präsident eines demokratischen Vereins mit ungemeiner Rührigkeit in der ganzen Umgegend – und zwar im ultrademokratischen Sinne – gewirkt hat.«

Am 30. Oktober 1849 bestätigte Schaub[20], »daß ich als Mitglied der Wetterauer Volksvereine zum Vorsitzenden des Wetterauer Vereinsverbandes gewählt, den Vereinstag am 29. Juli 1849 in Friedberg präsidierte, und daß ich in dieser Beteiligung an unseren vaterländischen Angelegenheiten für mich keine Collision der Pflichten als Pfarramtskandidat erblicken kann«.

Am 29. Dezember 1849 entschied das Oberkonsistorium[21]: »In der Erklärung vom 30. Oktober 1849 vermögen wir eine Rechtfertigung dieses Verhaltens um so weniger zu erblicken, als eine Beteiligung jener Art zu einer Parteistellung führt, die sich weder für einen Geistlichen, noch einem dem geistlichen Beruf sich widmenden Kandidaten eignet.« Der Kandidat Schaub hatte sich dadurch einen Verweis der kirchlichen Oberbehörde zugezogen.[22]

Nach längerem Verhandeln wurde Schaub zur Definitorialprüfung zugelassen und in die Liste der Pfarramtskandidaten eingetragen[23] und 1852 zum Vikar in Stumpertenrod ernannt.[24]

3. Kirche und Politik

Nicht von allen Predigtamtskandidaten haben wir Nachrichten über ihre kirchliche und politische Haltung; diese Gruppe – es ist zahlenmäßig die stärkste – bezeichnen wir als »neutral« oder als »Mitte«. Von den »anderen« gilt folgende Erkenntnis: So, wie sie »politisch« in zwei Lagern angesiedelt waren, so waren sie auch in ihrer »kirchlichen« Haltung in zwei Gruppen tätig.

»Im bescheidenen Seminarstädtchen« – berichtet Gustav Schlosser[25] – «hatten wir, eine kleine Anzahl von Kandidaten, 4–5 an der Zahl (Wilhelm Baur, Christian Stromberger, Wilhelm Urich, Adam Groh, Gustav Schlosser), mit einem Blinden- und Taubstummenlehrer (Georg Jakob Roller) unter allen politischen Debatten und Kämpfen, in die wir hineingezogen wurden, doch auch unseres theologischen Studiums nicht so ganz vergessen, und hatten auch im Seminar manche theologische und kirchliche Debatte führen müssen, in denen man uns von Seiten der viel größeren Zahl theologischer Gegner sehr von oben herab als halb verrückte Menschen, als solche, die lächerlicher Weise für eine abgetane, völlig verlorene Sache kämpften, spöttisch und höhnisch behandelte. Man nannte uns wohl auch die ›Augustinerbrüder‹, und wir selbst nannten uns auch so, denn die theologische Debatte war veranlaßt hauptsächlich durch die Lehre von der Sünde, wie sie der Kirchenvater Augustin ausgebildet, in dessen Studium, wenn auch auf einigen Umwegen, wir hineingezogen worden waren.«

Der Augustinerbruder Wilhelm Baur hatte seine religiöse Überzeugung schon frühzeitig gewonnen und sie durch Wort, Schrift und Tat bekannt; die Gewißheit des Glaubens ließ den Zweifel in ihm nicht aufkommen. »Was mich glücklich macht« – schrieb er am 21. Dezember 1848[26] – »ist, daß ich den Grund gefunden habe, auf dem mein religiöses Leben ruht. Es ist eine große Gnadengabe, daß der Mensch so durch und durch individuell sein kann und sich nicht in die farblose Allgemeinheit des Menschen an sich aufzulösen braucht ... Ich strebe redlich und prüfe, aber ich werde von Zweifeln nicht geplagt – und kommen sie einst mit erweiterter Erkenntnis, hoff' ich sie zu besiegen. Wenn ich mein Bibelbuch aufschlage und mit meinen Kindern aus der Schrift rede und mir die Predigtgedanken im Herzen und Kopf herumtrage, wird mir's so warm und voll, das Biblisch-Christliche wird so dicht in mir, daß ich selige Gewißheit finde.«

Mit diesen Anschauungen stand Baur in scharfem Gegensatz zu dem nüchternen Rationalismus, der in Hessen-Darmstadt, an der Universität Gießen und im Predigerseminar zu Friedberg die herrschende theologische Richtung ausmachte. Das Verstandeschristentum, das dadurch entstand, war kirchenfremd; denn es fehlte ihm das Lebensvolle und Poetische des biblischen Christentums.

In einem Kolleg von Seminardirektor Crößmann prallten die gegensätzlichen theologischen Anschauungen der Predigtamtskandidaten aufeinander[27]: Gustav Schlosser hatte die Aufgabe, zwei gedruckte Predigten über den gleichen Text miteinander zu vergleichen. Hofacker (Erweckung) kennt eine sündige Verderbnis der Menschennatur, als Folge davon ein Gefühl des Elends, eine Sehnsucht nach Erlösung, die in Christus geschehen ist. Uhlig (Rationalist) erklärt den Menschen für gut von Hause aus und stellt ihm die Aufgabe, durch Übung seiner guten Anlagen immer besser zu werden. Schlosser entschied sich für die Ansicht Hofackers. Darüber entbrannte der Kampf, in dem vor allem der Ursprung der Sünde zur Sprache kam. Die Augustinerbrüder verteidigten die Rechtfertigungslehre mit Augustin und Luther. »Aus dem dialektischen Kampf aber kam eine feste Überzeugung und aus der gewonnenen Kenntnis der Menschennatur eine Revision der politischen Ansicht, die, wesentlich rationalistisch, dazu höchst abstrakt, von einer einfachen Beseitigung hemmender Schranken eine herrliche Entfaltung der ja wesentlich auf das Gute angelegten und mit einer Fülle guter Anlagen begabten Menschennatur und mit ihr des gesamten Volks- und Menschheitsleben erwartet. Beruht doch der ganze Rationalismus in allen Gebieten des Lebens auf jener Unkenntnis der Menschennatur, einer Verkennung jenes furchtbaren Faktors der Sünde; alle seine Theorien sind nur auf das Wahngebilde eines vollkommenen guten Menschen zugeschnitten.«

Der theologische Gegensatz bestimmte die verschiedenartigen politischen Entscheidungen: die erweckten Kandidaten waren im Bürgerverein, die rationalistischen im Demokratenverein.

Was die Augustinerbrüder auszeichnete, war der Eifer für die Kirche und das Vaterland. Ihr Patron war der Professor Bernhard Hundeshagen.[28] Wilhelm Baur hatte zu Anfang seines Friedberger Aufenthaltes das damals erschienene Buch »Der deutsche Protestantismus« gelesen, dessen Verfasser (Bernhard Hundeshagen) nicht genannt war, wodurch »die unbefangene Aufnahme seines belehrenden Wortes erleichtert« wurde. Die Wirkung, die dieses Buch auf Baur ausübte, war mächtig, klärend und entscheidend:

»So hatten wir« – berichtet Baur[29] – »noch niemals von dem reden hören, was unsers Lebens Gehalt sein sollte. Zuerst nicht aus solcher Gesinnung;

hier schlug ein warmes, volles, tapferes Mannesherz in gleicher Wärme für die Größe des deutschen Vaterlandes, wie für die selbständige Gestaltung der evangelischen Kirche aus ihrem Lebensgrunde. Es ward uns auf einmal sonnenklar, daß frommer Glaube und warme Vaterlandsliebe zusammengehn ... Da war der Kirche eine Macht im Volksleben zugeschrieben und ihre Verbindung mit allen anderen im Volksleben wirksamen Kräften nachgewiesen.«

Am 6. März 1848 waren die Predigtamtskandidaten geeint in der Erwartung, der Große Tag sei angebrochen. Ein Postillon, mit bunten, fliegenden Bändern geziert, hatte die Proklamation der Märzerrungenschaften verteilt. »Die alte Reichsstadt kam, als ob ein neuer Trieb nach Kaiser und Reich sich frühlingshaft in sie ergossen hätte, in freudige Erregung.«[30] Wenig später – am 18. Mai 1848 – wurden die Augustinerbrüder traurig; sie waren enttäuscht über das Erlebnis, von dem Wilhelm Urich[31] berichtete:

Am 18. Mai 1848 wurde das erste deutsche Parlament, die Nationalversammlung in Frankfurt a. M. eröffnet – und Urich war dabei. »Es ist nicht zu leugnen, die 550 Abgeordneten, die den weiten Raum des Kirchenschiffes erfüllten, waren die Elite des deutschen Volkes ... Aber vor allem fehlte der Versammlung als solcher der Anfang aller Weisheit, die ›Furcht des Herrn‹, und was damit zusammenhängt, die Kenntnis der Grundlagen, auf denen alles Menschenglück und Völkerwohl beruht.« Nach der Eröffnung trat Bischof Müller von Münster auf die Rednertribüne und erinnerte daran, »daß an Gottes Segen alles gelegen sei«. Er sei mit Freuden bereit, im Namen aller ein Gebet »vor Gottes Thron zu bringen«. Da erklärte der Abgeordnete Franz Raveaux von Köln: »Ich bin der Meinung, wer Lust zum Beten hat, der möge es für sich selber tun. Das Gebet gehört in die Kirche. Uns geziemt es, Taten zu tun.« Die Versammlung ging mit Verwerfung des Antrags zur Tagesordnung über. »Gott, über den sie zur Tagesordnung übergingen, ist auch über sie zur Tagesordnung übergegangen.«

Wie urteilten die Friedberger[32] über die Predigtamtskandidaten in den Revolutionsjahren 1848–1849?

»Unter den Mitgliedern des demokratischen Vereins zu Friedberg sind auch einige Kandidaten des Predigtamts, von denen wenigstens einer (K. Scriba) durch die Herausgabe des Wetterauer Volksblattes bekannt geworden ist. Es ist nicht die Absicht, ein Urteil über die Art und Weise der politischen Wirksamkeit der Kandidaten abzugeben; aber weil sie die Republik wollen und sich Republikaner nennen und weil sie daneben Theologen sind, von denen man doch wohl voraussetzen darf, daß sie gegen die Worte eines in der christlichen Welt hochgeachteten Mannes nicht gleichgültig sein werden, so erscheint es gut, diejenigen Worte als Spiegel ihnen vorzuhalten, welche Oberlin, der Republikaner, im Jahre 1794 an die jüngeren Mitglieder seiner Herde im Steintal richtete. Die aufblühende Jugend ist hochgeachtet und teuer in den Augen Gottes und guter Menschen, wenn sie wahrhaft so ist, wie sie sein soll: edelgesinnt, mutig, fleißig, bescheiden, fromm, gelehrig, bereit zum wahren Besten der Ihrigen alles zu tun und zu opfern.« Das politische Auftreten der Kandidaten im demokratischen Verein erregte Anstoß, vor allem die rüde Ausdrucksweise und der leichtfertige Umgang mit der Wahrheit.

Wie urteilten die ehemaligen Predigtamtskandidaten rückschauend über ihre politischen Aktivitäten in ihrer Jugend?

Gustav Schlosser berichtete im Jahre 1883[33]:

»Kaum hatte unser kleiner Kreis das Seminar verlassen und sich in Darmstadt in Hauslehrer- und Institutslehrerstellen wieder zusammengefunden, als wir sofort die ›Politisch-Kirchlichen Blätter‹ gründeten und damit ... einen entschiedenen Kampf begannen für einen Neubau des Vaterlandes auf christlicher Grundlage ... Leider mußten wir den Kampf wesentlich auch gegen unsere Staats- und Kirchenobrigkeit führen, die liberal bis zum Exzeß waren; wohl war's respektwidrig, wir sagen wohl gar, wider das vierte Gebot. Es waren die Flegeljahre unseres jungen Konservatismus.«

Wilhelm Baur schrieb im Jahre 1894[34]:

»Wenn nach der Volksversammlung ein oberhessischer Pfarrer, der gerne für die Nationalversammlung gewählt worden wäre, sich um meinen Einfluß, der selbstverständlich nicht vorhanden war, bemühte, so haben gewiß die besonnenen Leute nicht gefehlt, die den zweiundzwanzigjährigen Kandidaten und Volksredner für einen kecken Burschen hielten. Ich selbst sehe im Alter meine politische Jugend mit gutmütiger Ironie an und bitte auch andre um meiner ehrlichen und jugendlichen Harmlosigkeit willen um Zuerkennung mildernder Umstände.«

Anmerkungen

1 Gottes Wort soll obschweben. Festschrift zur Hundertjahrfeier des Predigerseminars Friedberg i.H., herausgegeben von seinen derzeitigen ordentlichen Professoren Lic. Ernst Gerstenmaier und Lic. Otto Stroh. Friedberg 1937, S. 26–28. Die Predigtamtskandidaten, die in den Revolutionsjahren 1848–1849 im Seminar waren: SS 1847 (7.5.1847–26.4.1848) 16 Kandidaten; WS 1847/48 (15.10.1847–15.9.1848) 14 Kandidaten; SS 1848 (26.5.1848–11.4.1849) 11 Kandidaten. Als Augustinerbrüder werden erwähnt: Baur, Schaffnit, Stromberger, Urich, Groh, Schlosser. Als Mitglieder des demokratischen Vereins werden erwähnt: Rullmann, Schlich, Scriba, Schaub.

2 Siegfried Werner, Wilhelm Urich Lebenserinnerungen (mit Einleitung und Erläuterungen). In: Hessische Volksbücher 92/94, Darmstadt 1936, S. 137–139.

3 Festschrift Predigerseminar 1937 (wie Anm. 1), S. 10. Die Namen der »Ordentlichen Lehrer« werden auf den Seiten 10–12 angegeben, die Namen der »Außerordentlichen Lehrer« auf den Seiten 12–15.

4 Diese Darstellung stützt sich auf die »Lebenserinnerungen« ehemaliger Friedberger Predigtamtskandidaten. In meinem Vortrag »Robert Blum (1807–1848) und die Volksversammlungen in der Wetterau während der deutschen Revolution von 1848–1849«, habe ich die allgemein geschichtlichen Ereignisse dargestellt (mit Literaturangaben).

5 Intelligenzblatt für die Provinz Oberhessen im Allgemeinen, der Kreis Friedberg und die angrenzenden Bezirke im besonderen. Vom 15. April 1848, Nr. 31 – Urich (wie Anm. 2), S. 139f.

6 Urich (wie Anm. 2), S. 140.

7 Karl Esselborn, Wilhelm Baur Lebenserinnerungen (mit Einleitung und Erläuterungen). In: Hessische Volksbücher 10/11, Darmstadt 1911, S. 238.
8 Urich (wie Anm. 2), S. 142–147. In der Wiedergabe ist der Text stark gekürzt; es empfiehlt sich, bei Urich nachzulesen, um den Eindruck dieser humorvollen Darbietung voll zu genießen. Es ist ratsam, bei Urich auch die Seiten 160–164 zu lesen, um das zeitgemäße Bild der Friedberger »Bürgergarde« in Aktion im Geiste mitzuschauen.
9 Adam Groh und Gustav Schlosser (Augustiner) gehörten auch zum Bürgerverein.
10 Wetterauer Volksblatt. Verantwortlicher Redakteur K. Scriba. Es erscheint vom 1. Juli 1848 bis 30. April 1849.
11 Festschrift Predigerseminar 1937 (wie Anm. 1), S. 28, Nr. 217.
12 Die Chroniken von Friedberg in der Wetterau. Herausgegeben von Christian Waas, Bd. 3, Friedberg 1963, S. 71.
13 Zentralarchiv der Ev. Kirche in Hessen und Nassau, Darmstadt. Best. 109/8 »Verzeichnis und Charakterisierung der am 15. September 1848 aus dem ev. Predigerseminarium zu Friedberg entlassenen Candidaten der ev. Theologie« Nr. 12 Carl Scriba aus Dieburg.
14 ZA/EKHN (wie Anm. 13), Best. 109/8 Prüfungsprotokoll vom 14. September 1848. Die Prüfungen fanden statt vom 1.–7. März 1849. 12 Kandidaten waren in der Prüfung: 11 haben bestanden (Gustav Schlosser mit »sehr gut«), Carl Scriba erhielt die Hauptzensur »unzureichend« und hatte deswegen nicht bestanden.
15 ZA/EKHN (wie Anm. 13), Best. 111/681 Bericht des Superintendenten der Provinz Oberhessen (F. Simon) an das Großh. Hess. Oberkonsistorium vom 7. Dezember 1849, betr. »Das Verhalten des Predigtamtskandidaten Schaub«. Gegen Schaub liegt vor, »daß er nämlich schon während seines Aufenthaltes in dem Predigerseminar den Gegenständen des geistlichen Berufs wenig Teilnahme gewidmet, dagegen beinahe ausschließlich sich den politischen Bewegungen der Zeit zugewendet, daß er sich als sehr rühriges und tätiges Mitglied des in Friedberg bestehenden demokratischen Vereins vor und auch nach seiner Entlassung aus dem Seminarium bei Volksversammlungen, bei der Totenfeier Blums usw. bemerklich gemacht, in der ganzen Umgegend in ultra-demokratischem Sinne gewirkt, und nach seiner eigenen Erklärung vom 29. Juni 1849 dem demokratischen Wetterauer Vereinsverband als erwählter Vorsitzender präsidiert hat, – dies Alles bezeichnet zur Genüge, daß er als excentrischer, vom politischen Schwindel erfaßter Kopf sich mit allem Eifer einer Richtung hingegeben hat, die sich mit der Stellung eines künftigen Geistlichen nicht verträgt. Je mehr sich die Zahl der jungen Leute vergrößert, welche von unreifen Ideen fortgerissen, auf den Umsturz der bestehenden bürgerlichen kirchlichen Ordnung hinarbeiten, um so mehr scheint meines Erachtens eine strenge Disciplin geboten.«
16 Wetterauer Volksblatt (wie Anm. 10), Nr. 51 vom 23. Dezember 1848, S. 201f.
17 Wetterauer Volksblatt (wie Anm. 10), Nr. 17 vom 28. Februar 1849, S. 274.
18 Wetterauer Volksblatt (wie Anm. 10), Nr. 38 vom 12. Mai 1849, S. 366.
19 ZA/EKHN (wie Anm. 13), Best. 111/681 Bericht des Großh. Direktors des ev. Predigerseminariums an das Großh. Hess. Oberkonsistorium. Darin »Charakterisierung der am 11. April 1849 aus dem Predigerseminarium entlassenen Candidaten«. Der Bericht fügt noch an: »Daß die, in Verbindung mit einem Gesinnungsgenossen zu gründende beabsichtigte Fortbildungsschule für Ackerbauern und Gewerbetreibende als Mittel, in demselben Sinne, nur in veränderter Form, bei dem Volke fortzuwirken, dienen soll, dürfte kaum zu bezweifeln sein. Wenigstens läßt das starre Festhalten seiner Ansichten von Seiten des Candidaten erwarten, daß er keine Gelegenheit, dieselben weiter zu verpflanzen, ungenutzt lassen werde.«
20 ZA/EKHN (wie Anm. 13), Best. 111/681 »Auf die mir von der Groß. Hess. Regierungs-Commission zu Friedberg im Auftrage des Großh. Hess. Oberconsistoriums unter dem 30. Oktober d.J. vorgelegte Frage wegen meiner Beteiligung an dem demokratischen Wetterauer Vereinstag zu Friedberg am 29. Juli 1849 erkläre ich: ›...‹«
21 ZA/EKHN (wie Anm. 13), Best. 111/681 Das Großh. Hess. Oberconsistorium an den Superintendenten der Provinz Oberhessen. Betreffend: »Das Verhalten des Predigtamtskandidaten Schaub von Büdesheim.«

22 ZA/EKHN (wie Anm. 13), Best. 111/681 vom 29. Dezember 1849. Kandidat Schaub wurde auf das Ausschreiben des Oberconsistoriums vom 21. Dezember 1849 »Das Verhalten der Geistlichen in öffentlichen Angelegenheiten« hingewiesen und »die Erwartung ausgesprochen, daß er sich künftig eines seinem Berufe entsprechenden Verhaltens befleißigen werde«.

23 ZA/EKHN (wie Anm. 13), Best. 111/681. Betreffend: Die Zulassung des Predigtamtskandidaten Schaub von Büdesheim zur Definitorialprüfung. – Bericht des Kandidaten Schaub an das Großh. Hess. Oberconsistorium vom 20. März 1851. »Nachdem ich durch Zeugnis vom 18. Februar 1851 nach bestandener Definitorialprüfung in die Liste der Pfarramtskandidaten eingetragen worden bin, ersuche ich Gr. H. Oberconsistorium mich nach meiner Anciennität und der mir erteilten Zensur in die vorhergehende Abteilung der Pfarramtskandidaten einzureihen. Durch Erlaß des Oberconsistoriums vom 20. November 1849 wurde mir die Zulassung zur vorletzten Definitorialprüfung verweigert. Die Untersuchung gegen mich hat zu keinem mich strafwürdig findenden Resultate geführt und konnte zu keinem führen, weil ich mir bewußt bin, niemals eine gesetzliche Bestimmung unseres Landes übertreten zu haben.« Der Bericht schließt: »Ich bitte um Gerechtigkeit und deshalb hoffe ich Gewährung meines Gesuchs.«

24 Hassia Sacra I, 1921, S. 443, Nr. 16: Jakob Schaub, geb. 26. Juli 1823 zu Büdesheim, Sohn des Ökonomen Jakob Konrad Schaub, 1852–1855 Vikar in Stumpertenrod, 1855 Verwalter in Londorf, 1855–1857 Verwalter in Ober-Wittersheim, 1857–1859 Verwalter in Echzell, 1859–1877 Pfarrer in Ulrichstein. Gest. 2. Februar 1877.

25 Gustav Schlosser, Die Revolution von 1848. Erinnerungen. Gütersloh 1883, S. 139–142.

26 Baur (wie Anm. 7), S. 35. Brief vom 21. Dezember 1848 an Rieger.

27 Schlosser 1883 (wie Anm. 25), S. 140.

28 Baur (wie Anm. 7), S. 39f.

29 Baur (wie Anm. 7), S. 30.

30 Baur (wie Anm. 7), S. 236.

31 Urich (wie Anm. 2), S. 150–153. Die Paulskirche, ein moderner Bau, war in eine politische Arena umgewandelt. Die Orgel war durch eine Wand verhüllt, auf der eine »Germania« gemalt war mit der Unterschrift: »Des Vaterlandes Größe, des Vaterlandes Glück, o schafft sie, o bringt sie dem Volke zurück.« Der Altar war entfernt. An seiner Stelle war eine Estrade errichtet, welche den Präsidentenstuhl und davor die Rednertribüne enthielt. In den Bänken der Kirchenrotunde nahmen die Abgeordneten ihre Plätze ein, und zwar in vier Gruppen, welche die politische Gesinnung zu erkennen gaben. Es wurde unterschieden: Die Rechte, auf welcher die Konservativen saßen, das rechte und linke Zentrum, wo die Liberalen ihre Plätze fanden und die Linke, wo die Demokraten sich tummelten. Auf der rechten Seite erblickte man viele schwarze Sammetkäppchen, darunter römisch-katholische Priester ihre Tonsur verbargen, im Zentrum waren die Glatzen vorwiegend, auf der Linken aber herrschten Löwenmähnen und struppige Vollbärte vor.

32 Intelligenz-Blatt (wie Anm. 5) vom 8. Juli 1848, S. 221 und vom 12. Juli 1848, S. 228.

33 Schlosser 1883 (wie Anm. 25), S. 143 – Erinnerungen aus meinem Leben. Von dem Prälaten Dr. Friedrich Simon in Gießen für seine Kinder niedergeschrieben. Bielefeld 1882, S. 120–126: Die Erinnerungen von Simon sind für die Kennzeichnung der Linken bedeutsam. Simon spricht von »revolutionärem Schwindel« und von den »roten Demokraten« (S. 123).

34 Baur (wie Anm. 7), S. 244. Baur berichtet eindrucksvoll von der Erweckungsbewegung und der Treue zum Vaterland – nach Hundeshagen.

Mutterhaus-Diakonie in Hessen

Von Gerhard Lehmann

Das Neue Testament kennt drei Formen des Dienens:

> Den Dienst am *Wort,* den Dienst am *Menschen* und
> den Dienst *»im Heiligtum«.*[1]

Es wird von Frauen berichtet, die Jesus und seinen Jüngern dienten.[2] Dieser Dienst der Frauen, allgemein als praktische Handreichung verstanden, blieb Vorbild. In der Apostelgeschichte lesen wir erstmals von Diakonen.[3] Die Urgemeinde erkennt die Notwendigkeit der Diakonie. Die ersten Diakone kommen aus der Gemeinde und sollen in der Gemeinde dienen. Durch die Wahl der Diakone wird freilich keine absolute Arbeitsteilung geschaffen, etwa in den Dienst am Wort und Dienst der Tat (Armenfürsorge, Tischdienst). Diakon Philippus, einer der damals gewählten sieben Diakone, wird in Acta 21, 8 »Evangelist« genannt. Bei der Wahl der Diakone sind geistliche Kriterien (»gutes Zeugnis, erfüllt vom heiligen Geist und Weisheit«)[4] entscheidend.

Der Dienst im Heiligtum, das Lob Gottes, gehört wesensmäßig zur Diakonie hinzu.[5] »Diakonie als allgemeine Dienstpflicht der Christen realisiert sich in der alten Kirche in den Funktionen der Diakone und Diakonissen«[6], wobei die drei Formen des Dienens eine unlösbare Einheit bilden.

Es ist im Rahmen dieser kleinen Darstellung unmöglich, die geschichtlichen Linien der Diakonie durch die Jahrhunderte nachzuzeichnen. Aber so viel muß doch festgehalten werden, daß durch die Reformation auch die Diakonie von Fremdmotiven (Lohngedanke, Werkgerechtigkeit) gereinigt wurde. Luther betonte:

> »Ein Christenmensch lebt in Christo durch den Glauben, im Nächsten durch die Liebe.«[7]

Melanchthon meinte: »Amor fidei fructus«.[8] Bucer wies auf den Zusammenhang zwischen Leib- und Seelsorge hin. Und Calvin gab dem Diakon neben dem Pfarrer, Lehrer und Ältesten seinen Platz in der Gemeinde und übertrug ihm die Aufgaben der Almosenverwaltung und des Fürsorgedienstes.

Es wird also deutlich, daß die Diakonie von den Reformatoren als Lebensäußerung eines Christen gesehen wurde.[9]

Unbestritten sind auch die Verdienste des Pietismus für die Diakonie. Während August Hermann Francke in seinen Anstalten in Halle die diakonische Gemeinschaft formte, zielte Zinzendorf auf das diakonische Handeln seiner ganzen Brüdergemeinde. Aber erst das 19. Jahrhundert brachte charismatische Persönlichkeiten wie Johann Hinrich Wichern, Theodor Fliedner und Friedrich von Bodelschwingh hervor, die Diakonenhäuser und Diakonissen-Mutterhäuser gründeten und das Werk der Inneren Mission als eine wesentliche Aufgabe der Kirche verstanden. Pfarrer Theodor Fliedner in

Kaiserswerth bei Düsseldorf gründete 1836 die Diakonissenanstalt von Kaiserswerth. Er sah die Aufgaben der Diakonissen folgendermaßen: »Diakonissen sollten

1. Dienerinnen des Herrn Jesus seyn und seyne Nachfolgerinnen in der Liebe des Nächsten
2. Dienerinnen der Kranken zu seyn, um Jesu willen
3. Dienerinnen untereynander zu seyn, und sich selbst zu verläugnen.«[10]

Die Diakonisse erhielt durch Fliedner in der Tracht der verheirateten Bürgersfrau das Zeichen und die Würde ihres Berufs. Das Mutterhaus war die Stätte der Sammlung und Erziehung, der Zuflucht und des Rückhalts. Die Diakonissen erkannten ihren Dienst als die ihnen von Gott gegebene Lebensaufgabe. Seitdem gilt: Die Schwesternschaft ist eine Glaubensgemeinschaft. Als solche bildet sie eine Lebensgemeinschaft und versteht sich schließlich als Dienstgemeinschaft. Einheitliche Tracht, Sendungsprinzip, Dienstbereitschaft, gemeinsames Leben und Verzicht auf Entlohnung und Ehe prägen die Mutterhausdiakonie.

Diakonissen-Mutterhäuser

Nach dem Vorbild von Kaiserswerth entstanden auch in Hessen Diakonissen-Mutterhäuser.

Das Elisabethenstift in Darmstadt

Bereits am 19. November 1858 wurde das Diakonissen-Mutterhaus »Elisabethenstift« in Darmstadt durch Prälat Zimmermann eingeweiht. Ein Jahr später trat als erste hessische Schwester Lina Hessig aus Michelstadt in das Mutterhaus ein. Weitere Eintritte folgten, so daß 1862 das Spital im Darmstadt als erste Außenstation mit zwei Diakonissen, 1864 das Spital in Schlitz und 1867 das Hospital im Worms übernommen werden konnten.[11]

Das Diakonissenhaus Frankfurt am Main

In Frankfurt am Main begann der Dienst der Nächstenliebe im Jahre 1861. Zehn evangelische Frauen und Männer gründeten den Diakonissenverein, um die Kranken und Hifsbedürftigen in ihren Gemeinden zu versorgen. Bereits am 9. April 1861 konnte die erste Diakonisse aus dem Diakonissenhaus in Karlsruhe die Arbeit an den Kranken aufnehmen. Mit der Genehmigung der Statuten des Diakonissenvereins durch den Hohen Senat der Freien Reichsstadt Frankfurt am Main am 5. Januar 1866 sahen sich die Verantwortlichen »in den Stand gesetzt, das zu verwirklichen, was wir wiederholt als unsere nächste Aufgabe bezeichnet haben, und werden ... möglichst bald – durch Kauf oder Erbauung einer geeigneten Localität – zur Gründung eines Diakonissenhauses ... schreiten«.[12]

Der Verein erwarb ein eigenes Haus und gründete vier Jahre später, am 8. Juni 1870, das Frankfurter Mutterhaus.[13] Die Leitung des Hauses sollte nach dem Willen des Vereins im Mutterhaus selbst liegen. »Hierzu gehört

1. daß die Oberin eine solche Mutter sei, von der die Schwestern nicht nur in allen Obliegenheiten des Diaconissen-Berufes berathen und unterrichtet, sondern auch in eingehender Liebe und Treue erzogen und gebildet werden.
2. Die Oberin entscheidet daher selbständig auch über Aufnahme und Entlassung der Schwestern unter zu hörendem Beirath des Hausgeistlichen und einer etwaigen Conferenz älterer Schwestern;
3. Sie ist Mitglied des Diaconissen-Vereins mit beschließender Stimme ...
4. Sie führt den gesamten Haushalt ohne Controlle;
5. es bleibt ihr überlassen, im Laufe der Zeit kleine Veränderungen mehr nebensächlicher Art, z.B. in betreff der Kleidung oder der Gehaltszulage für die Schwestern mit Weisheit, Schonung und Allmähligkeit zu vollziehen.«[14]

Hatte der Verein Prediger *Walther* bereits 1869 zum Hausgeistlichen berufen, so wurde am 8. Juni 1870, dem Gründungstag des Mutterhauses, als erste Vorsteherin Oberin *Marie Breitling* (1870–1874) in ihr Amt eingeführt.[15] Der Anfang war nicht einfach. Der Krieg 1870/71 brachte viele Nöte mit sich und forderte die Schwesternschaft in besonderer Weise in der Verwundetenpflege.

Als Prediger Walther 1872 einem Ruf nach Karlsruhe folgte[16], löste ihn Pfarrer *Collischonn* ab. 1874 wurde Pfarrer *Carl Leydhecker* zum Vorsteher berufen.[17] Mit ihm nahm das Werk einen deutlichen Aufschwung. Die Schwesternschaft wuchs und konnte neue Aufgaben übernehmen. Zur Kranken- und Altenpflege kam die Erziehung von Kindern und Jugendlichen hinzu. Das Arbeitsgebiet wurde über Frankfurt hinaus ausgedehnt und erstreckte sich auf den Dillkreis, das Lahngebiet, ja bis nach Thüringen.[18]

Als Oberin Marie Breitling 1874 ihr Amt niederlegte, übernahm Schwester *Clara Hammerschmidt* (1874–1881) die Führung der Schwesternschaft. Ihr ging es darum, daß sich die Diakonissen als eine geistliche Gemeinschaft verstanden und an Gottes Wort orientierten:

> »Wir sind Glieder an einem Leibe, Glieder Seines Leibes (Eph. 5, 30), darum sind wir verantwortlich eines für das andere. Wenn eine Seele aus unserer Mitte sich verirrt hat, sollen die anderen nicht über sie richten, sondern über sie trauern, mit ihr sich schuldig fühlen und nicht nachlassen, bis sie wieder zurechtgekommen ist.«[19]

Die Aufgaben der Diakonissen sah sie im diakonischen und missionarischen Dienst:

> »Darum möge auch jede Schwester mit Freuden jedes Opfer ihrer Zeit und Kraft bringen, den Seelen der Kranken wohlzutun und ihnen den Weg zu Dem zu zeigen, der für sie am Kreuz gestorben ist.«[20]

Die eigentliche Prägung erfuhr das Mutterhaus aber erst durch Oberin *Natalie von Veltheim* (1881–1906).

Die Freude am Herrn verband sie mit der Freude, Armen, Kranken, Alten und Jungen zu dienen. »Unter ihrer Leitung bekam die Schwesternschaft einen für das Schöne und Hohe, aber auch für alles Fröhliche und für die Bildungswerte aufgeschlossenen Lebensstil.«[21] Sie verstand es, anderen die Freude in Christus vorzuleben und sammelte um sich einen Kreis Frankfurter, die das Mutterhaus durch ihre Opfer und Gebete unterstützten.

Ihre Nachfolgerin, *Wanda Senfft von Pilsach* (1906–1932), war eine Oberin, die sehr stark im Wort Gottes lebte und aus dem Wort Gottes ihre Kraft nahm. Für sie war die Liebe zu Christus Grundlage der Arbeit und Schwesternschaft. Der Erste Weltkrieg 1914–1918, Inflation und Arbeitslosigkeit brachten viele Nöte und Sorgen für die Vorsteherin eines so großen Hauses mit sich. Aber sie wußte:

»Zuflucht ist bei dem alten Gott und unter den ewigen Armen«.[22]

Auch unter *Elly Schwedtke* (1932–1970) hatte das Mutterhaus manche Krisen und Nöte zu bestehen. Das »Dritte Reich«, der Zweite Weltkrieg und gewaltige Veränderungen stellten eine große Herausforderung dar. So entsprang die Bitte im Wochenschlußgebet der Schwesternschaft: »Herr, segne unser ganzes Werk, daß es sei und bleibe ein Dienst der Barmherzigkeit zu deiner Ehre allein ...« immer wieder einem konkreten Anlaß aus dem Alltag der Diakonissen.[23]

Seit 1970 ist *Anneliese Oehlert* Vorsteherin des Mutterhauses. Mutterhaus-Diakonie erhält ihre Impulse, Prägung und Vertiefung aber nicht nur von den Oberinnen. Auch von den Vorstehern sind vielfältige Anregungen, geistliche Ausrichtung und wichtige Weichenstellung ausgegangen. Das war im Frankfurter Diakonissenhaus nicht anders.

Carl Leydhecker (1874–1899) gab dem jungen Werk die Vertiefung im evangelisch-lutherischen Bekenntnis. Er führte die liturgischen Formen der Gottesdienste und Andachten mit Responsorien und Psalmengesang und die liturgischen Feiern in der »Stillen Woche« ein. Das tägliche Bibelstudium war für ihn das Fundament seiner Tagesarbeit. Er verstand es in seiner frohen Art, die Schwestern für das Schöne aller Gaben Gottes zu interessieren und doch zugleich die sozialen und geistlichen Nöte der Zeit zu erkennen.[24]

Unter seinem Nachfolger *Otto Dettmering* (1899–1912) nahm die Diakoniearbeit zu und wuchs die Schwesternschaft. Mutterhaus und Krankenhaus wurden erweitert, Gemeindepflegen und Kindergärten in Oberhessen kamen hinzu. Das Magdalenenasyl in Frankfurt, später Natalienheim genannt, und der Elisabethenhof in Eckenheim, der 1912 nach Marburg verlegt wurde, waren weitere Arbeiten des Diakonissenhauses.[25]

Pfarrer *Georg Petrenz* (1913–1926) stand dem Werk in einer schweren Zeit vor. Trotz aller Unruhen und Erschütterungen des Ersten Weltkrieges und der Nachkriegsjahre konnte im Mutterhaus neues geistliches Leben wachsen.[26]

Unter Pfarrer *Karl Christian Hofmann* (1926–1947) ging der Ausbau des Werkes weiter voran. Aber Hofmann hielt die Predigt für seine eigentliche

Aufgabe. Er wollte das Evangelium so verkündigen, daß es die Menschen erfaßte, daß Entscheidungen fielen und die Menschen die Rettung in Christus dankbar annahmen. Kein fremder Geist sollte das Werk leiten. Hofmann sah die Gefahr für die Diakonie weder in der Armut noch in der Anfeindung, sondern in der Versuchung, geistliche Schäden mit weltlichen Mitteln heilen zu wollen. Sein Anliegen war, daß durch den Dienst der Diakonissen die ersten drei Bitten des Vaterunser realisiert würden.[27]

Die weiteren Vorsteher waren und sind: Pfarrer *Dr. Karl Dettmering* (1947–1971), Pfarrer *Johannes Eicheler* (1971–1974), Pfarrer *Christof Warnke* (seit 1987).

Das Kurhessische Diakonissenhaus Kassel

Den Anstoß zur Gründung eines Mutterhauses erhielt der Treysaer Pfarrer Franz von Roques in Barmen im Jahr 1854, als er dort Pfarrer Theodor Fliedner begegnete, der ihm die Frage stellte: »Warum habt ihr in Hessen noch kein Diakonissenhaus?«[28]

Diese Frage ließ von Roques nicht mehr los. Die hessischen Pfarrer standen der Mutterhausdiakonie zwar skeptisch gegenüber, aber Professor D. Heppe in Marburg, Pfarrer Lic. Klemme in Kirchhain und Superintendent D. Scheffer in Marburg befürworteten eine solche Arbeit und stimmten den Gedanken von Roques zu.

Im Mai 1864 veröffentlichte Professor D. Heppe in der »Kirchen- und Schulzeitung« folgenden Aufruf:

> »Der Herr, unser Heiland, welcher gesagt hat: ›Was ihr getan habt einem unter diesen meinen geringsten Brüdern, das habt ihr mir getan‹, wolle durch seinen Heiligen Geist weithin in allen Gauen unseres Vaterlandes die freudige Liebe zum Diakonissenwerke erwecken, auf daß sich Herzen und Hände willig auftun zum Lobe seines allerheiligsten Namens und zum Heil derer, die in Elend und Not sind, auf daß ihnen geholfen werde für Zeit und Ewigkeit. Amen.«[29]

Der Aufruf brachte nicht den gewünschten und erwarteten Erfolg. Pfarrerschaft und Kirchenleitung hatten starke Bedenken. Trotzdem weihten von Roques und seine Freunde am *18. Oktober 1864* in einem angemieteten Gebäude, einer ehemaligen Papiermühle bei Treysa, das *Kurhessische Diakonissenhaus* ein.[30]

Zugleich wurden zwei Schwestern zu Diakonissen eingesegnet. Die Gründer wagten den Schritt in der Gewißheit, daß Christi Ruf hinter ihrer Arbeit stand. Ihre geistliche Haltung faßte Superintendent D. Scheffer aus Marburg in der Festpredigt in folgenden Worten zusammen: »Das Diakonissenwerk kann und will nichts ohne Christus, alles durch ihn und das Wirken des Heiligen Geistes.«[31]

Die ersten Jahre des Mutterhauses waren nicht einfach. Die Zahl der Schwestern wuchs nur sehr langsam. Nach vier Jahren waren es neun

Diakonissen und sieben Probeschwestern. Vor allem fehlte eine Leiterin, die die Schwestern zu einer Lebens-, Glaubens- und Dienstgemeinschaft verbinden konnte. Doch schließlich gelang es, eine Diakonisse für das leitende Amt zu gewinnen. Am 3. Juli 1869 wurde *Jeanette Odenwald* (1869–1875) als Vorsteherin eingeführt.[32] Leider konnte sie dem Mutterhaus nicht die notwendige Prägung geben, weil der Krieg 1870/71 die Arbeit schmerzlich störte. Das Diakonissenhaus wurde Vereinslazarett, und ein großer Teil der Schwesternschaft übernahm in auswärtigen Orten wie Wiesbaden, Biebrich, Wetzlar und anderswo den Pflegedienst in den Lazaretten. Schon bald wurde es Jeanette Odenwald klar, daß Treysa nicht der richtige Ort für ein Mutterhaus war. Die jungen Schwestern konnten dort nicht ausgebildet werden und mußten das Mutterhaus schon bald nach ihrem Eintritt verlassen, um anderswo die Krankenpflege zu erlernen. Wie sollte sich dann aber eine gesunde Schwesternschaft entwickeln? Leider hatte der Vorstand für die Sorgen der Oberin kein Verständnis. Da von den seit 1864 eingetretenen 48 Schwestern bis 1875 23 das Mutterhaus wieder verließen und der Vorsteher, Metropolitan von Roques, durch einen Schlaganfall stark gelähmt war, geriet das junge Werk in eine schwere Krise. Daran änderte auch nichts der Neubau des Mutterhauses in Treysa, der am 9. Juli 1875 eingeweiht wurde. Jeanette Odenwald legte ihr Amt nieder. Am 18. Oktober 1875 übernahm *Marie Behre* (1875–1911) das schwere Amt als Oberin des Treysaer Diakonissenhauses.[33]

Sie erkannte sehr bald, daß drei Veränderungen dringend geboten waren:

1. Das Diakonissenhaus braucht einen Vorsteher.
2. Das Diakonissenhaus muß von der einseitigen Bindung an die Krankenpflege gelöst werden.
3. Eine Verlegung des Hauses in eine größere Stadt ist unumgänglich.[34]

Im Jahre 1877 wurde *Dr. Franz Sardemann* (1877–1910) als Vorsteher gewonnen, der am 22. Juni durch Metropolitan von Roques in sein Amt eingeführt wurde.[35]

Auch die zweite Veränderung – den Pflegedienst der Schwestern durch Erziehungsaufgaben zu erweitern – wurde 1877 durch die Errichtung eines Erziehungshauses für Mädchen möglich. Hinzu kamen eine Kleinkinderschule (Kindergarten) in Treysa und 1878 ein Kleinkinderlehrerinnen-Seminar.[36]

Die Verlegung des Hauses nach Kassel war dagegen eine schwierige Angelegenheit, wurde im Jahre 1881 aber vollzogen.[37] Am 17. Januar 1883 fand die Einweihung des neuen Mutterhauses statt.[38] Die Verlegung nach Kassel wurde zum Wendepunkt in der Geschichte des Hauses. Jetzt wurde der Ruf zur Diakonie gehört. Die Eintritte nahmen zu. Die Schwesternschaft betrug 1890 bereits über 100 Diakonissen und verdoppelte sich bis 1900 noch einmal.[39] Oberin Marie Behre gelang es, die Schwestern zu einer lebendigen Gemeinschaft zusammenzuführen. Mit der Zahl der Schwestern wuchs auch die Zahl der Arbeitsgebiete. In vielen Kasseler Gemeinden wurden Schwesternstationen errichtet. In Treysa baute man 1893 eine Arbeit für schwachsinnige Kinder auf und stellte ein Jahr später Pfarrer Schuchard für diesen neuen diakonischen Zweig, der »Hephata« genannt wurde, ein. Als sich herausstellte, daß in Treysa ein Brüderhaus gegründet werden sollte, war der Vorstand bereit, die Anstalt Hephata am 1. April 1901 dem Vorstand des Brüderhauses zu übergeben.[40]

Manche Belastung für das Mutterhaus brachte die Pfingstbewegung mit sich, die um 1905 in Großalmerode entstand und auch in Kassel an Boden gewann. Eine Reihe von Schwestern stammte aus der Gemeinschaftsbewegung und war, von der lebendigen Frömmigkeit und dem innigen Gebetsleben der Oberin Behre angezogen, in das Mutterhaus eingetreten. Die neue Bewegung stellte für diese Schwestern eine große Anfechtung dar. »Aber es gelang Pfarrer Sardemann und Frau Oberin, deren persönliche Glaubensgewißheit sich mit einer gesunden Nüchternheit paarte, die angefochtenen Schwestern vor übereilten Schritten zu bewahren und eine Spaltung der Schwesternschaft zu verhindern.«[41]

Als Oberin Marie Behre nach 36 Jahren aus Altersgründen am 1. September 1911 ihr Amt niederlegte[42], war die Schwesternschaft auf über 300 angewachsen.[43] Aus kärglichen Anfängen war ein großes Mutterhaus geworden. Darum übernahm die Nachfolgerin *Elisabeth Moser* (1911–1924) am 6. Dezember 1911 eine umfangreiche Aufgabe.[44] An der Seite von Pfarrer *Wilhelm Blackert* (1910–1925) leitete sie das Mutterhaus in einer Zeit, die durch Krieg und Nachkriegsjahre infolge der Inflation schwere Nöte mit sich brachte. Oberin *Maria Uhle* (1925–1934) verband mit ihrem Amt zwei Ziele: Einmal ging es ihr um eine Vertiefung des inneren Lebens der Schwestern. Zum anderen setzte sie sich für eine Arbeitszeitverkürzung und für freie Nachmittage und Erholungsmöglichkeiten der ihr anvertrauten Schwestern ein. »Sie wußte, daß jede echte Diakonie aus dem Wort leben und ständig auf den Ruf des großen Diakonus Jesus Christus achten muß.«[45] Es entstanden Bibelkreise und Gebetsgemeinschaften in den Häusern, denn die Schwesternschaft nahm das Anliegen ihrer Leiterin auf, das sie in ihrem ersten Brief nach der Einführung so formuliert hatte:

> »Das sei unser Ziel bei all' unserer Arbeit, auch der kleinsten und geringsten: Daß nur Sein Reich gebaut werde! Und zwar auf dem Grund, auf dem auch unser Mutterhaus aufgebaut ist: Jesus Christus gestern und heute und derselbe auch in Ewigkeit!«[46]

Die beiden Hausgeistlichen Pfarrer *Oskar Fuchslocher* (1925–1947) und Kirchenrat *D. Eduard Grimmell* (1925–1961) unterstützten ihr Oberin. Es wurden Bibelwochen, Kurse für Jugend- und Frauenarbeit und Wiederholungskurse für Gemeindeschwestern eingerichtet. Und da alle Kurse mit täglichen Bibelarbeiten verbunden waren, gelang eine biblische Vertiefung und Festigung des Gemeinschaftslebens innerhalb der Schwesternschaft.

Mit großem Nachdruck setzte sich Oberin Uhle für eine geregelte Arbeitszeit der Schwestern ein, die der dauernden Arbeitsbelastung ohne Freizeit auf die Dauer nicht gewachsen waren. Die vorbeugende Gesundheitsfürsorge und die Pflege erkrankter Schwestern wurden unter ihrer Leitung durch den Bau eines Schwesternkrankenhauses »Bethesda«, das 1926 eingeweiht wurde, wesentlich verbessert.[47]

Schließlich verdankt das Mutterhaus ihrer Schwester Maria Uhle, daß die Äußere Mission als neues Arbeitsgebiet hinzukam. Anfang 1929 reiste Schwester Maria Fröhlich über die Bethelmission nach Ostafrika aus. Weitere Missionsschwestern folgten.[48]

Unter Oberin *Diana Schulz* (1934–1942)[49] und Oberin *Elfriede Schroeder* (1943–1962)[50] mußte das Mutterhaus durch eine schwere Zeit gehen. Bei den Fliegerangriffen auf Kassel im Jahre 1944 brannte das Wirtschaftshaus aus. Das Mutterhaus wurde zum Teil zerstört. Vom Frauenhaus war nur noch der Keller benutzbar.[51] Der Wiederaufbau nach dem Kriege ging nur langsam voran, denn durch die Währungsreform bedingt mußte das Mutterhaus bei Null anfangen. Aber die Schwesternschaft erfuhr immer wieder die Treue Gottes, der Menschen zum Helfen willig machte.

Das Vorsteheramt übernahm 1961 Pfarrer *Kurt Glockzin* (1961–1977). Bereits ein Jahr später, am 2. Juni 1962, ging die Oberin Elfriede Schroeder heim. Pfarrer Glockzin charakterisierte sie in einem Brief an die Schwesternschaft folgendermaßen:

> »Volle Hingabe an den Dienst, Einsatz aller Gaben und Kräfte in strenger Selbstzucht bis hin zur Aufopferung, ein warmes Herz für alle ihr verbundenen Menschen, ein offene Auge für alles Schöne, und das alles eingebettet in ein gläubiges Vertrauen auf den Herrn, der Weg hat aller Wegen, und dessen Treue alle Morgen neu ist, das war unsere liebe Schwester Elfriede.«[52]

Am 16. Dezember 1962 wurde *Luise Schäfer*[53] als neue Oberin in ihr Amt eingeführt, das sie seitdem innehat. Ihr zur Seite steht seit 1977 Pfarrer *Dr. Reinhold Lanz* als Vorsteher.[54]

Das Waldecksche Diakonissenhaus »Sophienheim« Arolsen

Das Waldecker Land wurde im vorigen Jahrhundert vom Rationalismus geprägt. Die Notwendigkeit christlicher Liebesarbeit sah man nicht. Da war es die regierende Fürstin Helene zu Waldeck, die in dem kleinen Dorf Helsen bei Arolsen 1872 ein Heim für Waisenkinder und Kinder aus armen Familien gründete.[55] Acht Jahre später erweiterte die Fürstin die Aufgaben des Heims und gab ihm den Namen »Sophienheim« zur Erinnerung an ihre verstorbene Tochter Sophie.[56] Das Heim sollte drei Aufgaben erfüllen: Es war erstens eine Erziehungsanstalt für Landmädchen, besonders für Waisenkinder. Es unterhielt zweitens eine Handarbeitsschule zur Ausbildung von Handarbeitslehrerinnen, und es baute dritttens einen Schwesternverband auf.[57]

Der Gründung des Diakonissenhauses im Jahre 1887 gingen freilich harte theologische Kämpfe des Helsener Pfarrers Martin Waas voraus. Vielen erschien das Diakonissenhaus als ein Bollwerk pietistischen Wesens, das dem

Waldecker Land aufgenötigt werden sollte. Das lag keineswegs in der Absicht der Gründer. Sie wußten sich gerufen zur evangelischen Diakonie, die aus einem lebendigen Glauben entsprang. Pastor D. Friedrich von Bodelschwingh in Bethel beeinflußte die Entwicklung des Werkes im Sinne der Inneren Mission und Diakonie. Fürstin Helene brach dem Gedanken von Bodelschwingh die Bahn, und Pastor Waas arbeitete die Satzungen aus, die am 1. Juli 1887 angenommen wurden, dem Gründungstag des »Waldeckschen Diakonissenhauses Sophienheim«.[58]

Am 12./13. September 1888 wurde das »Sophienheim« in die Kaiserswerther Generalkonferenz im Verband deutscher Diakonissen-Mutterhäuser aufgenommen und trägt seitdem deren Zeichen, die Friedenstaube mit dem Ölzweig.[59]

Nach Pfarrer Waas' Weggang nach Südhessen wurde Pfarrer *Carl Busold* (1887–1921) zum Vorsteher des Diakonissenhauses berufen.[60] Ihm folgten *Martin Graeber* (1921–1929), *Otto Meyer* (1929–1957), *Friedrich Langenbeck* (1957–1969) und *Christoph Probst* (seit 1970).

Ein wichtiger Tag für das junge Werk wurde der 12. Juli 1893, denn mit der Einweihung des neuen Mutterhauses in Arolsen wurde zugleich die neue von Bethel entsandte Diakonisse *Lina von Schell* (1893–1927) durch Pfarrer von Bodelschwingh als Oberin eingeführt.[61]. Nun begann ein stetiges Wachsen der Schwesternschaft und ihrer Arbeitsfelder. Hatte die Arbeit im Gründungsjahr 1887 mit neun Diakonissen begonnen, und gehörten 1914 104 Schwestern auf 42 Stationen innerhalb des Fürstentums Waldeck und Pyrmont zum Mutterhaus, so wurde 1937 zum 50. Jubiläum die größte Schwesternzahl erreicht, nämlich 146 Diakonissen und 7 Hilfsschwestern.[62]

Magdalene Schröder leitete das Mutterhaus von 1927–1954. Ihr folgten *Johanna Jakob* (1954–1957), *Lotte Wesenfeld* (1957–1969 und 1970–1975), *Martha Kintzel, Erika Posegga* und *Marlies Grüber.*[63]

Wenn das Waldecksche Diakonissenhaus auch ein relativ kleines Mutterhaus ist, so hat es doch im Laufe seiner Geschichte in großem Segen für das Waldecker Land arbeiten dürfen. Unter der Leitung von Pfarrer Busold trug das Mutterhaus mit dazu bei, das rationalistische Denken zu überwinden. Die Gemeinden traten mit dem »Sophienheim« immer stärker in Verbindung und unterstützten die Arbeit durch ihre Gaben und Spenden. Und die treue und tatkräftige Hilfe durch die Fürstin Helene zu Waldeck, die Fürstin-Witwe Luise und Fürstin Bathildis zu Waldeck und Pyrmont, die sich als Protektorinnen dem Werk der Diakonie verpflichtet wußten, war für das Mutterhaus ein unschätzbarer Gewinn.[64] Die Aufgaben und Arbeitsgebiete haben sich im Laufe der Zeit geändert – dasselbe gilt für alle Mutterhäuser –, aber an der diakonischen Zielsetzung des Werkes hat sich bis zur Gegenwart nichts verändert.

Das Diakonissen-Mutterhaus Paulinenstift in Wiesbaden

Auch hier gehen die Anfänge auf eine Fürstin zurück. Die Herzogin-Mutter Pauline beabsichtigte, in Wiesbaden Gemeindeschwestern anzustellen. Theodor Fliedner gab die Anregung, mit der Schwesternstation eine Anstalt zu verbinden. Am 15. Dezember 1896 wurde das Diakonissen-Mutterhaus in einem Neubau eröffnet.[65] Oberin wurde Freifräulein *Isabelle von Wintzingerode.* Das Mutterhaus gründete Filialanstalten und richtete im Bereich der nassauischen Kirche zahlreiche Gemeindestationen ein.

Das Diakonissen-Mutterhaus Hebron in Marburg-Wehrda

Am 1. November 1908 wurde das jüngste hessische Mutterhaus, das Diakonissen-Mutterhaus Hebron durch Pfarrer Theophil Krawielitzki gegründet.[66] Mit einer jungen Schwester und der Hausmutter *Emilie Losereit* (1908–1915 und 1931–1948)[67] begann die Arbeit in großer Armut in Marburg-Wehrda. Leben und Dienst der Schwestern sollten durch das Motto gekennzeichnet sein: »Im Dienen verzehre ich mich«. Eine brennende Kerze zeigte das Wahrzeichen des neuen Mutterhauses, und das Bibelwort »Ich will noch geringer werden als jetzt und will niedrig sein in meinen Augen« (2. Samuel 6, 22) war die Losung.[68]

Gott rief ständig junge Mädchen in die neue Schwesternschaft, so daß Ende 1909 bereits 28 Schwestern zu Hebron gehörten[69] und 1914 die Zahl 80 erreicht wurde.

Trotz Krieg wagten die Schwestern den Schritt zum Mutterhausbau im Jahre 1914; es wurde am 27. August 1916 eingeweiht.[70] Nun hatten sie endlich die jahrelang entbehrten Räume für die weiter wachsende Schwesternschaft. »Aber zugleich waren es Jahre voller Glaubensstärkungen. Ungezählte Wunder Gottes hatten unsere Schwestern erlebt.«[71] Die Diakonissen arbeiteten in Gemeinden, Kindergärten, Privatkrankenpflegen, Gemeinschaften und Krankenhäusern und konnten die Arbeitsgebiete nach dem Ersten Weltkrieg noch ausweiten. Zu den Frühjahrskonferenzen (ab 1909) kamen seit 1918 die Pfingstkonferenzen hinzu. Außerdem führte man ab 1921 Freizeiten und Tagungen für Frauen und junge Mädchen durch.[72] 1920 konnte die Haushaltungsschule Ramoth den Unterricht aufnehmen und 1928 das Kindergärtnerinnen- und Hortnerinnenseminar mit der Arbeit beginnen.[73] Ja, 1928 reiste als erste Hebronschwester Adele Schweflinghaus nach China aus.[74] Andere Schwestern folgten ihr später. Als die Schwesternschaft Ende 1928 ihr zwanzigjähriges Bestehen feierte, war aus kleinen Anfängen ein großes Werk entstanden, denn 490 Diakonissen gehörten inzwischen zum Mutterhaus.[75]

Die kirchliche Anerkennung als Anstaltsgemeinde durch das evangelische Konsistorium in Kassel vom 23. Januar 1920 verdeutlicht, daß das Mutterhaus seine Arbeit auf dem Boden des Evangeliums und im Raum der Kirche verstand.[76]

Im Jahre 1929 öffnete sich ein neues Arbeitsfeld in Amerika und im Jahre 1935 in Brasilien.[77] Bereits 1933 konnte ein Diakonissen-Mutterhaus in Liberty Corner im Staat New Jersey (USA) gegründet werden[78] und in der Stadt Curitiba im Staate Paraná (Brasilien) im Jahre 1980 für die 15 deutschen Missionsschwestern und 16 brasilianischen Diakonissen ein Mutterhaus geschaffen werden.[79]

Am 22. März 1942 starb der Gründer und erste Mutterhausvater Pfarrer Theophil Krawielitzki[80], der dem Diakonissenwerk seine besondere Prägung gegeben hat. Neben dem missionarischen, erwecklichen Akzent ging es Krawielitzki um die Seelsorge an seinen Schwestern. Und dieses Anliegen haben seine Nachfolger, die Pfarrer *Curt Köhler* (1919–1934) und *Julius Dietrich* (1935–1943), Direktor *Ernst Mogk* (1943–1947), Pfarrer *Theo Schnepel* (1958–1986) und Pfarrer *Volker Steinhoff* (seit 1986) bei aller persönlichen Verschiedenheit mit derselben Deutlichkeit gesehen und vertreten.

Die Diakoniearbeit Hebrons ist freilich nicht zu denken ohne die umsichtige und segensvolle Tätigkeit der Oberinnen. *Emilie Losereit* wurde von *Klara Sagert* (1915–1924) und *Helene Hollborn* (1924–1931) abgelöst, um dann von 1931–1948 erneut das Oberinnenamt zu übernehmen. Es folgten *Erna Eicher* (1948–1979) und seit 1979 *Elisabeth Gaul.* Sie alle haben mit ihren Gaben und Fähigkeiten die Geschicke des Mutterhauses gelenkt und wußten sich doch getragen von der Liebe Jesu in den schweren Jahren und Nöten ihrer Zeit bei der großen Verantwortung für die Schwesternschaft, die zum 50. Jubiläum im Jahre 1958 844 Diakonissen betrug.[81]

Die umfangreiche krankenpflegerische Tätigkeit – Übernahme der Klinik von Noorden, später Privatkrankenhaus Sachsenhausen in Frankfurt 1927, Beginn des Krankenhauses in Wehrda 1939, Beginn des Burgfeldkrankenhauses in Kassel 1946 und Übernahme des Bezirksspitals in Frutigen (Schweiz) 1953[82] – wäre ohne die große Schwesternschaft undenkbar. Leider blieb auch Hebron nicht von der rückläufigen Entwicklung, der mangelnden Bereitschaft junger Mädchen, sich ganz in den Dienst der Nächstenliebe zu stellen, verschont. Die Eintritte nahmen ab. Die Schwesternschaft wurde seit 1962 kleiner und mußte sich aus manchen Arbeiten und Gemeinden zurückziehen. Die Verhältnisse haben sich geändert, aber der Auftrag des Herrn ist für die Mutterhaus-Diakonie geblieben.

Anmerkungen

1 Vgl. Theophil Stöckle, Diakonie, Mutterhaus-Diakonie und Gemeinschaftsbewegung (= Gnadauer Materialdienst), H. 27, Gnadauer Verlag Dillenburg 1987, S. 6.

2 Vgl. Matth. 8, 15, Mk. 15, 41, Luk. 10, 40, Joh. 12, 2.

3 Apostelgesch. 6.

4 Apostelgesch. 6, 3.

5 Vgl. Prophetin Hanna, Lk. 2, 37. »Sie wich nicht vom Tempel und diente Gott mit Fasten und Beten Tag und Nacht.«

6 RGG (= Religion in Geschichte und Gegenwart), 3. Aufl., Bd. II, Sp. 162.
7 WA (= Martin Luther, Werke. Kritische Gesamtausgabe [Weimarer Ausgabe]) 7, 38.
8 CR 2, 222.
9 Vgl. H. Wagner, RGG^3, Bd. II, Sp. 164.
10 Th. Stöckle, ebd., S. 9.
11 Vgl. Heinrich Steitz, Geschichte der Evangelischen Kirche in Hessen und Nassau, Marburg 1977, S. 382. Zur Geschichte des Stifts siehe: B. Knell, 90 Jahre Diakonissendienst. Die Arbeit des ev. luth. Diakonissenhauses Elisabethenstift zu Darmstadt 1858–1948, Darmstadt 1948; Theo Aschoff, Hundert Jahre Diakonissenhaus Elisabethenstift Darmstadt 1858–1958, Darmstadt 1958; Egbert Haug/Günther Söhngen, Hundertzwanzig Jahre Elisabethenstift Darmstadt 1858–1978, Darmstadt 1978.
12 Getrost und freudig, Hundert Jahre Diakonissenhaus Frankfurt am Main 1870–1970, S. 7.
13 Ebd., S. 13.
14 Ebd., S. 9.
15 Ebd., S. 13.
16 Ebd., S. 13.
17 Ebd., S. 12f.
18 Ebd., S. 13.
19 Ebd., S. 32.
20 Ebd., S. 32.
21 Ebd., S. 33.
22 Ebd., S. 35.
23 Ebd., S. 36.
24 Ebd., S. 40f.
25 Ebd., S. 42.
26 Ebd., S. 43f.
27 Ebd., S. 44–46.
28 Vgl. Die Liebe trägt – 125 Jahre Kurhessisches Diakonissenhaus Kassel 1864–1989, S. 19.
29 Vgl. Eduard Grimmell, Die Oberinnen des Kurhessischen Diakonissenhauses, Kassel 1964, S. 9f.
30 Ebd., S. 10.
31 Ebd., S. 10.
32 Ebd., S. 13.
33 Vgl. ebd., S. 25 und S. 13–15.
34 Vgl. ebd., S. 25–26.
35 Sardemann, Geschichte des Hessischen Diakonissenhauses bei Cassel und seiner Arbeitsgebiete, Kassel 1889, S. 35.
36 Grimmell, Die Oberinnen (wie Anm. 29), S. 27f.
37 Vgl. Sardemann (wie Anm. 35), S. 42.
38 Ebd., S. 45.
39 Grimmell, Die Oberinnen (wie Anm. 29), S. 34.
40 Vgl. ebd., S. 38f.
41 Ebd., S. 40.
42 Ebd., S. 41, 49.
43 Ebd., S. 50.
44 Ebd., S. 50.
45 Ebd., S. 59.
46 Ebd., S. 60.
47 Vgl. ebd., S. 60–62.
48 Ebd., S. 63–65.
49 Ebd., S. 72f.
50 Ebd., S. 80.

51 Ebd., S. 82.
52 Ebd., S. 88.
53 Die Liebe trägt (wie Anm. 28), S. 116.
54 Ebd., S. 117.
55 100 Jahre Waldecksches Diakonissenhaus »Sophienheim« Arolsen, Arolsen 1987, S. 8.
56 Ebd., S. 9.
57 Ebd., S. 9.
58 M. Graeber, Das Waldecksche Diakonissenhaus Sophienheim zu Arolsen, Düsseldorf 1929, S. 8–12.
59 Vgl. Otto Meyer, Geschichte des Waldeckschen Diakonissenhauses Sophienheim 1887–1957, Arolsen 1957, S. 3.
60 100 Jahre Waldecksches Diakonissenhaus (wie Anm. 55), S. 11.
61 Vgl. Meyer, Geschichte (wie Anm. 59), S. 4.
62 Vgl. 100 Jahre Waldecksches Diakonissenhaus (wie Anm. 55), S. 15 und Meyer, Die Geschichte des Waldeckschen Diakonissen-Mutterhauses »Sophienheim« in Arolsen zum 50. Jubiläum am 1. Juli 1937, S. 11.
63 Vgl. 100 Jahre Waldecksches Diakonissenhaus (wie Anm. 55), S. 16f.
64 Ebd., S. 13.
65 Heinrich Steitz, Geschichte der Evangelischen Kirche (wie Anm. 11), S. 380.
66 Gottes Weg mit Hebron, 75 Jahre Diakonissen-Mutterhaus Hebron, Marburg 1983, S. 4.
67 Ebd., S. 4; vgl. auch 75 Jahre (wie Anm. 66).
68 Gottes Weg mit Hebron (wie Anm. 66), S. 5.
69 Ebd., S. 6.
70 Ebd., S. 13.
71 Ebd., S. 14.
72 Ebd., S. 17f.
73 Ebd., S. 17.
74 Ebd., S. 21.
75 Ebd., S. 22.
76 Ebd., S. 17.
77 Ebd., S. 23 und 27.
78 Ebd., S. 23.
79 Ebd., S. 27.
80 Ebd., S. 29.
81 Ebd., S. 42.
82 Vgl. 75 Jahre Diakonissen-Mutterhaus Hebron (wie Anm. 66), unter: 75 Jahre Geschichte auf einen Blick.

Erwägungen zum Protestantischen Kirchenbau des Historismus

Von Otto Böcher

I.

Als der hochberühmte Basler Theologieprofessor Karl Barth (1886–1968) um das Jahr 1950 einmal Speyer besuchte, führte ihn der damalige Präsident der pfälzischen Landeskirche, Hans Stempel (1894–1970, Kirchenpräsident 1946–1964), durch die Speyerer Gedächtniskirche, die zwischen 1893 und 1904 im Stil einer französischen Kathedrale des 13. Jahrhunderts errichtet worden ist. Barths Reaktion angesichts der aufwendigen neugotischen Architektur war die Feststellung, in Speyer sei wohl doch »eine Bombe zuwenig« gefallen.[1]

Ein solches Urteil war schon damals wenig taktvoll; daß es auch objektiv falsch war, ist erst neuerdings unbestritten. Seit knapp zwei Jahrzehnten nimmt die Kunstwissenschaft auch die Epoche zwischen Biedermeier und Jugendstil ernst und bezeichnet die gleichzeitig nebeneinander auftretenden »Neo-Stile« (Neo- bzw. Neuromanik, Neugotik, Neurenaissance, Neubarock) zusammenfassend als den Stil des Historismus. Daß Karl Barth mit seiner Ablehnung historistischer Stilimitationen nicht alleinstand, sondern geradezu repräsentativ war für das Geschmacksurteil gebildeter Kunstfreunde, beweist ein bei aller Gescheitheit so polemisches Buch wie Alfred Kamphausens Monographie von 1952 über die Neugotik.[2]

Vollends über historistische *Denkmäler* wie das Wormser Lutherdenkmal (1859–1868), das Niederwalddenkmal bei Rüdesheim (1877–1883) oder das Hutten-Sickingen-Denkmal bei der Ebernburg (1885–1889) ergoß sich der Hohn des Kenners, vor allem beim Vergleich mit einem eher impressionistischen Monument wie Auguste Rodins »Bürger von Calais« (1884–1886). *Kirchengebäude* des späten 19. und frühen 20. Jahrhunderts galten nach 1945 durchweg als Ausdruck architektonischer Verirrung und Verlogenheit[3]; was Wunder, daß kirchliche Baubehörden der Verunstaltung durch neues Mobiliar (im Geschmack der Nierentischzeit), durch neue Treppenanlagen und Bodenbeläge (häufig aus Kunststein), durch Übertünchung der Ausmalung oder durch Entfernung der originalen Glasfenster kaum Widerstand entgegensetzten. Als ärgerliches Beispiel einer in der skizzierten Weise modernisierten Dorfkirche der Neugotik sei Rothenberg (Odenwald) genannt.

Inzwischen ist glücklicherweise ein Wandel zum Besseren eingetreten; mit gewachsenem zeitlichem Abstand, wohl auch begünstigt von der sogenannten Nostalgiewelle, erfährt das späte 19. Jahrhundert eine objektivere Würdigung. Die pfälzische Kirchbauzeitschrift »Der Turmhahn« hat nicht nur die Speyerer Gedächtniskirche (1893–1904) mit ihren Architekten Julius Flügge und Carl Nordmann ausführlich behandelt[4], sondern auch August von Voit (1801–1870)[5], Franz Schöberl (1845–1908)[6] und Ludwig Levy (1854–1907)[7]. Durchweg wird heute bei Renovierungen historistischer Kirchengebäude eine Wiederherstellung des ursprünglichen Zustands angestrebt, bis hin zur Erhaltung und Auffrischung der – zumeist schablonierten – dekorativen Ausmalung (z.B. bei der Wiesbadener Bergkirche, in Schwabsburg ⟨Rheinhessen⟩ oder in Bexbach ⟨Saarland⟩).

II.

Viel zu wenig, auch unter Architekturhistorikern, ist die Tatsache bekannt, daß die Erbauer evangelischer Kirchen zwischen 1861 und ca. 1900 hinsichtlich der gewählten Stilformen keineswegs frei entscheiden konnten, sondern durch das sogenannte »Eisenacher Regulativ« gebunden waren. Der Text dieser Bauordnung, 1861 im »Allgemeinen Kirchenblatt für das evangelische Deutschland« abgedruckt und erst 1898, unter dem Eindruck des konkurrierenden und als revolutionär empfundenen »Wiesbadener Programms« (1891), etwas gemildert, sei deshalb hier im Wortlaut von 1861 mitgeteilt.[8]

1. Jede Kirche soll nach alter Sitte orientiert, d.h. so angelegt werden, daß ihr Altarraum gegen den Sonnenaufgang liegt.

2. Die dem evangelischen Gottesdienst angemessenste Grundform der Kirche ist ein längliches Viereck. Die äußere Höhe, mit Einschluß des Hauptgesimses, hat bei einschiffigen Kirchen annähernd ¾ der Breite zu betragen, während es um so mehr den auf das akustische Bedürfnis zu nehmenden Rücksichten entspricht, je weniger die Länge das Maß seiner Breite überschreitet.

Eine Ausladung im Osten für den Altarraum (Apsis, Tribüne, Chor) und in dem östlichen Teile der Langseiten für einen nördlichen und südlichen Querarm giebt dem Gebäude die bedeutsame Anlage von Kreuzgestalt.

Von Centralbauten ohne Kreuzarmansätze ist das Achteck akustisch zulässig, die Rotunde als nicht akustisch zu verwerfen.

3. Die Würde des christlichen Kirchenbaus fordert Anschluß an einen der geschichtlich entwickelten christlichen Baustile und empfiehlt in der Grundform des länglichen Vierecks neben der altchristlichen Basilika und der sogenannten romanischen (vorgothischen) Bauart vorzugsweise den sogenannten germanischen (gothischen) Stil.

Die Wahl des Bausystems für den einzelnen Fall sollte aber nicht sowohl dem individuellen Kunstgeschmack der Bauenden als dem vorwiegenden Charakter der jeweiligen Bauweise der Landesgegend folgen. Auch sollten vorhandene brauchbare Reste älterer Kirchengebäude sorgfältig erhalten und maßgebend benutzt werden.

Ebenso müssen die einzelnen Bestandteile des Bauwesens in seiner inneren Einrichtung, von dem Altar und seinen Gefäßen bis herab zum Gestühl und Geräte, namentlich auch die Orgel, dem Styl der Kirche entsprechen.

4. Der Kirchenbau verlangt dauerhaftes Material und solide Herstellung ohne täuschenden Bewurf oder Anstrich. Wenn für den Innenbau die Holzconstruktion gewählt wird, welche der Akustik besonders in der Überdachung günstig ist, so darf sie nicht den Schein eines Steinbaues annehmen. Der Altarraum ist ebenfalls massiv einzuwölben.

5. Der Haupteingang der Kirche steht am angemessensten in der Mitte der westlichen Schmalseite, so daß von ihm bis nach dem Altar sich die Längenachse der Kirche erstreckt.

6. Ein Thurm sollte nirgends fehlen, wo die Mittel irgend ausreichen, und wo es daran dermalen fehlt, sollte Fürsorge getroffen werden, daß er später zur Ausführung komme. Zu wünschen ist, daß derselbe in einer organischen Verbindung mit der Kirche stehe, und zwar der Regel nach über dem westlichen Haupteingange zu ihr.

Zwei Thürme stehen schicklich entweder zu den Seiten des Chors oder schließen sie die Westfront der Kirche ein.

7. Der Altarraum (Chor) ist um mehrere Stufen über den Boden des Kirchenschiffes zu erhöhen. Er ist groß genug, wenn er allseitig um den Altar den für die gottesdienstlichen Handlungen erforderlichen Raum gewährt.

Anderes Gestühl, als etwa für die Geistlichen und den Gemeindevorstand, und, wo der Gebrauch es mit sich bringt, der Beichtstuhl, gehört nicht dorthin.

Auch dürfen keine Schranken den Altarraum von dem Kirchenschiffe trennen.

8. Der Altar mag je nach liturgischem und akustischem Bedürfniß mehr nach vorne oder rückwärts, zwischen Chorbogen und Hinterwand, darf aber nie unmittelbar (ohne Zwischendurchgang) vor der Hinterwand des Chors aufgestellt werden.

Eine Stufe höher als der Chorboden, muß er Schranken, auch eine Vorrichtung zum Knieen für die Confirmanden, Communikanten, Kopulanden usw. haben.

Den Altar hat als solchen, soweit nicht confessionelle Gründe entgegenstehen, ein Cruzifix zu bezeichnen, und wenn über dem Altartische sich ein architektonischer Aufsatz erhebt, so hat das etwa damit verbundene Bildwerk, Relief oder Gemälde, stets nur eine der Hauptthatsachen des Heils darzustellen.

9. Der Taufstein kann in der innerhalb der Umfassungswände der Kirche befindlichen Vorhalle des Hauptportals oder in einer daranstoßenden Kapelle, sodann auch in einer eigens dazu hergerichteten Kapelle neben dem Chor stehen. Da, wo die Taufen vor versammelter Gemeinde vollzogen werden, ist seine geeignetste Stellung vor dem Auftritt in den Altarraum.

Er darf nicht ersetzt werden durch einen tragbaren Tisch.

10. Die Kanzel darf weder vor noch hinter oder über dem Altar, noch überhaupt im Chore stehen. Ihre richtige Stellung ist da, wo Chor und Schiff zusammenstoßen, an einem Pfeiler des Chorbogens nach außen (dem Schiffe

zu); in mehrschiffigen großen Kirchen an einem der östlicheren Pfeiler des Mittelschiffs. Die Höhe der Kanzel hängt wesentlich von derjenigen der Emporen (13) ab, und ist überhaupt möglichst gering anzunehmen, um den Prediger auf und unter den Emporen sichtbar zu machen.

11. Die Orgel, bei welcher auch der Vorsänger mit dem Sängerchor seinen Platz haben muß, findet ihren natürlichen Ort dem Altar gegenüber am Westende der Kirche auf einer Empore über dem Haupteingang, dessen perspektivischer Blick auf Schiff und Chor jedoch nicht durch das Emporengebälke beeinträchtigt werden darf.

12. Wo Beicht- oder Lehrstuhl (Lesepult) sich findet, da gehört jener in (7), dieser entweder vor den Altar auf eine der Stufen, die aus dem Schiffe zum Chor emporführen, doch so, daß der Blick der Gemeinde nach dem Altar nicht verhindert werde, oder an einen Pfeiler des Chorbogens, um für den Zweck der Katechese, Bibelstunde u. dergl. vor den Altar hingerückt zu werden.

13. Emporen, außer der westlichen (11), müssen, wo sie unvermeidlich sind, an den beiden Langseiten der Kirche so angebracht werden, daß sie den freien Überblick der Kirche nicht stören. Auf keinen Fall dürfen sie sich in den Chor hineinziehen.

Die Breite dieser Emporen, deren Bänke aufsteigend hintereinander anzulegen sind, darf, soweit nicht die Ausladung von Kreuzarmen eine größere Breite zuläßt, ⅕ der ganzen Breite der Kirche, ihre Erhebung über den Fußboden der Kirche ⅓ der Höhe derselben im Lichten nicht überschreiten.

Von mehreren Emporen übereinander sollte ohnehin nicht die Rede sein.

Bei der Anlage eines Neubaues, worin Emporen vorgesehen werden müssen, ist es sachgemäß, statt langer Fenster, welche durch die Empore unterbrochen würden, über der Empore höhere Fenster, die zur Erhellung der Kirche dienen, unter der Empore niedrigere Fenster zur Erhellung des nächsten von der Empore beschatteten Raumes anzubringen.

14. Die Sitze der Gemeinde (Kirchenstühle) sind möglichst so zu beschaffen, daß von ihnen aus Altar und Kanzel zugleich während des ganzen Gottesdienstes gesehen werden können.

Vor den Stufen des Chors ist angemessener Raum frei zu lassen. Auch ist je nach dem gottesdienstlichen Bedürfniß ein breiter Gang mitten durch das Gestühl des Schiffes nach dem Haupteingange zu, oder wo kein solches Bedürfniß vorliegt, sind zwei Gänge von angemessener Breite an den Pfeilern des Mittelschiffes oder an den Trägern der Emporen hin anzulegen. Die Basen der Pfeiler sollten nicht durch Gestühl eingefaßt werden.

15. Die Kirche bedarf einer Sakristei, nicht als Einbau, sondern als Anbau, neben dem Chor, geräumig, hell, trocken, heizbar, von kirchenwürdiger Anlage und Ausstattung.

16. Vorstehende Grundsätze für den evangelischen Kirchenbau sind von den kirchlichen Behörden auf jeder Stufe geltend zu machen, den Bauherren

rechtzeitig zur Kenntnis zu bringen und der kirchenregimentlichen Prüfung, beziehungsweise Berichtigung, welcher sämtliche Baurisse unterstellt werden müssen, zu Grunde zu legen.

Die Vorschriften des »Eisenacher Regulativs« fordern, kurz gesagt, für Neubauten evangelischer Kirchen die Übernahme mittelalterlicher Baugewohnheiten: die Ostung (1), den kreuzförmigen Grundriß mit Chorraum und Apsis im Osten (2), romanische oder gotische Stilformen (3), materialgerechte Verarbeitung von Stein und Holz (4), Westportal (5), einen Westturm oder ein Turmpaar im Osten oder Westen (6), die Erhöhung des Altarraums durch Stufen (7) und speziell des Altars um eine Stufe (8), einen Taufstein (9), die Anbringung der Kanzel an einem Pfeiler zwischen Schiff und Chorraum (10) und die Orgelempore über dem Westeingang (11).

Nach diesen Anweisungen wurden zwischen 1861 und 1900 unzählige Gotteshäuser errichtet. Freilich haben die Bomben des Zweiten Weltkrieges gerade in den Städten schwere Verluste gebracht; auch wo ein Wiederaufbau in alter Gestalt möglich gewesen wäre, haben die Architekten zwischen 1950 und 1970 häufig nur den alten Turm übernommen, etwa im Falle der 1893 vollendeten, 1943/44 zerstörten und 1955 wiedereingeweihten Lutherkirche in Frankfurt-Bornheim.[9] Wenigstens drei qualitätvolle, im Krieg unzerstört gebliebene und nach 1950 kaum veränderte Stadtkirchen im Geiste des »Eisenacher Regulativs« seien ausdrücklich erwähnt: die Marktkirche in Wiesbaden (1862)[10], die Johanneskirche in Gießen (1893)[11] und die Gedächtniskirche in Speyer (1904, Bauplan 1884)[12]. Stellvertretend für zahlreiche Dorfkirchen nenne ich die qualitätvollen, bei aller Treue gegenüber dem »Eisenacher Regulativ« eigenwilligen und originellen Bauten Ludwig Levys in Olsbrücken (1885) und Bexbach (1889).[13]

III.

Angesichts der auch vor 1900 beträchtlichen Mehrkosten, die man offenbar selbstverständlich in die Herstellung von Fenstermaßwerk, Quadermauern, Wimpergen und Fialen investierte, um – wie im Falle der Speyerer Gedächtniskirche – der Illusion einer gotischen Kathedrale so nahe zu kommen wie möglich, erhebt sich die Frage, *warum* man solche Opfer auf sich nahm, die sich bekanntlich sowohl in langen Bauzeiten als auch in immer neuen Spendenaufrufen dokumentierten. Das »Eisenacher Regulativ« selbst gibt darauf in § 3 die Antwort: »Die Würde des christlichen Kirchenbaus fordert Anschluß an einen der geschichtlich entwickelten christlichen Baustile ...«; als besonders geeignet wird der »sogenannte germanische (gothische) Stil« empfohlen, also die Baukunst des 13. bis 15. Jahrhunderts.

Schon der gravierende Irrtum, die Gotik von ihrem französischen Ursprung zu lösen und als deutsches Sondergut beanspruchen zu wollen, verweist auf den ideologischen Hintergrund sowohl des »Eisenacher Regulativs« als auch der historistischen Kirchenbaukunst; gerade für diese Problematik, wie sie mutatis mutandis in der Darstellung geschichtlicher Sachverhalte bis hin zu Drama und Oratorium immer wieder auftaucht, hat der Jubilar schon oft Interesse und Sachverstand bekundet.[14] Auch die romanischen oder, zumeist, gotischen Stilformen historistischer Bauwerke sind ja Metaphern und Zitate, und gerade die Selbstverständlichkeit, mit der man ein Kirchengebäude des 19. Jahrhunderts zum Referat mittelalterlicher Architekturelemente machte (Eisenacher Regulativ § 3: »Die Würde ... fordert«), ist verräterisch.

Offensichtlich gab es Zeitgenossen der neugotischen Baugesinnung, denen diese gar nicht so selbstverständlich war. Für die Initiatoren eines Fördervereins zur Erbauung der Speyerer Gedächtniskirche (»Retscher-Verein«, gegründet 1857)[15] verstand es sich offenbar von selbst, daß die geplante Monumentalkirche des Weltprotestantismus die Gestalt einer mittelalterlichen Kathedrale haben müsse. Gegen diese Auffassung protestierte der liberal gesonnene protestantische Pfarrer im pfälzischen Haardt, Dr. Heinrich Adolf Theodor Welsch (1838–1870, in Haardt 1869–1870)[16], mit der Feststellung, die »projektirte Form« der Gedächtniskirche sei nicht die einer evangelischen Predigtkirche, sondern die einer »römischen Kreuz- und Meßkirche«.[17] Genüßlich kommentiert das katholische Speyerer Kirchenblatt »Der Pilger« in seiner Ausgabe vom 28. September 1890 den am 19. September 1890 erfolgten ersten Spatenstich, wobei es die polemischen Formulierungen Welschs aufgreift:

> Am 19. September wurde dahier unter großer Festlichkeit und unter Theilnahme zahlreicher Protestanten der erste Spatenstich zu einer katholischen Kirche gethan. Wie reimt sich das zusammen? Sehr einfach. Die neu zu erbauende Kirche soll erstehen als ein Denkmal an jene Thatsache, von welcher die Protestanten ihren Namen tragen, und sie wird auch dem protestantischen Cultus dienen. Allein trotzdem wird diese Kirche nach dem bereits angenommenen Plane eine katholische »Kreuz- und Meßkirche« werden, selbst das Thürmchen für das Meßglöckchen soll nicht fehlen, so daß sie einmal ohne viele Umstände dem katholischen Cultus kann eingeräumt werden. Darin, daß für ein erzprotestantisches Denkmal keine protestantische Form gefunden werden konnte, erblicken wir ein glückliches Vorzeichen dafür, daß die neue Kirche kein dauerndes Denkmal der unglückseligen Glaubenstrennung bleiben, sondern ein Denkmal der Wiedervereinigung im alten Glauben werden wird. Möge das katholische Deutschland in seinen Gebeten um die Wiedervereinigung nicht ermüden![18]

Bekanntlich wurde die Speyerer Gedächtniskirche tatsächlich in den Formen französischer Kathedralgotik erbaut. Hatte man zunächst (1904) den Altar, unter Rücksichtnahme auf die überwiegend kalvinistische Tradition des pfälzischen Protestantismus, bewußt ohne Retabel konzipiert, so empfand man schon bald das Fehlen eines Altaraufsatzes in dem steilen Chorpolygon als störend und fügte eine Ädikula mit der Statue Christi hinzu (1908): Die Gotik des Innenraumes hatte ihre eigene Dynamik entwickelt und über die Tradition des pfälzischen Protestantismus gesiegt![19] Haben also Pfarrer Welsch mit seinen Befürchtungen und der »Pilger« mit seinen pseudoökumenischen Hoffnungen recht behalten? Ist die Neugotik ein »katholischer« Stil?

IV.

Unser Versuch einer Antwort auf diese Frage muß zunächst daran erinnern, daß auch die Kirchenbauten der Katholiken zwischen 1850 und 1900 mittelalterliche Stilformen kopieren; dies kann freilich angesichts der konservativen, im (ersten) Vatikanischen Konzil (1869/70) gipfelnden Grundhaltung römisch-katholischer Theologie und Kirchlichkeit nicht überraschen. Aber auch Schulen und Verwaltungsgebäude, ja sogar die Synagogen des späteren 19. Jahrhunderts verwenden Stilformen vergangener Zeit.

In der Liebe zur Vergangenheit wirkt sich die Romantik aus, von Anfang an in Deutschland verbunden mit der Sehnsucht nach der nationalen Einheit unter dem Kaiser des Mittelalters; auch die Sehnsucht nach der religiösen Einheit vor der »Glaubensspaltung« spielt früh eine Rolle. Als das Zweite Kaiserreich 1871 die Hoffnungen auf politische Einheit erfüllt, erhält noch einmal die Neuromanik Hochkonjunktur; Kirchen und Verwaltungsbauten der wilhelminischen Ära bevorzugen den Stil der Stauferzeit: Die Hohenzollern knüpfen an die staufischen Herrscher an.[20]

Der Architekt wird zum Kunsthistoriker; die Einzelformen müssen »stimmen«. Wer, je nach Bedarf und Wunsch des Auftraggebers, in den Formen von 1250, 1400, 1500 usw. bauen muß, hat zuvor seine Vorbilder erforscht und zeichnerisch festgehalten; frühe Bauaufnahmen alter Kunstdenkmäler werden zu Musterbüchern historistischer Baumeister. Auch der Architekt ist Historiker – wie die hochgeehrten Gründer der gleichzeitig entstehenden Museen und Geschichtsvereine und die Herausgeber der Urkunden und Quellenwerke zur deutschen Geschichte. Und wie der Gelehrte Chroniken und Urkunden des Mittelalters benutzt (oder mißbraucht), um Deutschlands Größe zu beschwören[21], so bedient sich der historistische Architekt romanischer oder gotischer Stilformen, um dynastische oder religiöse Würde zu signalisieren.

Daß er dies nach eingehenden Studien und Reflexionen und nicht etwa bewußt tut, mag die Äußerung eines unverdächtigen Zeitzeugen belegen. Der seinerzeit für jüdische, kirchliche und staatliche Bauaufgaben sehr gesuchte Architekt Ludwig Levy (1854–1907), Professor an der Technischen Hochschule Karlsruhe, schreibt über den orientalisierenden Stil der von ihm 1883–1886 erbauten Synagoge in Kaiserslautern:

> Was die formale Gestaltung betrifft, so tritt beim Synagogenbau die Stilfrage in den Vordergrund. Einen herrschenden Stil besitzt unsere Zeit nicht; man ist also genöthigt, zu einem gegebenen, hergebrachten zu

greifen, indem man gleichzeitig die Umgebung sowie die zur Verfügung stehenden Mittel und Materialien berücksichtigt ... Der romanische Stil hätte im vorliegenden Falle am meisten entsprochen, wenn nicht zu bedenken gewesen wäre, daß ein romanisches Gotteshaus leicht den Charakter einer christlichen Kirche, nicht aber den besonderen einer Synagoge erhält. Der Stempel der Heimath, den der israelitische Ritus trägt, ward daher Veranlassung, den romanischen Formen morgenländische Anklänge zu geben.[22]

Levy hätte also am liebsten für seinen Synagogenbau in Kaiserslautern den romanischen Stil gewählt; angesichts der ältesten deutschen Synagoge, der zwischen 1174 und 1213 errichteten Synagoge in Worms, und für die Barbarossastadt Kaiserslautern erschien ihm der Rückgriff auf staufische Stilformen besonders naheliegend – wenn nicht die Assoziation christlicher Kirchenbauten zu fürchten gewesen wäre. Deshalb also verwandte Levy »morgenländische« Stilelemente, d.h. die Hufeisenbögen, Kuppeln und minarettartigen Türmchen[23], die – wie schon bei vielen älteren Synagogen des 19. Jahrhunderts[24] – im Sinne eines romantischen Pansemitismus an die Moschee der arabisch-maurischen Baukunst erinnern sollten. Bei der Planung für die gleichfalls von ihm entworfene Synagoge in Straßburg (erbaut 1895–1898) hat Levy sich von solchen Vorbehalten gelöst; jetzt zitiert er – ohne orientalisierende Anklänge – Westteile und Vierung des Wormser Domes[25], da im 1871 zurückgewonnenen Elsaß staufisches Bauen das Zweite mit dem Ersten Kaiserreich verknüpfen soll.

Wenn Ludwig Levy bei seinen Synagogen den Stil nach den beabsichtigten Assoziationen wählt, gilt dies gewiß auch für seine Kirchenbauten.[26] Er erfüllt damit die Forderung des historistischen Baumeisters und Architekturtheoretikers Gottfried Semper (1803–1879), der Stil eines Gebäudes werde durch die historischen Assoziationen bestimmt.[27] Die Gedächtniskirche in Speyer etwa oder auch die Kirche in Bexbach »zitieren« die Architektur des Mittelalters, um an die *Geschichte der Kirche* zu erinnern, in deren Tradition sich auch – und doch wohl zu Recht – die Protestanten einordnen. Das vom »Pilger« 1890 apostrophierte »Thürmchen für das Meßglöckchen«, nämlich der schlanke, sich über Vierung oder Triumphbogen erhebende Dachreiter, der in Bexbach sowenig fehlt wie in Speyer, gehört zur Korrektheit des »Zitats« und hat nichts mehr mit liturgischen Bedürfnissen zu tun.

Man hat in unserer Studentenzeit den Baumeistern des Historismus häufig zum Vorwurf gemacht, sie hätten die echte Romanik oder Gotik nicht »verstanden«; es seien ihnen in Grund- und Aufriß oder in den Dekorationsformen »Fehler« unterlaufen, mit deren Hilfe wenigstens eine Unterscheidung der Kopie vom Original möglich bleibe. Dieser Tadel entspricht aufs Haar der Kritik Friedrich Spittas (1852–1924) an Wilhelm Rossmanns (1832–1885) Text zum Oratorium »Luther in Worms«, dessen Musik (vollendet 1872) von Ludwig Meinardus (1827–1896) stammt.[28] Sowenig jedoch Rossmann einen »historisch reinen« Luther auf die Bühne bringen wollte[29], sowenig lag den Kirchenbauern des 19. Jahrhunderts und ihren Auftraggebern an einer detailgetreuen Imitation mittelalterlicher Bauwerke.

Dem »Eisenacher Regulativ« von 1861 geht es vor allen Dingen um die Wahrung des Traditionszusammenhangs mit der Kirche des Mittelalters; mancherlei barocke und klassizistische Experimente haben offenbar als abschreckende Beispiele gewirkt. Man darf aber nicht nur die auf historische Kontinuität gerichteten, gleichsam »vorreformatorischen« Forderungen des Regulativs beachten; viel spezifisch Protestantisches findet sich beispielsweise in den Bestimmungen über die (predigtgemäße!) Akustik (§ 2), über den Ausschluß »täuschenden Bewurfs oder Anstrichs« (§ 4), über die Sichtbarkeit von Altar (§ 7f.) und Kanzel (§ 10) und das Verbot trennender Schranken zwischen Altarraum und Kirchenschiff (§ 7), über die Mobilität des Lesepults (§ 12) und über die Thematik skulptierter oder gemalter Altarretabel (§ 8).

Gerade das prominente Beispiel der Speyerer Gedächtniskirche macht deutlich, daß trotz gotischer Stilformen eben doch eine protestantische Predigtkirche entstanden ist, auch wenn Pfarrer Welsch 1870 und der »Pilger« 1890 dies noch nicht bemerken konnten.[30] Die Theologen müssen lernen, hinter den historistischen »Zitaten« die angestrebten Assoziationen zu erkennen, vor allem das Ja zur Kirche und ihrer 2000jährigen Geschichte. Die Kunsthistoriker jedoch müssen endlich einsehen, daß die Architektur der »Neo-Stile« weder an ihrem formalen Vorbild, den mittelalterlichen Kathedralen (oder, im Profanbau, den Renaissance-Palästen), gemessen werden darf, noch an der Originalität des sie ablösenden Jugendstils. Neuromanische und neugotische Kirchen haben mit romanischen und gotischen genauso viel oder wenig gemeinsam wie Bauten der Renaissance oder des Klassizismus mit den Tempeln der Griechen und Römer.

Anmerkungen

1 Vgl. Otto Böcher, Die Gedächtniskirche zu Speyer am Rhein, Speyer 1987, S. 44; das Zitat nach mündlichem Hinweis des ehemaligen pfälzischen Synodalen Georg Bauscher, zuletzt Hauptlehrers in Rohrbach/Pfalz (1899–1977).

2 Alfred Kamphausen, Gotik ohne Gott, Ein Beitrag zur Deutung der Neugotik und des 19. Jahrhunderts, Tübingen 1952.

3 Weniger ablehnend, aber im ganzen doch eher negativ beurteilt den Kirchenbau zwischen 1861 und 1905 Gerhard Langmaack, Evangelischer Kirchenbau im 19. und 20. Jahrhundert, Geschichte – Dokumentation – Synopse, Kassel 1971 (S. 13–31: »Beharrung 〈1861–1905〉« im Gegensatz zu S. 32–45: »Durchbruch 〈1906–1918〉«); ebd. S. 296 (zur Baukunst zwischen 1861 und 1905): »... ganz im Zeichen einer zunächst schöpferischen, dann aber einer unfruchtbaren Beharrung. Noch zehrt die Baukunst vom Klassizismus und seinen romantischen Spielarten. Die allgemeine künstlerische Vorstellungswelt – nicht zuletzt in der Baukunst – ist in Zersetzung begriffen. Man klammert sich an das Alte, Bewährte, und der Historismus und Eklektizismus bestimmen den Ausdruck auf allen Gebieten.«

4 Herbert Dellwing, Die Gedächtniskirche der Protestation – ein Denkmal und seine Entstehung. In: Der Turmhahn 23 (1979), Heft 1–4, S. 3–32.

5 Hans Reetz, August von Voit, Seine protestantischen Kirchenbauten in der Pfalz. In: Der Turmhahn 17 (1973), Heft 1/2, S. 2–12.
6 Clemens Jöckle, Architekt Franz Schöberl – seine Kirchenbauten in der Pfalz 1874–1908. In: Der Turmhahn 24 (1980), Heft 1/2, S. 2–16.
7 Hans-Josef Fuhs, Ludwig Levy's protestantische Kirchenbauten in der Pfalz von 1884–1907. In: Der Turmhahn 27 (1983), Heft 1/2, S. 2–16.
8 Nach Carl Clemen, Quellenbuch zur praktischen Theologie, Bd. 1, Gießen 1910, S. 180–190; dort auch die Texte der 2. (1898) und 3. Fassung (1908) des »Eisenacher Regulativs« sowie des »Wiesbadener Programms« (1891).
9 Vgl. Günther S. Wegener, Lutherkirchen in Hessen. In: Günter E. Th. Bezzenberger/Karl Dienst (Hrsg.), Luther in Hessen, Kassel/Frankfurt a. M. 1983, S. 91–108 (S. 93f.); eine Abbildung des alten Innenraums etwa in: Zweiter Evangelischer Volkstag Frankfurt a. M., 9. Oktober 1927, S. 51, eine Abbildung des Innenraums von 1955 in: Walter G. Beck (Hrsg.), Sakralbauten in Frankfurt am Main, Frankfurt a. M./Hamburg 1956, S. 55.
10 Vgl. Karl Bickel (Hrsg.), Festschrift zur 50jährigen Einweihungsfeier der Marktkirche in Wiesbaden 1862–1912, Wiesbaden 1912.
11 Vgl. Karl Naumann (Hrsg.), Die Johanneskirche zu Gießen, Festschrift zur Feier der Einweihung am Donnerstag, den 30. November 1893, Gießen 1893; übrigens erhielt die Gießener Johanneskirche, trotz gotischer Grundstruktur, plastische und gemalte Dekorationen im Stil der Renaissance, den man als angeblichen Stil des Protestantismus ausdrücklich der »katholischen« Gotik vorziehen wollte: Karl Naumann S. 85–91. Leider wurden inzwischen »bei einer Renovierung in den Jahren 1963–1966 ... die Ornamente und die Malerei im Innenraum beseitigt«: Günter E. Th. Bezzenberger/Beatus Fischer (Hrsg.), Sehenswerte Kirchen in den Kirchengebieten Hessen und Nassau und Kurhessen-Waldeck, Kassel/Frankfurt a. M. 1987, S. 204f.
12 Vgl. Ludwig Gümbel, Die Gedächtniskirche der Protestation von 1529 zu Speyer, ein Dankesdenkmal der gesamten evangelischen Welt, Festschrift, Speyer 1904; neuerdings Herbert Dellwing (wie Anm. 4) und zuletzt Otto Böcher (wie Anm. 1).
13 Vgl. Hans-Josef Fuhs (wie Anm. 7) und zuletzt Otto Böcher, Ludwig Levy (1854–1907) und die protestantische Pfarrkirche zu Bexbach. In: Helmut Meinhardt (Hrsg.), 100 Jahre protestantische Kirche Bexbach, Speyer 1989, S. 22–33. Allgemein zum pfälzischen Kirchenbau des späteren 19. Jahrhunderts siehe auch Clemens Jöckle, Baukunst in der Evangelischen Kirche der Pfalz, Speyer 1988, S. 125–147.
14 Vgl. Karl Dienst, Kopernikanische Wenden, Zum Gebrauch einer Metapher in der Kirchengeschichte. In: Jahrbuch der Hessischen Kirchengeschichtlichen Vereinigung 18 (1967), S. 1–49; Ders., Kirchengeschichte als Magd der Politik?, Zu Aspekten einer nachhistoristischen bzw. nachhermeneutischen Geschichtswissenschaft, ebd. 26 (1975), S. 187–206; Ders., Der Erste Speyerer Reichstag von 1526 und die Reformation, Ein Beitrag zur Metaphorologie der Reformation. In: Ebernburg-Hefte 11 (1977), S. 7–15; Ders., »Luther in Worms«, Historie als Libretto, ebd. 22 (1988), S. 83–120; auch in: Jahrbuch der Hessischen Kirchengeschichtlichen Vereinigung 39 (1988), S. 29–67.
15 Vgl. Otto Böcher (wie Anm. 1), S. 10f.; Ludwig Gümbel (wie Anm. 12), S. 8–31.
16 Georg Biundo, Pfälzisches Pfarrer- und Schulmeisterbuch (Palatina Sacra 1), Kaiserslautern 1930, S. 458, Nr. 9; Ders., Die evangelischen Geistlichen der Pfalz seit der Reformation (Genealogie und Landesgeschichte 15), Neustadt a. d. Aisch 1968, S. 501, Nr. 5840.
17 Ferdinand Schlickel, In der Vergangenheit geblättert, Was alles vor hundert Jahren geschah. In: Pilger-Kalender 1990, 69. Jahrgang, Speyer 1989, S. 47–55 (S. 51).
18 Ferdinand Schlickel (wie Anm. 17), S. 51.
19 Otto Böcher (wie Anm. 1), S. 18f.
20 Vgl. Michael Bringmann, Gedanken zur Wiederaufnahme staufischer Bauformen im späten 19. Jahrhundert. In: Die Zeit der Staufer, Geschichte – Kunst – Kultur, Katalog der Ausstellung 1977, Bd. 5, Stuttgart 1979, S. 581–620.

21 Unter diesem Aspekt verdienen beispielsweise die Reden Beachtung, welche die renommierten deutschen Historiker Wilhelm Oncken (1838–1905) und Bernhard Erdmannsdörffer (1833–1901) bei der Enthüllung des Hutten-Sickingen-Denkmals unter der Ebernburg (1889) gehalten haben: Wilhelm Kreutz, Die Deutschen und Ulrich von Hutten, Rezeption von Autor und Werk seit dem 16. Jahrhundert (Veröffentlichungen des Historischen Instituts der Universität Mannheim 8), München 1984, S. 178f.

22 Ludwig Levy in: Deutsche Bau-Zeitung 25 (1891), Nr. 1, S. 1; Harold Hammer-Schenk, Synagogen in Deutschland, Geschichte einer Baugattung im 19. und 20. Jahrhundert (1780–1933), Hamburg 1981, Bd. 1, S. 356.

23 Die Synagoge in Kaiserslautern, eingeweiht am 26.2.1886, wurde im September und Oktober 1938 abgebrochen: Karl Fücks/Michael Jäger, Synagogen der Pfälzer Juden, Vom Untergang ihrer Gotteshäuser und Gemeinden, Edesheim/Böbingen 1988, S. 109–112; hier auch Abbildungen. Siehe auch Harold Hammer-Schenk (wie Anm. 22), Bd. 2, Abb. 269.

24 Etwa in Speyer (1836/37), Mainz (1853 und 1856), Frankfurt a.M. (1860), Wiesbaden (1869), Karlsruhe (1875), Darmstadt (1876) und Gießen (1878).

25 Vgl. Harold Hammer-Schenk (wie Anm. 22), Bd. 1, S. 407–409; Bd. 2, Abb. 322–325.

26 Vgl. Hans-Josef Fuhs (wie Anm. 7) und Otto Böcher (wie Anm. 13).

27 Nach: Wolfgang Bickel, Das Bildungsschloß, Notizen über das vor hundert Jahren errichtete Gebäude des Neuen Gymnasiums in Mainz. In: Mainzer Zeitschrift 83 (1988), S. 165–174 (S. 174). Übrigens vermochte Semper den architektonischen Historismus noch nicht als Einheit zu sehen; während er die »Neugothen« und ihre Verbindung »mit einer sehr thätigen politisch-religiösen Partei« tadelt, rühmt er die kreativen Möglichkeiten jeder Nachahmung der antiken Architektur; Neugotik wird abgelehnt, Neurenaissance und Neuklassizismus befürwortet: Gottfried Semper, Der Stil in den technischen und tektonischen Künsten oder Praktische Ästhetik, Bd. 1, Frankfurt a.M. 1860, S. XV–XVIII.

28 Karl Dienst, »Luther in Worms« (wie Anm. 14), S. 107–110 bzw. S. 57–60.

29 Vgl. Karl Dienst, ebd., S. 116 bzw. S. 67.

30 Siehe oben mit Anm. 16–18. Zu unserem Thema vgl. neuerdings (erst nach Abschluß der obigen Abhandlung erschienen): Harold Hammer-Schenk, Art. Kirchenbau IV. 19. und frühes 20. Jahrhundert. In: Theologische Realenzyklopädie, Bd. 18, Berlin/New York 1989, S. 498–514.

*Abb. 1: Speyer, Gedächtniskirche (1893–1904), Äußeres von Norden.
Foto: Hans Freytag, Neuhofen (Pfalz).*

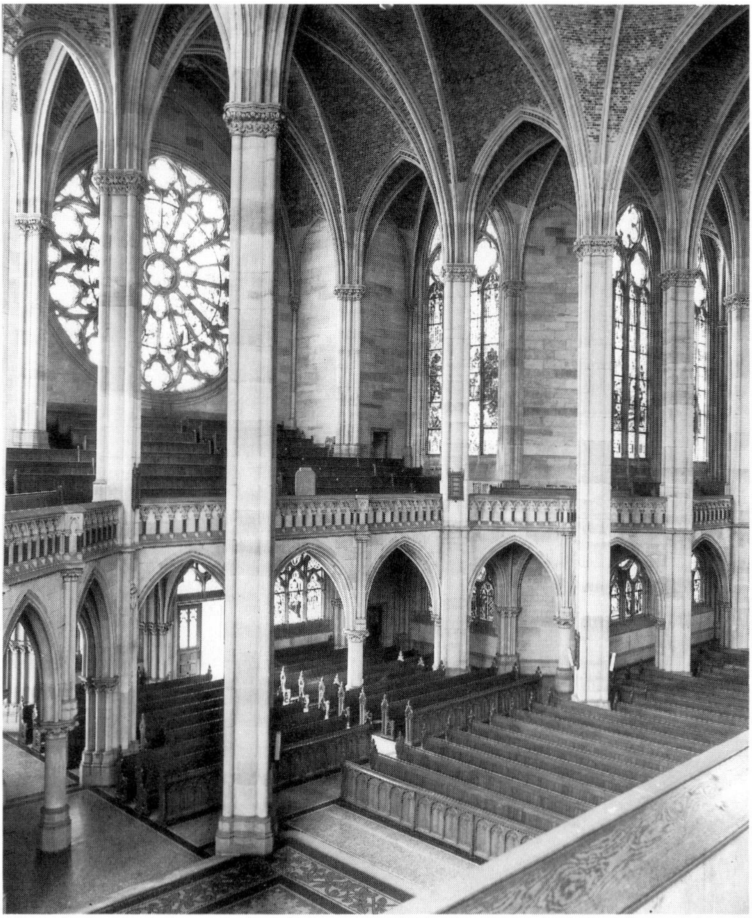

Abb. 2: Speyer, Gedächtniskirche (1893–1904), Inneres nach Westen.
Foto: Hans Freytag, Neuhofen (Pfalz).

Abb. 3: Olsbrücken bei Kaiserslautern, Protestantische Pfarrkirche (1884/85), Inneres nach Osten.
Foto: Hans Freytag, Neuhofen (Pfalz).

Abb. 4: Malerischer Historismus im Gewand der Renaissance: Umschlag der Festschrift zur Einweihung der evangelischen Johanneskirche in Gießen (1893).

Wie braun war der Braune Landeskirchentag?

Von Hermann Otto Geißler

Der 3. Landeskirchentag (LKT) der Evangelischen Landeskirche in Nassau tagte am Dienstag, dem 12. September 1933, im Saal des Landeshauses zu Wiesbaden. Nach einem feierlichen Eröffnungsgottesdienst in der Marktkirche, bei dem Pfr. Lic. Dr. Dietrich die Predigt hielt, begann die Tagung um 12.00 und endete um 13.40 Uhr. Um 13.45 Uhr wurde die zweite Sitzung eröffnet, die bis 14 Uhr dauerte. In diesen zwei Stunden hatte der LKT ganze Arbeit geleistet: den Landesbischof D. Kortheuer in dessen Abwesenheit und ohne sein Wissen mit sofortiger Wirkung in den Ruhestand versetzt, das neue Beamtengesetz, einschließlich des Arierparagraphen, angenommen, die Verfassung der neuen Evangelischen Landeskirche Großhessen-Nassau beschlossen und das Gesetz zu deren Einführung erlassen und damit die nur achtjährige Existenz der Evangelischen Landeskirche in Nassau beendet und schließlich seine eigene Autorität wie auch die aller anderen landeskirchlichen Entscheidungsträger auf den Bevollmächtigten Pfr. Dr. Dietrich übertragen, wodurch auch in der Kirche das Führerprinzip eingeführt war.

Fast hat man den Eindruck, als habe es sich bei diesem LKT um einen abkommandierten SA-Sturm gehandelt, der hier auftragsgemäß und gründlich aufgeräumt hat. Die voller Stolz vom soeben gewählten Präsidenten des LKT August Jäger gesprochenen Worte, diese Versammlung werde »als der Braune LKT in der Geschichte fortleben«[1], treffen den Sachverhalt. Doch wie stand es mit den einzelnen Abgeordneten? Waren sie überzeugte Nationalsozialisten oder ahnungslose Idealisten? Wurden sie überfahren? Ist ihnen wenigstens nachher aufgegangen, was durch sie und mit ihnen angerichtet wurde?[2]

1. Die Mitglieder der NSDAP im LKT

Das Wahlgesetz zum LKT von 1922 legte fest, daß sich die 60 zu wählenden Abgeordneten zu ⅓ aus Pfarrern, zu ⅔ aus Laien zusammensetzen sollten. Bei den Laien wurde nochmals differenziert: Jeweils die Hälfte sollte aus Mitgliedern von kirchlichen Körperschaften und »ohne diese Einschränkung aus wahlberechtigten Männern und Frauen der Landeskirche« bestehen.[3] Es war also dafür Sorge getragen, daß sich die Vertretung der Gesamtkirche nicht nur aus dem engeren Kreis der Gemeinden speiste. Diese Regelung gab dem vermeintlichen Aufbruch einer neuen Volkskirchlichkeit von 1933 geeigneten Raum, die Kräfte, die jetzt neu an der Kirche interessiert zu sein schienen, einzubeziehen. Es verwunderte daher nicht, daß die Einheitsliste, die für die Kirchenwahl am 23. Juli 1933 präsentiert wurde, in der 3. Gruppe ausnahmslos Nationalsozialisten enthielt, und zwar überwiegend Parteimitglieder, die schon vor 1933 der NSDAP angehörten. Unter den 20 Mitgliedern dieser Gruppe waren nur 7, die erst 1933 in die Partei eingetreten waren, statt dessen aber 3 Träger des Goldenen Parteiabzeichens, 2 Ortsgruppenleiter, 4 hauptamtliche Parteimitarbeiter, davon 2 Kreisleiter, von denen allerdings einer am 12. September abwesend war. Ein weiteres Mitglied dieser Gruppe wurde 1934 Landrat im Obertaunuskreis.

Von besonderer Wichtigkeit war für den LKT Dr. med. Walter Fink, geb. 1891, Personalleiter bei der Kreisleitung Wiesbaden. Er fungierte als Sprachrohr von August Jäger, der zwar noch seinen Wohnsitz bis zum 30. September in Wiesbaden hatte, aber bereits im Berliner Kultusministerium als Ministerialdirektor und Leiter des Kirchenreferates arbeitete. Fink, »der von kirchlichen Dingen keine Ahnung hatte«[4], setzte den Willen der Partei bei der Erstellung der Einheitsliste durch und stellte als Fraktionssprecher der Deutschen Christen (DC) die Anträge in der Sitzung des LKT.

Noch eine Persönlichkeit der Gruppe 3 bedarf besonderer Erwähnung: Amtsgerichtsrat Paul Kipper, 57 Jahre alt, am 1.5.1933 in die NSDAP eingetreten, mit Abstand der Senior dieser überwiegend jungen Gruppierung und später Präsident des Landeskirchenamtes der Landeskirche Nassau-Hessen. Obwohl Pfarrerssohn, hatte er wohl erst 1933 sein Interesse an der Kirche wiederentdeckt, sonst hätte man ihn in der Gruppe 2 vermuten sollen. 1933 wurde er jedenfalls auch Kirchenvorsteher der Ringkirchengemeinde Wiesbaden.

Herrschen in der Gruppe 3 die Dreißigjährigen vor, so sind die Abgeordneten der Gruppe 2 durchweg zehn Jahre älter. Achtzehn sind Mitglieder der NSDAP, acht davon erst seit 1933, aber auch zwei Träger des Goldenen Parteiabzeichens, ein Kreisleiter, dazu der künftige Kreisleiter in Wiesbaden und der Wiesbadener Schulrat. Der spätere Landrat von Usingen, schon zuvor Mitglied im LKT, fehlte am 12. September wegen Krankheit. Zwei Abgeordnete dieser Gruppe gehörten der NSDAP nicht an, auch sie ehemalige Abgeordnete des früheren LKT[5] wie fünf weitere Kandidaten der Gruppe 2.

Auch August Jäger gehörte dieser Gruppe als ehemaliger Kirchenvorsteher der Marktkirche Wiesbaden an.

Bei der Gruppe der Pfarrer ist das Bild erheblich anders. Zwar liegt das Durchschnittsalter immerhin doch bei 45, obwohl sich Pfarrer darunter befinden, die schon über 60 waren. Unter den 20 gibt es acht Mitglieder der NSDAP, deren Senior Dekan Lehr wegen Krankheit am LKT nicht teilnehmen konnte. Fünf waren erst 1933 eingetreten[6], die drei anderen bereits 1932.[7]

Es gehörten also insgesamt 46 NSDAP-Mitglieder dem LKT an, die berufenen, nicht stimmberechtigten Abgeordneten und die Ersatzleute nicht mitgerechnet. Damit war die verfassungsändernde Zweidrittelmehrheit bereits gesichert.

2. Die Deutschen Christen im LKT

Die Mitgliedschaft bei den DC läßt sich nur bei den Pfarrern zweifelsfrei feststellen. Außer dreien[8] waren alle Pfarrer Mitglieder der DC. Auch der für Pfr. Walther, der während des LKT in das Landeskirchenamt berufen wurde, nachrückende Ersatzmann war damals DC[9], anders der Stellvertreter für Dekan Lehr[10]; er war nicht Mitglied der Partei, nach eigener Angabe auch nicht der DC, stimmte aber mit dieser Fraktion bzw. nicht gegen sie.

Bei der Vorbereitung des LKT hatte August Jäger seinen Antrag auf Einberufung des LKT auf den 12. September, an dem auch die Kirchenparlamente in Hessen-Darmstadt und Frankfurt/Main tagten, und auf Festlegung der von ihm vorgeschlagenen Tagesordnung gestellt, gestützt auf eine Unterschriftenliste, in der die Mitglieder der NSDAP und der DC unterschrieben hatten und die von Amtsgerichtsrat Kipper überreicht wurde.[11] Einige leisteten wegen der Zugehörigkeit zu beiden Gruppierungen auch doppelte Unterschriften: sechs Pfarrer und drei Laien. Auch ist nach dieser Liste ein Laie DC, der (noch) nicht Parteimitglied war.[12] Dekan Lehr hatte für seine Gruppe die Mitgliedschaft bei den DC korporativ erklärt.[13] Außerdem läßt sich die DC-Zugehörigkeit noch für zwei weitere Abgeordnete nachweisen. Der eine wird später als Besucher einer DC-Versammlung erwähnt, der andere wird, obwohl nicht NSDAP-Mitglied, bei der DC-Fraktionssitzung am 11. September nicht als fehlend festgestellt, als Jäger alle Nichtanwesenden namentlich hervorhebt.[14] Beide waren übrigens schon Abgeordnete im vorherigen LKT in der Gruppe der Positiven, mit Sicherheit kirchliche Leute.

Es legt sich der Gedanke nahe, daß bei den Laien die damalige Mitgliedschaft bei den DC ein Anzeichen für besonderes kirchliches Interesse war. Die DC-Ziele faßten viele auf »als einen Dienst an Volk und Kirche«.[15]

Am Nachmittag des 11. September trat Jäger bei Landesbischof Kortheuer mit der Forderung von 56 Abgeordneten auf, Kortheuer solle ein sofortiges Urlaubsgesuch vorlegen, was der überrumpelte Landesbischof daraufhin auch tat. Obwohl diese 56 Abgeordneten keineswegs gefragt worden waren, zeigte die Abstimmung am nächsten Tag, daß sich Jäger nicht verrechnet hatte. Nur drei der 59 anwesenden Abgeordneten stimmten gegen Kortheuers Zwangspensionierung. Jägers ursprüngliches Ziel, 80% für die DC und die Nationalsozialisten zu erreichen, war weit übertroffen; beinahe war es so, wie es der Landesbischof leichthin gesagt hatte, »daß ich gar nichts dagegen habe, wenn 100% Nationalsozialisten in den LKT einziehen, es müßten nur kirchlich gesinnte Leute sein«.[16] Es konnte sich deshalb tatsächlich Jägers Vorstellung verwirklichen, daß dieser LKT »keine parlamentarische Schwatzbude, sondern eine Kundgebung im Sinne des Neuen« sein solle.[17]

Schon die Aufstellung der Kandidatenliste hatte zu erheblichen Auseinandersetzungen geführt. Bei der Auswahl der Pfarrer hatte der Landesbischof noch mitwirken können[18], für die Laien wurde eine Kommission aus DC und NSDAP gebildet, deren Verhandlungsführer Dekan Schmidt und Dr. Fink waren. Nach dem Urteil eines Anwesenden habe Schmidt das kirchliche Anliegen bis zum äußersten zu wahren gesucht.[19] Allerdings funkte Jäger sogar telefonisch in die Verhandlungen hinein.

So trat Jäger dann auch als von der Reichsleitung der DC beauftragter Fraktionsführer der DC im LKT auf.[20] Da er sich für den Präsidenten des LKT vorgesehen hatte, bestimmte er Dr. Fink zum Fraktionssprecher und beauftragte Dr. Dietrich mit der Beantwortung von etwaigem Widerspruch der Gegner. Die beiden Gauleiter der DC für Nord- und Südnassau, Pfr. Georg Gründler und Dekan Karl Schmidt, wurden übergangen. »Man hat uns um nichts gefragt. Die alleinige Verantwortung fällt auf die Reichsleitung, die diese Übergehung des Zweiges der DC angeordnet hatte.«[21]

3. Kirchenpolitische Wurzeln

Der 3. LKT besaß, nicht nur in den Reden seines Präsidenten, das Selbstverständnis, daß er eine zu Ende gegangene Epoche beschließe und Neuem die Tür öffne. Unter diesem Ziel hatte schon das Erstellen einer Einheitsliste anstelle der früheren Listen konkurrierender Kirchenparteien Zustimmung gefunden. Daß deren Zeit abgelaufen sei, war allgemeine Überzeugung. Landesbischof Kortheuer machte aus seiner Ablehnung des Parlamentarismus in der Kirche nie einen Hehl. An die erste Versammlung der DC in Wiesbaden am 28. April 1933 richtete er ein Schreiben, das allerdings dort dann nicht verlesen wurde, in dem es heißt: »Ich bin von jeher ein Gegner der demokratischen Kirchenverfassung gewesen und daher sehr einverstanden mit der Zurückdrängung des Parlamentarismus in der Kirche und der Stärkung des Führerprinzips.«[22]

Sogar die Jungreformatorische Bewegung, die doch in Altpreußen die Gegenliste »Evangelium und Kirche« aufstellte, hatte zuvor verkündet: »Wir wehren uns mit Leidenschaft gegen die überlebten kirchlichen Gruppen und Parteien.«[23]

In Nassau hatten sich schon im 2. LKT, der im April 1931 gewählt wurde, Zerfallserscheinungen des klassischen Parteiensystems von Rechten (Positive), Mitte und Linken (Liberalen) gezeigt. Es war eine überparteiliche Arbeitsgemeinschaft mit fünf Abgeordneten entstanden und eine neue Ultrarechtspartei, der Christlich-nationale Bekennerbund (CNB). Der Gründer des CNB, Dekan Gustav Lehr (Gladenbach), war ehemaliger Ortsgruppenleiter der Deutsch-Nationalen Volkspartei und hatte den Kampf gegen die Sozialdemokratie auf seine Fahnen geschrieben. Deshalb suchte er die Nähe zur NSDAP, der er selbst gleichwohl erst im November 1932 beitrat, und sammelte Parteigenossen und Nahestehende zu einer kirchlichen Kampfgruppe gegen alle ihm verdächtigen Tendenzen, seien es autokratische Maßnahmen des Landesbischofs, sei es Verrat der nationalen Idee oder gar ein Zusammengehen mit den Sozialdemokraten, auch wenn das nur im Händeschütteln mit sozialdemokratischen Landräten bestand. Obwohl der CNB nur in drei von vier Wahlkreisen kandidierte, errang er sogleich 14 Sitze, also fast 25%. Um so härter traf es Lehr, daß die Einheitsliste für den 3. LKT nur noch vier Kandidaten seiner Partei enthielt. Außerdem hatte er es nicht verwunden, daß nicht er, sondern Pfr. Georg Gründler zum Leiter der DC in Nordnassau ernannt worden war, mit dem er noch im Juni 1933 eine scharfe Kontroverse ausgetragen hatte.[24] In einem zornigen Brief an seine Anhänger vom 28. Juli 1933 stellte er außerdem fest: »Auch die Vertreter des wenig rühmlich bekannten ›Christlich-sozialen Volksdienstes‹ sind nicht nur in ihrem alten Bestande, sondern in vermehrter Auflage in den LKT zurückgekommen.«[25] Leider nennt Lehr keine Namen. Keiner der Abgeordneten des 3. LKT ist nachweislich für den Christlich-sozialen Volksdienst politisch tätig gewesen[26], obwohl gerade in Nordnassau ein Schwerpunkt dieser Partei lag (Krs. Biedenkopf 17,5%, Dillkreis 25,3% bei der Reichstagswahl 1930).[27]

Aus dem 2. LKT waren noch insgesamt 15 Abgeordnete im 3. LKT vertreten, sieben davon gehörten früher der Rechten oder gemäß ihrem neuen Namen dem »Nassauischen Bund für evang.-biblisches Christentum« an[28], drei Pfarrer waren früher bei der Mitte, der »Evang. Vereinigung« angesiedelt[29], Bürgermeister Damm, Mitglied der Landeskirchenregierung seit 1931, war Abgeordneter der »Überparteilichen Arbeitsgemeinschaft«. Dazu kamen Dekan Lehr und seine drei Anhänger.[30] Auffällig ist dabei, daß Vertreter der ehemals liberalen Fraktion, die sich »Freier evang. Volkskirchenbund« nannte, im 3. LKT völlig fehlten. Die Wiesbadener Pfarrer Anthes und Hahn hatten zwar noch versucht, Einfluß in der DC zu gewinnen, aber ohne Erfolg.[31]

Die liberale Einstellung hat offenbar ihren Trägern mehr Zurückhaltung gegenüber den reaktionären Ideen der Zeit nahegelegt, aber gegen den NS-Geist gefeit hat sie nicht. Dem 3. LKT gehörte der liberale Pfarrer Dr. Emil Ott (Wiesbaden), Mitglied der NSDAP und der DC, an. Vor allem aber kam auch Pfr. Dr. Dietrich aus dem liberalen Lager. Er war bis Juni 1933 Herausgeber des Blattes der kirchlichen Linken und war in der Öffentlichkeit als ausgesprochener Vertreter des theologischen Liberalismus bekannt.[32] Gerade sein Liberalismus führte ihn auf seinen problematischen Weg. Seine Liberalität veranlaßte ihn, dem geschiedenen Jäger die erneute Trauung nicht zu versagen. Daraus erwuchs die engere Beziehung der beiden grundverschiedenen Menschen, die den eher wissenschaftlich veranlagten Dietrich so tief in die Kirchenpolitik verstrickte.

Der 3. LKT war eine Kirchenversammlung ohne Frauen. Auch in dieser Hinsicht setzt er eine schon vorher begonnene Entwicklung fort. Im 1. LKT waren teilweise bis zu vier Frauen als Abgeordnete (1929), während der 2. LKT bereits wieder ausschließlich von Männern besetzt war.

4. Das Verhalten der Abgeordneten auf dem LKT

Der LKT lief ganz nach Plan ab. Jäger rechnete mit einigem Widerspruch, mit mehr, als dann tatsächlich vorgebracht wurde. Es gab abweichende Stimmen bei drei Abstimmungen, nämlich bei der Pensionierung Kortheuers, beim Arierparagraphen und bei der Umstellung der Behörden und Verbände in personeller Hinsicht auf die DC-Mehrheit. Aber das Gros erhielt sich wie von Jäger programmiert: durch Schweigen und Sitzenbleiben Zustimmung bekundend. Auch das gehörte zur perfekten Regie: Wer abweichender Meinung war, mußte aufstehen. So stand denn Amborn ganz allein im Saal, als über das Beamtengesetz mit dem Arierparagraphen abgestimmt wurde. Zwar hatte er schon seinen und seiner Freunde Widerspruch angemeldet gegen den »Totalitätsanspruch« des nationalen Staates, der doch allein Gott zustehe, und gegen die Geltung der Arierbestimmungen in der Kirche, »die für den Staat ihr gutes Recht haben mögen«.[33] Seine Freunde hatten ihm zuvor den Rücken gestärkt. Einer, Pfarrer Ernst Koenigs, hatte ihm am 9. September geschrieben: »Ich werde Deiner in den Tagen gedenken und das rechte Wort für Dich erbitten. Zum Reden wird ja nicht viel Gelegenheit sein vermutlich, vielleicht nur zum Handeln.«[34] Ein mutiges Wort war es, das Amborn sprach, ob ganz das rechte Wort, erscheint uns heute fraglich. Doch warum mußte er allein aufstehen, um die Ablehnung dieses Gesetzes zu bekunden?

Zuvor, bei der Pensionierung des Landesbischofs hatten sich noch zwei andere Abgeordnete mit ihm erhoben als Gegenstimmen: Dekan Martin und Pfr. Wüst. Einer von den dreien muß es auch gewesen sein, der bei der personellen Anpassung der Behörden und Verbände an die Verhältnisse seit der Kirchenwahl vom 23. Juli 1933 nicht zustimmte. Denn nur diese drei Abgeordneten machten in der zweiten Sitzung des LKT in unmittelbarem Anschluß an die erste bei der Bestätigung der Beschlüsse ihre Gegenstimmen geltend.

Warum wagte kein anderer einen Widerspruch? Es gibt vier Gründe:

1. Angst. Schon mit der Nachricht über die Benennung als Kandidaten für den LKT wurden den Mitgliedern der NSDAP Formulare zur sofortigen Unterschrift zugeschickt, die eine absolute Bindung an die Parteidisziplin bedeutete und den Verzicht auf das Mandat zum jeweiligen Gebrauch des Gauleiters vorab erklärte. Von Dekan Schmidt informiert, hatte sich das Landeskirchenamt an die Gauleitung in Frankfurt/Main gewandt und dabei aufgedeckt, daß Jäger eigenmächtig an den Instanzen der Partei vorbei gehandelt hatte. Die Formulare wurden zurückgezogen, aber die Einschüchterung wirkte.[35]

Bei der Sitzung der Abgeordneten, die auch Mitglieder der NSDAP waren, erklärte Dr. Fink am 11. September, »daß eine Diskussion und eine Kritik in der morgigen Sitzung nicht stattfindet. Wer trotzdem glaubt, Kritik üben zu müssen, der fliegt aus der Partei. Was dies für einen Beamten zu bedeuten hat, brauche ich Ihnen nicht zu erklären. Das können Sie sich selbst denken.«[36]

2. Gehorsam. In der Gesamtsitzung der Fraktion legte Jäger die Verfahrensweise fest: Antragstellung durch Dr. Fink, keine Diskussion; falls ein Gegner redet, antwortet Dr. Dietrich. »Sämtlichen Mitgliedern ist es zur Pflicht zu machen, nicht das Wort zu verlangen.«[37] Der mehrfach versuchte Widerspruch von Pfr. Gründler wurde abgewürgt und im kleinen Kreis nachher besänftigt.

3. Wegen höherer Ziele. Auf einer Pfarrerkonferenz in Limburg am 23. August 1933, zu der Landesbischof Kortheuer eingeladen hatte, wurde die Frage einer Großhessischen Kirche oder des Anschlusses an die preußische Kirche erörtert. Dabei warnte der Landesbischof: »Ich habe Nachricht, daß auf dem LKT Fraktionszwang geübt werden solle. Ich würde das aufs tiefste bedauern, denn hier muß jeder nach seiner freien Überzeugung stimmen. Ich habe die herzliche Bitte an die Brüder, die DC sind, das unter allen Umständen zu unterbinden.« Dem Argument, man habe als DC beim Eintritt unterschrieben »deren Leitung ich mich unterstelle«, hielt er entgegen: »Wie können Sie sich einer Leitung unterstellen, deren Richtlinien und Gedanken Sie gar nicht kennen.« Die Debatte ist kennzeichnend. Die höheren Ziele der DC sind die große deutsche Reichskirche und die Evangelisierung des deutschen Volkes, und eben diese vagen Ziele werden personifiziert in dem Führer der Bewegung im südwestdeutschen Raum, Pfr. Georg Probst (Frankfurt/Main), dem man bedingungslos vertraut. Jedenfalls ungewarnt hat Kortheuer seine Pfarrer nicht gelassen.[38]

4. Um Schlimmeres zu verhüten. Pfr. Joh. Schrenk (Limburg) schreibt am 13. Dezember 1933 an Landesbischof Kortheuer über ein Ereignis am 11. September: »Ich saß an einem Tisch im Vereinshaus in Wiesbaden mit etwa 7 Herren, darunter auch Brandenburger, die entschlossen waren, den Fraktionszwang zu durchbrechen, falls ein Mißtrauensvotum gegen Sie eingebracht werden sollte. Es geschah nicht. Aber etwas anderes geschah, was wir als zwangsläufige Folge der Bildung der Großhessischen Kirche betrachteten, zumal Sie 65 Jahre alt sind.«[39] Hier tauchen wieder die höheren Ziele auf, denen die Treuepflicht gegenüber dem verehrten Landesbischof geopfert wurde. Aber bei dem für Nassauer Verhältnisse bedeutenden Dekan Brandenburger (Dillenburg) liest sich dasselbe so, als er dem Landesbischof, mit dem er jahrelang in der Kirchenregierung gemeinsam saß, am 14. September schrieb: »Mir ist es ein Anliegen, Ihnen zu versichern, daß allein die Überzeugung, auf diese Weise Schlimmeres in aller Öffentlichkeit zu verhindern, mich veranlaßt hat, dem Antrag auf Pensionierung zuzustimmen.«[40] Was mag dieses Schlimmere wohl gewesen sein? Die Furcht, daß der Landesbischof dann von Jäger bloßgestellt würde, oder vielleicht das Zerbrechen der Einheitlichkeit, für die man eben auch Opfer bringen zu müssen meinte, wie es Pfr. Amborn schon angesprochen hatte, als er seine Ablehnung dieser Argumentation mit dem Bibelwort begründete: »Gehorsam (gegen Gott) ist besser denn Opfer.«[41]

5. Die Abgeordneten nach dem LKT

Pfr. Amborn wurde nach diesem Verlauf des LKT für viele Symbolfigur dessen, was kirchliche Haltung in dieser Zeit sein sollte. Früher gehörte er zur Partei der Positiven. Anfang 1933 wurde er der Vertrauensmann der Jungreformatorischen Bewegung. Nun war er buchstäblich über Nacht zu dem Mann geworden, um den sich der Notbund sammelte.[42] Viele Pfarrer dankten ihm sein mutiges Auftreten. »Daß Sie in Wiesbaden allein gelassen wurden, soll Ihnen die Gewißheit doch nicht nehmen, daß unzählige hinter Ihnen stehen und sich an Ihrem Auftreten gestärkt haben.«[43]

Der Nassauische Not- und Treubund wuchs rasch und erhielt erst durch die Strafversetzung Amborns im Frühjahr 1934 einen empfindlichen Schlag, zumal sein Nachfolger, Pfr. Rumpf (Wiesbaden), nicht aus den Reihen der ehemals Positiven, sondern aus der Gruppe der Mitte stammte und als liberal galt. Sechs bzw. sieben Pfarrer der im LKT so schweigsamen DC-Fraktion schlossen sich in den nächsten Monaten dem Notbund und später der BK an.[44] Auch Lehrer Alfred Schmidt, beim LKT DC-Mitglied, distanziert sich am 18. Januar 1934 von den DC, tritt dem Notbund bei und ein Jahr später als einer der ersten der BK.[45] Bürgermeister Damm sorgte später energisch dafür, daß ein BK-Pfarrer nach Holzhausen kam und blieb dessen Vertrauter und Stütze.[46] Von anderen ist es nicht bekannt, aber es ist anzunehmen, daß noch mehrere der kirchlich Interessierten den Weg zur BK fanden.

Der LKT hatte für die DC in Nassau eine vernichtende Wirkung. Schon am Nachmittag des 12. September hatte den DC-Gauleiter für Nassau-Süd, Dekan Schmidt, das Entsetzen gepackt über das, was geschehen war, auch mit seiner Zustimmung. Als erster schrieb er eine Bitte um Verzeihung an Landesbischof Kortheuer: »Auf dem LKT habe ich mit der Masse für Ihre Versetzung in den Ruhestand gestimmt. Ich weiß, daß ich damit ein Unrecht getan habe und bitte Sie um Verzeihung. Ich weiß, daß es Ihnen leicht fallen wird, mir diese Verzeihung zu gewähren. Wie ich aber mit meinem eigenen Gewissen ins Reine komme, das sehe ich vorläufig noch nicht.«[47] Am 19. September bittet Schmidt den DC-Landesleiter Probst um Entbindung von der Gauleitung der DC Nassau-Süd.[48]

Wie stark der LKT nachwirkte, zeigt Schmidts letzter Rundbrief an die DC-Pfarrer in Südnassau: »Wer den letzten LKT in Wiesbaden miterlebt hat, wird nur mit Beschämung daran zurückdenken ... Wir sind in die DC gegangen mit dem festen Willen, kirchliche Arbeit zu leisten. Dies ist uns zerschlagen worden durch Ereignisse, die wir nicht voraussehen konnten ... Vorläufig aber möchte ich feststellen, daß keinerlei Gründe dagegen sprechen, wenn Mitglieder der DC ihre Mitgliedschaft im Pfarrernotbund erklären ... Es wird damit keinerlei Gesinnungswechsel dokumentiert.«[49] Der Notbund war anderer Meinung und verlangte vor der Aufnahme eine klare Distanzierung von den DC. Schmidt löste den DC-Gau Nassau-Süd auf, trat 1934 auch aus der NSDAP aus und wurde als einer der Gegner des

DC-Kirchenregiments nach Alzey strafversetzt, von wo er dann als Stütze der BK nach Gießen kam.

Schon am 30. Juli 1934 war Schmidt durch das Gaugericht Hessen-Nassau förmlich aus der Partei ausgeschlossen worden mit der Begründung: »Sein fanatischer Kampf gegen die aus dem NS-Boden gewachsene Glaubensbewegung DC verleitet ihn zu den größten Disziplinlosigkeiten gegenüber den vom Beauftragten des Führers eingesetzten kirchlichen Vorgesetzten.«[50]

Auch in Nordnassau wurde im Laufe des Jahres 1934 der DC-Gau aufgelöst. Georg Gründler, der zwar nicht im LKT, aber doch in der Fraktionssitzung gewagt hatte, Jäger Einhalt zu gebieten, hatte schon Mitte 1933 Verständnis für die Jungreformatorische Bewegung gezeigt, wobei er die DC nicht als eine neue Partei, sondern als eine Bewegung zur Überwindung aller Parteien darstellte und zur Jungreformatorischen Bewegung keine unüberwindlichen Gegensätze sah.[51] Leider verließ Gründler bereits 1934 die Landeskirche, wurde zunächst Auslandspfarrer in Barcelona und wirkte nach dem Krieg als Superintendent in Münster/Westf.

Allerdings muß auch die andere Seite gesehen werden. Zum mindesten von fünf Laienabgeordneten aus Wiesbaden und Umgebung ließ sich feststellen, daß sie später aus der Kirche ausgetreten sind. Aber die wirkliche Zahl ist sicher wesentlich höher. Es gab im Braunen LKT viele überzeugte Nationalsozialisten, die sich im späteren Konfliktfall für die Partei und gegen die Kirche entschieden. Jedoch war das wahrscheinlich weniger als die Hälfte.

Daß August Jäger selbst 1938 aus der Kirche austrat, nachdem er sein Ziel, Präsident der Deutschen Evangelischen Kirchenkanzlei, also der höchste Jurist der Evangelischen Kirche zu werden, nicht erreichte, unter anderem auch wegen seiner allzu forschen und rücksichtslosen Durchführung des LKT in Wiesbaden[52], verwundert nicht. Sein Weg, der ihn nach Polen führte, wo er nach dem Krieg hingerichtet wurde, ist sehr zu bedauern. Schließlich war sein Vater, auf den er sich oft berief, ein um die nassauische Kirche sehr verdienter Mann als langjähriger Stellvertreter des Generalsuperintendenten.

Auch von Dr. Dietrich muß noch berichtet werden. Sein Wirken als Landesbischof von Nassau-Hessen 1934/35 stand unter keinem guten Stern. Der Geist, den Jäger in ihm erweckt oder doch verstärkt hatte und der ihn rücksichtslos das Führerprinzip in der Kirche durchsetzen ließ, hat viel Unheil angerichtet. Aber schließlich ist er doch zur Besinnung gekommen. Am 25. Januar 1939 erklärte er vor den versammelten Pfarrern der Landeskirche in Frankfurt/Main: »Mein kirchlicher Weg von heute ... ist nicht mehr mein Weg von 1934/35. Ich bestehe nicht mehr wie damals auf der Durchsetzung des politischen Führerprinzips ... Es tut mir aufrichtig leid, daß ... Maßnahmen Härten ergeben haben, durch die sich die Amtsbrüder damals gekränkt oder bedrückt fühlten oder noch bedrückt fühlen.«[53] Immerhin hat diese Erklärung bewirkt, daß auch die BK wieder mit Dietrich zusammenarbeitete und einige Hoffnung auf das »Einigungswerk« setzte, an dem er maßgeblich beteiligt war. Allerdings hielt der von ihm einst in das Landeskirchenamt berufene Paul Kipper den begonnenen DC-Weg durch und vereitelte alle Hoffnungen.

Die Menschen, die den LKT 1933 bildeten, haben unterschiedliche Wege eingeschlagen und gezeigt, daß der Braune LKT so braun nicht war, wie das äußere Erscheinungsbild – 45 NSDAP-Mitglieder in Uniform oder Braunhemd –, aber auch das Verhalten der Abgeordneten am 12. September nahelegten. Seltsamerweise ist die wichtigste Entscheidung dieses LKT bestehen geblieben, nämlich das Aufgehen der Evangelischen Landeskirche in Nassau in einer größeren Einheit. Als 1947 die einstmals erzwungene Einheit der drei Landeskirchen Hessen-Darmstadt, Frankfurt/Main und Nassau erneut besiegelt wurde, knüpfte man bewußt nicht vor 1933 an, sondern realisierte die Gemeinschaft, die zusammengewachsen war im gemeinsamen Kämpfen und Leiden, wobei auch das Versagen als gemeinsame Last einbezogen war. Gerade in dieser Hinsicht ist der Braune LKT nicht nur der »dies irae«[54] oder gar ein Schandfleck, an dem man besser nicht rührt, sondern der Erinnerung wert.

Anmerkungen

1 Verhandlungen der 1. (ordentlichen) Tagung des 3. LKT der Ev. Landeskirche in Nassau am 12. September 1933, Wiesbaden, S. 9.

2 Diesen Fragen nachzugehen war nur möglich durch die persönliche Hilfe der Herren Dr. Eichler, Hauptstaatsarchiv Wiesbaden, und Archivdirektor Kätsch, Zentralarchiv der EKHN Darmstadt, da Einblick in Akten nötig war, zu denen nicht jeder Benutzer Zugang hat.

3 Ev. Landeskirche in Nassau, Gesetze und Verordnungen, Wiesbaden 1928, S. 75.

4 A. Kortheuer, Das Ende der Ev. Landeskirche in Nassau (Manuskript), Wiesbaden 1943, im Kirchenkampfarchiv der EKHN (KKA) 00201, S. 40.

5 Staatsoberförster Bungeroth (Hahn i. Ts.) und Gustav Käsgen (Herborn), Inspektor des Herborn-Dillenburger Gemeinschaftspflege- und Erziehungsverbandes.

6 Arnold Bußweiler (Bad Schwalbach), Fritz Chun (Blessenbach), Dr. Emil Ott (Wiesbaden), Paul Steingräber (Herborn), Albert Walther (Wiesbaden-Bierstadt).

7 Dekan Lehr (Gladenbach), Dekan Karl Schmidt (Wiesbaden), Lic. Dr. E. L. Dietrich (Wiesbaden). – Alfred Walesch (Elkerhausen), der spätere Hauptvertreter der Thüringer DC in Hessen, war von Wahlleiter Dr. Theinert als Ersatzmann gestrichen worden, da er das 30. Lebensjahr noch nicht vollendet hatte.

8 Karl Amborn (Braubach), Dekan Martin (Dienethal), Wilhelm Wüst (Rüdesheim).

9 Friedrich Hopf (Östrich).

10 Herman Jüngst (Buchenau).

11 KKA 002/23 al.

12 Bungeroth.

13 Brief vom 24.4.1933, KKA 002/2f.

14 1. A. Schmidt (Obereisenhausen), Dokumentation zum Kirchenkampf in Hessen und Nassau (DzKk), Bd. 1, Darmstadt 1974, S. 291; 2. G. Käsgen. Jäger: »Also es würden für uns ausscheiden: Dekan Martin, Wüst, Amborn.« KKA 002/22, S. 1.

15 Aus einem Bericht über den 3. LKT eines ungenannten nordnassauischen Pfarrers, der DC-Abgeordneter war, erstellt 1939. Zitiert bei Kortheuer, a.a.O., S. 47.

16 DzKk, Bd. 1, S. 256.

17 Ebd., S. 252.

18 Kortheuer, a. a. O., S. 40.
19 Pfr. Lang (Wiesbaden) an Präsident Dr. Theinert am 23.7.1933, Zentralarchiv der EKHN 1/579.
20 DzKk, Bd. 1, S. 244.
21 K. Schmidt, DzKk, Bd. 1, S. 319.
22 Kortheuer, a. a. O., S. 21.
23 Flugblatt der Jungreformatorischen Bewegung, KKA 101/3.
24 KKA 50201/4b + c, auch DzKk, Bd. 1, S. 209.
25 DzKk, S. 232.
26 Ludwig Damm, seit 1924 Bürgermeister in Holzhausen b. Gladenbach, kommt nicht in Frage, da nach Auskunft seines Sohnes vor 1933 parteilos. Dekan Noll (Battenfeld) war Mitglied der Deutsch-Nationalen Volkspartei, von der sich der Christlich-soziale Volksdienst abspaltete. Ob Amborn Beziehungen zum Christlich-sozialen Volksdienst hatte, ließ sich nicht feststellen.
27 Günter Opitz, Der Christlich-soziale Volksdienst, Düsseldorf 1969, S. 341.
28 Amborn, Brandenburger (Dillenburg), Prof. Neuser (Herborn), K. Schmidt, Bungeroth, Käsgen, A. Schmidt.
29 Karl Deißmann (Sulzbach), Martin, Wüst.
30 Landwirt Georg Gemmer (Rettert), Dr. med. Lommel (Rod a.d. Weil), Kreisleiter Wilhelm Thiele (Bidenkopf).
31 DzKk, Bd. 1, S. 341.
32 KKA 002/26c, vermutlich verfaßt von K. Schmidt.
33 Verhandlungen des 3. LKT, S. 17f.
34 KKA 101/38. Der Verfasser war Pfarrer zu Weisel und taufte dort am 20.4.1930 den Lehrerssohn Karl Dienst.
35 DzKk, Bd. 1, S. 229f.
36 Ebd., S. 249.
37 Ebd., S. 251.
38 KKA 00201 Bl. 92ff.; vgl. auch die Pfarrerkonferenz in Limburg vom 4.5.1933, ebd. Bl. 78.
39 Ebd. 00201 Bl. 180.
40 Ebd. Bl. 271.
41 Verhandlungen des 3. LKT, S. 18.
42 In der Nacht vom 11. auf den 12.9. wurde in Berlin die Verpflichtungserklärung des Pfarrernotbundes erstmalig verschickt. K. Scholder, Die Kirchen und das Dritte Reich, Bd. 1, Frankfurt/Berlin/Wien 1977, S. 613f.
43 Pfr. Menk/Wehrheim, KKA 101/45.
44 Brandenburger, Chun, Holzhausen (Emmerichenhain), Noll, Rübsaamen (Maxsain), K. Schmidt, 1935 auch H. Jüngst.
45 DzKk, Bd. 1, S. 349.
46 Information von Pfr. i. R. Heinz Andres, fr. Holzhausen.
47 KKA 00201 Bl. 281.
48 DzKk, Bd. 1, S. 278.
49 KKA 002/32d2.
50 DzKk, Bd. 3, S. 85. Eine vollständige Dokumentation des Parteiausschlußverfahrens befindet sich im KKA 113.
51 Ebd. 002/3a.
52 In einem Brief an Präsident Koopmann (Aurich) vom 17.4.1934 bringt A. Kortheuer dessen Satz vom 12. oder 13.9.1933 in Erinnerung: »Die deutsche Kirche wird Ihnen noch danken, daß durch Ihr Opfer der böse Geist von der Kirche ferngehalten wird.« KKA 0201 Bl. 288.
53 KKA 1050601/12b.
54 Pfr. Wilhelmi (Diez) an Pfr. Amborn am 3.10.1933, KKA 10201/33.

Dietrich Bonhoeffers Vorlesung »Die Geschichte der systematischen Theologie des 20. Jahrhunderts« in der Nachschrift Winfried Zellers

Von Bernd Jaspert

I. Einleitung

In seiner großen Bonhoeffer-Biographie von 1967 bedauert Eberhard Bethge das Fehlen einer wörtlichen Nachschrift »gerade von den allerersten Stunden der Vorlesung ›Die Geschichte der systematischen Theologie des 20. Jahrhunderts‹«. Und er fährt fort: »Bonhoeffer begann nämlich seine systematische Erkundung nicht erkenntnistheoretisch, sondern mit einer geistesgeschichtlichen Skizze der zeitgenössischen Welt«.[1] Neben der bislang bekannten Nachschrift von Joachim Kanitz und einer unvollständigen von Jürgen Winterhager kann jetzt eine dritte befragt werden. Sie befindet sich im Nachlaß des Marburger Kirchenhistorikers Professor D. Dr. Winfried Zeller (1911–1982).[2]

Zeller, gebürtiger Berliner, legte am 5. März 1930 am Gymnasium zu Zehlendorf sein Abitur ab und studierte in seiner Heimatstadt vom Sommersemester 1930 bis zum Sommersemester 1934 Theologie, Philosophie, Pädagogik und Kirchenmusikwissenschaft an der Friedrich-Wilhelms-Universität. In den neun Semestern besuchte Zeller 92 Vorlesungen und Seminare bzw. Übungen. Im vierten Semester (WS 1931/32) hörte er im Neuen Testament Hans Lietzmann (»Einleitung in das Neue Testament«), Adolf Deißmann (»Neutestamentliche Theologie«) und Wilhelm Lütgert (»Galaterbrief«). Im Alten Testament nahm er an einem Seminar Alfred Bertholets über »Poetische Texte« teil. Im Fach Kirchengeschichte hörte er Erich Seebergs Vorlesung über »Dogmengeschichte des Protestantismus« und schrieb in Seebergs Seminar eine mit »Sehr gut« bewertete umfangreiche Arbeit über »Christus in Luthers Römerbriefvorlesung 1515/16«.[3] In der Systematischen Theologie nahm Zeller außer an der »Ethik«-Vorlesung von Arthur Titius an dem bereits erwähnten Kolleg Bonhoeffers sowie an Cajus Fabricius' »Systematischen Übungen« teil. Von Leonhard Fendt ließ er sich in die »Geschichte der Liturgie« und von Ferdinand Jakob Schmidt in die »Allgemeine Geschichte der Pädagogik« einführen.[4] Bis dahin war Zeller weder in einem Seminar noch in einer Vorlesung dem Thema begegnet, das Bonhoeffer als 25jähriger Privatdozent während des Wintersemesters 1931/32 in seiner ersten Vorlesung anbot: »Die Geschichte der systematischen Theologie des 20. Jahrhunderts«.

II. Zellers Nachschrift von Bonhoeffers Vorlesung

a) Vorbemerkungen zum Druck der Nachschrift

1. Ich gebe den *Text* im folgenden wörtlich und vollständig nach Zellers in deutscher Schrift abgefaßtem Manuskript wieder. Der Text umfaßt auf 18 Blättern 35 Quartseiten eines »Soennecken«-Schnellhefters Nr. 887/1822. Zeller schrieb mit Feder und Tinte. In dem Schnellhefter befindet sich außerdem noch eine Nachschrift Zellers von Titius' »Ethik«-Vorlesung.
2. *Abkürzungen* habe ich um der besseren Lesbarkeit willen soweit wie nötig aufgelöst.
3. Offensichtliche *Schreibfehler* (z.B. »Nietsche« statt »Nietzsche«) und *falsche Jahreszahlen bei Literaturangaben* wurden stillschweigend korrigiert.
4. Der ab Blatt 2 lediglich zur besseren Orientierung jeweils auf die obere Randleiste geschriebene Name »Bonhoeffer« (zweimal »Bonhöffer«, einmal »Bonhöfer«) wurde im laufenden Text nicht wiedergegeben.
5. *Unterstreichungen* im Original wurden im Druck *kursiv* gesetzt.
6. Die *Literaturangaben* aus Bonhoeffers Vorlesung notierte Zeller meistens nur stichwortartig, also bibliographisch unvollständig. Ich habe mich daher bemüht, in einem *Anhang* an Zellers Text die darin genannten Titel alphabetisch nach Autoren aufzulisten.
7. Die von Zeller um des leichteren Memorierens willen gebrauchten unterschiedlichen Formen von runden, eckigen und spitzen *Klammern* wurden im Druck durchgehend zu runden Klammern () vereinheitlicht.
8. Während Zeller sowohl auf dem vorderen Deckel des Schnellhefters als auch auf Seite 1 der Nachschrift beim *Titel der Vorlesung* die Fassung »... *im* 20. Jahrhundert« hat, schreibt er in dem chronologischen Verzeichnis der von ihm von 1930 bis 1934 besuchten Vorlesungen und Seminare »... *des* 20. Jahrhunderts«. Bethge, Kanitz und Winterhager geben als Bonhoeffers Formulierung an: »... des 20. Jahrhunderts«.[5]

b) Zellers Nachschrift

WS 1931/32.

Bonhoeffer, Geschichte der systematischen Theologie im 20. Jahrhundert

Ziel der Vorlesung: *Christus heute zu sehen.* Zentralstellung der Theologie, das Unbedingte schlechthin ihre Voraussetzung. Anselm von Canterbury beginnt sein Hauptwerk mit dem Gebet (Johann Sebastian Bach, Überschrift seiner Werke: Jesu iuva). Christus nur aus dem Heute, der Zeit heraus zu sehen. Die Stunde des Heute ist individuell verschieden, von Gott gewirkt.

Der lebendige Christus will in der Kirche sein als Christus praesens. Die Theologie hat es mit dem *lebendigen* Christus zu tun, nicht nur mit dem historischen Jesus.

Es gibt nicht nur eine Philosophie der Geschichte, sondern auch eine Theologie der Geschichte! (Geschichte Gottes in der Welt). Hebräer 11, Geschichte der Glaubenden. Lutherisches Kriterium: Rechte Lehre von der Rechtfertigung allein aus dem Glauben (Franz Overbeck, Die Christlichkeit unserer Zeit). Zwei Generationen: apologetische Theologie der Jahrhundertwende und heutige voraussetzungslose Theologie (Grundlage: *nur* das Evangelium). 12. Jahrhundert: sakrale Sphäre ganz erfüllend. 20. Jahrhundert: sakrale Sphäre ganz beiseite gedrängt. Profanes ganz ausgebreitet.

§ 1) Die Gesellschaft um die Wende des 20. Jahrhunderts

Schleiermacher: Unterscheidung von geschichtlichen Perioden und Epochen. Wilhelminische Aera: Periode, Sättigung, Gleichgewicht (Epoche *ein*seitig, revolutionär, kräftig). Vergröberung der geistigen Gesichtspunkte. Paul Tillich, Religiöse Lage der Gegenwart. Jahrhundertwende: Periode des »bürgerlichen Geistes«, »der reinen in sich ruhenden Endlichkeit«. Zeit durchaus nicht ungeistig (Tillich), sondern »geistig interessiert«. Keine (Georg Simmel, Geselligkeit) radikalen Bekenntnisse. Ruhige, verbreitete, »gebildete« Geistigkeit, Balance: »Spiel der Geselligkeiten«. Ringen, Kämpfen um die Objektivität, Schätzung der *Arbeit. Selbstbescheidung* gegenüber der Objektivität. Arbeitsethos. Ideal der »Reife«. Skeptizismus. Fassadenhaftigkeit der Zivilisation. Relativismus, von hier aus zur Selbstentscheidung in den Empirismus. Begrenzung des Menschen durch die Zeit, Kulturskeptizismus. Erkenntnis des tiefen Hineingesenktseins in die Zeit. Stille, Zurückgezogenheit des Seelischen ins Innerliche. Grober sicherer Geist des kleinlichen Bürgertums *neben* dem stillen Skeptizismus der Bildung.

Protest durch Nietzsche und Wilhelm Busch, dann von Strindberg, Dostojewski, Ibsen, Tolstoi, van Gogh. Entdeckung der objektiven Wirklichkeit im Impressionismus, schwüle Ungeklärtheit. Weg zur Objektivität durch die Subjektivität, Technik aus dem Willen der Naturbeherrschung. Medium der subjektiven Erfahrung zur objektiven Erklärung. Durchaus Wille zur Objektivität, aber *subjektivistische Methode.* Psychologisierung.

Ideal einer selbstbescheidenen, reifen, skeptischen, aristokratischen Persönlichkeit. Wille zur gebildeten *Totalität, daneben* ausgeprägtestes Spezialistentum.

Geist der Bürgerlichkeit in seiner Balance erst durch das vitale Erlebnis des Krieges und der Not zerstört.

Literatur: möglichst die Lyrik selbst lesen! Frank, Geschichte der neueren Theologie, insbesondere der Systematik, herausgegeben von Grützmacher. Kattenbusch, 〈Titel fehlt; B.J.〉. Tillich, Religiöse Lage der Gegenwart, 1926. Troeltsch, Zur theologischen Lage der Gegenwart.

§ 2) Kirche und Theologie der Jahrhundertwende in allgemeinen geistesgeschichtlichen Zusammenhängen

Bismarck: »Was ist die Kirche? Das sind eben die evangelischen Geistlichkeiten.« Kirchliche Bürokratie. Bildung soll dem Staat Macht und Ansehen verschaffen. »Dem Volke muß die Religion erhalten werden.« Pfarrer = Beamter. Pfarrer = Diener des Altars = Diener des Thrones! Stoecker: Abschaffung des landesherrlichen Episkopats. Pfarrer moralische Stützen des damaligen Gesellschafts- und Wirtschaftssystems. Kirche moralische Volksbildungsanstalt. Christentum als »Religion« aufgefaßt. Ideal die »christlich-sittliche Persönlichkeit«. Wie man über Schule und Lehrer hinwegwuchs, so wuchs man auch über Kirche und Pfarrer hinweg.

Luther: Kirche → Gott, Kreuz.

19. Jahrhundert: Kirche → sittliche Persönlichkeit, Volkserziehung, »Religion«.

Der Individualismus zerstörte den Protestantismus. Luthers Selbstverantwortung vor Gott wird zur Selbst-Willkür. Bei dem Gott *außen* bekommt das Ich zu wenig ab, wird ängstlich und zieht sich da gerade in sich hinein. *Statt Glaube – »Religion«* (aus dem engl. Deism)! In der Religion findet sich der Mensch verabsolutiert wieder, im Glauben tritt der Mensch aus sich heraus. Der Mensch in seinem Innersten gottverwandt, ewig, hoch, edel (Luthers Glaube für das *gemeine* Volk), gottbegabte Menschennatur (Goethe). »Religion ist Privatsache«. Eigen-Religion für jeden (Schleiermacher). Ablehnung des »Glaubens« an einen anderen, eigene »Religion«.

Paul de Lagarde, Verhältnis von Kirche, Politik und Staat. Lagarde leugnet jeden Einfluß des Protestantismus auf Deutschland. Immanent verstandene Religion.

Wissenschaftliches Denken: Jede Wissenschaft hat einen allgemein zugänglichen (empirischen) Gegenstand. Allgemeine kategoriale Methodik. Naturwissenschaftliche Methode auch für die Geschichtsphilosophie.

»Frömmigkeit« (εὐσέβεια), (bei Paulus steht πίστις) ist durch Schleiermacher aus dem Pietismus her in die Theologie eingeführt. Interesse für Religionsgeschichte und Religionspsychologie (Luther: »religio caro est!«).

§ 3) Begriff der Religion als Vermittlungsbegriff

Schleiermacher: Die religiöse Provinz im Gefühl. Subjektive Berechtigung der Religion. Ludwig Feuerbach: Wesen des Christentums. Religiöses Abhängigkeitsgefühl aus Triebhemmung erklärt. Alle Religion entspringt aus Furcht vor dem Hemmnis des Todes. Der Mensch betet in seinem Gott sich selbst, mit seinen unerfüllten Wünschen, an. Daher bei Feuerbach jede Theologie Anthropologie. In der Religion die Verherrlichung des Machtstrebens des Menschen in dem Gottesbegriffe. Feuerbach führt Schleiermacher weiter, schließlich ad absurdum. (Bereits Hume: Ursprung der Religion in den menschlichen Affekten.)

Friedrich Engels, Feuerbach und der Ausgang der klassischen deutschen Philosophie; Herrn Eugen Dühring. Religion von der kapitalistischen Wirtschaft abhängig, Religion als subjektives Abhängigkeitsgefühl (Schleiermacher!), das durch den Sozialismus zu beseitigen ist. Feuerbach: Der Mensch ist, was er ißt (gegen spekulative Idealisten). Gott ist die wirkliche Menschheit. Lehre vom ganzen Menschen mit Leib und Seele. Kein transzendentes Scheinwesen. Der Mensch das ens realissimum.

Nietzsche, Protest des ganzen Menschen, neu an Leib und Seele. Feuerbach von der Theologie unbeantwortet. Feuerbach der endgültige Totengräber der Theologie (Troeltsch). Hegel, Kritik an Schleiermacher, in der Theologie Wahrheitsinhalte. Doch auch hier der Geist subjektiv gefaßt.

Statt grundsätzlich über den religiösen Wahrheitsbegriff sich auseinanderzusetzen, beschäftigte sich die damalige Theologie mit den weltanschaulichen Fragen der Naturwissenschaft. Man suchte die Religion zu isolieren und gleichzuberechtigen.

Kaftan, Dogmatik, 1901. Gegen Frank, der von der Absolutheit des Christentums zur Bestimmung des Religionsbegriffes ausging. Kaftan ersetzt die Lehre von der natürlichen Gotteserkenntnis durch die Religionsgeschichte, dadurch die Allgemeinheit der Theologie. Man fühlt sich als Theologe isoliert und sucht so nach »Anknüpfungspunkten aus dem Bereich der Wirklichkeit«. Die Religionspsychologie lehnt er ab, ebenso die rein philosophische Methode, und schließlich die Absolutheit des Christentums, als Bestimmung des Religionsbegriffes. Statt dessen die Religionsgeschichte. Zwei Motive der Religion: 1. Schutz durch Gott in diesem Leben, 2. Erlösungsstreben. Beide Tendenzen vom Christentum vollendet verbunden. In der Geschichte waltet göttliche Vernunft, die Religion ein integrierender Faktor menschlichen Lebens, zwei sehr fragliche Voraussetzungen Kaftans! Religion als Vermittlungsbegriff. Religion zugleich Anknüpfungspunkt und Kriterium, Widerspruch!

Troeltsch. Er sah wirklich die Probleme, ohne mit ihnen fertig zu werden. Zwei Fronten gegen ihn:

1. Monismus, Glauben an das Naturgesetz, Fortschrittsrevolutionismus, ästhetisch-literarische Naturschwärmerei!
2. Unwissenschaftliche Theologie. Dogmatische Methode (Hengstenberg). Unwissenschaftliche Autorität (Troeltsch, Vernunft und Offenbarung bei Johann Gerhard). Historische Religionsgeschichte. Religion aus ökonomischen Verhältnissen. Religionsgeschichte übergeht die Wahrheitsfrage völlig.

Troeltschs Weg: Transzendentalismus, kritischer Idealismus (Kant, Schleiermacher, Eucken). Theologie durch Religionsphilosophie zu unterbauen, kritisch-analysierende Untersuchung des religiösen Bewußtseins auf allgemeine Gesetze hin (Grundlage Schleiermacher).

Religion muß erkenntnistheoretisch notwendiges Glied der Geistesstruktur sein, Religion aus der Einheit des Vernunftzusammenhanges, Religion a priori zu erweisen nötig. Kritik des religiösen Bewußtseins. Moderne »voraussetzungslose Wissenschaft«. Hineinbauen der Religion in den modernen Geist, von wo sie aus wieder zu rechtfertigen ist. Ideal der »großen erlösenden Zukunftsreligion«.

Wissenschaftliches Humanitätschristentum, revolutionärer Theismus als Vereinigung von Theologie und Philosophie (Entfernung Troeltschs von Ritschls Metaphysikfeindschaft). Verflechtung der Religion mit der Gesamtvernunft, d.h. dem »modernen Geist« (Ritschl. Religion Glaube an erhabene geistige Mächte, die den geistigen Lebenstrieb des Menschen unterstützen. Religion durchaus aus der Gesamtheit der Welt her zu verstehen). Troeltsch: christliche Religion Spezialfall allgemeiner Religion.

Philosophie: Neukantianismus

Rudolf Eucken, Hermann Cohen, Paul Natorp. Philosophie hat schon ihr *System,* in das sie die Theologie erst hineinbaut.

Rudolf Eucken. 1905. Wahrheitsgehalt der Religion (Scheller und Grisebach Schüler Euckens). Eucken nicht vom Positivismus fortgerissen. Grundlage Religionsphilosophie. Hegelsche Methode: These, Antithese, Synthese. Idealistischer Urgegensatz: Natürliches – Geistiges, im Menschen: Seelenleben – Geistesleben. Dieser Widerspruch vom Menschen selbst nicht zu lösen. Durch Intuition Innewerden eines geistigen Gesamtlebens, das alle subjektiven Geister zusammenfaßt, das *Geistesleben,* das das naturhafte Seelenleben überwindet. Geistige Kulturarbeit. Universale Religion: Erkenntnis der Gottheit, die alles andere Geistesleben, alle Kultur erst bringt. Geistesleben, Kultur *keine* Einheit! (Überwindung des Idealismus). Glaube an die Kultur, Universalreligion daher nicht das Letzte! Wendung von der universalen zur charakteristischen Religion, Berührung mit dem *persönlichen* Gott. Zentral der Begriff der Persönlichkeit, die sich mit Gottes Persönlichkeit berührt. Charakteristisch: Religion = Christentum. Religion Führerin des gesamten Geisteslebens. Religion Spitze der *Kultur,* darum die Religion wahr!

Paul Natorp: Die Religion innerhalb der Grenzen der Humanität. 1908 (Hermann Cohen: die Ethik des freien Willens [Religion = Ethik]. Religion im System der Philosophie. »Jüdische Schriften«). Neukantianer streichen das »Ding an sich« Kants, nicht mehr transzendent, sondern immanent (»Ding an sich« hier die »unendliche Aufgabe« des Erkenntnisprozesses). An dieser »unendlichen Aufgabe« die Kultur, und in ihr die Religion, betätigt. Religion *in* unserm erzeugenden Bewußtsein selbst. Das Wesentliche in der Religion muß im Subjektiven bleiben, im *Gefühl,* das vor Denken und Wollen liegt. Im Gefühl die Unendlichkeit der menschlichen Aufgabe. Das Objekt der Religion die *Humanität.* Schleiermacher: Gefühl für das Unendliche. Natorp: Unendliches Gefühl. Theologie als Wissenschaft abgetan (letzthin Verdienst Schleiermachers), statt dessen Philosophie.

Georg Simmel, Religion 1906. Religion eine Betrachtungsweise unter andern, »kategoriale Möglichkeit«.

Reinhold Seeberg, Carl Stange geben *anfangs* eine Religionsphilosophie, die die vernunftgemäße Notwendigkeit der Religion nachweisen soll. *Stange:* Religiöse Erkenntnis als Totalität, Vollendung aller andern Erfahrung. Transzendentale Ableitung der Religion. Carl Stange, Christentum und moderne Weltanschauung 1913; Grundriß der Religionsphilosophie 1907. Religion als Erfahrung 1919 (1907).

Reinhold Seeberg. Ähnlicher Ansatz. Theologie dadurch Wissenschaft, daß sie sich für den Menschen als *notwendig* erweist. Daneben Voluntarismus.

William James, Will to believe; Religiöse Erfahrung in der Mannigfaltigkeit; Pragmatismus. Sehr lebendig und konkret. Im *Pragmatismus* jedes Problem vom Menschen aus, vom praktischen *Leben* aus. Problem des deutschen Idealismus nur Phantasien. Das Leben, nicht das Denken Kriterium der Wahrheit. Zunächst Religionspsychologie. Religion in den verschiedensten Punkten wertvoll (useful), in der Kultur.

Widerspruch zur religionsphilosophischen Methode. Martin Kähler, Schlatter, Cremer. Adolf Schlatter, Die philosophische Arbeit seit Cartesius.

Ferner *Reischle,* Wesen der Religion 1889. Ritschl-Schüler. Religiöses Verständnis aus dem eigenen persönlichen Bekenntnis heraus (vgl. Harnack: »Wer diese Religion [Christentum] kennt, kennt sie alle.«).

Wilhelm Herrmann, 1846–1922 Marburg. Schüler Ritschls, Lehrer Karl Barths. Die Religion im Verhältnis zum Welterkennen und zum sittlichen Verkehr des Christen mit Gott; Protestantische Dogmatik; Dogmatik, Vorlesungsdiktate (kurz zusammenfassend). Unterschied von intellektualistischer und religiöser Auffassung der Religion, hierbei Religion als »wunderbare Tatsache«. 1. Ablehnung der Rückführung der Religion auf wissenschaftliche Ergebnisse. 2. Ablehnung der Rückführung der Religion auf Psychologie und Kultur (gegen Eucken). 3. Ablehnung der Rückführung der Religion auf die Einheit des Selbstbewußtseins (Schleiermacher: Gefühl). Hierbei fehlt die Beziehung zum Objekt der Religion. Ablehnung der Apologetik (= Gotteslästerung), *»der Glaube ist wehrlos«.* »Ein bewiesener Gott ist Welt«. Ablehnung der Religionsphilosophie. Religion nur da, wo Gott es offenbart. »Religion gehört nicht zu den psychischen Tatsachen, darum gibt es keine Religionspsychologie.« »Religion die Fähigkeit, in den Ereignissen Handlungen Gottes zu sehen«, rein persönliches *Erleben.* Weg zur Religion die kantische Sittlichkeit. Unerträglichkeit eines Lebens, das keine Wahrheit hat, darin der Weg zur Religion. Erlebnis der Wirklichkeit als Handeln Gottes. Wahre Wirklichkeit nur Christus. Erlebnis »verborgen, geheim, nicht psychologisch«. Bei Herrmann Verwechslung von Religion (Vermittlungsbegriff) und Offenbarung; Religion: Weg zu Gott vom Menschen aus, Offenbarung: Weg Gottes zum Menschen.

Begriff der »Religion« (als Vermittlungsbegriff) mußte fallen, statt dessen: »Offenbarung«.

§ 4) Erkenntnistheorie und Religion

Troeltsch. Tradition Kants und Schleiermachers. Philosophie = Erkenntnistheorie. Gegenständliches Erkennen durch Synthesis a priori (Gegenstände im Denken eingeschlossen). Alle wirkliche Einzelerkenntnis im Denken als möglich enthalten. Wahrheit = Wirklichkeit. Erkenntnis = Zusammensein in der Einheit des denkenden Ich.

Rudolf Otto, Kategorien arbeiten auch ohne Anschauungen: Die Ideen sind die Erkenntnisse des eigenen Seins. Die »Ahndung«. In ihr spürt der Mensch das Übersinnliche als Gegenständlichkeit. Sie überzeugt durch 1. Apriorität, 2. transzendente Realität, Irrationalität. Das »Heilige« (geht über das Irrationale und die Idee des Göttlichen hinaus) = das Numinose, majestas, tremendum, das »ganz Andere« etc. Religion stellt einen »Anspruch«.

Harnack, Wesen des Christentums. 1900. Es gibt für ihn keine protestantische Dogmengeschichte. Statt intellektueller Bedürfnisse Dynamik. Die Umhüllungen müssen von dem zeitlosen Kern der Offenbarung entfernt werden. Aber auch der Mensch ist zeitlos. Darum bleibt das Evangelium in Kraft.

Predigt Jesu:
1. Kommen des Reiches. (Zeitlos) Gott kommt zur Seele des Einzelnen.
2. Von Gott dem Vater und dem unendlichen Wert der Menschenseele.
3. Die bessere Gerechtigkeit und das Gebot der Liebe.

Demut = Liebe = reine Empfänglichkeit. Von der Person Jesu schweigt Harnack. »Jesus wollte keinen andern Glauben, keinen anderen Anschluß an ihn als den, der in der Beobachtung der Gebote liegt.

Evangelium in der Geschichte: Lieber 1000 Worte zu wenig als eins zu viel sagen. Ethische Verkündigung = zeitloses Wesen des Christentums. – Eschatologie und Kreuz fallen fort. In Harnack eine Art christlicher Humanismus, Berührungen mit Troeltsch. Religion = Moral.

Reinhold Seeberg, Grundwahrheiten des Christentums (gegen Harnack). Modern und positiv. Religion nicht aus der menschlichen Vernunft abzuleiten, ein Tun Gottes. Doch müssen »Vorbedingungen« im Menschen sein, an die Gott »anknüpfen« kann. Aktivität + Rezeptivität. Heidentum zerbricht in der Geschichte, Christentum bleibt.

§ 6) Absolutheit des Christentums

Das Wort Gottes geht allein in den Kampf, der Mensch kann nur Träger sein. Grundlage der Mission. Das Problem durch die Religionsgeschichtliche Schule aufgerollt. Eichhorn, de Lagarde, Gunkel, Wrede, Bousset, Heitmüller, Troeltsch. Christentum = synkretistische Religion (Gunkel). Heitmüller, Abendmahl. Bousset. Wrede, Messiasgeheimnis. Troeltsch, Absolutheit des Christentums. Das geschichtliche Phänomen Christus, Kirche gleichartig dem Buddha und Buddhismus, keine Absolutheit.

Harnack, Evangelium keine positive Religion, sondern die Religion selbst. Niebergall, Christentum = Absolutheit des ethischen Wertes.

Troeltsch, Apologetik ein theologisches Angstprodukt. Absolutheit bloßer Bedarf der Gläubigen, daß diese Gotteserkenntnis von keinem überboten werden kann. Ungehorsam gegen den Willen Gottes (moralisch!) bei Jesus die einzige Unwahrheit. Schon die Jünger erdichteten den »Herrn«, um ihn naiv herauszuheben.

Erst 1925 *Karl Holl,* Urchristentum oder Religionstheologie? Rektoratsrede. In andern Religionen: Gott + der Heilige, im Christentum: Gott + der Sünder! Und Jesus wesentlich der Verkünder dieses Evangeliums.

2mal gefehlt.

Hermann.
1. Er versuchte, die Religion von der Geschichtsforschung unabhängig zu machen.
2. Sein Geschichtsbegriff gebildet in dem Versuch, das Vergangene als statisch abzulehnen. Vergangenheit ragt in die Gegenwart hinein.

Entscheidend für die Interpretation der Geschichte das Erleben (Dilthey).

Albert Schweitzer: Leben-Jesu-Forschung. Christentum Glaube an den mystischen Messias, Christus, völlig *unabhängig* vom historischen Jesus von Nazareth.

Herrmann: Wir werden überwältigt vom »inneren Leben Jesu«. Erkenntnis des »inneren Werts Jesu«, von den sittlichen Maßstäben in mir aus. Christliche Religion unabhängig von der Geschichtsforschung. *Gegen* Christentum als Lehre, statisch Vergangenes. Vergangenheit hinein in die Gegenwart. »Erleben«.

Martin Kähler, Der sogenannte historische Jesus und der geschichtliche biblische Christus. *Gegen* Leben-Jesu-Forschung, dogmatisch gebunden. »Sturmfreies Gebiet«. Dauernder lebendiger Bezug von Geschichte und Gegenwart in der Religion. Nicht historischer Jesus, sondern der geschichtliche biblische Christus, der erhöhte Herr, das *die* Aussage der Bibel. »Der wirkliche Christus ist der *gepredigte* Christus, der gepredigte Christus ist der geglaubte Christus, heute wie damals.« Glaube der Jünger die *geschichtliche* Wirkung Christi. Die Predigt die Selbstbezeugung des Herrn, sie macht frei von der statischen toten Historie. Ganzer Christus und ganzer Mensch. (Historie als Anfechtung, die Christus uns sendet!)

§ 8) Rechtfertigung und Heiligung

Rechtfertigung aus Glauben allein die Theologie der Reformatoren. Luther: Unterscheidung von Christus als exemplum und als donum. Schleiermacher setzte statt exemplum Vorbild. Ist Christus der Lehrer, der zur Nachahmung auffordert? Gesinnung der Ethik, Christus als Gesetzeslehrer. Jesus der Bergpredigt führt *nicht* zur Rechtfertigungslehre, da es sich hier um das Erbe der Ethik handelt. Rechtfertigung vernichtet den ethischen Menschen und erhebt ihn dadurch (siehe Holl, »benignitas Dei« im Mittelalter). Der Gott der Liebe, der nicht *zugleich* der des Gerichtes ist, ist sentimental.

Bei Harnack ist Gott nur der Gott der Liebe, der aus Güte die Ethik gibt, so kommt es bei ihm gar nicht zum Wesen des Rechtfertigungsglaubens (Wesen des Christentums).

Wrede, Leben des Paulus, Rechtfertigungslehre bei Paulus unwesentlich, nur Kampfeslehre in Auseinandersetzung mit dem Judentum.

Harnack: Umgehen der Rechtfertigungslehre, Jesus als Bringer einer neuen Moral.

Troeltsch: Nicht Fragen nach einem gnädigen Gott, sondern nach meiner Seele in der Bibel! Paulus wird an die Orthodoxie (Hermann Cremer, Martin Kähler) preisgegeben.

Hermann Cremer: Inkarnation Gericht über den Menschen (vgl. Luthers »Gelobet seist du Jesus Christ« – »Kyrie eleison!«). Zuerst Vergebung, dann darum Gericht. Im Kreuz über den Menschen das Todesurteil, das Gericht verhängt. Nicht mystische Erfahrungen, sondern »Tatsachen«. Im Kreuz zugleich Gericht und Gnade. Glaube = Anerkennen des Richterspruches Gottes über den sündigen Menschen. (Hermann Cremer: »Rettendes Gericht«). (Hermann Cremer, Wesen des Christentums, gegen Harnack). Paradoxie der Religion! Hermann Cremer, Paulinische Rechtfertigungslehre 1899, Gethsemane 1902; Biblisch-Theologisches Wörterbuch. Hermann Cremer, Orthodoxer gegen die Liberalen (Harnack).

Martin Kähler, Wissenschaft der christlichen Lehre. Ganz zentral die Rechtfertigungslehre. Vom Pietismus zu Luthertum und Biblizismus. Erfahrung der Rechtfertigung. Allgemeiner Religionsbegriff wird zerschlagen, Christentum *die* Religion (christliche Apologetik, evangelische Dogmatik, theologische Ethik, drei Teile seines Buches). Unterschied zwischen Rechtfertigungsglauben und Erfahrung der Wiedergeburt (subjektiv, Erlangen). Rechtfertigungsglaube schlechthin weg von mir auf die Tatsache hin. Rechtfertigung nicht psychologische Erfahrung. Heraus aus der Immanenztheologie. Glaube nicht Beschaffenheit, sondern ein Handeln, Festhalten, neu Ergreifen. Neue Gerechtigkeit Beschaffenheit nur für und vor Gott, nicht des Menschen. Rechtfertigung forensischer Akt Gottes über Menschen. Heiligung des Menschen ein Prozeß des Sterbens.

Wilhelm Lütgert, Glaube Einwilligung in das Urteil der Vernichtung Gottes über den Menschen (Über die Rechtfertigungslehre, Eisenacher Konferenz 1902).

Erlangen: Reinhold Seeberg, Aus der Wiedergeburt zum Bewußtsein des Objektiven.

Gemeinschafts- und Heiligungsbewegung (Fleisch, Moderne Gemeinschaftsbewegung in Deutschland; Jellinghaus, Völliges gegenwärtiges Heil durch Christus). Oxfordbewegung, Pearsall Smith. Gnadauer Konferenz. Blankenburger Allianzkonferenz, theologiefeindlich, Verbalinspiration. Eisenacher Konferenzen, Akademiker hinzugezogen. 1905 Erweckungsbewegung aus England, in Deutschland Modersohn. »Entrückungslehre« (Stockmayer). 1907 Kasseler Versammlung, Ekstase, Zungenreden! Radikal die Pfingstbewegung. »Gericht«. »Heiligung aus Glauben«.

Asketische Separierung, Gemeinde der Heiligen. Führer: Jellinghaus, Stockmayer, Lepsius. »Bekehrung« durch das Kreuz Christi. Pietistische »Bluts«-Theologie. Persönliche Bekenntnisse. Pastor Paul: »Lehre vom reinen Herzen, sündlose Heiligkeit der Christen!« In der Heiligungsbewegung endlich Trennung von Kirche und Kultur, eigenes Leben nur aufgrund des Glaubens.

Karl Holl, Lutherbuch. »Was hat die Rechtfertigungslehre dem modernen Menschen zu sagen?« Thema der Theologie die Rechtfertigungslehre, Paradoxie des christlichen Gottesgedankens. Zusammenhang von Rechtfertigungs- und Heiligungslehre! Der eschatologisch Gerechte, Geheiligte wird von Gott gerechtfertigt. In der Rechtfertigungslehre analytische Lehre. Letzte Gewißheitsinstanz in der Rechtfertigung das Gewissen, nicht das Kreuz Christi, sondern das 1. Gebot!

§ 9) Das ethische Problem und die Kultur

Säkularisierung des ethischen Lebens. Moderner Begriff der Humanität (stark rational, evolutionistisch). »Eigengesetzlichkeit des Handelns«, Suchen nach den der Sache, der Situation immanenten Gesetzen. »Sachlichkeit«. Ethik zur »Eigengesetzlichkeit« des Handelns, Autonomie. Dinge in sich gut und darum ethisch. Alles hat ein Recht dazusein. Dasein an sich gut. Sachlich handeln, heißt gut handeln. Religiös: Was da ist, ist Ordnung, Schöpfung Gottes. Welt der Harmonie, Güte des Geschaffenen. Moralisch handeln = handeln nach der für gut gehaltenen Ordnung des Daseienden. Christentum als kulturfördernd gesehen! (Overbeck, Christlichkeit der Theologie). (Theologischer Verrat am eigentlichen Christentum. Scharfe Trennung zwischen griechischem und christlichem Geist).

Nietzsche: Christentum Schändung des großen Geistes, »Mitleid« mit den Kleinen. Mitleid kulturfeindlich, Heiligung des Schwachen, Dekadenten. Christentum Kleine-Leute-Moral, halb mutig, halb feige. »Alles Gute ist Verwandlung eines Bösen, jeder Gott hat einen Teufel zum Vater.« Christentum Todfeind der Kultur.

Rittelmeyer, 1904, Versuch einer Identifizierung zwischen nietzschischem Übermenschen und christlichem Gläubigen!

Marti, »Synthese«. Theologisch will er nicht wahr haben, daß das Christentum kulturfeindlich ist, selbstverständliche Synthese. Große ethische und soziale Entscheidungen geschehen *ohne* die Kirche! Kritik an dem Gedanken der Eigengesetzlichkeit durch den Sozialismus (Klassenkampfidee!). Kirche gefesselt an den monarchischen Staat, kann wohl an die Wohltätigkeit der Wohlhabenden appellieren (innere Mission, nicht Frontdienst, sondern Sanitäterdienst!), aber nicht neue Grundlagen geben wegen des Glaubens an die göttliche Ordnung der Dinge.

Adolf Stoecker trennt das sozialistische Anliegen von dem Kampf gegen Religion und Monarchie! »Gemeinsinn«, gegen Liberalismus. Christlich-ethischer Sozialismus.

Friedrich Naumann gibt den Versuch der Synthese zwischen (Briefe über Religion 1903) Religion und Kultur auf. Im Christentum Forderung zum Stehen in der Gegenwart, aber auch zum Gehorsam. Dualismus. »Christentum nur ein Teil des Lebens, nicht das Leben selbst«. Kapitulation der christlichen Ethik vor der Eigengesetzlichkeit der Welt. Dennoch ist diese Eigengesetzlichkeit *Dämonenherrschaft,* nicht Gottesordnung! (vgl. Ibsen). »Dem Herr Gott erst dann dienen, *nachdem* man dem Dämon der Welt seinen Tribut gezahlt hat.« Persönliches zurückgezogenes Christentum.

Troeltsch, Grundproblem der christlichen Ethik. Der Mensch in einer Mehrzahl sittlicher Zwecke, die zu vereinigen aber *Problem* des Lebens ist. Sittlichkeit als Problem! Vereinigung innerweltlicher und außenweltlicher sittlicher Zwecke durch die *Tat.* Christliche und humane Ethik, *Kompromisse* nötig. (Unmöglich bei Naumann und Troeltsch, von wirklich christlichem Gehorsam zu reden.) Autonome Kulturethik drängt die des Evangeliums beiseite.

Wilhelm Herrmann, Wesen christlicher Ethik: Verkündigung eines unbedingten, aber nur formalen »Soll« (Kant) (Reinhold Seeberg, Adolf Schlatter, Ethiken, werden der Wucht der Dinge in ihrer Schablonenhaftigkeit nicht gerecht. Ratlosigkeit in der Frage von Schöpfungsordnung und Erlösungsordnung). Anknüpfung an das *Persönlichkeitsideal* (Troeltsch, Harnack, Johannes Müller), unendlicher Wert der menschlichen Seele. Johannes Müller: »Menschwerdung« (ähnlich auch Lotzki) (Troeltsch, Soziallehren [letztes Kapitel!]).

§ 10) Die Wende

Repetitio: 1. Allgemeiner Religionsbegriff (»Anknüpfungspunkte«, religiöse Erkenntnistheorie).
2. Wesen des Christentums (Geschichtsproblem, historische Forschung: »Jesus«, nicht Christus).
3. Ethisches Problem (Anschluß an Sozialismus, dann Individualismus, doppelte Moral).

I. 1./2. *Subjektivismus,* Eingehen auf ein gegenwärtiges Religionsbedürfnis.

II. 1./3. Herstellung der *Gleichgewichtslage* zwischen Kultur und Christentum (statt über den »Auszug« des Christentums redete man über das »Wesen« des Christentums).

Tragische Philosophie, Philosophie der Geschichte. Dilthey, Troeltsch, Simmel, Max Weber. Max Scheler (Reich des Seins [Instinkts] über dem Reich des Wertes). Sachlichkeit. Max Scheler, Stellung des Menschen im Kosmos. Bei dem Auseinanderfall der säkularen Kultureinheiten erhielt die Kirche ihre

Selbständigkeit. Kirche selbständig Kultureinheit, *neben* den anderen Kultureinheiten (Otto Dibelius!), sucht deshalb genau wie vorher Kulturanschluß! Wende hier noch nicht eingetreten.

Immanente Krisis der Kultur selbst (Weltkrieg!), Schicksalsgedanke *könnte* Wende bedeuten, ist sie jedoch noch nicht!

(Overbeck, Blumhardt) Krieg Bankrott der höchsten Kulturwerte! *Karl Barths* Theologie durch das Kriegserlebnis entscheidend beeinflußt. Der Grund für Barths Verkündigung in einem neuen Lesen und Verstehen des Wortes Gottes, einer fremden Welt, Barths Botschaft kommt vom Zeichen des Kreuzes her! Problem des ganzen Gottes in Christus und *demgegenüber* des ganzen Menschen, auch mit seiner Kultur (Religion neben der zusammengebrochenen Kultur). Barths Theologie kommt her von der rechten Predigt. Recht predigen = Gottes Botschaft sagen. Nicht ich soll reden über Gott, sondern Gott soll reden, darum Gebet zu Ihm! In der Kirche muß durch Gott etwas *geschehen!* Raum geben der Rede Gottes. All unser Reden und Tun wie Speichen am Rad, am entscheidenden Punkte dieses Rades aber steht das *leere* Loch! Die Wende kommt von der Kanzel her! (Barth). Transzendenz Gottes, Gott steht außen. Tillich: Transzendenz = iustitia aliena, externa. Kommender Gott statt daseiender! Theologie Dienerin der Predigt. Neues Verständnis der Säkularität: Welt und Kultur erlösungsbedürftig böse!

§ 11) Gott

Karl Barth will nur »Randbemerkungen« geben. Barth hebt die schreckliche Selbstverständlichkeit im Reden über Gott auf. Gott die erste und letzte Sorge, nie selbstverständlich, nicht nur der Gekommene, sondern der immer wieder neu Kommende. Wer weiß, daß Gott gnädig ist, ⟨weiß es nur⟩ als der, der es *heute* konkret erfährt. Gottes Wahrheit nicht allgemeine Wahrheit, sondern stets neu kommende Wahrheit. Man »hat« Gott nie, muß ihn ständig neu erhalten. Barth gegen Religion, die Gott hat und nach Seelenfrieden strebt. Statt dessen Gottes*dienst,* nicht Seligkeit, sondern Kreuz, nicht harmonische Persönlichkeit, sondern Gebrochensein an Gott! Gottesfrage bleibt stets eine offene Frage, nie lösbar! Gott als der Gegenwärtige immer noch der Zukünftige! *Freiheit Gottes,* Seine Gnade und Sein Zorn kommt, wann und wo Er will, Prädestination und Reprobation als der schlechthinnige Anfang des Tuns Gottes, jeweils neu. Gott nicht der daseiende, sondern der jeweils kommende Gott. Statt Religion (subjektiv) Wort Gottes (objektiv). Freiheit Gottes bedeutet Verurteilung des ganzen Menschen. Durch die Offenbarung begründet Er unser Denken, nicht sehen wir ihn mit unserem Denken begründend voraus. Wort Gottes *schlechthinniger Anfang,* Seine Selbstoffenbarung in Jesus Christus, *dem* Worte Gottes. Gott verhüllt sich in Menschenwort, in Geschichte. Anfang der Theologie: Deus dixit!

§ 12) Wort Gottes und die Theologie

Theologie nicht Religionsphilosophie. Gegenstand der Theologie der λόγος θεοῦ. Wahrheitsbegründung hier unnötig. Theologie begründet nicht ihren Gegenstand, sondern wird von ihm begründet. Gegenstand der Theologie *beweist* sich selbst. Nur Akt der Anerkennung oder Ablehnung möglich, am Anfang der Theologie der Glaube, die Voraussetzung der Theologie, der λόγος θεοῦ, ist nur sinnvoll durch den Glauben.

(Erich Schaeder, Geistproblem 1924). Unser Glaube durch das Wort Gottes begründet, nicht umgekehrt; Gott stets Subjekt, nie Objekt. Darum Theologie Lehre vom Worte Gottes, nicht Glaubenslehre! Der Theologe nicht stark gepanzert und gerüstet, sondern der schwache, bloße David mit der Schleuder. In der wissenschaftlichen Schwäche der Theologie ihre wissenschaftliche Stärke!

Theologie weder als Religionsphilosophie noch als Glaubenslehre, sondern nur als Sehen auf das Wort Gottes, Gott nicht Objekt der Theologie, sondern ihr Subjekt. Anfang der Theologie nicht die Philosophie, sondern das Gebet: Veni creator Spiritus. Erkennen = *an*erkennen, denken = *nach*denken! Gott erkennen = von Ihm erkannt sein. *Dialektische Redeweise:* Gottes Wort existiert nur in der Verhüllung als Schrift und Predigt. Ihre Theologie muß diesen Doppelcharakter des Wortes zum Ausdruck bringen, ich sage Jesus und muß Christus sagen, ich sage Gericht und muß Gnaden sagen und umgekehrt! Wir dürfen von Gott nicht einlinig reden, sondern müssen zweilinig reden in Rede und Gegenrede, in der schlechthin unanschaulichen Mitte dazwischen das Wort Gottes. Barth will Gott von seiner Theologie freimachen. Erkenntnis des Wortes Gottes in seiner Freiheit. Im Begriff nie die Sache selbst (Karl Barth begrifflich, aber nicht sachlich Neukantianer). (Paul Natorp, praktische Philosophie: Atheismus aus Religion). Theologie im Dienst der Kirche, der Predigt. Gegen Apologetik, Christus bleibt Torheit! Philosophie nur methodisch-technisch für die Theologie, inhaltlich keine Berührungen beider.

§ 13) Die Verkündigung

Nicht Aussage von etwas Wahrseiendem, sondern Bezugnahme auf etwas Wahrwerdendes, das schon wahr war. Anfangen mit dem Weg Gottes zum Menschen durch Christus. Weg Gottes zum Menschen Gericht und Gnade in eins. Der Mensch selbst ein dauerndes Fallen. Auch tiefste Demut noch Menschenwerk! Hochmut der Demut (Kierkegaard, Nietzsche!). Demut contritio activa, noch nicht passiva. Im Kreuz nimmt sich Gott Sein Recht, Seine Ehre wieder (satisfactio) vom Menschen. *Im* Gericht die Gnade, im Nein das Ja. Nur im Nein hört man das Ja, aber das Nein hört man nur deshalb, weil das Ja darinliegt. Sündenerkenntnis = Gnadenerkenntnis (vgl. Karl Holl!). Doch liegt gerade darin, daß aus dem Nein das Ja wird, die völlige

Freiheit Gottes. Im Kreuz der Kampf Gottes gegen Sein Nein um Sein Ja! (Luther: »Gott muß gegen Seinen eigenen Zorn zornig sein«).

Rechtfertigung forensisches Urteil, iustitia aliena, externa, rein imputativ. Existentielle (nicht psychologische!) Passivität des Menschen, mere passive. Keine Rücksicht auf religiöse Erlebnisse. Ganz gerecht und ganz sündig zugleich. Unsere Gerechtigkeit nie daseiend, immer kommend von Christus, es gibt *nicht* einmal einen »Anfang unserer Heiligung« (Karl Holl!). Verkündigung Christi und Seiner Gerechtigkeit. Christus, das Wort Gottes, ganz in der Verhüllung, in der Geschichte, nur bei den Verzweifelten, Sündern. Durch die Auferstehung ist Gerechtigkeit Christi unsere Gerechtigkeit geworden. Der heilige Geist treibt zum Höheren (nicht Grund zur iustitia interna).

Neues Testament Weissagung (psychologisch), Verheißung, adventlich. Predigt unter der Zukunft. Christus eschatologisch. Auch für den Gerechtfertigten keine an sich guten Werke. Nur die Beurteilung der Werke entzogen. Gehorsam, Opfer an das göttliche Wohlgefallen. Doch bleibt der Mensch unter der Sünde. Simul (totus) peccator, simul (totus) iustus. Gottlosigkeit des Menschen auch in seinem Besten, Nähe Gottes auch für die Gottlosen. Bibel gefährdet die Moral. Gehorsam Hinweis auf die eigene Schwachheit.

§ 14) Wo stehen wir?

Barths Theologie will das sola fide wieder *ganz* verstehen. Bis jetzt noch nicht das entscheidende Wort über Barth hinaus gefallen!

Drei Linien zur modernen Theologie:

1. sola fide, Freiheit Gottes. »Gott kommt je und je«. Gott als Akt, nicht eigentliches Sein. Dazu vgl. Luther: »Gott hat sich ins Fleisch gebunden«, tieferes Verständnis der Freiheit (nicht Freiheit wovon, sondern Freiheit wofür). Gott nicht nur »je und je« in der Gemeinde da, sondern in frei geschenkter Kontinuität, d.h. Existentialität, nur im Glauben. Gemeinde als der gegenwärtige Leib Christi. Predigt nicht nur adventliche Verheißung, sondern weihnachtliche Vollmacht. *Eigentliches Problem das der Christologie,* bei uns eigentümliche Schranken zwischen Substanzbegriff und Dynamischarakter. Gott nicht Seiendes, Verfügliches, aber auch der reine Dynamischarakter unzureichend. *Konfessionsproblem,* »Warum sind wir Lutheraner?« Barth entdeckt den reformierten Aktualismus im Gottesgedanken gegenüber dem Katholischen (Seinsgedanke) neu. Wo ist nun Luther?
2. *Verhältnis von Theologie und Philosophie.* Wissenschaftscharakter der Theologie Problem. Theologie als *kirchliche* Wissenschaft (Barth), wie steht sie im System der Wissenschaften? (vgl. den Fall Dehn!).
3. *Problem der Ethik.* Konkrete Ethik und Prinzipienethik (Gewissensethik) ausgeschlossen. Verhältnis von Gesetz und Evangelium. Dogmatik und

Ethik nicht koordiniert, Sündenvergebung primäre Aufgabe der Kirche, Problem des Kriegsdienstes sekundär und nicht gesichert. *Dieser Schritt vom Glauben zur Konkretisierung das eigentliche Problem.* »Kirchliche Botschaften« immer in der Mitte zwischen allgemeinen Prinzipien und Konkretem, nie entscheidend! Not der Kirche stets auch Not der theologischen Wissenschaft! Zentral die Frage heute: Wer zeigt uns *Luther?*

c) Anhang zur Nachschrift Winfried Zellers

Bousset, Wilhelm: Kyrios Christos. Geschichte des Christusglaubens von den Anfängen bis auf Irenäus, 1913 (^{2}1921)

Cohen, Hermann: Ethik des reinen Willens, 1904 (^{4}1923)

ders.: Jüdische Schriften, 3 Bde., 1924

Cremer, Hermann: Biblisch-Theologisches Wörterbuch der neutestamentlichen Gräzität, 1867 (^{11}1923)

ders.: Das Wesen des Christentums, 1902

ders.: Die paulinische Rechtfertigungslehre im Zusammenhang ihrer geschichtlichen Voraussetzungen, 1899 (^{2}1902)

ders.: Gethsemane, 1902

Dibelius, Otto: Das Jahrhundert der Kirche. Geschichte, Betrachtung, Umschau und Ziele, 1927 (^{6}1928)

Engels, Friedrich: Herrn Eugen Dührings Umwälzung der Wissenschaft, 1878

ders.: Ludwig Feuerbach und der Ausgang der klassischen deutschen Philosophie, 1888

Eucken, Rudolf: Wahrheitsgehalt der Religion, 1901 (^{4}1920)

Feuerbach, Ludwig: Das Wesen des Christentums, 1841 (^{4}1883)

Fleisch, Paul: Die moderne Gemeinschaftsbewegung in Deutschland, 2 Bde., 1903–1914

Frank, Franz Hermann Reinhold: Geschichte und Kritik der neueren Theologie, 1894 (^{4}1908)

ders.: System der christlichen Wahrheit, 2 Bde., 1878–1880 (^{3}1894)

Harnack, Adolf: Das Wesen des Christentums, 1900 (^{14}1927)

Heitmüller, Wilhelm: Taufe und Abendmahl bei Paulus, 1903

Herrmann, Wilhelm: Christlich-protestantische Dogmatik, 1906 (^{2}1909)

ders.: Der Verkehr des Christen mit Gott, 1886 (^{7}1921)

ders.: Die Religion im Verhältnis zum Welterkennen und zur Sittlichkeit, 1879

ders.: Dogmatik. Vorlesungsdiktate, hrsg. v. Martin Rade, 1925

ders.: Ethik, 1901 (^{6}1921)

Holl, Karl: Gesammelte Aufsätze zur Kirchengeschichte, Bd. I: Luther, 1921 (^{5}1927)

ders.: Urchristentum und Religionsgeschichte. Rektoratsrede, 1924; Nachdruck: Die Antike 1 (1925) 161–174

Hume, David: Natural History of Religion, 1757; dt.: Die Naturgeschichte der Religion, 1911

ders.: Dialogues Concerning Natural Religion, 1779; dt.: Dialoge über natürliche Religion, 1877

James, William: Pragmatism, 1907; dt.: Pragmatismus, 1908

ders.: The Varieties of Religious Experience, 1902; dt.: Die religiöse Erfahrung in ihrer Mannigfaltigkeit, 1907

ders.: The Will to Believe and Other Essays in Popular Philosophy, 1897; dt.: Der Wille zum Glauben, 1899

Jellinghaus, Theodor: Das völlige, gegenwärtige Heil durch Christum, 1880 (^{5}1903)

Kähler, Martin: Der sogenannte historische Jesus und der geschichtliche biblische Christus, 1892 (^{2}1896)

ders.: Die Wissenschaft der christlichen Lehre von den christlichen Grundartikeln, 1883 (^{3}1905)

Kaftan, Julius: Dogmatik, 1897 (^{8}1920)

Kattenbusch, Ferdinand: Von Schleiermacher zu Ritschl, 1892; spätere Aufl. unter dem Titel: Die deutsche evangelische Theologie seit Schleiermacher, ^{5}1926

Lagarde, Paul Anton de: Über das Verhältnis des deutschen Staates zu Theologie, Kirche und Religion, 1873

Natorp, Paul: Die Religion innerhalb der Grenzen der Humanität, 1894 (^{2}1908)

ders.: Vorlesungen über Praktische Philosophie, 1925

Naumann, Friedrich: Briefe über Religion, 1903

Otto, Rudolf: Das Heilige. Über das Irrationale in der Idee des Göttlichen und sein Verhältnis zum Rationalen, 1917 (^{22}1929)

Overbeck, Franz: Über die Christlichkeit unserer heutigen Theologie, 1873 (^{2}1903)

Reischle, Max: Die Frage nach dem Wesen der Religion. Grundlegung zu einer Methodologie der Religionsphilosophie, 1889

Ritschl, Albrecht: Unterricht in der christlichen Religion, 1875 (^{3}1886); krit. Neuausgabe durch Cajus Fabricius, 1924

Rittelmeyer, Friedrich: Nietzsche und die Religion, 1904

Schaeder, Erich: Das Geistproblem der Theologie, 1924

Scheler, Max: Die Stellung des Menschen im Kosmos, 1928

Schlatter, Adolf: Die christliche Ethik, 1914 (^{2}1924)

ders.: Die philosophische Arbeit seit Cartesius, 1906 (^{2}1910)

Schleiermacher, Friedrich Daniel Ernst: Über die Religion. Reden an die Gebildeten unter ihren Verächtern, 1799

ders.: Der christliche Glaube nach den Grundsätzen (sic!) der evangelischen Kirche im Zusammenhange dargestellt, 1821–1822

Schweitzer, Albert: Von Reimarus zu Wrede. Geschichte der Leben-Jesu-Forschung, 1906 (^{4}1926)

Seeberg, Reinhold: Die Grundwahrheiten der christlichen Religion, 1902 (⁷1921)
ders.: System der Ethik, 1911 (²1920)
Simmel, Georg: Die Religion, 1906 (²1912)
ders.: Soziologie, 1908 (²1922)
Stange, Carl: Christentum und moderne Weltanschauung, Bd. 1: 1911 (²1913), Bd. 2: 1914
ders.: Die Religion als Erfahrung, 1907 (²1919)
ders.: Grundriß der Religionsphilosophie, 1907 (²1922)
Tillich, Paul: Die religiöse Lage der Gegenwart, 1926
Troeltsch, Ernst: Die Absolutheit des Christentums und die Religionsgeschichte, 1902 (³1929)
ders.: Die Soziallehren der christlichen Kirchen und Gruppen (Gesammelte Schriften, Bd. 1), 1912 (³1922)
ders.: Die theologische Lage der Gegenwart: Deutsche Monatsschrift für das gesamte Leben der Gegenwart 4 (1903) 385–398; erweiterte Fassung: Gesammelte Schriften, Bd. 2, 1913 (²1922), 1–21
ders.: Grundprobleme der christlichen Ethik. Erörtert aus Anlaß von Herrmanns Ethik: Zeitschrift für Theologie und Kirche 12 (1902) 44–94, 125–178; überarbeitete Fassung: Gesammelte Schriften, Bd. 2, 1913 (²1922), 552–672
ders.: Vernunft und Offenbarung bei Johann Gerhard und Melanchthon. Untersuchung zur Geschichte der altprotestantischen Theologie, 1891
Wrede, William: Das Messiasgeheimnis in den Evangelien, zugleich ein Beitrag zum Verständnis des Markusevangeliums, 1901
ders.: Paulus, 1905 (²1907)

Im vorstehenden Verzeichnis wurde – soweit sie mir erreichbar waren – bei den späteren Auflagen, die in Klammern beigefügt sind, das Jahr 1931 (Vorlesung: WS 1931/32!) als terminus ad quem genommen. Bei den bibliographischen Angaben zu Schleiermacher wurde wegen der Vielzahl von Auflagen bzw. Nachdrucken auf die Nennung späterer Editionen verzichtet.

III. Schluß

Gegenüber dem bisher bekannten Text der ersten Vorlesung Bonhoeffers in Berlin, der aufgrund der Nachschriften von Kanitz und Winterhager von Otto Dudzus für den 5. Band von Bonhoeffers »Gesammelten Schriften« im Jahre 1972 kompiliert wurde, bringt Zellers Nachschrift einige Weiterungen und Klärungen.

1. Der so wichtige, bisher nicht rekonstruierbare *Anfangsteil der Vorlesung* ist nun, wenigstens in Stichworten, vorhanden. Den unmittelbaren biographisch-historischen Zusammenhang, in dem Bonhoeffers Vorlesung steht und aus dem sie zu interpretieren ist, hat Bethge im einzelnen

geschildert: Amerika-Aufenthalt 1930/31, anschließend im Sommer 1931 ausführlicher Besuch bei Karl Barth in Bonn mit der Erkenntnis, daß die Frage der Ethik dringend einer Klärung bedürfe, im Herbst dann Teilnahme an mehreren Tagungen, vor allem an einer ökumenischen Konferenz in Cambridge.[6]

Wer unter seinen Zuhörern der Meinung war, Bonhoeffer biete in seiner Vorlesung eine Theologiegeschichte des 20. Jahrhunderts, der wurde gleich zu Beginn des Kollegs mit der Mitteilung aufgeschreckt, es gelte, »Christus heute zu sehen«. Das und nichts anderes sei das Ziel der Vorlesung. Denn es gehe in der Theologie um den lebendigen Christus, der in der Kirche gegenwärtig sein will: »Christus praesens«. Mit diesem Gedanken knüpft Bonhoeffer an die Formel »Christus als Gemeinde existierend« an, die er 1927 in seiner Dissertation als theologisch-soziologische und damit als ethische Grundkategorie seiner gesamten späteren Theologie entwickelt hatte.[7] Wenn »Jesus der Mensch für andere« war, wie Bonhoeffer 1930 in seiner Habilitationsschrift »Akt und Sein« behauptet hatte, so ergibt sich unweigerlich die Frage, was aus der Verbindung der Existenz Christi als Gemeinde und dem Menschsein Jesu für andere für die Theologie folgt. Bonhoeffer antwortet: das Heute dieser Existenz, dieses Christus praesens. Und damit gibt er der Besinnung auf die Geschichte der systematischen Theologie des 20. Jahrhunderts von vornherein die Zielrichtung, zur Klärung der zentralen Aufgabe der Theologie in der Gegenwart beizutragen. Denn Christus ist »nur aus dem Heute, der Zeit heraus zu sehen«. Die »Theologie hat es mit dem *lebendigen* Christus zu tun, nicht nur mit dem historischen Jesus«. Sie arbeitet voraussetzungslos, allein auf der Grundlage des Evangeliums. Ausschließlich das Evangelium, das ihr vorgegeben ist, gibt ihr die Berechtigung zur geschichtlichen, auf es selbst bezogenen Besinnung. In der völligen Profanität der abendländischen Gesellschaft des 20. Jahrhunderts gilt es, in der »Stunde des Heute« Gottes Kommen und sein Wirken zu erkennen und zu glauben. Von hier aus konkret zu werden und als einzelner Christ sowie als ganze Gemeinde zu handeln, ist nach Bonhoeffer das eigentliche Problem der Theologie. Wo Barth auf den reformierten Aktualismus setzt, fehlt jemand, der zeigen könnte, wie eine moderne Ethik auf der Basis der reformatorischen Erkenntnisse Luthers aussehen müßte. »Wer zeigt uns Luther?«, fragt Bonhoeffer deshalb am Ende der Vorlesung.

Karl Holl, als Lutherforscher von Bonhoeffer besonders geschätzt, hatte schon entscheidend vorgearbeitet, was die Befreiung des Lutherverständnisses aus einer neuprotestantisch-orthodoxen Engführung wie auch aufklärerisch-liberalen Verflachung betraf. Aber die Aufgabe einer der Gegenwart angemessenen Neufassung der ethischen Konsequenzen des lutherischen »capax infiniti« oder »Infra Lutheranum« ist für Bonhoeffer noch nicht gelöst. Sie beschäftigt ihn, seit er – um mit Bethge zu sprechen –

vom Theologen zum Christen wurde. Und sie läßt ihn bis zu seinem Tode nicht mehr los.[9]

2. Gegenüber der Kanitz-Version fehlen bei Zeller »§ 5 Das Wesen des Christentums« und »§ 7 Der biblische Christus«. Zeller notiert nach § 6: »Zweimal gefehlt«. Das heißt, gegenüber Zeller bietet Kanitz aufs Ganze gesehen die vollständigere Überlieferung von Bonhoeffers Redetext.

Während Kanitz' Nachschrift, ein Heft von 77 Seiten[10], wahrscheinlich »aus einem Vorlesungsstenogramm hervorgegangen« ist[11] und einen fortlaufenden Text mit ausgeführten Sätzen darbietet, besteht Zellers 35seitiger, im Langschrift abgefaßter Text lediglich aus Stichworten und Zusammenfassungen der wesentlichen Gedanken Bonhoeffers. Eine etwa über Kanitz hinausgehende wörtliche Rekonstruktion der Vorlesung Bonhoeffers ist also mit Zellers Text nicht möglich. Aber die Zeller-Nachschrift kann an vielen Punkten die Kanitz-Überlieferung bestätigen und an einigen Stellen wie z.B. der Einleitung und im Blick auf Bonhoeffers Literaturangaben ergänzen. Damit dürfte Zellers Nachschrift ein wichtiges Dokument für die Bonhoeffer-Forschung sein.

Zwar besuchte Zeller während seines restlichen Studiums keine Lehrveranstaltung Bonhoeffers mehr. Aber im Wintersemester 1933/34, als Bonhoeffer innerhalb der Berliner Theologischen Fakultät und weit darüber hinaus schon als klarer Gegner des Nationalsozialismus bekannt war, zog Zeller in einer umfangreichen Seminararbeit vom 10.10.1933 bei Wilhelm Lütgert über »Die Rechtfertigungslehre Gabriel Biles verglichen mit der Rechtfertigungslehre in Luthers Römerbriefvorlesung, unter Zugrundelegung der prinzipiellen Voraussetzungen vom Seinsbegriff aus« Bonhoeffers Habilitationsschrift »Akt und Sein« so intensiv zu Rate, daß Lütgert in seinem Votum kritisch vermerkte: »Die Arbeit ist in den Rahmen einer Geschichtsdeutung eingespannt, die sich an Bonhoeffer anschließt. Im übrigen sehr fleißig aufgrund eigenen Quellenstudiums I–II.«[12] Bei dem Systematiker Lütgert, Nachfolger Reinhold Seebergs, war Bonhoeffer vom Sommer 1929 bis zum Herbst 1930 Volontärassistent. Lütgert hat Bonhoeffer »bald geschätzt, obwohl er spürte, daß er keinen richtungändernden Einfluß mehr auf dessen Entwicklung ausüben konnte«.[13]

Zeller war gewiß kein Bonhoeffer-Schüler im eigentlichen Sinne des Wortes. Zwar wirkten die umfassende Bildung, die theologische Aufgeschlossenheit für die Probleme der Gegenwart, der ethische Ernst und die Wortgewandtheit des gerade fünf Jahre älteren Dozenten Dietrich Bonhoeffer auf den 20jährigen Studenten Zeller anziehend. Aber Bonhoeffers »amerikanische Dandyhaftigkeit« in Kleidung und Gestus fand nicht nur Zustimmung, sondern auch gerade unter den von der Jugendbewegung herkommenden Studenten Kritik. Auch Bonhoeffers Begeisterung für die Musik der Neger, den Jazz, hatte sich schnell herumgesprochen. Sie war damals innerhalb der Theologenkreise wie überhaupt im Bildungsbürgertum der Zeit keineswegs selbstverständlich, ebensowenig seine unkomplizierte, direkte Art des Umgangs mit den Studenten. Das alles machte Bonhoeffer zu einem Außenseiter im überalterten Kollegium der Ordinarien. Aber weniger dieses Außenseitertum Bonhoeffers als vielmehr das in jener Zeit bei Zeller immer stärker werdende Interesse an spezifisch kirchen- und theologiegeschichtlichen Problemen führte dazu, daß sich beider Wege trennten. Immerhin bleibt festzuhalten, daß Bonhoeffer und Zeller eine beachtliche Reihe gemeinsamer Lehrer hatten, darunter auch einige, die jeden von beiden nachhaltig prägten, so zum Beispiel der Neutestamentler Adolf Deißmann und der Systematiker Reinhold Seeberg.[14]

Mit Bonhoeffer selbst und seiner Theologie beschäftigte sich Zeller später kaum noch. In dem nach seinem Tode von Roswitha Zeller erstellten 6245 Titel zählenden Verzeichnis der theologischen Bibliothek Winfried Zellers findet sich als einziges Werk Bonhoeffers dessen Buch »Nachfolge« in einer auf Veranlassung der Kriegsgefangenenhilfe des Weltbundes der Christlichen Vereine Junger Männer in den USA nachgedruckten und in Genf ohne Jahreszahl erschienenen Ausgabe.[15] Als 1967 Eberhard Bethges Bonhoeffer-Biographie erschien, lieh ich sie bald meinem Marburger Kirchengeschichtslehrer Winfried Zeller zur Lektüre aus. Vierzehn Tage später gab er mir das Buch mit der Frage zurück, ob ich wüßte, daß er auch bei Bonhoeffer gehört habe. Aber der Funke sei damals nicht übergesprungen. Heute wisse er allerdings, daß Bonhoeffer mehr zu sagen gehabt hätte, als er damals begriffen und geahnt hätte. Zweifellos habe er zu den wenigen Theologen gehört, die in der Kirche und Theologie unseres Jahrhunderts Entscheidendes bewegt hätten. »In diesem Sinne«, so sagte mir Zeller damals, »war Bonhoeffer gewiß ein beachtlicher Theologe, Christ und Zeitgenosse, von dem wir auch heute noch lernen können, besonders den Ernst der Nachfolge Christi«.

Anmerkungen

1 Eberhard Bethge, Dietrich Bonhoeffer. Theologe, Christ, Zeitgenosse, München 1967, 257. Vgl. 256, wo Bethge mitteilt, daß die »Unterlagen und Manuskripte sämtlicher Vorlesungen und Seminare Bonhoeffers« mit Ausnahme der Vorlesung »Schöpfung und Sünde« aus dem Wintersemester 1932/33 verschollen sind. »Wenn man überhaupt erfahren will, was Bonhoeffer« während seiner Berliner Dozententätigkeit vom Wintersemester 1931/32 bis zum Wintersemester 1933/34 »trieb, muß man sich den indirekten Quellen spärlich vorhandener und unterschiedlicher Studentennachschriften anvertrauen. Nur aus ihren Umrissen«, so schreibt Bethge zu Recht, »läßt sich ein ungefähres Bild dieser theologisch für Bonhoeffer so prägenden Jahre gewinnen«. Unter diesem Gesichtspunkt erhält die im folgenden mitgeteilte Nachschrift Winfried Zellers ihre besondere Bedeutung.

2 Im Besitz von Frau Roswitha Zeller, der Witwe Winfried Zellers, in Marburg. Ich danke Frau Zeller herzlich für ihr bereitwilliges Einverständnis, daß ich den gesamten Nachlaß ihres Mannes einsehen und den Text der Nachschrift der Bonhoeffer-Vorlesung im

folgenden vollständig wiedergeben durfte. Der Nachlaß Winfried Zellers wird im folgenden Aufsatz als »Nachlaß« zitiert.

3 31 in enger Schrift halbseitig beschriebene Folioseiten; Nachlaß.

4 Nach Winfried Zeller, Chronologisches Verzeichnis der an der Friedrich-Wilhelms-Universität zu Berlin gehörten Vorlesungen und Übungen, 4. S. Maschinenschrift; Nachlaß.

5 Vgl. Bethge, Dietrich Bonhoeffer (s. Anm. 1), 256f., 1047.

6 Vgl. a.a.O., 183ff.

7 Druck: Dietrich Bonhoeffer, Sanctorum Communio. Eine dogmatische Untersuchung zur Soziologie der Kirche, Berlin 1930; jetzt neu hrsg. v. Joachim von Soosten (DBW 1), München 1986.

8 Druck: Dietrich Bonhoeffer, Akt und Sein. Transzendentalphilosophie und Ontologie in der systematischen Theologie, Gütersloh 1931; jetzt neu hrsg. v. Hans-Richard Reuter (DBW 2), München 1988.

9 Vgl. außer seiner posthum von Eberhard Bethge zusammengestellten Ethik, München 1949, und den entsprechenden Aufsätzen, Predigten, Tagebüchern und Briefen in den Gesammelten Schriften, Bd. 1–6, München 1958–1974, vor allem Widerstand und Ergebung. Briefe und Aufzeichnungen aus der Haft, hrsg. v. Eberhard Bethge, München [3]1985.

10 Vgl. Dietrich Meyer – Eberhard Bethge, Nachlaß Dietrich Bonhoeffers. Ein Verzeichnis. Archiv – Sammlung – Bibliothek, München 1987, 120, Akten-Nr. B 1, 1.

11 Dudzus hat den Kanitzschen Text für den 5. Band von Bonhoeffers Gesammelten Schriften, hrsg. v. Eberhard Bethge, München 1972, bearbeitet und mit einer Vorbemerkung versehen: 181–227; Zitat: 181.

12 Nachlaß.

13 Bethge, Dietrich Bonhoeffer (s. Anm. 1), 164.

14 Die übrigen waren – in alphabetischer Reihenfolge – Johannes Biehle (Liturgik), Hans Lietzmann (Neues Testament, Kirchen- und Dogmengeschichte), Friedrich Mahling (Praktische Theologie), Heinrich Maier (Philosophie), Ernst Sellin (Altes Testament), Eduard Spranger (Philosophie), Arnold Stolzenburg (Dogmatik) und Arthur Titius (Ethik). Nach Zeller, Chronologisches Verzeichnis (s. Anm. 4), und Dietrich Bonhoeffer, Jugend und Studium 1918–1927, hrsg. v. Hans Pfeifer in Zusammenarbeit mit Clifford Green und Carl-Jürgen Kaltenborn (DBW 9), München 1986, 640–642.

15 Die Bibliothek Zellers befindet sich heute im Besitz der Universitätsbibliothek Marburg.

Neubeginn in Nassau? Die kirchlichen Entwicklungen im Jahr 1945

Von Klaus Martin Sauer

Das rheinhessische Gebiet der damals noch bestehenden Evangelischen Landeskirche Nassau-Hessen wurde am 17. März 1945 von den vordringenden amerikanischen Truppen erreicht, die an diesem Tag bis in den Osten von Bad Kreuznach vorrückten[1]. Bis zum Ende des Monats erfolgte der militärische Vormarsch in verschiedenen Richtungen schließlich bis in den nordhessischen Raum, womit das gesamte Territorium der Landeskirche unter amerikanische Besatzung gelangt war[2]. Durch diese militärischen Lage war für die betroffenen Regionen spätestens seit Anfang April eine neue politische Situation entstanden[3]. Am Ende des Dritten Reiches waren also die Landeskirchen, insbesondere diejenigen, die als nicht ›intakt‹ angesehen wurden, vor die Frage gestellt, wie künftig die Weiterführung der kirchlichen Aufgaben zu gewährleisten sei und in welcher Weise die kirchliche Organisation Kontinuität erhalten sollte oder neu zu gestalten sei. Als Problematik in dieser Schlußphase des Weltkrieges und der beginnenden Besatzungszeit muß neben den allgemein wirtschaftlich desolaten Verhältnissen, den naturgemäß weitgehend unterbrochenen Verkehrsverbindungen, der Einstellung postalischer Kommunikation auch die Einschränkung der Bewegungsfreiheit in Rechnung gestellt werden. Dies war jedenfalls in einer Region mit einer gewissen Flächenausdehnung zweifelsohne gravierender als in einem städtischen Ballungsgebiet. Auch von daher lassen sich unterschiedliche Vorgehensweisen und Möglichkeiten in den drei historisch gewachsenen, kirchlichen Teilgebieten der Ev. Landeskirche Nassau-Hessen erklären und verstehen.

Die Reaktion auf die militärische Besetzung in den Teilkirchengebieten Frankfurt, Hessen-Darmstadt und Nassau weist gewisse Parallelitäten, aber auch charakteristische Unterschiede auf. Zum einen hatte der Landesbruderrat in Voraussicht des bevorstehenden Endes des Dritten Reiches und der sich damit abzeichnenden neuen Situation für die Kirche bereits seit Mai 1944 Überlegungen angestellt, wie eine neue Kirchenleitung zu bilden sei[4]. Da sich diese Perspektiven nicht unmaßgeblich auf die Person des bis 1934 im Amt befindlichen Prälaten Wilhelm Diehl konzentriert hatten, war mit dessen Tod beim Bombenangriff auf Darmstadt[5] im September 1944 diese Planung obsolet geworden. Da man bei der vollständigen Niederlage Deutschlands auch mit entsprechend chaotischen Verhältnissen rechnete, die ein koordiniertes Handeln der drei Gebietsteile schwierig machen würden, wurden in der Folgezeit für die einzelnen Teilkirchengebiete Personen benannt, die beim Ende des Dritten Reiches zum unverzüglichen Handeln beauftragt waren[6], für Wiesbaden und Nassau wurden dafür Pfarrer Franz von Bernus und Pfarrer Wilhelm Hahn ausersehen.

Während sich bereits am 18. April im Gemeindehaus der Martinsgemeinde[7] in Darmstadt die neue Vorläufige Leitung konstituierte, nachdem Fühlungnahmen, Kontakte und Gespräche in dieser Angelegenheit schon seit dem 9. April geführt worden waren[8], und in Frankfurt das Gremium aus den vier Pfarrern Karl Goebels, Otto Fricke, Ernst Nell und Arthur Zickmann am 8. Mai im Protokoll lapidar festhielt, daß der Viererausschuß die »Vorläufige Leitung der Evangelischen Kirche in Frankfurt am Main ist«[9], ging die Entwicklung im nassauischen Gebietsteil weniger zügig voran.

Die bisherige kirchenhistorische Literatur beschreibt diese Vorgänge in der Regel eher recht knapp. Steitz gibt einen zusammenfassenden Überblick über die Entstehung der Vorläufigen Leitung der Evangelischen Kirche in Nassau, nennt deren personelle Zusammensetzung und weist auf erste Aktivitäten hin[10]. Ohne die einzelnen Schritte detailliert nachzuzeichnen, sie konkret datierend zu fixieren und auf den unterschiedlichen Rechtscharakter der verschiedenen Zusammenkünfte einzugehen, berichtet Meier über die Entwicklung der Monate April und Mai 1945 im Nassauischen[11], wobei weder die Absichten der Vertreter der Bekennenden Kirche klar dargelegt werden noch auf die Haltung der im Gegensatz zu Frankfurt und Darmstadt hier in Wiesbaden noch vertretenen Repräsentanten der alten Kirchenregierung, des Landesbischofs Ludwig Dietrich[12] und des Präsidenten der Landeskirchenkanzlei Paul Kipper, näher eingegangen wird. Wegen der Zerstörung des Dienstgebäudes in Darmstadt und trotz einer notdürftig in Groß-Zimmern aufgebauten Ausweichstelle stellte das Landeskirchenamt in Wiesbaden (Emserstr. 3) die einzige einigermaßen kontinuierlich funktionierende Organisationseinheit innerhalb der Landeskirche Nassau-Hessen während der letzten Monate des Krieges dar, weshalb seit Oktober 1944 hier die wenigen noch stattfindenden Sitzungen der Kirchenregierung abgehalten wurden[13]. Ausführlicher und im wesentlichen auf Aussagen beteiligter Persönlichkeiten gestützt schildert Lueken den Verlauf in der Zeit der Konstituierung der Vorläufigen Leitung in Nassau[14]. Auch er hebt den Unterschied zum Vorgehen in Hessen hervor, wo man die Ansicht vertrat, daß die alte Landeskirche rechtlich nicht mehr existent sei. Demgegenüber habe die entstehende nassauische Leitung zunächst die Meinung gehabt, für die gesamte Landeskirche zu handeln. Modifikationen in dieser Zielrichtung seien erst nach Kontakten mit den anderen Kirchengebietsteilen eingetreten[15]. Im wesentlichen gibt Lueken den äußeren Ablauf der Ereignisse im April und Mai 1945 nachvollziehbar wieder. Vollnhals thematisiert die Entwicklungen in Nassau unter dem Vorzeichen eines Interessenkonfliktes zwischen den ursprünglich zum kirchlich-organisatorischen Handeln ermächtigten Vertretern der Bekennenden Kirche und den dann alsbald hinzutretenden Vertretern der kirchlichen Mitte und den Mitarbeitern aus den Reihen des Landeskirchenamtes[16].

Ein erster Anfang der kirchlichen Neuordnung für Nassau unter dem Vorzeichen des voraussehbaren Ende des Dritten Reiches und nach der inzwischen erfolgten Besetzung des Kirchengebietes ist ebenfalls in die Mitte des Monats April 1945 zu datieren. Zu dieser Zeit sind die seinerzeit vom Landesbruderrat ausgewählten Personen in Erscheinung getreten, wie es etwa Ende 1944 geplant worden war: »Bei späteren Besprechungen [nach dem Angriff auf Darmstadt im September 1944] im kleinen Kreis des Landesbruderrat wurden Brüder bestimmt, die im Fall des Zusammenbruchs sofort zu handeln hatten... Ich betonte bei diesen Besprechungen, dass man sich die Lage nicht katastrophal genug vorstellen könnte, da wohl keine Verbindung mit Wiesbaden und Frankfurt für lange zu bekommen sei ... für Wiesbaden [wurden] Pf. von Bernus und Pfarrer Hahn mit der Aufgabe betraut, die notwendige Aktion vorzunehmen«[17]. Zu den genannten Wiesbadener Pfarrern kam jedoch noch der in Greins Bericht nicht erwähnte, allerdings aus anderen Quellen zu ermittelnde[18] Pfarrer Veidt. Die drei Vertreter der Bekennenden Kirche, Franz von Bernus[19], Pfarrer an der Bergkirche in Wiesbaden, Wilhelm Hahn[20], Pfarrer an der Ringkirche und seit 1937 Vorsitzender des nassauischen Pfarrervereins, und Karl Veidt[21], früher für die Bekennende Kirche im Einigungswerk tätig und seit 1944 Geistlicher in Wiesbaden-Biebrich, traten ins Gespräch mit dem Leiter des Landeskirchenamts Paul Kipper ein. In einem nachträglichen Schreiben an Kipper faßte von Bernus die Haltung und die Absichten der Bekennenden Kirche zusammen, die die drei Delegierten mündlich vorgetragen hatten. Von Bernus formuliert eingangs: »Im Namen der Abordnung der Bekennenden Kirche, die Sie, sehr geehrter Herr Präsident, zu einer Besprechung im Landeskirchenamt am 17. 4. 1945 geladen und empfangen haben, ... darf ich Ihnen die von uns vorgetragenen Grundsätze und Wünsche noch einmal schriftlich unterbreiten, in der Hoffnung, dadurch der Verständigung über eine Übergangslösung zu dienen«[22]. Diese Ausdrucksweise läßt durchaus die Interpretation zu, daß die Initiative zu dieser Unterredung von der bisherigen Kirchenleitung ausgegangen ist. Jedenfalls wurden die Ansprüche der Bekennenden Kirche hier noch sehr zurückhaltend geäußert. In einem grundsätzlichen Abschnitt wurde zwar die seitherige und fortbestehende Ablehnung der Kirchenbehörde als Kirchenregiment unterstrichen, aber die Funktion des Landeskirchenamts als Verwaltungsbehörde zumindest bis zu einer vorläufigen Neuorganisation akzeptiert. In dem anschließenden Abschnitt werden konkret anstehende Fragen angeschnitten, wozu sich aus der Sicht der Bekennenden Kirche einige »Wünsche« ergeben, nämlich daß das Landeskirchenamt die Verwaltungsgeschäfte weiterführen, jedoch »kirchenregimentliche Handlungen mit geistlichem Charakter« nicht mehr ausführen solle. Pfarrstellenbesetzungen, die sowohl unter verwaltungsmäßigem Aspekt als auch in geistlicher Hinsicht gesehen werden, sollen grundsätzlich ausgesetzt werden. Für den Fall unaufschiebbaren Handelns verlangte das Dreiergremium Mitteilung und Möglichkeit zur Stellungnahme. Die daraus erkennbare Haltung der

Vertreter der Bekennenden Kirche in Nassau scheint auf die Möglichkeit einer Kooperation mit der bisherigen Verwaltungsstruktur hinzudeuten.

In diesem Sinne sind auch die Verhandlungen bei der Sitzung des Landeskirchenamtes am 24. April offenkundig geführt worden. An dieser Sitzung nahmen im kleinen Kreise nur Vertreter der seitherigen Kirchenregierung teil: Präsident Kipper, Präsident Dr. Theinert, Landesbischof Dietrich, Oberlandeskirchenrat Walther, Propst Peter[23] und Amtsrat Hardegen. Das Protokoll hält fest: »Präsident Kipper teilt den Inhalt der Besprechung zwischen ihm, Präs. Dr. Theinert u. OLKRat Walter einerseits u. den Mitgliedern der Bekennenden Kirche Pfarrer v. Bernus, Pfarrer Veidt u. Pfarrer Hahn Wiesbaden andererseits über die durch die feindl. Besetzung des landeskirchl. Gebiets eingetretene neue Rechtslage u. über eine zu findende Übergangslösung [mit].

Nach rechtlichen u. sachlichen Ausführungen des Landesbischofs u. Präs. Dr. Theinert wird beschlossen, dem Antrag der Bekennenden Kirche auf Hinzuziehung der obengenannten 3 Geistlichen zu den Beratungen des LKamts zuzustimmen, wenn dieses Gremium durch Hinzuziehung von Mitgliedern des Einigungswerks auf eine breitere Basis gestellt wird«[24]. Allerdings unterließ man bei dieser Sitzung die eigentlich geplante Ernennung von Pfr. Lic. Dr. Hugo Grün[25] zum Landeskirchenrat. Dies kann als Reaktion auf das Schreiben vom 19. April gewertet werden. Selbst wenn die im Protokoll dokumentierte Ansicht, daß die Vertretung der Bekennenden Kirche wünscht, zu den Beratungen des Landeskirchenamtes hinzugezogen zu werden, den schriftlichen Unterlagen von der Seite der Bekennenden Kirche nicht zu entnehmen ist und darin vielleicht eher die Zielsetzung der alten Kirchenbehörde zur Einbindung der Bekennenden Kirche bei gleichzeitiger Perpetuierung der eigenen Einflußmöglichkeiten zum Ausdruck kommt, der in etwa in einer Neuauflage des vor Jahren bereits gescheiterten Unternehmens »Einigungswerk« hätte bestehen können, muß offenkundig die Stellungnahme der Herren der Bekennenden Kirche in dieser Phase noch nicht so eindeutig und klar gewesen sein, daß eine wie auch immer geartete Kooperation von vornherein ausgeschlossen werden mußte. Die Differenzierung zwischen der grundsätzlichen Bestreitung der Legitimität der Kirchenführung und der Bereitschaft ihr Verwaltungshandeln zu tolerieren, wie sie die Bekennende Kirche in diesen Tagen vertrat, war für die bisherige Kirchenleitung offenbar auch zu diesem Zeitpunkt nicht nachzuvollziehen. Das Handeln und die Beratungen lassen vielmehr auch den weiterhin vertretenen Anspruch auf Berechtigung zum kirchenleitenden Handeln bzw. zu auch in Zukunft maßgeblicher Mitwirkung erkennen. In diesem Sinne richtete Kipper unter dem Datum des 24. April seine Antwort an von Bernus und teilte mit, daß man den Wünschen der Bekennenden Kirche entsprechen wolle und vorschlage, – wohlgemerkt – nur bei Fragen der Pfarrstellenbesetzung neben den Vertretern der Bekennenden Kirche drei Mitglieder des Einigungswerks hinzuzuziehen[26].

Erst auf dieses Angebot hin wurde die Stellungnahme präziser und deutlicher, die von Bernus in Verbindung mit Hahn und Veidt abgab. Zwischen den drei Beauftragten und der amerikanischen Militärregierung fand zwischenzeitlich eine Klärung dahingehend statt, daß alle Eingriffe des nationalsozialistischen Staates in die Kirche und die daraus resultierenden Konsequenzen außer Kraft gesetzt seien. Unter dieser Voraussetzung sei die Frage zu bedenken, »ob und gegebenenfalls in welcher Zusammensetzung das Landeskirchenamt überhaupt noch weiter bestehen kann«[27]. In nunmehr konsequenter Klarheit hatte von Bernus in seiner Antwort auf Kippers Schreiben bereits eingangs unterstrichen, daß die bisherige Kirchenregierung die grundsätzliche Stellungnahme im Brief vom 19. April offensichtlich akzeptiert habe. Unter Hinweis auf den Widerstand der Bekennenden Kirche gegen den nationalsozialistischen Staat formulierte von Bernus: »Die gegenwärtige Kirchenbehörd[e] war und ist schon deshalb nicht berechtigt, im Namen der Kirche zu handeln, weil sie ihr Dasein und ihre Wirkungsmöglichkeit nicht nur lediglich diesem Staate verdankte, sondern auch seine Handlungsweise mitverantwortet und unterstützt hat«[28]. Folgerichtig wurden jetzt sowohl Pfarrstellenbesetzungen als auch eine Beteiligung daran und eine etwaige Einbeziehung von Vertretern des Einigungswerkes abgelehnt. Letzteres mit dem Hinweis darauf, daß das Einigungswerk durch das Landeskirchenamt praktisch schon vor Jahren lahmgelegt worden sein. Schließlich wurde auf die Rechtsansprüche aller von irgendwelchen Dienstmaßnahmen betroffenen Pfarrer und insbesondere auch der Jungtheologen der Bekennenden Kirche nachdrücklich hingewiesen und die Forderung nach Wiedergutmachung erhoben.

Es ist noch einmal darauf hinzuweisen, daß die Mitglieder der Bekennenden Kirche in Nassau diejenigen waren, die im Vergleich zu den anderen kirchlichen Teilgebieten direkt mit einigermaßen hochrangigen Vertretern des alten Kirchenwesens konfrontiert waren und mit einem arbeitsfähigen, wenig eingeschränkten Landeskirchenamt zu tun hatten. Demgegenüber konnten die Repräsentanten der Bekennenden Kirche in Darmstadt und in Frankfurt vergleichsweise autonom handeln. Es mag sich von der geschilderten Konstellation her erklären, daß das Handeln der Wiesbadener BK-Leute eher zögerlich und nicht von Anbeginn an sonderlich konsequent anmutet. Erst mit diesem Schreiben vom 1. Mai scheint eine gewisse Wende eingetreten zu sein und das Gesetz des Handelns auf die drei Pfarrer der Bekennenden Kirche überzugehen.

Die entscheidende, unterstützende Motivation ist aber wohl vom Besuch einer Delegation aus Darmstadt ausgegangen. Oberkirchenrat Dr. Friedrich Müller[29] und die Pfarrer Karl Grein, Rudolf Goethe und Dr. Wilhelm Bergér, die der seit fast einem Monat amtierenden Vorläufigen Leitung in Hessen angehörten, besuchten am 14. Mai zunächst in aller Frühe Pfarrer von Bernus, der erläuterte, daß man in Wiesbaden kurz vor dem Abschluß der Bildung einer neuen Kirchenleitung stehe[30]. Immerhin ergriff von Bernus noch am gleichen Tag die Initiative und trieb die Entwicklung voran, indem er in einem knappen Schreiben an Kipper mitteilte, daß sich der Kreis derer, die bisher die Verhandlungen geführt hätten, um die Herren Pfr. Lic. Dr. Grün, Landesbischof D. Kortheuer[31] und Regierungsrat Dr. Franz Leitz[32], einen Mann aus den Reihen der Bekennenden Kirche, erweitert habe. »Bevor der so gebildete Ausschuß weitere Schritte unternimmt«[33], wolle man am Freitag, dem 18. Mai im Landeskirchenamt mit Kipper und seinen Mitarbeitern eine Unterredung führen. Kipper erklärte das Einverständnis zum Vorschlag von Ort, Datum und Zeitpunkt des angestrebten Treffens.

An dieser entscheidenden Sitzung nahmen die sechs Personen teil, die sich nun als Ausschuß verstanden, und von seiten des Landeskirchenamtes Präsident Kipper, Präsident Dr. Theinert, Landesbischof Lic. Dr. Dietrich, Oberlandeskirchenrat Walther und Amtsrat Otto Hardegen. Zunächst erklärte Kipper seinen Rücktritt und die Absicht, in den Ruhestand zu treten, nicht ohne eine Erklärung seines bisherigen Wirkens abzugeben: »Er habe schon seit Jahren in den Ruhestand treten wollen, sei aber auf Bitten seiner Mitarbeiter immer wieder geblieben. Es habe sich kein Nachfolger für ihn gefunden, der die oft schwierigen, nervenbelastenden Verhandlungen mit dem nationalsozialistischen Staat bei dessen z. T. kirchen- und christentumsfeindlicher Einstellung hätte führen wollen. Er empfiehlt der kommenden Kirchenregierung, den Zusammenschluß zur Ev. Landeskirche Nassau-Hessen nicht wieder zu lösen und dafür zu sorgen, daß in der ev. Kirche keine Zwietracht entstehe, sondern daß eine in sich einige Landeskirche als geschlossener Block dastehe wie die katholische Kirche. Er scheide mit dem Wunsch, daß Gottes Segen auf der Landeskirche und allen ihren Dienern ruhen möge«[34]. Daraufhin dankte von Bernus für diesen Entschluß und teilte mit, »daß der sechsköpfige Ausschuß sich als ›Vorläufige Leitung der Ev. Kirche in Nassau‹ bezeichne und seine Aufgaben als Treuhänder bis zum Zusammentritt der Synode für den nass. Gebietsteil der Landeskirche durchführen wolle. Es handle sich also um einen begrenzten Auftrag. Für die Aufgaben der Gesamtkirche Nassau-Hessen soll ein Verbindungsausschuß gebildet werden«[35].

Auch Oberlandeskirchenrat Walther trat zurück und bat um Ruhestandsversetzung. Dr. Dietrich stellte sein Amt zur Verfügung und verband dies gleichzeitig mit der Frage, ob er jetzt wieder automatisch Pfarrer seiner früheren Pfarrstelle an der Marktkirche in Wiesbaden sei. Pfarrer von Bernus sagte eine wohlwollende Prüfung aller diese Herren betreffenden Fragen hinsichtlich ihrer persönlichen Verhältnisse zu. Kortheuer schloß sich dem Dank an. Daraufhin wurden in die Zukunft weisende Themen angeschnitten, in deren Hintergrund die Frage nach der Legitimität der übernommenen Handlungsvollmacht stand. Man strebte eine Prüfung an, ob und inwieweit die Wiesbadener Abteilung des Landeskirchenamtes noch als existent zu betrachten sei. Hierzu gab dessen Präsident Dr. Hans Theinert[36] aus juristischer Sicht Erläuterungen und unterbreitete den Vorschlag, sich zur Klärung mit den Bezirksregierungen in Wiesbaden und Darmstadt in Verbindung zu setzen. Kortheuer bekundete dazu seine ausdrückliche Zustimmung. Im übrigen bestand Einvernehmen, daß der Zusammenschluß zur Landeskirche Nassau-Hessen von einer künftigen Synode legitimiert werden müsse und daß baldigst die Frage zu klären sei, wer in der noch bestehenden nassau-hessischen Landeskirche die Kirchengewalt ausübe.

Mit dieser Sitzung am 18. Mai ist das alte Kirchenregiment, das durch die Namen Dietrich und Kipper zu kennzeichnen ist, für das gesamte nassau-hessische Kirchengebiet faktisch erloschen. Wie man später mitteilte, sei die Zusammenkunft »in versöhnlichem Geist und in würdigen Formen verlaufen«[37]. Die nunmehr im Amt befindliche Vorläufige Leitung strebte an, die kirchenregimentlichen Entscheidungen im Gegensatz zu den Vorgängern nach kirchlichen Maßstäben zu treffen. Wenn dem vorherigen Kirchenregiment die Abhängigkeit von unkirchlichen Entscheidungen und von staatlichen Eingriffen vorgeworfen wurde, mußte bei der nächsten Sitzung am 25. Mai die mittlerweile eingetretene Situation bei den Vertretern der Bekennenden Kirche für erhebliche Irritation sorgen. Obgleich bei der letzten Sitzung abgesprochen worden war, daß man sich mit den Bezirksregierungen in Verbindung setzen wolle, wurde die zwischenzeitlich erfolgte Einflußnahme des Wiesbadener Regierungspräsidenten mit deutlicher Kritik zur Kenntnis genommen.

Der nur für wenige Monate nach Kriegsende in Wiesbaden amtierende Regierungspräsident, der ehemalige Reichs-Rundfunk-Kommissar Hans Bredow[38], hatte nämlich unter dem Datum des 22. Mai ein Schreiben an Kortheuer gerichtet. Der Erlaß hat folgenden Wortlaut: »Herr Landesbischof i. R. D. August Kortheuer in Wiesbaden wird bis auf weiteres mit der Leitung der kirchlichen Angelegenheiten im Bezirk der ehemaligen Landeskirchen in Nassau und Frankfurt a. M. beauftragt. Bezüglich der Leitung der Landeskirche Nassau-Hessen ist durch Fühlungnahme mit der ehemaligen Landeskirche in Hessen (Darmstadt) das Erforderliche durch den Beauftragten zu veranlassen. Diese Regelung ist eine einstweilige und gilt zunächst nur bis zur ordentlichen Verfassungsregelung durch eine Synode. gez. Bredow«[39]. Da die Bedenken der Mitglieder der Bekennenden Kirche ruchbar geworden waren und man sofort ein bereinigendes Gespräch geführt hatte[40], reichte Bredow alsbald noch eine schriftliche Erklärung zu seinem Verhalten nach: »Zu meinem Erlass vom 22. 5. d. J. gebe ich noch folgende Erläuterung: Es ist in keiner Weise von mir beabsichtigt, in die Substanz der Kirche einzugreifen und die Regelung ihrer Angelegenheiten zu beeinflussen. Anlass zu meinem Handeln war lediglich die Besorgnis, dass durch mir bekannt gewordene Bestrebungen Spaltung und Verwirrung in der Kirche eintreten könnten, die ihre öffentliche Mission beeinträchtigen müsste. Weitere Eingriffe sind von mir nicht beabsichtigt. Das künftige Verhältnis von Staat und Kirche wird durch meinen Erlass nicht berührt, zumal es sich um eine zeitlich begrenzte Notlösung handelt«[41].

Erst unter diesen Bedingungen konnte am 25. Mai die Sitzung der Vorläufigen Leitung ohne Eklat und in der geplanten Zusammensetzung stattfinden. Die BK-Verteter legten jedoch zu Beginn der Zusammenkunft Wert auf eine Stellungnahme: »Pfarrer Veidt gibt im Namen der Herren Pfarrer von Bernus, Pfarrer Hahn, Dr. Leitz und sich selbst folgende Erklärung ab:

Im Namen der Herren der in Bildung begriffenen Vorläufigen Leitung der Ev. Kirche in Nassau, die der Bekennenden Kirche angehören, habe ich folgendes zu erklären:

Nach gewissenhafter Prüfung des durch den Herrn Regierungspräsidenten dem Herrn Landesbischof erteilten Auftrags vom 22. 5. 1945 und auf Grund der von dem Herrn Regierungspräsidenten gegebenen Erläuterung haben wir uns zur Mitarbeit in der zu bildenden vorläufigen Leitung der Ev. Kirche in Nassau entschlossen. Wir tun es mit der ausdrücklichen Feststellung, daß die »Auftragserteilung« des H. Regierungspräsidenten lediglich als eine aus besonderem Notstand zu erklärende Aufforderung zu kirchlichem Handeln für diesen besonderen Fall anzusehen ist, aus der weder für den Staat noch für die Kirche darüber hinausgehende Folgerungen abgeleitet werden können. Unsere endgültige Stellungnahmen kann erst erfolgen, wenn wir mit den zur Bekennenden Kirche gehörenden Mitgliedern der Vorläufigen Leitungen von Hessen und Frankfurt a/M Fühlung genommen haben. Wir bitten diese Erklärung protokollarisch festzuhalten«[42]. Dr. Leitz nutzte die Gelegenheit zu einem zusätzlichen Sondervotum, daß er um der Geschlossenheit willen seine Bedenken hintanstelle und zur Mitarbeit bereit sei. Er legte Wert darauf, daß sein Sitz in der Vorläufigen Leitung dem von der Bekennenden Kirche genannten Vertreter zukomme, falls er aus beruflichen Gründen seine Mitarbeit aufgeben müsse.

Nach dieser Eröffnung wurde das Gremium um Dr. Theinert und Landeskirchen-Amtsrat Otto Hardegen erweitert. Kortheuer übernahm aufgrund des Bredow-Erlasses den Vorsitz der Vorläufigen Leitung der Evangelischen Kirche in Nassau, und Pfarrer von Bernus wurde zu seinem Stellvertreter bestimmt.

Die erste grundlegende Debatte in dieser konstituierenden Sitzung wurde durch den Vorsitzenden ausgelöst, der die Frage nach der Funktion des geplanten Verbindungsausschusses stellte, ob dieses Gremium wesentlich nur organisatorisch-koordinierenden Charakter haben solle oder der Ausschuß über kirchenregimentliche Befugnisse verfügen solle. Während Theinert von einer Weiterexistenz der Gesamtkirche Nassau-Hessen als Körperschaft des öffentlichen Rechts ausging und diese folglich auch ein Organ für eine einheitliche Kirchengewalt haben müsse, vertraten Kortheuer selbst und Dr. Leitz die Meinung, daß die alte Landeskirche nicht zurecht bestehe und deshalb die Frage nach kirchenregimentlicher Vollmacht nicht mit dem Verbindungausschuß in Verbindung gebracht werden solle. Kompromißmäßig schlug Dr. Grün vor, kirchenregimentliche Fragen, z.B. Pfarrstellenbesetzungen, in der jeweiligen Vorläufigen Leitung zu beraten und zu beschließen, um sie dann durch den Verbindungsausschuß rechtwirksam aussprechen zu lassen. Theinert legte unbedingten Wert auf eine Fühlungnahme mit dem Verbindungsausschuß, während Pfarrer Hahn grundsätzlich die Frage stellte, wie umfangreich die Kompetenz der Vorläufigen Leitung überhaupt sei, und darauf drängte, nur unaufschiebbare Angelegenheiten zu behandeln. Zum Abschluß dieser Diskussionsrunde erläuterte Kortheuer, daß die hessische Vorläufige Leitung für ihr Gebiet die volle kirchenregimentliche Gewalt selbständig ausübe. Jedenfalls wurde in dieser Sitzung eine einhellige Auffassung der eigenen Handlungsvollmacht nicht sichtbar. Als nassauische Vertreter für den Verbindungsausschuß wurden die Herren Theinert, Veidt und Hahn bestimmt[43]. Für die Vorbereitung zur Bildung legitimierter Gremien, z.B. neuer Kirchenvorstände, wurde ein Verfassungsausschuß durch die Herren Veidt, Grün und Hahn gebildet, die eine Wahlordnung vorbereiten sollten. Außerdem wurden Entwürfe für Mitteilungen an die Gemeinden zur Kenntnis gegeben, über deren Wortlaut man alsbald entscheiden wolle.

Nachdem auf diese Weise die Vorläufige Leitung endgültig konstituiert war, bereinigte Kortheuer unverzüglich das Problem, das durch den Auftrag des Regierungspräsidenten entstanden war. Kortheuer übertrug mit Schreiben vom 26. Mai seine Beauftragung für Frankfurt a.M. auf Otto Fricke, der ja dort bereits als stellvertretender Vorsitzender der Vorläufigen Leitung wirkte und insbesondere für die Kontakte zur Militärregierung und zu Behörden zuständig war[44]. Kortheuer ließ Fricke volle Handlungsfreiheit, bat aber um eine vertrauensvolle Zusammenarbeit. Im Nachgang zu dem knappen Hinweis auf die vollzogene Bildung der Vorläufigen Leitung der Evangelischen Kirche in Nassau in dem Brief an Nischalke teilte Kortheuer am 5. Juni 1945 dem Regierungspräsidenten die Namen der Mitglieder der Leitungsgremien in Wiesbaden und Frankfurt a.M. mit und wies auf die Berufung des Verbindungsausschusses für die gemeinsamen Angelegenheiten des gesamten Kirchengebietes hin[45]. Ein inhaltsgleiches Schreiben ging an die Militärregierung[46]. Damit hatte Kortheuer den Aufträgen, die in Bredows Schreiben genannt worden waren, Genüge getan.

In einer Kanzelabkündigung, die in der Sitzung vom 30. Mai beschlossen wurde und am Sonntag, den 3. Juni verlesen werden sollte, teilte man den Gemeinden die Bildung der Vorläufigen Leitung und die ihr angehörenden Personen mit. Vordringliche Aufgabe sei es nun, die Neubildung von Kirchenvorständen, Kreiskirchentagen und einer Landessynode voranzutreiben, die eine Verfassung beschließen solle. Gleichzeitig gab man eine Stellungnahme zur aktuellen Situation ab, in der es heißt: »Die Kirche hat in dieser Not des Vaterlandes eine grosse und verantwortungsvolle Aufgabe... Es geht um die innere Wiedergeburt unseres zusammengebrochenen Volkes. Furchtbares hat sich ereignet, an das wir nur mit Schaudern und Beschämung denken können. Wir alle tragen daran unser Teil Schuld. Wir wollen sie in Demut und Busse vor Gott bekennen... Wir rufen die Geistlichen auf, alle

Treue und allen Fleiss an diese ihnen aufgetragene Verkündigung zu wenden und sie frei zu halten von wesensfremden Gedanken, die leider in den letzten Jahren die bedauernswerte Spaltung in der Kirche hervorgerufen und viele von ihr entfremdet haben. Wir Pfarrer sind Zeugen Gottes, die das Wort vom Kreuz und dem lebendigen Heiland zu predigen haben, sonst nichts«[47]. Als besondere Aufgaben wurden die Fürsorge für die Heimatlosen und Vertriebenen genannt[48] sowie die unbedingte Notwendigkeit, für die Jugend Sorge zu tragen, um sie wieder zu Gott zu führen. Gemeindeglieder und Geistliche wurden an die gegenseitige Verpflichtung zur gemeinsamen Arbeit im Rahmen der Kirche erinnert. Die Vorläufige Leitung bat schließlich um die Unterstützung bei den ihr obliegenden Aufgaben, dankte allen, die in der Vergangenheit dem Evangelium die Treue hielten, und rief die Abgefallenen zur Rückkehr und zur treuen Erfüllung ihrer kirchlichen Pflichten auf.

Im Rundschreiben an die Pfarrer und Kirchenvorstände der nassauischen Gemeinden vom 29. Mai erläuterte die Vorläufige Leitung ihre Entstehung und Zusammensetzung. Sie bat um Vertrauen und Fürbitte. Es wurde auf bald vorzunehmende Kirchenvorstandswahlen hingewiesen. Hinsichtlich der alten Landeskirche teilte man mit: »Unbeschadet unserer Auffassung, dass die Landeskirche Nassau-Hessen auf ungesetzlicher Grundlage beruht, soll die Frage ihres Weiterbestehens erst durch den kommenden Landeskirchentag entschieden werden«[49]. In Darmstadt und Frankfurt seien ebenfalls Vorläufige Leitungen installiert worden, mit denen man gemeinsam den Verbindungsausschuß gebildet habe. Als Maxime des Handelns der Vorläufigen Leitung gelte: »Wir werden, um den künftigen Amtsträgern nicht vorzugreifen, nur die notwendigsten Anordnungen treffen und die unumgänglichsten Geschäfte erledigen. Wir werden aber alles, was in unseren Kräften steht, tun, dass eine Kirche entsteht, die in allen ihren Organen der Heiligen Schrift und dem Bekenntnis der Kirche entspricht... Selbstverständlich sind sofort alle Erinnerungen an der Kirche wesensfremde Gedanken und getroffene Massnahmen im Gottesdienst auszuschließen«[50]. Des weiteren gab man den Pfarrern noch einige organisatorische Hinweise. Der Dienstverkehr solle über den Kurierdienst des Regierungspräsidenten und die Landräte gewährleistet werden. Für den kommenden Sonntag wurde die Kanzelabkündigung beigefügt. Außerdem hatte die Vorläufige Leitung eine Verfügung verabschiedet, wie in Fällen von gewünschter Wiederaufnahme in die evangelische Kirchen zu verfahren sei. Dieser Text wurde ebenfalls mitgeschickt. Die Anweisung ging dahin, daß bei denjenigen, die innerhalb der letzten 12 Jahre aus der Kirche ausgetreten seien, eine Nachprüfung ihrer Motivation, eine Ermittlung, ob der Austritt unter Druck oder freiwillig erfolgt sei, in vielen Fällen erhebliche Schwierigkeiten machen werde. Obgleich man einerseits nach biblischem Maßstab zur Vergebung verpflichtet sei, könne man andererseits keine vorschnelle Wiederaufnahme gestatten, da man auf in Buße und Glauben lebendige Glieder der Gemeinden Wert legen müsse. Es solle darum eine Probezeit von in der Regel drei bis sechs Monaten beachtet werden, in der die Wiederaufnahmewilligen zur regelmäßigen Teilnahme an kirchlichen Veranstaltungen angehalten seien und andererseits die Geistlichen zur besonderen begleitenden Seelsorge verpflichtet seien. Wenn sich am Ende der Probezeit der Pfarrer davon überzeugt habe, daß die Eintrittswilligen vom Ernst ihres Schrittes erfüllt sind, sei die Aufnahme nach den früher geltenden Regeln vorzunehmen.

Die Entstehungsphase der Vorläufigen Leitung zwischen Mitte April und Ende Mai ist gekennzeichnet durch ein im Vergleich mit den Regionen Darmstadt und Frankfurt recht zögerliches Angehen des Vorhabens und eine stärkere Einflußnahme von außen, einerseits durch die Amtsbrüder aus Darmstadt und andererseits durch den amtierenden Regierungspräsidenten. Die Einbindung von Vertretern des Landeskirchenamtes sicherte der Vorläufigen Leitung das notwendige Organisationspotential, um ihren bevorstehenden Aufgaben nachzukommen. Insbesondere der juristische Sachverstand des Präsidenten Theinert ist an dieser Stelle herauszuheben.

Mit den getroffenen Maßnahmen für die Vorläufige Leitung selbst, die Regelung von Kompetenzen und die Zeichnungsberechtigung in den Sitzungen vom 25. Mai und 6. Juni, mit der Information der Verwaltungsinstanzen im besetzten Hessen und mit den Mitteilungen an die Gemeinden kann die Konstituierungsphase spätestens Anfang Juni als abgeschlossen gelten.

In der anschließenden Konsolidierungsphase wurde die institutionell-organisatorische Seite noch durch das erstmals am 1. September erschienene »Amtsblatt der Evangelischen Kirche in Nassau« ergänzt, in dem an erster Stelle noch ein Grußwort der Vorläufigen Leitung vom Juli 1945 publiziert wurde[51]. In dieser Phase, die einer gesonderten Betrachtung wert wäre, standen einige Probleme weiterhin auf der Tagesordnung. Dazu gehörte zunächst ganz konkret als Konsequenz aus der Vergangenheit die Regelung der Weiterverwendung des zurückgetretenen Landesbischofs Dietrich an der Marktkirche in Wiesbaden und des vorherigen Oberlandeskirchenrats Walther in der Pfarrstelle Erbach/Rhein. Mit besonderen Schwierigkeiten verbunden war die Frage der Ruhestandsversetzung Kippers, weil man einerseits in dieser Angelegenheit mit den anderen Vorläufigen Leitungen kooperieren mußte und andererseits auf eine ausgesprochen rechtlich korrekte Vorgehensweise Wert legte. Aus diesem Grund wurde die Thematik auch aufgrund unterschiedlicher Auffassungen in den Regionen und mittlerweile erstatteter Gutachten mehrfach in den Sitzungen des Leitungsgremiums erörtert. Zudem bedurfte es in dieser Angelegenheit, auch hinsichtlich der finanztechnischen Abwicklung, besonderer Koordination. Vor allem die Entnazifizierung in der Kirche und der Umgang mit den von der vorherigen Kirchenregierung vorgenommenen Maßnahmen, speziell den Pfarrstellenbesetzungen und den Disziplinarmaßnahmen, verlangte die Aktivität der neuen Leitungsgruppe. Besonders für Nassau war die Frage der geistlichen Leitung für die ehemals nassauischen Gemeinden Frankfurts akut. Nassau erhob in dieser Frage unter Hinweis auf die Rechtsunwirksamkeit von kirchlichen Maßnahmen während des Dritten Reiches Anspruch auf Restitution. Derartige Themen wurden dann zwangsläufig zu Diskussionspunkten im Verbindungsausschuß, dessen Entwicklung und Kompetenzausstattung gesondert behandelt werden müßte. Insgesamt bedürfte das eigenständige Handeln der Vorläufigen Leitungen, ihr Zusammenwirken und die Funktion des Verbindungsausschusses noch der detaillierteren Erhellung. In Hintergrund aller dieser Probleme steht die keineswegs eindeutig und einhellig beantwortbare Frage, ob das alte Kirchenwesen in toto als rechtswidrig betrachtet wurde. Als Indiz für diese ungeklärte Situation mag eine Notiz gelten, in der Fragen des Verfassungsausschusses des Bruderrates der Bekennenden Kirche Nassau-Hessen anläßlich der Anwesenheit der Herren Landesbischof Wurm und Pastor Asmussen von der EKD in Frankfurt a. M. am 15. November 1945 zusammengefaßt sind: »Die Rechtslage in der Landeskirche Nassau-Hessen«.

Im Gebiet der Landeskirche Nassau-Hessen z. Z. verschiedene Organe der Kirchenleitung: Vorläufige Leitungen von Nassau, Hessen und Frankfurt, Verbindungsausschuss, Landesbruderrat.

Umstritten gewesene Frage, ob überhaupt einheitliche Landeskirche oder die früheren 3 Teilkirchengebiete, da Verfassung von 1933, die Vereinigung gebracht hat, nicht rechtsgültig zustandegekommen. Ansicht des Verfassungsausschusses, der sich im Ergebnis Landesbruderrat und schließlich auch die Vorläufigen Leitungen angeschlossen haben, dass Einheit der Landeskirche gegeben ist. (Begründung durch 12jährigen Usus, durch Wirken der B.K. sowie durch Ausübung des offiziellen, wenn auch illegitimen DC-Kirchenregiments)«[52]. In diesem Papier ist die eigenartige Spannung zwischen der Einsicht in die Faktizität der Ereignisse und der grundsätzlichen Bestreitung der Rechtmäßigkeit des Zustandekommens der Landeskirche Nassau-Hessen spürbar. Solange auf diesen zwei Ebenen argumentiert wurde, mußten Entscheidungen immer der Eindeutigkeit entbehren.

Neben der Regelung regionaler kirchlicher Angelegenheiten trat jetzt auch der ökumenische Kontakt ins Gesichtsfeld. So konnte von Bernus am 20. Juni über den Besuch von drei Delegierten berichten, »die als Beauftragte des ökumenischen Rates in Genf in Deutschland herumreisen mit dem Auftrag sich darüber zu informieren, auf welche Weise die Hilfe der Christen anderer Länder für Deutschland wirksam gemacht werden könnte«[53]. Damals waren Adolf Freudenberg, Hans Schönfeld und Eduard Waetjen zur Erkundungsreise durch Deutschland unterwegs[54]. Sie suchten bezeichnenderweise in Wiesbaden von Bernus als Vertreter der Bekennenden Kirche und nicht Kortheuer als Vorsitzenden der Vorläufigen Leitung auf und eröffneten damit auch der nassauischen Kirche nach dem Ende des Dritten Reiches wieder die Perspektive zur ökumenischen Weite kirchlicher Existenz.

Wertet man das Handeln der Vorläufigen Leitung in Nassau in der ersten Phase ihrer Existenz zusammenfassend, so kann man keinesfalls von einem energischen Neubeginn sprechen, viel eher von einem Neueinsatz kirchenregimentlichen Handelns unter Berücksichtigung der historisch geschaffenen

Fakten, aber bei grundsätzlicher Bestreitung der Legitimität der Kirchenregierung von Nassau-Hessen.

Anmerkungen

1 Kurt Mehner (Hrsg.), Die geheimen Tagesberichte der deutschen Wehrmachtführung im Zweiten Weltkrieg 1939–1945 (Veröffentlichungen deutschen Quellenmaterials zum Zweiten Weltkrieg II, Bd. 12: 1. Januar 1945 – 9. Mai 1945), Osnabrück 1984, S. 289.

2 Ebd., S. 292–338; – Während unter dem Datum des 18. März die Lage im Raum Mainz – Alzey – Bingen noch als ungeklärt bezeichnet wird, ist der am folgenden Tag genannte Stand für Rheinhessen eindeutig: »Der Feind erreichte auf seinem Vormarsch die Orte Wörstadt [Wörrstadt!] (20 km ostw. Bad Kreuznach) ...« (S. 295); – Am 22. März erfolgte der Vorstoß auf Bingen, am folgenden Tag überquerten die Truppen der Alliierten den Rhein bei Oppenheim. Die Einnahme wichtiger Städte folgte Zug um Zug: Darmstadt (25. März), Wiesbaden und Gießen (28. März), Frankfurt a. M. (29. März), bis dann schließlich mit Kassel (4. April) im wesentlichen das ganze hessische Gebiet besetzt war; – Vgl. a. Wolf-Arno Kropat, Hessen in der Stunde Null 1945/1947. Politik, Wirtschaft und Bildungswesen in Dokumenten (VHKN 26), Wiesbaden 1979, S. 9, 12.

3 Zur Problematik der Einrichtung von Militärregierungen vgl. Conrad F[rank] Latour / Thilo Vogelsang, Okkupation und Wiederaufbau. Die Tätigkeit der Militärregierung in der amerikanischen Besatzungszone Deutschlands 1944–1947 (Studien zur Zeitgeschichte Bd. 5), Stuttgart 1973, S. 62–70; – Vgl. a. Helmut Berding, Gründung und Anfänge des Landes Hessen. In: Walter Heinemeyer, Das Werden Hessens (VHKH 50), Marburg 1986, S. 768–770.

4 Clemens Vollnhals, Ev. Kirche und Entnazifizierung 1945–1949. Die Last der nationalsozialistischen Vergangenheit (Studien zur Zeitgeschichte Bd. 36), München 1989, S. 202; – Vgl. ZA EKHN 155/796 (Bericht von Pfarrer Karl Grein vom 1. 5. 1947).

5 Kurt Mehner (Hrsg.), Die geheimen Tagesberichte der deutschen Wehrmachtführung im Zweiten Weltkrieg 1939–1945 (Veröffentlichungen deutschen Quellenmaterials zum Zweiten Weltkrieg II, Bd. 11: 1. September 1944 – 31. Dezember 1944), Osnabrück 1984, S. 28: [11. September] »Angriff auf Darmstadt zw. 23.55 und 0.01 Uhr. Abwurf von 350 Spreng- und 50000 Brandbomben. Schwerer Terrorangriff auf gesamtes Stadtgebiet«.

6 ZA EKHN 155/796 (wie Anm. 4).

7 ZA EKHN 106/2: Protokolle der Kirchenleitung 1945–1947 (Neue vorläufige Kirchenregierung der Landeskirche Hessen [18. 04. 1945 – 24. 09. 1947]).

8 ZA EKHN 35/370 (Vorgänge, die zur Bildung der Vorläufigen Leitung in Hessen führten [Auf Grund mündlicher Angaben des Herrn Pfarrer Grein] datiert am 23. 8. 1946).

9 ZA EKHN 106/3: Die Vorläufige Leitung der Evangelischen Kirche in Frankfurt am Main, Protokollbuch I, [08. 05. 1945 – 24. 09. 1947], S. 1.

10 Heinrich Steitz, Geschichte der Evangelischen Kirche in Hessen und Nassau, Marburg 1977, S. 605.

11 Kurt Meier, Der evangelische Kirchenkampf Bd. 3, Halle/Göttingen 1984, S. 427f.

12 Vgl. Otto Renkhoff, Nassauische Biographie (VHKN 39), 2., vollst. überarb. u. erw. Aufl., Wiesbaden 1992, S. 135.

13 Vgl. ZA EKHN 106/1: Landeskirchenamt Abt. I, Wiesbaden, Sitzungsprotokolle (1944–1947) [20. 10. 1944 – 10. 09. 1947]; – Eine gewisse eigenartige Kontinuität führt allein schon dies Protokollbuch vor Augen, das auf S. 1–7 noch drei Sitzungen des Landeskirchenamtes der Landeskirche Nassau-Hessen dokumentiert und dann ab S. 7 die Sitzungsniederschriften der Vorläufigen Leitung der Evangelischen Kirche in Nassau enthält.

14 Wilhelm Lueken, Kampf, Behauptung und Gestalt der Evangelischen Landeskirche Nassau-Hessen (AGK 12), Göttingen 1963, S. 90–92.

15 Hierzu sei allerdings angemerkt, daß für diese These eine chronologische Unschärfe verantwortlich ist. Schließlich ist, wie unten zu zeigen sein wird, gerade das Entstehen der Vorläufigen Leitung in Nassau maßgeblich durch den Kontakt mit der schon in die Arbeit eingetretenen Vorläufigen Leitung in Darmstadt gefördert worden. Die Mitglieder der Vorläufigen Leitung in Nassau wußten also bereits zeitig um die dortige Situation.

16 Clemens Vollnhals (wie Anm. 4), S. 206; – Die dortige Bemerkung (Anm. 95) in Bezug auf die Vorläufige Leitung, daß bei Meier S. 428 (wie Anm. 11) die personelle Besetzung falsch wiedergegeben sei, ist so nicht nachvollziehbar, da Meier auf S. 427 die richtigen Namen nennt.

17 ZA EKHN 155/796 (wie Anm. 4).

18 Vgl. Clemens Vollnhals (wie Anm. 4), S. 202, Anm. 76.

19 Vgl. Otto Renkhoff (wie Anm. 12), S. 51.

20 Vgl. ebd., S. 268f.

21 Vgl. ebd, S. 826.

22 ZA EKHN 1/3, f. 117 (Schreiben von Bernus an den Leiter des Landeskirchenamts am 19. April 1945 [Eingangsvermerk: 20. April 1945]).

23 Vgl. Otto Renkhoff (wie Anm. 12), S. 604f.

24 ZA EKHN 106/1, S. 6f.

25 Vgl. Otto Renkhoff (wie Anm. 12), S. 253f.

26 ZA EKHN 1/3, f. 118 (Schreiben Kippers an von Bernus, 24. April 1945).

27 ZA EKHN 1/3, f. 119 (Schreiben von Bernus in Verbindung mit Hahn und Veidt an Kipper, 1. Mai 1945).

28 Ebd.

29 Vgl. Weg und Wahrheit Jg. 1, Nr. 36/37 (28. 09./05. 10. 1947), S. 273; – [Heinrich] Steitz, Präsident Dr. Friedrich Müller zum Gedächtnis, in: Weg und Wahrheit Jg. 1, Nr. 38/39 (12. 10./19. 10. 1947), S. 290f.

30 ZA EKHN 155/796 (Bericht von Pfarrer Karl Grein vom 1. 5. 1947): »Anschliessend suchten wir den früheren [!] Präsidenten Kipper auf. Dr. Müller erklärte ihm, dass, nachdem wir gehandelt hätten, nunmehr sein Handeln zu Ende sei und seine Funktion in Hessen erloschen sei. Kipper bestritt dies, er könne nur von Berlin abgesetzt werden. Welche Verkennung der Lage. Wir konnten es ihm nicht ersparen, noch einmal festzustellen, dass er 12 Jahre unkirchlich gehandelt habe und, wo er etwa guten Willen gehabt hätte, er sich nicht habe durchsetzen können. Es wurde dann Präsident Theinert aufgesucht und mit ihm allerhand Fragen bes. rechtlicher Art kurz besprochen. Es folgte dann ein kurzer Besuch bei dem früheren [!] Landesbischof Lic. Dr. Dietrich, der bekannt gab, dass er morgen bei einem Treffen der neuen Kirchenregierung mit Kipper u. Walther sein Amt niederlegen werde.
Am Nachmittag fand dann eine Aussprache mit den Herren der sich eben bildenden Kirchenleitung in Nassau statt... Es wurde der Antrag Grein, der länger begründet wurde, angenommen, einen Verbindungsausschuss der 3 Kirchen Hessen, Nassau und Frankfurt zu bilden, mit dem Ziel, die Wiedervereinigung der 3 Landeskirchen vorzubereiten, die Entwicklung der 3 Landeskirchen bes. in Fragen der Verfassung aneinander anzugleichen etc. Der Verbindungsausschuss soll aus 4 Mitgliedern der hess., aus 3 der nassauischen und aus 2 der Frankfurter Kirchenleitung bestehen«; – Ergänzend dazu: »Besprechung mit Kipper. (Begrüssung durch Dr. Müller: Wir kommen nicht zum Verhandeln, sondern um Ihnen mitzuteilen, dass wir gehandelt haben. Ihre Funktionen im Raum der Hessischen Kirche sind erloschen. Anschliessend Vorhaltungen über sein unkirchliches Verhalten in den letzten Jahren.)
Anschliessend Besuch bei Dr. Theinert.
Anschliessend Besuch bei Dr. Dietrich. (Zunächst Besprechung von Dr. Müller mit ihm, dann von allen Herren. Dietrich erklärt, dass er am nächsten Tag sein Amt niederlegen

werde. Hatte diese Absicht bereits früher, etwa 2 Jahre vorher, geäussert, aber auf Anraten vieler nicht ausgeführt, um nicht in den Verdacht zu kommen, sich rechtzeitig für eine neue Regierung zu legitimieren.)« (ZA EKHN 35/370 [vgl. o. Anm. 8]) [Schreibfehler wurden stillschweigend verbessert!].

31 Vgl. Otto Renkhoff (wie Anm. 12), S. 420.

32 Leitz war der einzige Laien-Vertreter in den drei Vorläufigen Leitungen der Kirchengebietsteile!

33 ZA EKHN 1/3, f. 120 (Schreiben von Bernus an Kipper, 14. Mai 1945; – Das Schreiben trägt den lapidaren, handschriftlichen Vermerk: »Einverstanden: 15. 5. 1945 Lic. Dr. Dietrich«).

34 ZA EKHN 106/1, S. 7.

35 Ebd., S. 7f.

36 E[rnst] L[udwig] Schuster, Landeskirchenamtspräsident Dr. Theinert †, in: Weg und Wahrheit Jg. 3, Nr. 1/2 (Advent 1948), S. 5.

37 Wilhelm Lueken (wie Anm. 14), S. 198 (Rundschreiben der Vorläufigen Leitung der Ev. Kirche in Nassau an die Geistlichen und Kirchenvorstände vom 29. Mai 1945).

38 Vgl. Otto Renkhoff (wie Anm. 12), S. 79.

39 ZA EKHN 1/3, f. 125 (Abschrift).

40 Hierfür bedankte sich Kortheuer in einem Brief vom 26. Mai (ZA EKHN 1/3, f. 124), der an den Regierungsvizepräsidenten Martin Nischalke (vgl. Otto Renkhoff (wie Anm. 12), S. 578) adressiert ist, aber inhaltlich an Bredow gerichtet ist.

41 ZA EKHN 1/3, f. 125.

42 ZA EKHN 106/1, S. 11.

43 Bei Vollnhals (wie Anm. 4) taucht (S. 207, Anm. 97) unvermittelt ein bis dato völlig unbekannter Otto Hahn im Verbindungsausschuß auf, während er Wilhelm Hahn fälschlicherweise erst 1946 in dies Gremium nachrücken läßt.

44 Vgl. ZA EKHN 106/3 (Die Vorläufige Leitung der Evangelischen Kirche in Frankfurt am Main, Protokollbuch I, [08. 05. 1945–24. 09. 1947]), S. 9.

45 ZA EKHN 1/3, f. 134 (Vorläufige Leitung der Evangel. Kirche in Nassau an den Herrn Regierungspräsidenten, 5. Juni 1945); – Im Text wird der Verbindungsausschuß als Überbrückungsausschuß bezeichnet!

46 ZA EKHN 1/3, f. 133 (Vorläufige Leitung der Evangel. Kirche in Nassau an die Militär-Regierung, 5. Juni 1945).

47 ZA EKHN 1/3, f. 132 (Kanzelabkündigung, datiert: 1. Juni 1945).

48 Dieser Passus ist im Entwurf (ZA EKHN 1/3, f. 131) noch nicht vorhanden und somit offenkundig auf die Beratung in der Sitzung zurückzuführen.

49 ZA EKHN 1/3, f. 129 (Rundschreiben der Vorläufigen Leitung der Ev. Kirche in Nassau an die Geistlichen und Kirchenvorstände vom 29. Mai 1945); – Teilabdruck bei: Wilhelm Lueken (wie Anm. 14), S. 197–199.

50 Ebd.

51 Jg. 1945, Nr. 1–2, S. 1.

52 ZA EKHN 35/544.

53 ZA EKHN 106/1, S. 26.

54 Clemens Vollnhals (Bearb.), Die evangelischen Kirche nach dem Zusammenbruch. Berichte ausländischer Beobachter aus dem Jahr 1945 (AKZG.A 3), Göttingen 1988, S. 9–19.

Die Neugestaltung des Geläutes des Nationaldenkmals Paulskirche zu Frankfurt am Main

– Ein Bericht –

Von Konrad Bund

Die Paulskirche setzte als Gotteshaus die Tradition der alten, 1785 abgebrochenen Barfüßerkirche fort. Diese hatte zuletzt drei Glocken f'–6, 1685 von Benedict Schneidewind, g'–0, 1761 von Joh. Georg Schneidewind, und b' (?), 1704 von Hans Georg Barthels. Das Geläute war seit 1785 beim Stadtglockengießer zur Wiederaufhängung im Neubau der Kirche eingelagert, die kleinste Glocke jedoch in dieser Zeit gesprungen. Vermutlich weil f' und g' keinen klaren Ganztonabstand besaßen, entschloß man sich 1829/30, g' an die Deutschordenskirche abzugeben, in der die Glocke 1943 verbrannte, und nur f' in ein neues, dies zeigen die Durchmesser, Durdreiklanggeläute mit Oktave in den Tönen des'–f'–as'–des'' einzubeziehen. Das von Stadtglockengießer Carl Mappes 1830 gelieferte Geläute hatte jedoch die Schlagtöne des'+6 – f'–6 – g'+1 – h'±0. Diese originelle Tonfolge eines doppelten Tritonus des/g–f/h erklang am 18. Mai 1848, als die deutsche Nationalversammlung in der Paulskirche zusammentrat, um eine Verfassung für ein neues, demokratisches Deutschland zu schaffen.

Absichten, um 1930 eine größere Fundamentglocke als »Gedächtnisglocke« für die Gefallenen des Ersten Weltkrieges neu- und die kleine »Lutherglocke«, die für ihren Schlagton viel zu leicht war, umzugießen, kamen nicht zur Ausführung. Als die Naziregierung 1942 für ihren Weltkrieg die Glocken aus den Türmen holte, wurden die »Christusglocke« des' und die »Dankesglocke« g' von 1830 zwar beschlagnahmt, wegen ihrer historischen Bedeutung aber den Glocken der Gruppe C zugeteilt und auf dem Hamburger Glockenfriedhof »zurückgestellt«. Die »Barfüßerglocke« f' von 1685 wurde als Läuteglocke auf die Peterskirche gehängt, die »Lutherglocke« h' von 1830 blieb als Läuteglocke in der Paulskirche, mit der sie am 18. März 1944 im Feuersturm unterging.

Als 1948 die Paulskirche als Nationaldenkmal wiederaufgebaut wurde, galt die »Barfüßerglocke« als verschollen, die beiden abgelieferten Glocken von 1830 waren 1947 wohlbehalten zurückgekehrt. Wie 1830 nahm man nur die größte alte Glocke zum Ausgangspunkt eines neuen Geläutes, das von den Handelskammern der Britischen Besatzungszone und von der Evangelischen Kirche Thüringens und den Antifaschistischen Parteien der Sowjetischen Besatzungszone gestiftet wurde. Es erhielt die Töne as°-des'-f'-as'-b'-des'' und knüpfte damit – allerdings unwissentlich – an die Planung von 1830 an. Die große, in Bochum gegossene Stahlglocke as° wurde von Paul Egon Schiffers, einem Schüler Richard Scheibes, der als künstlerischer Berater am Wiederaufbau der Paulskirche mitwirkte, als »Jahrhundertglocke« der Nationalversammlung gestaltet, die kleinen Bronzeglocken kamen aus der Glokkengießerei Franz Schilling in Apolda (Thüringen). Die neuen Glocken waren jedoch alle musikalisch so schlecht ausgefallen, daß schon 1954 Professor Paul Smets in seinem Gutachten über das Frankfurter Große Stadtgeläute kategorisch ihre Entfernung vom Turm forderte und in Ergänzung des dominierenden Domgeläutes ein zweites Großgeläute für die Paulskirche in den Tönen fis°-h°-cis′-e′ unter Einbeziehung der alten cis′/des′ konzipierte.

Daß auch die Glocken f′ von 1685 und g′ von 1830 noch existierten und damit drei Viertel des historischen Geläutes von 1848, war Smets nicht bekannt gewesen. Als diese Tatsache vom Verfasser festgestellt wurde, empfahlen Stadtarchiv und Denkmalpflege 1984 die Wiederherstellung des historischen Geläutes und seine Ergänzung nach dem Plan von Paul Smets. Dem trugen Magistratsbeschlüsse von 1986 Rechnung.

Das von Hermann Große (Dresden) 1877 geschaffene Domgeläute ist *die* »Jahrhundertleistung« des deutschen Glockengusses im 19. Jahrhundert. Es setzte sowohl den musikalischen Rahmen wie den qualitativen Maßstab für das neue Paulskirchengeläute: Dieses mußte die dort fehlenden Töne fis° und h° in schwerer Oktavrippe erhalten; auf diesen konnte dann das historische Geläute, dessen kleinste Glocke neuzugießen war, aufbauen. Die vier größten Glocken des neuen Geläutes bilden nach dem Plan von Smets, der Glocken in mittlerer Rippe vorgesehen hatte, mit denen der Katharinen- und der Liebfrauenkirche »ein großes Gesamtgeläute mit Mollcharakter, das den höchst wünschenswerten und klanglich großartigen Gegenpol und die Ergänzung zum Domgeläute in Dur darstellt«.

»Im Rahmen dieser vorgegebenen musikalischen Voraussetzungen hatte der verantwortliche Glockensachverständige Dipl.-Ing. Kurt Kramer unter unbedingter Respektierung der eigenwilligen Schlagtonlinie der historischen Glocken diese durch passende Disposition der Schlagtöne der neuzugießenden zu einem homogenen Geläute zu verbinden und dieses seinerseits in das bestehende Klanggefüge des Großen Stadtgeläutes zu integrieren: ein aus Zwängen geborenes glockenmusikalisches Experiment von hohem Schwierigkeitsgrad. Es wurde folgende Disposition gewählt: fis°±0 – h°±0 – cis′+6 – e′+10 (Umdeutung des f′−6 durch enharmonische Verwechselung) – g′+1 – h′±0. Um die neuen Glocken in der bewährten, auf die Erfurter ›Gloriosa‹ zurückgehenden Rippe des Glockengießers Friedrich Wilhelm Schilling gießen zu können, wurde der Gußauftrag der Karlsruher Glockengießerei übertragen« (Kramer).

Ein inhaltliches Konzept für den Schmuck der neuzugießenden Glocken wurde vom Verfasser entwickelt: Namen, Inschriften und Gestaltung nehmen Bezug auf die Rolle der Paulskirche als Nationaldenkmal der deutschen Demokratie und gleichzeitig als wichtigen Schauplatz der Geschichte der Stadt Frankfurt, deren evangelische Hauptkirche die Barfüßer- und später die Paulskirche seit der Reformation gewesen ist. Jede der beiden neuen Großglocken fis° und h° bringt eine Seite dieser nationalen und städtischen Doppelfunktion der Paulskirche zum Ausdruck:

Die »Bürgerglocke« fis° soll ins Gedächtnis rufen, was aus dem gescheiterten Werk der Nationalversammlung von 1848 unmittelbare Wirksamkeit behalten hat: die damals vollzogene verfassungsmäßige Proklamation der Menschen- und Bürgerrechte, wie sie dann in die Verfassungen von 1919 und 1949 übernommen worden sind. Hieran orientieren sich Inschriften und bildlicher Schmuck, die von Harry McLean (Heidelberg) künstlerisch gestaltet und von seinen Mitarbeiterinnen in Ritztechnik ausgeführt worden sind.

Die Schulterinschrift lautet: BÜRGERGLOCKE HEISSE ICH / DER BÜRGER RECHTE KÜNDE ICH / DIE KARLSRUHER GLOCKEN (Stadtadler) GIESSEREI GOSS MICH 1987 /. Auf der Flanke erscheint vorne der Bundesadler, darunter 1848–1919–1949. Über dem Wolm verläuft ein Bilderband zum Thema Bürger- und Menschenrechte in Deutschland mit den Schauplätzen Frankfurt 1848, Versailles 1871, Weimar 1919, Berlin 1933, Auschwitz-Birkenau, Dresden 1945, Bonn 1949, hier mit einer Andeutung des Brandenburger Tores im Hintergrund. Auf dem Schlagring stehen die beiden ersten Verse der dritten Strophe des Deutschlandliedes als Erinnerung an das nicht erfüllte Vermächtnis der Einigungsbewegung von 1848. Auf den Kronenhenkeln und als Worttrenner der Inschriften sind Portraitmedaillons von Vorkämpfern für Demokratie, soziale Gerechtigkeit und Frieden und Opfern der Gewaltherrschaft angebracht: Robert Blum, Heinrich von Gagern, Rosa Luxemburg, Walther Rathenau, Carl von Ossietzky, Bernhard Lichtenberg, Dietrich Bonhoeffer, Claus von Stauffenberg, Henning von Tresckow, Wilhelm Leuschner, Anne Frank, Johanna Tesch und Johanna Kirchner.

Die »Stadtglocke« h° ist der Erinnerung an die Toten und an die Kriegszerstörung Frankfurts gewidmet, vor allem aber soll sie im Gedächtnis halten, daß die äußerliche Zerstörung der Stadt Folge eines inneren geistig-moralischen Zerstörungsprozesses gewesen ist. Die künstlerische Gestaltung dieser Glocke in Form eines Tryptichons mit jeweils zweigeteilter Sockelzone, darüber die Schulter- und darunter die Schlagringinschrift, führte Professor Emil Wachter (Karlsruhe), gestützt auf die historische Sachberatung des Stadtarchivs, in Relieftechnik durch.

Vorne auf der Flanke erscheint unter den Worten MORTUOS PLANGO der Schulterinschrift eine symbolische Darstellung des Nazifaschismus, seines aggressiven Militarismus, seiner Geistfeindlichkeit (Bücherverbrennung auf dem Römerberg 10. Mai 1933) und seines Rassenwahns (Verbrennung der Synagoge ⟨am Börneplatz in der Frühe des 10. November 1938 als

Folge des⟩ 9. November 1938). Auf dem Schlagring leitet der Untertitel ZERSTÖRUNG DER MENSCHLICHKEIT über zum Mittelbild, das unter dem Wort FRANKFURT die historische Konsequenz, ZERSTÖRUNG DER STADT, als Folge des durch den deutschen Überfall auf die Nachbarn verursachten Feuersturms des Bombenkrieges darstellt. In der Sockelzone sieht man links die brennende Paulskirche (18. März 1944) und rechts das zerstörte Goethehaus (22. März 1944), zwei Symbolstätten des »geistigen Frankfurt«. Das dritte Bild ERINNERUNG FUNDAMENT DER ZUKUNFT ist überschrieben VIVOS VOCO: unter dem ausgereckten Schwert der Justitia, Symbols der Nemesis wie des wiederaufgerichteten Rechtsstaats, erwacht die Ruinenstadt Frankfurt aus der Totenstarre; in der »Schuttaktion Römerberg« setzt der Magistrat am 17. Oktober 1946 ein Zeichen des Neubeginns (links unten) und die »Wiedereinweihung der Paulskirche« am 18. Mai 1948 (rechts unten) steht für den Willen, unter Rückbesinnung auf das Erbe von 1848 ein neues, demokratisches Deutschland aufzubauen. Auf der Rückseite der Glocke erscheinen unter dem Menetekel 1933–1945 der Stadtadler, gekrönt von einer Andeutung der Römerfassaden und der heutigen »Skyline« Frankfurts, darunter die Stadtdevise STARK IM RECHT und unten auf dem Schlagring das Gießerzeichen, das Gußjahr 1987 und die Rippensignatur FWS. Die Kronenhenkel sind geschmückt mit den Portraits des von den Nazis verjagten Oberbürgermeisters Ludwig Landmann, seiner vier im Amt verstorbenen Nachfolger Walter Kolb, Werner Bockelmann, Willi Brundert, Walter Möller und der drei »Väter des Stadtgeläutes« Paul Smets, Fritz Rincker und Joseph Schubö.

Die »Lutherglocke« h′ versteht sich als Rekonstruktion der nur in einer verbalen Beschreibung überlieferten Vorgängerin in zeitgenössischer Formensprache, die sich aber am klassizistisch-zurückhaltenden Erscheinungsbild der »Dankesglocke« von 1830 orientiert. Diese sehr schwierige Aufgabe wurde von der Frankfurter Künstlerin Franziska Lenz-Gerharz mit großem Einfühlungsvermögen sehr überzeugend gelöst.

Die Schulterinschrift lautet: EIN FESTE BURG IST UNSER GOTT, darunter ein Fries aus Engeln, welche Kränze halten. Auf der Flanke vorne Martin Luther (Brustbild). Auf dem Schlagring: GEGOSSEN VON GEBRÜDER BARTHELS & MAPPES IN FRANKFURT 1830 (Künstlersignatur) GESCHMOLZEN IM FEUERSTURM DES 18. MÄRZ 1944 (Rippensignatur FWS) WIEDERUM GEGOSSEN VON DER KARLSRUHER GLOCKENGIESSEREI 1987 (Stadtadler). Die Glocke soll das Gedächtnis der 1944 untergegangenen alten Paulskirche wahren.

Am 18. September 1987 wurde die kleine Lutherglocke zusammen mit verschiedenen Glocken für andere Kirchen in der Karlsruher Glockengießerei gegossen.

Der Guß der Stadtglocke fand im Rahmen einer feierlichen Zeremonie am 23. Oktober 1987 von 14.24 bis 14.29 Uhr in Anwesenheit von Stadträtin Dr. Helga Budde als Vertreterin des Magistrats der Stadt Frankfurt statt.

Am 30. Oktober 1987 wurde in der Karlsruher Glockengießerei die Bürgerglocke fis° gegossen. Wegen dieses von dem sonst in Karlsruhe üblichen stark abweichenden gefahrträchtigen Gießverfahrens, das durch die Menge des zu schmelzenden Metalls nötig wurde, war die Zahl der zuschauenden Zeugen sehr klein gehalten worden. Als einer der beiden städtischen Zeugen nahm der Verfasser teil. Die Gießerei hatte jedoch jede Einzelheit vorher genau ausprobiert, so daß die Organisation des Gußablaufes vorzüglich klappte. Der eigentliche Gießvorgang, bei dem keine Unterbrechung eintreten durfte, dauerte störungsfrei von 14.57 bis 15.05 Uhr, also exakt 8 Minuten.

Inzwischen waren am 11. August 1987 die alten Glocken abgenommen, die von 1948 ins Historische Museum, die historischen aber in die Glockengießerei verbracht, der völlig verrottete Glockenstuhl von 1948 aus dem Turm der Paulskirche entfernt und für seinen Nachfolger eine Betondecke als Trägerin eingebaut worden. Aus musikalischen wie denkmalpflegerischen Gründen entschieden sich die Verantwortlichen für einen neuen Holzglockenstuhl, der von der Karlsruher Glocken- und Kunstgießerei aus über 16000 kg massivem Eichenholz in drei Fachwerkwänden zimmermannsmäßig durch Versatz, Verzapfung oder Verplattung mit Holznägeln und -dübeln ausgeführt wurde. Ein ausschließlich in traditioneller Handwerkskunst gefertigter Glockenstuhl dieser Größenordnung wurde nach dem Zweiten Weltkrieg noch nicht errichtet, er ist »eine handwerklich bis ins Detail gelungene Arbeit, die zeigt, daß zumindest auf diesem Sektor herkömmliche Bauweisen unseren modernen Methoden überlegen sein können« (Kramer).

Um dem Gesamtzusammenhang des klassizistischen Baus der Paulskirche und ihrer barocken, klassizistischen und modernen Glocken gerecht zu werden, wurden auf Anregung des Verfassers die sechs neuzufertigenden

Technische und musikalische Daten (a' = 435 Hz, Kurt Kramer):

	Bürgerglocke	Stadtglocke	Christusglocke	Barfüßerglocke	Dankesglocke	Lutherglocke
Durchmesser (mm)	2266	1689	1467	1187	981	860
Gewicht (kg)	8590	3690	1810	970	500	437
Schlagring (mm)	166	121	112	90	72	67
Klöppelgewicht (kg)	340	140	67	38	ca. 28	31
Schlagton	fis°+1+	h°+1	cis'+6	e'+10	g'+1	h'+5
Nebenschlagton	h°±0	e'−1				dis''−2
Unteroktave	Fis+4	H−1	dis°+5	eis°+6	a°+1	h°+5
Prime	fis°−2	h°+2	cis'+8	e'+12	g'−4	h'+4
Terz	a°+4	d'+1	eis'−1	gis'+3	b'+9	d''+10
Quinte	cis'+4	fis'+8	a'+9	h'+10	es''+3	fis''+6
Oberoktave	fis'+1+	h'+1	cis''+6	e''+10	g''+1	h''+5
Nachhall in Sek.	180/42/19	115/40/18				65/28/12

Holzjoche in abstrahierender Anlehnung an das Vorbild des Joches der 1822 gegossenen großen Kaiserglocke im Dom zu Speyer gestaltet, hierdurch wurde auch ein symbolischer Zusammenhang zwischen dem Nationaldenkmal des demokratischen Deutschland und der vornehmsten Grabkirche der deutschen Kaiser des Mittelalters hergestellt.

Am 4. Dezember 1987 wurden der Glockenstuhl und am 5. Dezember die alten wie die neuen Glocken nach Frankfurt gebracht und mit Ausnahme der Bürgerglocke vor der Paulskirche provisorisch montiert. Die Stadtglocke wurde um 15 Uhr mit einem Großen Stadtgeläute eingeholt, von Stadtrat Ernst Gerhardt vor der Paulskirche begrüßt und dann feierlich zum ersten Mal vor einer großen Zuhörerschar angeschlagen. In den folgenden Wochen wurden die Glocken im Turm aufgehängt und nach provisorischer Intonation und Abnahme am 21. Dezember am Heiligen Abend 1987 erstmals unter großer Anteilnahme der Bevölkerung im Großen Stadtgeläute geläutet.

Am 4. Februar 1988 erfolgte unter Leitung von Kurt Kramer die Intonation des Geläutes durch die Firma Voegele (Straßburg), am folgenden Tage die Abnahmeprüfung durch Kurt Kramer unter Beteiligung der glockensachverständigen Mitglieder des Beratungsausschusses für das deutsche Glockenwesen Hubert Foersch, Prof. Dr. Reinhardt Menger, Volker Müller und Prof. Gerhard Wagner nach einem vom Verfasser entworfenen Läuteprogramm.

Aus der musikalischen Analyse der Einzelglocke und der Abhörung des Geläutes ließ sich folgendes Fazit ziehen:

Die neue Lutherglocke h'+5 besitzt einen klar zeichnenden Schlagton und einen idealen, nahezu strichreinen Teiltonaufbau, wobei die Terz erhöht ist, was einer erwünschten naturreinen Stimmung entspricht. Ihr Klang ist frisch und im Verlauf absolut ruhig; die Glocke läßt sich leicht erregen. Sie wirkt aber ausgesprochen zurückhaltend; wie ihre allerdings halb so schwere, 1944 zerstörte Vorgängerin hat sie große Mühe, sich im Zusammenläuten mit anderen Glocken durchzusetzen; dies wird besonders deutlich im Vergleich mit der 34 kg leichteren Zeitglocke h'−1 des Doms, die selbst noch in der Nähe des Paulskirchenturmes akustisch dominiert. Wegen des zu hoch ausgefallenen Schlagtons der Lutherglocke (bestellt als h'±0) intermittieren beide Glocken miteinander auf unangenehme Weise. Deshalb, vor allem aber, weil die hier zu rekonstruierende Vorgängerglocke, die, wie sich aus einer inzwischen im Stadtarchiv wiederentdeckten Schallplatte von 1942 ergibt, den Schlagton h'±0 hatte, hätte die denkmalpflegerische Grundkonzeption einer Rekonstruktion der Intervallverhältnisse des historischen Plenums und seiner musikalischen Beziehung zum historischen Domgeläute die Nachstimmung der Lutherglocke erforderlich gemacht. Sachfremde Erwägungen in der Baubehörde haben dies verhindert, so daß zwischen den Glocken e'/f' und h' jetzt nicht das historisch korrekte Intervall eines Tritonus, sondern das falsche einer Quinte hörbar wird, obwohl das Nachstimmen technisch problemlos möglich gewesen wäre. Das so symbolträchtige Motiv von 1848 klingt ohne Not also jetzt verfälscht! Die Gußausführung der Glocke ist alles in allem sehr zufriedenstellend.

Die Dankesglocke g′+1 von 1830 ist ein trotz proportional wesentlich leichterer Konstruktion ungemein klangstarkes Instrument, das sich wie vor 1942 im Plenum kräftig durchsetzt und wegen seiner etwas rauhen und »eckigen« Tongebung nicht ganz leicht zu integrieren ist. Sie bringt einen leicht herben Zug in das Geläute.

Die barocke Gebets- oder Barfüßerglocke e′+10 (f′−6) von 1685 erweist sich als ein sehr klangschönes, weichklingendes Instrument von ganz besonderer musikalischer Qualität. Im Zusammenhang des historischen Plenums hört man sie ebenso wie gegenüber der kraftvollen e′ des Doms als f′, mit den neuen Glocken jedoch als e′. Ihre nicht ganz unproblematische Integration in das Tonsystem des Großen Stadtgeläutes erfährt ihre Rechtfertigung daraus, daß auch die Christusglocke cis′+6 gegenüber dem Bartholomäus des Doms wie d′ klingt, trotzdem aber 1954 von Professor Paul Smets in seinem Geläuteplan als cis′ interpretiert wurde.

Die Christusglocke cis′ von 1830 klingt klar und flüssig, aber auch geradezu romantisch beseelt (Kramer). Das sehr negative Urteil von Paul Smets (1954) »resonanzlos, auffallend hart und trocken, ausgesprochen unmusikalisch«, das auf einen falsch proportionierten Klöppel zurückzuführen war, wird durch das Hörerlebnis völlig dementiert: mit dem neuen Klöppel klingt die Glocke melodiös und gelöst. Ihr eigentümlicher Dur-Klang mit Unterseptime ist ein Unikum in der Frankfurter Glockenlandschaft und als ausgesprochene Bereicherung zu bewerten, auch wenn die Glocke gegenüber dem über 500 kg schwereren Bartholomäus des Doms im Volumen naturgemäß deutlich zurücktritt. Sie klingt »klassizistisch«, nicht »(neu)gotisch«.

Die neue Stadtglocke h°+1, als h°±0 bestellt, steht in exaktem Quartverhältnis zur Bürgerglocke und Quintverhältnis zur Gloriosa des Doms. Ihr Schlagton wirkt relativ kurzlebig und etwas diffus, der Nebenschlagton e′ dagegen recht dominant. Der Teiltonaufbau erreicht dagegen nahezu Idealwerte. »Rettungsanker« der Glocke ist ihre starke Prime, die mit 40 Sekunden Nachhall die nach den Limburger Richtlinien erforderlichen 30 Sekunden für mittelschwere Konstruktionen kräftig überschreitet. Dagegen erreicht die Unteroktave mit 115 Sekunden nur 68% der vorgeschriebenen 170 Sekunden Mindestresonanz. Im Vergleich selbst zur im Guß mißglückten cis′ des Doms (1877), die nach der Schweißung mit 125 Sekunden 84% der vorgeschriebenen 150 Sekunden erreicht, und zur allerdings außergewöhnlich klangschönen a° Hermann Großes wirkte die Stadtglocke etwas blaß. Im Zusammenklang mit anderen Glocken gewinnt sie jedoch durch ihr eigenwilliges Klangspektrum (Kramer) an Charakter und Ausdruckskraft. Ihr Klangverlauf ist absolut ruhig. Mit einem richtig dimensionierten Klöppel ausgestattet bietet die Glocke dem kleinen Plenum des Geläutes einen kraftvollen Unterbau und setzt sich auch im Duett mit der Bürgerglocke, im großen Plenum wie im Stadtgeläute überraschend mühelos durch.

Die Gußqualität der Glocke ist im ganzen recht akzeptabel, die künstlerische Gestaltung durch Professor Emil Wachter insgesamt sehr ausdrucksstark und wohlgelungen. Leider ist der Künstler in wichtigen Punkten eigenmächtig von dem mit ihm verabredeten Gestaltungskonzept abgewichen: so hat er den ersten Teil der Schlagringinschrift »Zerstörung der Menschlichkeit ... Zerstörung der Stadt« um das Prädikat »führt zur« verkürzt und andererseits unter dem Bild der Verbrennung der Synagoge am Börneplatz die verharmlosende Nazivokabel »Kristallnacht« angebracht. Da er zu ihrer Entfernung nicht bereit war, veranlaßte der Verfasser die symbolische Mißbilligung dieses für den deutschen Mangel an Geschichtsbewußtsein durchaus bezeichnenden Vorgangs durch lesbares Streichen dieses Wortes nach antikem Vorbild. Im Interesse historischer Ehrlichkeit hat er auch der schließlich unter dem Druck einer wenig sachlichen Pressekampagne nach Aufhängung der Glocke erfolgten vollständigen Tilgung des Wortes gegenüber dem verantwortlichen Stadtrat als der Beseitigung eines historischen Zeugnisses schriftlich widersprochen: Erinnerung ist das Fundament der Zukunft, nicht Verdrängung! Mißlungen ist dem Künstler das Teilbild »Wiedereinweihung der Paulskirche 1948«. Gezeigt werden sollte der feierliche Einzug der Festversammlung in die erneuerte Kirche, der in symbolischer Wiederholung des Aktes von 1848 das zu erneuernde Deutschland auf die Fundamente der Paulskirchenversammlung stellen wollte. Statt dessen umgeben ein paar zufällig angeordnete Figuren, Fachwerkhäuser, ein Hochhaus, ein Auto (1948!), Büsche und Fahnen die Kirche, die das 1944 verbrannte Dach trägt! Durch Nachziselieren wurde versucht, wenigstens die gröbsten Mißgriffe (Auto, Kirchendach) zu retuschieren. Auch der Stadtadler, dessen weggelassene Krone nachziseliert werden mußte, hält heraldischer Kritik nicht stand; sein »Beiwerk« sprengt die vorgegebenen formalen Grenzen: Offenbar konnte der Künstler nicht der Versuchung widerstehen, ein mit der Gesinnung des vorgegebenen Gestaltungskonzepts nicht vereinbares Stück »Neuer Prächtigkeit« auf der Glocke unterzubringen.

Die Bürgerglocke fis°+1, als ±0 bestellt, bildet einen exakten Ganzton zum Fundament des Großen Stadtgeläutes, der Gloriosa des Doms, und eine exakte Quarte zur Stadtglocke h°. Die leichte Vertiefung der Prime erhöht das Klangvolumen der Glocke. Dagegen erreicht die Erhöhung der Unteroktave mit 3/16 Halbton die erlaubte Obergrenze der Limburger Richtlinien. Die Gloriosa von 1877 hat eine um nur knapp 2/16 erhöhte Unteroktave. Der Nachhall der Bürgerglocke erreicht mit 180/42/19 Sekunden ca. 82% des Mindestsolls von 220/50 Sekunden, die Gloriosa von 1877 zum Vergleich 210/53 Sekunden, das sind 84% der Norm von 250/60 Sekunden. Die Konstruktion beider Glocken, die zur Resonanzprobe beide durch je drei Anschläge mit einem Handklöppel erregt wurden, ist ungefähr gleich schwer. Bezüglich Teiltonaufbau und Resonanz erreicht die Bürgerglocke gerade die schon 1877 von Hermann Große in der Gloriosa des Doms verwirklichten Maßstäbe. Doch ist diese eine als Meßlatte nur bedingt verwendbare Jahrhundertleistung. Die Bürgerglocke hat einen ernsten, leicht grollenden Klang, der nur durch die deutliche Quarte aufgehellt wird. Sie ist nicht besonders leicht erregbar, steigert sich aber um so mehr, je länger sie geläutet wird, zu einer außerordentlich voluminösen Klangentfaltung, die das Plenum des Paulsgeläutes kraftvoll fundamentiert. Sie ist wegen ihrer schweren Konstruktion trotz ihrer relativ niedrigen Aufhängung auch in der Ferne gut zu hören und nimmt im Stadtgeläute legitim den zweiten Platz nach der Gloriosa ein.

Die Gußausführung der Glocke kann man allenfalls als durchschnittlich bezeichnen. Das erarbeitete Gestaltungskonzept wurde im ganzen präzise auf die Glocke übertragen, manche Details wirken etwas schematisch-lieblos, das Gesamtbild dagegen ausgewogen. Da der hochbetagte Harry McLean die Ritzung des Formmantels durch einige seiner Schülerinnen ausführen lassen mußte, ist das Gesamtergebnis weniger prägnant ausgefallen als bei vielen früheren Glockenritzungen des Künstlers. Ästhetisch kritikwürdig ist die Tatsache, daß er die Grundlinien der Einzelbilder auf der Flanke gerade und nicht dem sphärischen Körper der Glocke entsprechend gerundet angelegt hat. Das beeinträchtigt das Gesamtbild.

Ungeachtet dieser Kritikpunkte wird man sich hinsichtlich des musikalisch voll befriedigenden Ausgangs des völlig unberechenbaren fis°-Unternehmens glücklich preisen dürfen: Da Glocken dieser Größe seit langem in Deutschland nicht mehr gegossen worden waren, wird man das erzielte Ergebnis als das in der gegenwärtigen historischen Situation der deutschen Glockengießerei erzielbare Optimum betrachten dürfen, auch wenn die Jahrhundertleistung von 1877 nicht wiederholt werden konnte.

Der Hauptgutachter Kramer schrieb u.a.: »Die glockenmusikalische Qualität des Paulskirchengeläutes ist sehr hoch einzustufen. [...]. Das beeindruckendste der Teilmotive ist wohl die Kombination der vier Großglocken fis°-h°-cis′-e′, so von Paul Smets als Teil des Stadtgeläutes geplant, ein Motiv von großer Ausdruckskraft und würdigem Ernst. Das Geläute der Paulskirche mit drei historischen und drei neuen Glocken stellt sich heute als Klangkörper von unverwechselbarer Ausstrahlung dar. Das Plenum hat keine Vorbilder und wird wohl immer ein Unikat bleiben. Die gesamte Anlage mit massivem Eichenholzglockenstuhl, Holzjochen, bildhauerisch gestalteten Glocken und überwiegend hervorragenden Klangkörpern bildet ein Gesamtwerk von glocken-, kunst- und handwerksgeschichtlicher Bedeutung, eine überaus wohlklingende Bereicherung des Großen Frankfurter Stadtgeläutes.«

Als am 27. September 1988 die Paulskirche wiedereröffnet wurde, rahmte Glockengeläute die Feierstunde ein. Am 21. April 1989 regelte der Magistrat durch Beschluß die Läuteordnung für die Paulskirche, die in das Frankfurter Stadtrecht aufgenommen wurde. Seit dem 18. Mai wird die Läuteordnung praktiziert, seit dem 17. Oktober 1989 vollautomatisch und in vollem Umfang.

Die »Glockenhoheit« liegt im Gebiet der alten Reichsstadt bei der Stadt Frankfurt. Sie ist heute als Teil des Dotationswesens der einzige öffentlich wahrnehmbare und im Bewußtsein der Bürger verankerte Rest der 1866 untergegangenen staatlichen Selbständigkeit der Stadt. Sie ist deshalb von allerhöchstem symbolischen Wert und Ausdruck des städtischen Selbstverständnisses. Diese rechtlich fundierte Situation unterscheidet Frankfurt von allen anderen deutschen Städten.

Das Nationaldenkmal Paulskirche ist heute keine Kirche mehr. Deshalb kann sein Geläute grundsätzlich nur weltlichen Zwecken dienen. Es bleibt jedoch der historische Bezug zur St. Paulsgemeinde bestehen.

Eine Verwendung ausschließlich des historischen Geläuts (Glocken 3–6) zu kirchlichen Zwecken der St. Paulsgemeinde ist in besonderen Fällen möglich. Sie bedarf der vorherigen Absprache mit dem Stadtarchiv und der Zustimmung des Hauptamtes.

Das regelmäßige Zeitläuten, das besondere öffentliche oder kalendarische Ereignisse auszeichnende Festläuten (Herrscherbesuche, Friedensfeste, öffentliche Feiern, Feste des Jahreskreises) sowie das Bannläuten (zu Messen, Krieg, Feuer, Volksversammlung, Gericht, Strafvollstreckung) waren rechtskonstitutiver Ausfluß der Hoheit der Stadt und von für die Regulation des öffentlichen Lebens und des Tagesablaufes entscheidender praktischer Bedeutung: Der Rat war als Träger der Stadtherrschaft auch »Herr der Zeit«.

Weltliche Läuteformen lassen sich in Frankfurt bis ins 14. Jahrhundert zurückverfolgen. Sie überlebten meist auch den Funktionsverlust der Glokken durch den Einsatz modernerer Techniken der Zeitansage und Nachrichtenübermittlung und selbst verfassungsrechtliche Veränderungen, indem sie symbolischen Gehalt entwickelten und Ausdruck der bewußtseinsmäßigen historischen Identität der Stadt mit sich selbst wurden.

Alle diese Gebräuche und Traditionen sind, soweit das städtische weltliche Läuten betroffen war, 1942 durch die rigorose Glockenbeschlagnahmung zu Kriegszwecken gewaltsam unter- oder gar abgebrochen und nach 1945, weil die meisten Kirchen 15 Jahre und länger ohne Geläute blieben, dem Vergessen anheimgefallen und, da sie keine praktische Bedeutung mehr besaßen, auch nicht erneuert worden. Trotzdem haben ihre Grundstrukturen in Teilen der kirchlichen Läuteordnung des Doms (Zeitläuten) und ganz fundamental in der Institution des »Großen Stadtgeläutes« überlebt.

Da ein weltliches Geläute heute eine praktische Bedeutung nicht mehr haben kann, hat es nur im symbolisch-repräsentativen Bereich als identitätstiftendes Phänomen seine Daseinsberechtigung. Deshalb knüpft die neue Läuteordnung für die Paulskirche an die historischen Formen des städtischen Läutens an, erinnert an die kirchliche Rolle der evangelischen Hauptkirche der Stadt und an die politische und städtische Bedeutung des Nationaldenkmals Paulskirche.

Dies geschieht durch vier Läuteformen:

1. das Zeitläuten,
2. das Samstagabend- und Sonntagläuten,
3. das Jahrestagläuten und durch
4. Sondergeläute.

Die fünf kleineren Paulsglocken erfüllen an Werktagen diese weltliche Funktion des fünffachen Zeitläutens durch Morgen-, Mittag-, Nachmittag-, Abend- und Nachtläuten übernehmen. Am Samstag wird nur mittags die Große Glocke geläutet.

Samstag abends erfolgt wie bis 1987 ein motivisches Geläute zusammen mit dem Dom und St. Nikolai. Ein Motivgeläute zeichnet künftig auch den Sonntagmittag aus.

Jahrestaggeläute erinnern an allgemeine, nationale, staatliche, städtische Fest- und Gedenktage. Deren Auswahl folgt aus dem Symbolgehalt des Nationaldenkmals Paulskirche und der stadtgeschichtlichen Rolle des Bauwerks; sie nimmt Bezug auf Namen, Inschriften und Reliefs der Glocken. Die zu benutzenden Glocken richten sich nach dem Anlaß (z.B. historisches Plenum an den Gedenktagen der Revolution von 1848 und zum Weihetag der Kirche, die Stadtglocke zu städtischen, die Bürgerglocke zu nationalen und staatlichen Gedenktagen), die Uhrzeit ist standardisiert (9 Uhr gesetzliche Feiertage, 10 Uhr Trauergeläute, 11 Uhr Gedenktage) mit Ausnahme dreier für die Stadt entscheidender Ereignisse (Eröffnung der Nationalversammlung, Zerstörung der Paulskirche, Zerstörung der Stadt), an die zur Stunde des Geschehens erinnert werden soll, wobei schon die ungewöhnliche Uhrzeit an sich Nachdenken erzeugen wird.

Sondergeläute zu Wahlhandlungen, öffentlicher Trauer, staatlichen oder städtischen Anlässen folgen aus dem »politischen« Charakter des Geläutes, der an das historische städtische »Bannläuten« anknüpft. Solche zu kirchlichen Festtagen respektieren das Fortwirken der Erinnerung an die ehemalige Paulskirche. Die Auswahl der Tage versteht sich überkonfessionell, die spezielle Anordnung zu Weihnachten, Ostern und Pfingsten ist die musikalisch faszinierende Realisierung einer seit 1878 verfolgten Absicht, die beiden im Domgeläute fehlenden tiefen Töne fis° und h° mit diesem zusammen erklingen zu lassen.

Läuteordnung für die Paulskirche

Anlage zum Magistratsbeschluß Nr. 632 vom 21. April 1989

1. Zeitläuten			Dauer
Mo–Fr	8.00 h Morgenläuten	cis′ (3)	
	12.00 h Mittagläuten	h° (2)	
	16.00 h Nachmittagläuten	g′ (5)	3 Min.
	18.30 h Abendläuten	e′ (4)	
	21.00 h Nachtläuten	h′ (6)	
Sa	12.00 h Mittagläuten	fis° (1)	5 Min.

2. Samstag- und Sonntagläuten:

	Sa 17.45 h	So 12.00 h	je 15 Min.
Januar	h'-g'-e'-cis' (6, 5, 4, 3)	h'-g'-e'-cis'-h° (6, 5, 4, 3, 2)	
Februar	h'-g'-cis' (6, 5, 3)	h'-g'-e'-h° (6, 5, 4, 2)	
März	g'-e'-cis'-h° (5, 4, 3, 2)	g'-e'-cis'-h°-fis° (5, 4, 3, 2, 1)	
April	g'-e'-cis' (5, 4, 3)	h'-e'-cis'-h° (6, 4, 3, 2)	
Mai	h'-g'-e'-cis'-h° (6, 5, 4, 3, 2)	h'-g'-e'-cis'-fis° (6, 5, 4, 3, 1)	
Juni	h'-e'-cis' (6, 4, 3)	h'-g'-cis'-h° (6, 5, 3, 2)	
Juli	h'-g'-cis'-h° (6, 5, 3, 2)	cis'-h°-fis° (3, 2, 1)	
August	h'-g'-cis' (6, 5, 3)	g'-e'-cis'-h° (5, 4, 3, 2)	
September	e'-cis'-h° (4, 3, 2)	g'-cis'-fis° (5, 3, 1)	
Oktober	h'-g'-e' (6, 5, 4)	h'-g'-e'-cis' (6, 5, 4, 3)	
November	g'-cis'-h° (5, 3, 2)	h'-g'-cis'-fis° (6, 5, 3, 1)	
Dezember	e'-cis'-h°-fis° (4, 3, 2, 1)	e'-cis'-h°-fis° (4, 3, 2, 1)	

Samstag vor dem 1. Advent:	h'-g'-e'-cis'-h°-fis° (6, 5, 4, 3, 2, 1)
Karsamstag:	h'-g'-e'-cis'-h°-fis° (6, 5, 4, 3, 2, 1)
Pfingstsamstag:	h'-g'-e'-cis'-h°-fis° (6, 5, 4, 3, 2, 1)

3. Jahrestage:

			Dauer
1. Jan.	0.00 h	Neujahr h'-g'-e'-cis'-h°-fis° (6, 5, 4, 3, 2, 1)	
	12.00 h	Mittagläuten h'-g'-e'-cis'-h°-fis° (6, 5, 4, 3, 2, 1)	
18. März	11.00 h	Märzrevolution 1848 h'-g'-e'-cis' (6, 5, 4, 3)	15 Min.
	21.45 h	Zerstörung der Paulskirche 1944 h' (6)	
22. März	21.40 h	Zerstörung Frankfurts 1944 h°-fis° (2, 1)	
8. Mai	11.00 h	Befreiung von der Naziherrschaft 1945 fis° (1)	
18. Mai	16.00 h	Eröffnung der ersten deutschen Nationalversammlung 1848 h'-g'-e'-cis' (6, 5, 4, 3)	
23. Mai	11.00 h	Grundgesetz der BRD 1949 fis° (1)	
9. Juni	11.00 h	Weihe der Paulskirche 1833 h'-g'-e'-cis' (6, 5, 4, 3)	
20. Juli	10.50 h	Attentat auf A.H. 1944 fis° (1)	10 Min.
11. Aug.	11.00 h	Weimarer Reichsverfassung 1919 fis° (1)	
10. Nov.	11.00 h	Verbrennung der Synagogen durch die Nationalsozialisten 1938 h°-fis° (2, 1)	
Nov.	11.00 h	Totensonntag h° (2)	
Nov.	10.50 h	Volkstrauertag h°-fis° (2, 1)	
1. Dez.	11.00 h	Verfassung des Landes Hessen 1946 fis° (1)	
	9.00 h	Gesetzliche Feiertage des Bundes fis° (1)	

4. Sondergeläute

			Dauer
Wahltage	8.00 h	bei Öffnung der Wahllokale	
	18.00 h	bei Schließung der Wahllokale	
		Bundestagswahlen fis° (1)	
		Landtagswahlen fis° (1)	
		Kommunalwahlen h° (2)	7,5 Min.

Zu Beginn einer konstituierenden Sitzung der Stadtverordneten-
versammlung h° (2)
10.00 h bei Stadttrauer h° (2)
10.00 h bei Staatstrauer fis° (1)

Bei staatlichen Veranstaltungen/fakultativ fis° (1)		5 Min.
Bei städtischen und sonstigen kulturellen Veranstaltungen[4]/fakultativ h° (2)		5 Min.
Samstag vor dem 1. Advent, vor Ostern und Pfingsten:		
	16.30 h Großes Stadtgeläute	
	e'-cis'-h°-fis° (4, 3, 2, 1), fis° (1)	30 Min.
	läutet 5 Min. vor (ab 16.25 h) und nach (bis 17.05 h)	
24. Dez.	17.00 h Großes Stadtgeläute	30 Min.
	e'-cis'-h°-fis° (4, 3, 2, 1),	
	fis° (1) läutet 5 Min. vor (ab 16.55 h)	
	und nach (bis 17.35 h)	
Kirchliche Festtage:		
1. Nov.	16.00 h Allerheiligen (Totengedenken)	7,5 Min.
	e'-cis'-h°-fis° (4, 3, 2, 1)	
Nov.	12.00 h Buß- und Bettag	15 Min.
	h'-g'-e'-cis'-h°-fis° (6, 5, 4, 3, 2, 1)	
25. Dezember, Ostern, Pfingsten:		
	10.10 h fis° (1), 10.15 h dazu h° (2)	20 Min.
Christi Himmelfahrt:		
	12.00 h Mittagläuten h'-g'-e'-cis'-h°-fis° (6, 5, 4, 3, 2, 1)	15 Min.
Fronleichnam:		
	12.00 h Mittagläuten e'-cis'-h°-fis° (4, 3, 2, 1)	15 Min.

1. Februar 1989

gez. Dr. Bund
Stellv. Leiter des Stadtarchivs

Literatur

FRANKFURTER GLOCKENBUCH. Hrsg. von Konrad Bund (Mitteilungen aus dem Frankfurter Stadtarchiv 4). Frankfurt am Main 1986, S. 222; 424ff.; 440f.

Die Paulskirche in Frankfurt am Main (Schriftenreihe des Hochbauamtes zu Bauaufgaben der Stadt Frankfurt am Main). Frankfurt am Main 1988, S. 92–98: Konrad Bund und Kurt Kramer: Die Glocken.

Verzeichnis der Veröffentlichungen von Karl Dienst

Von Hans-Joachim Wuttge

1. Herausgeberschaften und Mitarbeit

Herausgeberschaften

Herausgeber des Jahrbuches der Hessischen Kirchengeschichtlichen Vereinigung (JHKV), Bde. 18–44 (1967–1993), darin zahlr. eigene Rezensionen
Mitherausgeber des Evangelischen Erziehers (Zeitschrift für Pädagogik und Theologie)
Mitherausgeber der Schriftenreihe KU-Praxis. Eine Schriftenreihe für die Arbeit mit Konfirmanden, Gütersloh 1, 1973 ff.
Mitherausgeber der Schönberger Hefte 1–6
Mitherausgeber der Zeitschrift »Luther«
Mitherausgeber des ibw-journal (Zeitschrift des Instituts für Bildung und Wissen)

Mitarbeit an Lexika und Reihen

Die Religion in Geschichte und Gegenwart (RGG), 3. Auflage (51 Artikel)
Neue Deutsche Biographie
Theologische Realenzyklopädie (TRE)
Historisches Wörterbuch der Philosophie
Biographisch-Bibliographisches Kirchenlexikon
Predigtstudien, hrsg. von Ernst Lange u. a. (Kreuz-Verlag)
Themenstudien (ebd.)
Reihe »Dienst am Wort« (Klotz-Verlag)
Predigtreihe »Aber er hilft uns auch« (Klotz-Verlag)
»Homiletische Monatshefte« (Klotz-Verlag) u. a.
Mit der Bibel durch das Jahr (Kreuz-Verlag/Kath. Bibelwerk)

2. Monographien und Einzelschriften

1955

1. Geschichte des Lutherischen Gottesdienstes der Freien Reichsstadt Frankfurt/M. Theolog. Diss. Mainz 1955

1964

2. (Zusammen mit Kurt Schuster u. a.): Festgabe Wilhelm Jannasch zum 75. Geburtstag, Darmstadt 1964

1968

3. (Zusammen mit H.-G. Bertram): Kirchenmusik in der Petruskirche Gießen. Gießen 1968
4. (Zusammen mit Dahm und Brückner): Aufgabe und Struktur der Gemeinde heute. Schriften der Ev. Akademie in Hessen und Nassau, Heft 80, Frankfurt/M. 1969

1970

5. Die Ortsgemeinde im Nachbarschaftsbezirk. Darmstadt 1970 (vervielfältigt)

1971

6. (mit R. Roessler): Die Ortsgemeinde im Nachbarschaftsbezirk. Gedanken zur Gemeindestruktur. Reihe: Versuche zur kirchlichen Praxis 4. München 1971

1972

7. Konfirmandenunterricht. Reihe: Versuche zur kirchlichen Praxis 5. Darmstadt 1972 (Hausdruckerei der EKHN)
8. Gesamtschule und Konfirmandenunterricht. Reihe: Neue Versuche im Konfirmandenunterricht in der EKHN VII. Darmstadt 1972 (Hausdruckerei der EKHN)

1973

9. Moderne Formen des Konfirmandenunterrichts. Gütersloh 1973
10. Erziehung und Evangelium. Kann eine am Evangelium orientierte Erziehung befreien? Darmstadt Schulreferat der EKHN, 1973 (Hausdruckerei der EKHN)

1974

11. Bildung und Evangelium. Darmstadt 1974 (Hausdruckerei der EKHN)
12. Konfessionelle Entlastung des Religionsunterrichts durch kirchliche Katechese? Zu neueren Aspekten des Konfessionsproblems. Darmstadt 1974 (Hausdruckerei der EKHN)
13. Vorstellung der Konfirmanden der Petrusgemeinde Gießen. In: Materialsammlung zur Arbeit mit Konfirmanden I. Vorstellungsgottesdienst aus dem Jahr 1974, Hrsg. Religionspäd. Zentrum Schönberg

1976

14. Die lehrbare Religion. Theologie und Pädagogik. Eine Zwischenbilanz. Gütersloh 1976, 2. Auflage 1978

1977

15. Wie läßt sich christlicher Glaube heute vermitteln? Darmstadt 1977 (Hausdruckerei der EKHN)
16. Pädagogische Strömungen der Gegenwart. Weltanschauungspositionen und Menschenbilder. Information Nr. 70x/77. Evgl. Zentralstelle für Weltanschauungsfragen. Stuttgart 1977

1978

17. Theologische Bildungsmodelle. Darmstadt 1978 (Hausdruckerei der EKHN) 1978
18. Dogmatik als Führungsersatz in der Kirche? Ein Beitrag zum Thema Pädagogische Führung in der Kirche. Darmstadt 1978 (Hausdruckerei der EKHN)
19. Die evangelische Kirche von Frankfurt am Main in Geschichte und Gegenwart. Hrsg. von Christoph Führ und Jügen Telschow. Schriftenreihe des Evangelischen Regionalverbandes Frankfurt/M. Nr. 2 Frankfurt/M. 1978. 2. Aufl. 1980
    Darin: a) Geschichte des lutherischen Gottesdienstes der Freien Reichsstadt Frankfurt am Main, S. 23–32; b) Zur Geschichte der Beichte in Frankfurt am Main, S. 33–43; c) Zur Geschichte der Konfirmation in Frankfurt am Main, S. 43–57; d) »Evangelische Singebewegung in Basel, Lübeck und Frankfurt am Main, S. 87–96; e) Stadtgemeinde und Reformation in Frankfurt am Main, S. 97–105; f) Rat, Evangelische Bewegung und Reformation in Frankfurt am Main, S. 106–112; g) Evangelische Bewegung und Reformation, S. 113–135; h) Das Frankfurter Gesangbüchlein von 1599, S. 145–156; i) Judentaufformulare in Frankfurt am Main zur Zeit der Lutherischen Orthodoxie, S. 177–194; j) Nur in der zweiten Auflage: Evangelische Kinderlehre in Frankfurt am Main zwischen Orthodoxie und Pietismus, S. 358–375

1979

20. Gottfried Buttler – Karl Dienst (Hrsg.), Pädagogisches Handeln in der Kirche. Beiträge aus dem Bereich der Evangelischen Kirche in Hessen und Nassau. Gelnhausen, Berlin, Stein 1979
    Darin: Theologische Bildungsmodelle, S. 14–48
21. Dienstleistung. Zur Theorie eines Aspektes kirchlicher Dienste. In: Handwörterbuch des Pfarramtes, hrsg. von Dietrich von Heymann, 1. Nachlieferung 1979. München 1978

22. Glaube – Religiöse Erfahrung – Erziehung. Religionspädagogische Beiträge. GTB Religionspädagogik. Gütersloh 1979

1981

23. Konfirmandenunterricht. In: Handwörterbuch des Pfarramts. 3. Aktualisierung, Landsberg a. L. 1981

1983

24. Günter E. Th. Bezzenberger – Karl Dienst (Hrsg.), Luther in Hessen. Kassel, Frankfurt/M. 1983
Darin: Luthers Reise nach Worms, S. 29–49

1987

25. Kirche und Schule. Sonderdruck zur Feier des 100jährigen Bestehens der Höheren Schule in Rimbach am 11./13. 9. 1987. Hrsg. Martin-Luther-Schule, Rimbach 1987

1992

Kleine Geschichte der Evangelischen Kirche in Hessen-Nassau (= Schönberger Hefte, Sonderband 1992, Folge 12); 2. Aufl. Frankfurt a. M. 1994

3. Aufsätze

1956

26. Geschichte des Lutherischen Gottesdienstes der Freien Reichsstadt Frankfurt am Main. In: Frankfurter Kirchliches Jahrbuch, 1956, S. 50–59

1961

27. Die Reformation in der Geschichte der Stadt Frankfurt am Main. In: Frankfurter Kirchliches Jahrbuch, 1961, S. 17–22

1962

28. Zur Geschichte der Beichte in Frankfurt am Main. In: Frankfurter Kirchliches Jahrbuch, 1962, S. 9–18
29. Aufklärende Neigung in Mainz. In: Das Evangelische Mainz. Hrsg. von H. Steitz, Frankfurt/M. 1962, S. 56–73

1963

30. Das Frankfurter Gesangbüchlein von 1599. In: Frankfurter Kirchliches Jahrbuch 1963, S. 35–47

1964

31. Die Anfänge der Evangelisch-Theologischen Fakultät der Johannes-Gutenberg-Universität in Mainz. In: JHKV 15, 1964, S. 71–77
32. (Zusammen mit O. Böcher u. R. Ackermann): Vom Studium der Evangelischen Theologie in Mainz aus der Sicht ehemaliger Studenten. In: JHKV 15, 1964, S. 77–187

1966

33. Atheistische Theologie. Theologie im Schatten des Atheismus. In: Mitteilungsblatt des Ev. Pfarrervereins in Hessen und Nassau (= Mitteilungsblatt) 15, 1966, S. 19–24
34. Evangelische Singebewegung in Basel, Lübeck und Frankfurt am Main. In: JHKV 17, 1966, S. 281–290
35. Der evangelische Religionsunterricht. In: Festschrift zum 125jährigen Bestehen der Ricarda-Huch-Schule in Gießen. Gießen 1966, S. 48 ff.
36. Zur marxistischen Kopernikus- und Lutherinterpretation. In: Deutsches Pfarrerblatt (DtPfBl) 66, 1966, S. 715–719

1967

37. Zur marxistischen Reformations- und Aufklärungsinterpretation. In: Mitteilungsblatt 16, 1967, S. 3–8

39. Reformation und Revolution (1517/1917/1967). In: Stimme 19, 1967, S. 699ff.
40. Reformation und Säkularisation. In: DfPfBl 67, S. 37ff. (Neuabdruck in: Die Bedeutung der Reformation für die Welt von morgen. Hrsg. von R. Schmidt, Frankfurt/M. 1967, S. 187–197)
41. Kopernikanische Wenden. Zum Gebrauch einer Metapher in der Kirchengeschichte. In: JHKV 18, 1967, S. 1–49
42. Heinrich Steitz und die kirchengeschichtliche Forschung in Hessen. In: JHKV 18, 1967, S. V–XII
43. Reformationsjubiläen 1967 in Leipzig, Halle und anderswo. In: Ebernburg-Hefte 1, 1967, S. 38–52

1968

44. Die Interpretation der Reformation als »frühbürgerliche Revolution«. Ein Beitrag zur Metaphorik marxistischer Reformationserklärung. In: Ebernburg-Hefte 2, 1968, S. 40–50
45. Evangelische Bewegung und Reformation. Zu einer These Wilhelm Diehls. In: JHKV 19, 1968, S. 1–23
46. Rat, Evangelische Bewegung und Reformation in Frankfurt am Main. In: Frankfurter Kirchliches Jahrbuch 1968, S. 19–25
47. Die Bedeutung der Bibel im Protestantismus und Katholizismus der Gegenwart. In: Gemeindeveranstaltungen Bd. 7, 1. Teil, Stuttgart 1968, S. 286–298
48. Das Sakrament im römisch-katholischen Verständnis. In: Gemeindeveranstaltungen Bd. 7, 1. Teil, Stuttgart 1968, S. 327–328
49. Protestantismus und säkulare Welt. Die These vom »Ende der Religion«. In: Gemeindeveranstaltungen Bd. 7, 2. Teil, Stuttgart 1968, S. 78–88
50. Religion als Randphänomen der Gesellschaft? In: DtPfBl 68, 1968, S. 918–922
51. Die Reformation und Kopernikus. In: DtPfBl 68, 1968, S. 85–94
52. Pfarrer und Laie. In: Mitteilungsblatt 17, 1968, S. 82–87
53. Stadtgemeinde und Reformation. In: Mitteilungsblatt 17, 1968, S. 28–31
54. Politik in der Kirche? In: Weg und Wahrheit 22, 1968, S. 395f.
55. Ist unser Gottesdienst überholt? In: Mitteilungsblatt 17, 1968, S. 49ff.
56. Evangelische Kinderlehre in Frankfurt/M. zwischen Orthodoxie und Pietismus. In: JHKV 19, 1968, S. 189–206

1969

57. Soziologie als Partnerin der Theologie. In: Mitteilungsblatt 18, 1969, S. 93–97; 1970, S. 2f.
58. Kirche zwischen Resignation und Utopie. Anmerkungen zum Thema »Kirchenreform«. In: Mitteilungsblatt 18, 1969, S. 20–25
59. Die theologische Lage der Gegenwart. In: Weg und Wahrheit 23, 1969, S. 156f., 172
60. Der Metaphysikvorwurf als Kategorie theologischer Disqualifikation. In: DtPfBl 69, 1969, S. 549ff.
61. Theologisches Seminar für Nichttheologen. In: Mitteilungen der Männerarbeit der EKHN Nr. 7, 1969, S. 2–6
62. Grenzen einer kirchlichen Demokratisierung. In: Weg und Wahrheit 23, 1969, S. 720ff.
63. Kopernikanische Wenden. In: Archiv für Begriffsgeschichte XIII, 1969, Heft 1, S. 80–83
64. »Umfunktionierung« des Gottesdienstes? In: Musik und Kirche 39, 1969, S. 252–264
65. »Säkularisation« – eine brauchbare Kategorie kirchengeschichtlicher Forschung? In: JHKV 20, 1969, S. 1–35
66. Wolfgang Philipp – Sein Verständnis von Barock und Aufklärung als Strukturen gegenwärtigen Denkens. In: Schriften des Instituts für wissenschaftliche Irenik der J. W. Goethe-Universität Frankfurt/M. Marburg 1969, Bd. VI, S. 89–104; 130–151

1970

67. Demokratisierung als Politisierung der Kirche? In: DtPfBl 70, 1970,S. 68–71
68. G. W. F. Hegels Sicht der Reformation in ihren Grundzügen. In: DtPfBl 70, 1970, S. 471–485
69. Zur Frage einer befristeten Besetzung der Pfarrstellen und einer Erleichterung der Versetzbarkeit der Pfarrstelleninhaber. In: Mitteilungsblatt 19, 1970, S. 56 und in Pastoralblatt des Ev. Pfarrvereins Kurhessen-Waldeck, Febr. 1971, S. 7–14
70. Judentaufformulare in Frankfurt zur Zeit der lutherischen Orthodoxie. In: JHKV 21, 1970, S. 101–118
71. Der Pluralismus der Säkularisationskonzeptionen. In: JHKV 21, 1970, S. 149–176
72. Die Bedeutung der Reformation für Staat und Religion nach G. W. F. Hegels Geschichtsphilosophie. In: Ebernburg-Hefte 4, 1970, S. 53–70
73. Erwägungen über eine zukünftige Ausbildung der Berufsschulreligionslehrer. In: Der Evangelische Religionslehrer an der Berufsschule 18, 1970, S. 202–212

1971

74. Gottesdienst – überholt? In: Der Kirchenmusiker 22, 1971, S. 27f.
75. Religionsunterricht – Interaktion – Gesellschaft. Zur Theorie der »Symbolischen Interaktion«. In: Der Ev. Erzieher 23, 1971, S. 10–22
76. Versuch einer Aufklärung der Vernunft über sich selbst? Zu Gert Ottos Buch »Vernunft«. In: Der Ev. Erzieher 23, 1971, S. 211–217
77. Ist Theologie eine Wissenschaft? In: DtPfBl 71, 1971, S. 38–43
78. Eine »Mainzer Theologie«? In: DtPfBl 71, 1971, S. 313–317
79. Zur Frage der befristeten Pfarrstellen. In: Die Aussprache. Studien aus der Hamburgischen Landeskirche 1971, S. 114–119
80. Konfirmandenunterricht als Gruppenprozeß. In: Schönberger Blätter 1971
81. Elemente einer mittelfristigen Rahmenkonzeption für den Konfirmandenunterricht. In: Schönberger Blätter 1971
82. Neue Versuche im Konfirmandenunterricht in der EKHN I–V (hektogr.)
83. Konfirmandenunterricht als Vermittlung kognitiver Kommunikationsmodelle? In: Hessisches Pfarrerblatt 3, Dez. 1971, S. 26f.

1972

84. Zum Berufsbild des Pfarrers. Anmerkungen aus der Sicht empirischer Sozialforschung. In: DtPfBl 72, 1972, S. 115–117
85. Funktionale Theorie kirchlichen Handelns und Konfirmandenunterricht. In: DtPfBl 72, 1972, S. 190
86. Sieben Andachten für die Passionszeit. In: Dienst am Wort. Hrsg. von C. H. Peisker. Stuttgart/Göttingen 1972, Bd. 25, S. 58–86
87. Neue Versuche im Konfirmandenunterricht in der Evangelischen Kirche in Hessen und Nassau. In: Theologia Practica 7, 1972, S. 39–59
88. Zur Theoriebildung und Organisation des Religionsunterrichts. In: Schönberger Hefte 1972, Heft 5, S. 26–29
89. Theologische Theorie kirchlicher Planmodelle. In: DtPfBl 72, 1972, S. 226f.
90. Die Interpretation der Reformation als »frühbürgerliche Revolution«. In: Reformation oder frühbürgerliche Revolution? Hrsg. von R. Wohlfeil. Nymphenburger Texte zur Wissenschaft 5. Nymphenburg 1972, S. 260–274
91. Religionsunterricht – Interaktion – Gesellschaft. Zur Theorie der »Symbolischen Interaktion«. In: Evangelium – Religionsunterricht – Gesellschaft. Festschrift für Friedrich Hahn zum 60. Geburtstag, Marburg 1972, S. 18–30
92. Kommunikationsgemeinschaft? In: DtPfBl 72, 1972, S. 747ff.
93. Zur Neuordnung der Lehrerausbildung. In: Der Ev. Erzieher 24, 1972, S. 473–483
94. »Therapeutische« Konzeptionen im Religionsunterricht? In: Loccumer Religionspädagogische Studien und Entwürfe 11. Loccum 1972, S. 83–95

1973

95. Kopernikus – ein Kopernikaner? In: DtPfBl 73, 1973, S. 84f.
96. Die Erben des Nicolaus Copernicus. In: Deutsche Zeitung/Christ und Welt Nr. 7, 16.2.1973, S. 18
97. Zur Einordnung des Religionsunterrichts in die Sekundarstufe II. In: Der Ev. Erzieher 25, 1973, S. 97–107
98. Tod und Auferstehung. Lehrplanentwürfe als Hilfen für eine Profilierung und didaktische Planung des Faches Religionslehre. In: Der Ev. Erzieher 25, 1973, S. 146–158
99. Kommunikationsgemeinschaft? In: ibw-journal 11, 1973, Heft 4, S. 10–13
100. Anmerkungen zur Therapiekonzeption im Religionsunterricht. In: Der Ev. Erzieher 25, 1973, S. 205–215
101. Von der Mehrdeutigkeit zur Beliebigkeit? Kritische Anmerkungen zu den hessischen Rahmenrichtlinien für die Gesellschaftslehre Sekundarstufe I. In: Forum E9, Sept. 1973, S. 167–171
102. Vom Psychologismus überwältigt. Kommentar. In: DtPfBl 73, 1973, S. 751
103. Religionsunterricht heute. In: Victoria einst und jetzt. Nr. 43, 1973, S. 1f.
104. Religionsunterricht zwischen Staat und Kirche. In: Forum E12, Dez. 1973, S. 251–255

1974

105. Religionsunterricht und Konfirmandenunterricht. Die Neuorientierung des Konfirmandenunterrichts in ihrer Bedeutung für den Religionsunterricht. In: Der Ev. Erzieher 26, 1974, S. 1–10
106. Die Familie aus der Sicht eines Lehrplans für die öffentliche Schule. In: Der Ev. Religionslehrer an beruflichen Schulen 22, 1974, Heft 2, S. 42–51
107. Religionsunterricht im Gespräch zwischen den Konfessionen. In: Forum E3, März 1974, S. 69–74
108. Zeitschriftenschau zum Thema Konfirmandenunterricht. In: EKHN-Mitteilungen Nr. 4, 1974, S. 117–121
109. Erziehung und Evangelium. In: Wissenschaft und Praxis in Kirche und Gesellschaft 63, 1974, S. 69–87
110. Die Funktion der Religionspädagogik an den Hochschulen. In: Handbuch der Religionspädagogik. Hrsg. von E. Feifel u.a. Bd. II, Gütersloh/Zürich 1974, S. 383–394
111. Erziehung und Evangelium. In: Erziehung zwischen Evangelium und Gesellschaft. Europäische Perspektiven. Münster/W., Comenius-Institut 1974, S. 24–88
112. Zeitschriftenschau: Thema »Konfirmandenunterricht«. In: KU-Praxis 3, 1974, S. 69ff.
113. Auf den Geleisen des Curriculum zur Neuen Konfessionsschule? In: Forum E 10, Okt. 1974, S. 227–233
114. Einführung in die Fachdidaktik des Religionsunterrichts. In: Schriftenreihe AV-Pädagogik. Reihe C: Fachdidaktik. Audiovisuelle Medien im Religionsunterricht. Stuttgart 1974, S. 10–25
115. Gemeinde in der Großstadtregion. In: DtPfBl 74, 1974, S. 834–838
116. Vorwort zu Hartwig Weber, Sprechen von Gott in sprachloser Zeit? Nürnberg/Gelnhausen/Freiburg/Br. 1974, S. 9–12
117. Education and the Gospel. Can an education based on the Gospel be liberating? In: Education between gospel and society. European perspectives. Münster/W., Comenius-Institut 1974, S. 21–47
118. Zur Frage des Stellenwertes der Theologie im problemorientierten Religionsunterricht. In: Bernhard Jendorff und Gerhard Schmalenberg (Hrsg.), Tradition und Gegenwart. Ernst Schering zum 60. Geburtstag (= Theologie und Wirklichkeit Bd. 5). Bern/Frankfurt/M. 1974, S. 151–162

119. Kooperation im Pfarramt. Versuch einer Zwischenbilanz. In: Loccumer Protokolle 19, 1974, S. 4–30
120. Zur Theoriebildung und Praxis des Konfirmandenunterrichts. In: Loccumer Protokolle 19, 1974, S. 55–62

1975

121. Zur Theoriebildung und Praxis des Konfirmandenunterrichts. In: DtPfBl 75, 1975, S. 74–76
122. Der gesamtkirchliche Ausschuß für den Religionsunterricht. In: Schönberger Hefte 5. Jg. 1/1975, S. 35f.
123. Vorwort zu »Religion in der Sekundarstufe II«. Hrsg. vom Schulreferat der EKHN, Darmstadt 1975 (Hausdruckerei)
124. Konfessionelle Entlastung des Religionsunterrichts durch kirchliche Katechese? In: W. G. Esser (Hrsg.), Religionsunterricht und Konfessionalität. Zum Religionsunterricht morgen VI, München/Wuppertal 1975, S. 94–112
125. Erziehung und Evangelium. In: P. Biehl – H.-B. Kaufmann (Hrsg.), Zum Verhältnis von Emanzipation und Tradition. Frankfurt/M. 1975, S. 137–149
126. Thomas Müntzer – eine Gestalt der Bewußtseinsgeschichte. In: Luther, 1975, S. 114–124
127. Thomas Müntzer – eine Gestalt der Bewußtseinsgeschichte. Historie und Metapher. In: Ebernburg-Hefte, 9. Folge, 1975, S. 55–75
128. Leitlinien für einen Konfirmandenunterricht in der BRD. In: Christenlehre 28, 1975, S. 49–56
129. Kirchengeschichte als Magd der Politik? Zu Aspekten einer nachhistoristischen bzw. nachhermeneutischen Geschichtswissenschaft. In: JHKV 26, 1975, S. 187–206

1976

130. Manipulation und Mündigkeit. In: DtPfBl 76, 1976, S. 219ff.
131. Bibel – Gemeinde – Theologie. In: Kreuzwacht 1976, Heft 3, S. 3–7
131. Religions- und Konfirmandenunterricht. Identität und Differenz. In: Traditio – Krisis – Renovatio aus theologischer Sicht. Festschrift Winfried Zeller zum 65. Geburtstag. Hrsg. von Bernd Jaspert und Rudolf Mohr. Marburg 1976, S. 586–598
133. Die Religion des Religionsunterrichts. In: Religion – Perspektiven eines Unterrichtsfaches. Hrsg. von Johannes Beisheim. Didaskalia Heft 22, Kassel 1976, S. 61–85
134. Kopernikanische Wende. In: Historisches Wörterbuch der Philosophie Bd. IV, Basel/ Stuttgart 1976, Sp. 1094–1099
135. Die Synode hat die Geister zu scheiden. In: Deutsches Allgemeines Sonntagsblatt Nr. 48, 28.11.1976, S. 15
136. Konfessionell-kooperativer Religionsunterricht. In: Forum E 29 Jg., Heft 12, 1976, S. 296–298

1977

137. Schülererwartungen im Blick auf den Religionsunterricht an berufsbildenden Schulen. In: Der Ev. Erzieher 29, 1977, S. 28–30
138. Ein handschriftliches Judentaufformular aus Burg Friedberg um 1600. In: Wetterauer Geschichtsblätter Bd. 26, 1977, S. 149–156
139. Religionsunterricht und religiöse Erfahrung. In: Der Ev. Erzieher 29, 1977, S. 342–357
140. Der Erste Speyerer Reichstag von 1526 und die Reformation. Ein Beitrag zur Metaphorologie der Reformation. In: Ebernburg-Hefte, 11. Folge 1977, S. 7–15

1978

141. Religiöse Erfahrung und seelsorgerliche Dimension im Religionsunterricht. In: Religionspädagogische Beiträge 2/1978. Zeitschrift der Arbeitsgemeinschaft katholischer Katechetikdozenten, S. 82–112

142. Theologische Bildungsmodelle. Zum Zusammenhang von Theologie und Pädagogik. In: ibw-journal 16, 1978, S. 119–125
143. Theologische und religionspädagogische Bildungsmodelle. In: Problem- oder bibelorientierter Religionsunterricht? Hrsg. von B. Albers und R. Kiefer. Reihe: Religionspädagogische Schriften Bd. 1, Aachen 1978, S. 77–89

1979

144. Menschenbilder und Pädagogik. In: Verantwortung. Einstellung zum Kind – Problem unserer Gesellschaft. Deutscher Evangelischer Frauenbund 1979, S. 5–14
145. Für Sinnfrage aufgeschlossen bleiben. In: ibw-journal 17, 1979, Heft 1, S. 6–10
146. Evangelische Pädagogik? Eine grundsätzliche Besinnung. In: ibw-journal 17, 1979, S. 119–125
147. Der Ratschläge gibt es viele ... Eine Analyse von Modellen für die Unterrichtsvorbereitung. In: Der Ev. Erzieher 31, 1979, Heft 4, S. 298–311
148. Zur Geschichte der Konfirmation in Frankfurt am Main. Ein Beitrag zum Thema: Hessen und die Freie Reichsstadt Frankfurt. In: Aus der Geschichte und ihren Hilfswissenschaften. Festschrift für Walter Heinemeyer zum 65. Geburtstag. Hrsg. von Hermann Bannasch und Hans Peter Lachmann. Marburg 1979, S. 701–721
149. Gedanken eines Vaters zur Elternmitbestimmung. In: Ludwig-Georgs-Gymnasium Darmstadt. Festschrift zur 350-Jahr-Feier 1979. Darmstadt, S. 159–171
150. Evangelische Pädagogik. Eine Problemskizze. In: Erziehen heute, 29. Jg. 1979, Heft 4, S. 2–21

1980

151. Wissenschaftlich erziehen? In: Lebendige Familie. Praxis Bilden und Erziehen 32, 1980, Nr. 1, S. 10–13
152. Ohne konfessorische Qualität? Das Interesse der Kirche am Religionsunterricht. In: ibw-journal 18, 1980, Heft 2, S. 23–28
153. Kinderfeindlichkeit. In: Der Ev. Erzieher 32, 1980, Heft 3, S. 168ff.
154. Lehre geht über Information hinaus. Ort und Funktion des Religionsunterrichts im Erziehungsauftrag der Schule. In: ibw-journal 18, 1980, Heft 7, S. 101–107
155. Bildung (17.–19. Jahrhundert). In: TRE Bd. VI, 1980, S. 623–629
156. Humane Schule als Plädoyer für eine menschlich förderliche ganzheitliche allgemeine Bildung. Zu Karl Ernst Nipkows Bildungsdenken. In: ibw-journal 18, 1980, Heft 8, S. 105–110
157. Das Interesse der Kirche am Religionsunterricht. In: Ansätze, Heft 1, 1980, S. 7–30
158. Evangelische Pädagogik. In: Harald Bewersdorff (Hrsg.), Evangelische Pädagogik. Diskussion einer Problemanzeige. Erziehen heute. Sonderheft 8, Willich 2, 1980, S. 13–32
159. Evangelische Pädagogik – Ein Labyrinth? In: ebd. S. 176–191
160. Ohne konfessorische Qualität? Das Interesse der Kirche am Religionsunterricht. In: Jahrbuch für Religionspädagogik und Gemeindepädagogik 1, 1980 (Reihe: Religionspädagogik heute Bd. 5), Aachen 1980, S. 27–36
161. Dogmatik als Führungsansatz in der Kirche? In: Handwörterbuch des Pfarramtes. Hrsg. von Dietrich von Heymann. 3. Nachlieferung, München 1980, Textanhang III, S. 1–5
162. Religionspädagogik und Gemeindepädagogik. Bemerkungen in integrativer Absicht. In: DtPfBl 80, 1980, S. 637–640
163. Umgang und Interpretation gehören zusammen. Können wir noch unsere Kinder christlich erziehen? In: ibw-journal 18, 1980, Heft 12, S. 168–173
164. Das verschleierte Bild zu Sais. In: Hochschulbrief der EFH Darmstadt u.a. 7, 1980, S. 1f.

1981

165. Was bedeutet »Humane Schule«? In: ibw-journal 19, 1981, Heft 2, S. 18–23

166. Evangelisches Erziehungshandeln ohne eigene pädagogische Theorie? In: Luther 52, 1981, S. 18–32
167. Das Interesse der Kirche am Religionsunterricht. In: Ev. Akademie Hofgeismar (Hrsg.), Religion als Fach. Protokoll 171/1981, S. 53–72
168. Wiederentdeckung des teilnehmenden Umgangs in der Erziehung. In: Lebendige Familie. Praxis Bilden und Erziehen. 33. Jg., Nr. 2, 1981, S. 8f.
169. Die reformatorische Bewegung in Frankfurt-Sachsenhausen. In: 450 Jahre Evangelische Dreikönigsgemeinde. 100 Jahre neue Dreikönigskirche in Frankfurt am Main. Festschrift. Hrsg. von Wilhelm Gegenwart. Frankfurt/M. 1981, S. 17–31
170. Religionspädagogik und Gemeindepädagogik. Bemerkungen zur pädagogischen Dimension der Gemeindearbeit. In: Homiletische Monatshefte 56, 1980/81, Heft 8, S. 374–383
171. Moslems in konfessionellen Kindergärten und Schulen? Anmerkungen aus dem evangelischen Raum. In: ibw-journal 19, 1981, Heft 6, S. 85–89
172. Thema: »Frieden«. In: Homiletische Monatshefte 56, 1980/81, Heft 10/11, S. 503–506
173. Die Einführung der Reformation in der Freien Reichsstadt Frankfurt am Main. In: St. Katharinen zu Frankfurt am Main. Hrsg. von Joachim Proescholdt. Frankfurt/M. 1981, S. 39–52
174. Johann Friedrich Starcks Tägliches Handbuch in guten und bösen Tagen. In: JHKV 32, 1981, S. 67–92
175. Die Pflichtstunden der Pfarrer der EKHN: Herkunft – Bedeutung – Notwendigkeit. In: Schönberger Hefte. Sonderheft 1981, S. 3–7
176. Humane Schule und Religionspädagogik. In: Glaube und Gesellschaft. Festschrift für Wilhelm F. Kasch. Hrsg. von Klaus Dieter Wolff. Bayreuth 1981, S. 253–262

1982

177. Passionsandachten. In: Homiletische Monatshefte 57, 1982, Heft 4, S. 168–177
178. Möglichkeiten christlicher Erziehung in der heutigen Schule. In: Luther 1982, S. 38–45
179. Möglichkeiten christlicher Erziehung in der heutigen Schule. Vortrag vor der gemeinsamen Schulreferentenkonferenz der Kirchen. In: ibw-journal 20, 1982, S. 27–29
180. Theologisches in der Pädagogik. In: Lebendige Seelsorge 33, 1982, Heft 1, S. 19–25
181. Die Bibel in der gegenwärtigen Religionspädagogik. In: Erneuerung aus der Bibel. Hrsg. von Siegfried Meurer. Deutsche Bibelgesellschaft. Stuttgart 1982, S. 178–194
182. Konfirmandenunterricht als Glaubenshilfe. In: Lebendige Katechese 4, 1982, Heft 1, S. 62–66
183. Eine Renaissance der Mystik? In: Der Ev. Erzieher 34, 1982, Heft 3, S. 232–241
184. Ohne konfessorische Qualität? Das Interesse der Kirche am Religionsunterricht. In: Schule und Kirche. Informationsdienst der Ev. Kirche im Rheinland zu Bildungs- und Erziehungsfragen 1/1982, S. 23–31
185. Adventsandachten. In: Homiletische Monatshefte 58, 1982/83, Heft 1, S. 28–36

1983

186. Ein Leben als Theologe und Gelehrter. Fritz Hahn zum Gedächtnis. In: B. Jendorff – G. Schmalenberg (Hrsg.), Anwalt des Menschen. Beiträge aus Theologie und Religionspädagogik. Selbstverlag des Fachbereiches 07 Gießen 1983. Reihe: Gießener Schriften zur Theologie und Religionspädagogik des Fachbereichs Religionswissenschaften der Justus-Liebig-Universität Bd. 2, S. 11ff.
187. Theologische Implikationen der Kritik am Erziehungsauftrag der Schule. In: ebd. S. 63–81
188. Religiöses in Jaspers Philosophieren. In: DtPfBl 83, 1983, S. 57–60
189. Zur deutschen evangelischen Lutherforschung heute. In: Amtsblatt der EKHN Nr. 3/1983, S. 21–26 und Schönberger Hefte, Hefte 2–3, 1983, S. 36–45
190. Lehrerarbeitslosigkeit. In: Der Ev. Erzieher 35, 1983, S. 322–326

191. Unfriedlicher Friede? In: ebd. S. 384–388
192. Biblische Ansätze zur Reformation. Luther als Interpret der Bibel. In: ibw-journal 21, 1983, Heft 10, S. 157–164
193. Neujahr – Fest der Beliebigkeit? In: Zeitschrift für Gottesdienst und Predigt 1, 1983, Heft 6, S. 40–44
194. Zur Deutschen Evangelischen Lutherforschung heute. In: Ebernburg-Hefte 17, 1983, S. 72–83, JHKV, 1983, S. 99–112
195. Gedanken zu Weihnachtsliedern Luthers. In: Luther 1983, S. 147ff.
196. Schule als Ort ökumenischer Zusammenarbeit. In: Lebendige Seelsorge 34, 1983, Heft 4, S. 220–223
197. Reines Informieren vermittelt noch keinen Sinn. Seelsorge und Beratung in der Schule. In: ibw-journal 21, 1983, Heft 12, S. 192–196
198. Predigtvorbereitung über Jes. 25, 8–9 (Ostermontag). In: Homiletische Monatshefte 1982/83, S. 250–254
199. Predigtvorbereitung über Offenbarung 3, 7–13 (2. So. im Advent). In: Homiletische Monatshefte 1983/84, S. 4–8

1984

200. Zur Religiosität Pestalozzis. In: ibw-journal 22, 1984, Heft 1, S. 1–5
201. Orwells »1984« oder »Die Lust am Untergang«. In: ibw-journal, 1984, Heft 2, S. 27f.
202. Zu Huldrych Zwinglis Erziehungsgedanken. In: ibw-journal, 1984, Heft 3, S. 35
203. Zur Geschichte der Evangelischen Kirche in Hessen und Nassau. In: Weg und Wahrheit 38, 1984, S. 5 und 19
204. Einige Fragen zur Friedenserziehung. Eine Problemskizze. In: ibw-journal 22, 1984, S. 91ff.
205. Bekennen und Opfern. In: Kirche im ländlichen Raum. 35. Jg. 1984, Heft 3, S. 82–86
206. Verläßliche Bürger der Botschaft sein. Was erwartet die Kirche von evangelischer Jugendarbeit? In: ibw-journal 22, 1984, S. 127–130
207. Konzepte kommen und gehen ... Religionspädagogisches Philosophieren eines »Schulreferenten«. In: In der Freiheit bestehen. Festschrift zum 70. Geburtstag von Heinz Becker. Karlsruhe 1984, S. 78–95
208. Luther, Zwingli, Calvin – Das Dreigestirn der Reformation. In: Ebernburg-Hefte 18, 1984, S. 95–104; Blätter für Pfälzische Kirchengeschichte und Religiöse Volkskunde 51, 1984, S. 239–248; JHKV, 1984, S. 319–329
209. Neue soziale Bewegungen, Wertewandel und Religionspädagogik. In: Der Ev. Erzieher 36, 1984, Heft 6, S. 653–673

1985

210. Christ und Zeit. Aus Aufsätzen und literarischen Beiträgen (Helmut Hilds). In: Helmut Hild: Die Wahrheit trennt nicht. Festgabe zum Anlaß der Verabschiedung von D. Helmut Hild als Kirchenpräsident der EKHN, März 1985. Hrsg. von Otto Rudolf Kissel in Verbindung mit der Kirchenleitung der EKHN, Frankfurt/M. 1985, S. 60–78
211. Bergpredigt und Eisenbahn. In: Der Ev. Erzieher 37, 1985, Heft 2, S. 190–194
212. Predigtvorbereitung über Matth. 5, 13–16 (Achter So. nach Trin.). In: Homiletische Monatshefte 1984/85, S. 393–397
213. Die Bibel in der evangelischen Kirche. In: Lebendige Seelsorge 36, 1985, Heft 3, S. 170–174
214. Der gefeierte und der vergessene Schütz. In: Luther 1985, S. 128–136
215. Evangelische Religionslehre. In: Handbuch für das kaufmännische Bildungswesen. Darmstadt 1985, S. 464–467
216. Hohe Schule und Theologisches Seminar Herborn. In: JHKV 36, 1985, S. 19–40
217. 500 Jahre Reichelsheimer Kirche. In: JHKV 36, 1985, S. 99ff.

218. Evangelische Jugendarbeit zwischen gestern und morgen. Zu Tendenzen evangelischer Jugendarbeit zwischen 1945 und 1985. In: Schönberger Hefte. Folge 7, Sonderheft 1985, S. 12–24

1986

219. Exegese einmal anders. Zur hymnologischen Bibelauslegung. In: Landauer Schriften zu Theologie und Religionspädagogik, Bd. 1, Leben lernen im Horizont des Glaubens. Hrsg. von Bernhard Buschbeck und Friedrich Lemke, Landau 1986, S. 22–44
220. Seelsorge und Beratung in der Schule: Adressaten, Inhalte, Orte. In: Birkacher Beiträge zu einer evangelischen Pädagogik 4. Stuttgart 1986, S. 17–27
221. Der Erziehungsauftrag in der Allgemeinbildenden Schule. In: Theologische Standorte. Festschrift Jürgen Redhardt zum 60. Geburtstag. Hrsg. von B. Jendorff und Gerhard Schmalenberg. Reihe: Gießener Schriften zu Theologie und Religionspädagogik des Fachbereichs Religionswissenschaften der Justus-Liebig-Universität, Bd. 4, Gießen 1986, S. 189–200
222. Zwischen Eristik und Irenik. Zur Problematik einer Abgrenzung theologischer Epochen. In: Der Ev. Erzieher 38, 1986, Heft 4, S. 378–384
223. Germania II. Chiesa evangelica. In: Dizionario di Catechetica. A cura di Joseph Gevaert. Leumann (Torino) 1986, S. 294–297
224. Artikel »Hessen«. In: TRE, Bd. 15, 1986, S. 263–279
225. Artikel »Hessen-Nassau«. In: TRE, Bd. 15, 1986, S. 279–282
226. De potestate concilii. In: »Das Leben bejahen«. Dankesgabe an Herbert Wüst zu seinem 50. Ordinationsjubiläum 1936–1986. Hrsg. von Wolfgang Rimbach-Sator, Gelsdorf 1986, S. 84–94
227. Die alte Frankfurter Lutherische Liturgie zwischen neuerem Luthertum und Lima. In: JHKV 37, 1986, S. 195–200
228. Zum Amtskreuz des Nassauischen Landesbischofs. In: JHKV 37, 1986, S. 223–227
229. Predigtvorbereitung über Jer. 23, 5–8 (Erster Advent). In: Homiletische Monatshefte 1986/87, S. 2–5

1987

230. Zu Wertbegründungen politischer Entscheidungen. In: ibw-journal 4/87, S. 13–18
231. Heilung und Heil. Theologisches in Medizin und Politik. In: Duisburger Studien 12 (Gesundheitssystem und Politik). Duisburg 1987, S. 103–111; Wingolfsblätter 106, S. 159–164
232. Reformatorische Bewegung und Reformation. In: Matthias Benad (Hrsg.), Gott in Frankfurt? Theologische Spuren in einer Metropole. Frankfurt/M. 1987, S. 43–51
233. Das Starcksche Gebetbuch. In: ebd. S. 73–77
234. Ökumenisches Lernen. Ein neues (religions-) pädagogisches Paradigma? In: Unterwegs für die Volkskirche. Festschrift für Dieter Stoodt zum 60. Geburtstag. Frankfurt/M. 1987, S. 111–122
235. Friedrich Heiler als Liturgiker. In: Mitteilungsblatt der Hochkirchlichen Vereinigung Augsburgischen Bekenntnisses Nr. 143 (3/1987), S. 27f.
236. Zur Entstehung des Frankfurter Lutherischen Gesangbuchs im 16. Jahrhundert. In: Ebernburg-Hefte 21, 1987, S. 83–90
237. Was ist Sünde? In: ibw-journal 25, 1987, S. 12–17
238. Predigtvorbereitung über Jes. 61, 1–3 (4.9.) 10.11. In: Homiletische Monatshefte 1987/88, S. 98–101

1988

239. Konfirmandenunterricht als Glaubenshilfe. In: Die Christenlehre 2/1988, S. 36–40
240. Die Marseiller Hymne der Reformation. In: Luther 59, 1988, S. 29–44
241. In Gehrock und Zylinder. In: Hessisches Pfarrerblatt 2/1988, S. 76f., JHKV 58, 2. Teil, S. 161–165

242. Religionstheoretiker in der Postmoderne. In: Lutherische Monatshefte 27, 1988, Heft 4, S. 164f.
243. Zeitalter der Kompendien? In: ibw-journal 26, 1988, Nr. 4, S. 20–23
244. Kirche und Schule. In: Korrespondenzblatt Ev. Schulen und Heime 29, 1988, Heft 2, S. 60–72
245. Schulbezogene Arbeit der Kirchen. Zur Schul- und Schülerseelsorge heute. In: Der Ev. Erzieher 40, Heft 4, 1988, S. 363–371
246. Wer hat Recht? In: ebd. S. 389–394
247. Formen des Lehrens und Lernens in der Geschichte der Kirche. In: J. Ohlemacher/H. Schmidt (Hrsg.), Grundlagen der evangelischen Religionspädagogik, Göttingen 1988, S. 32–51
248. »Luther in Worms«: Historie als Libretto. In: Blätter für Pfälzische Kirchengeschichte und Religiöse Volkskunde 55, 1988, S. 193–229; Ebernburg-Hefte 22, 1988, S. 83–119; JHKV 39, 1988, S. 29–67
249. New Age und Religionsunterricht. In: Lebendige Seelsorge 39, 1988, S. 371–374
250. Der Konfirmandenunterricht in der neueren Diskussion. In: ibw-journal 26, 1988, Heft 9, S. 17–23
251. Wer hat recht? Kirchengeschichte in der Predigt. In: JHKV 39, 1988, S. 99–103
252. Zur Entstehung des Frankfurter Lutherischen Gesangbuches im 16. Jahrhundert. In: JHKV 39, 1988, S. 113–118

1989

253. Sündenerkenntnis und/oder Heilung der Erinnerung? In: Wingolfsblätter 108, 1989, Heft 1, S. 3–9; ibw-journal 27, 1989, Heft 3, S. 13–19
254. Redensarten oder Die Bibel als Sprache. In: Der Ev. Erzieher 41, 1989, Heft 2, S. 104f.
255. Einmal aus der Schule geplaudert. In: ebd. S. 167–173
256. Was ist der Kirche der Religionsunterricht wert? In: ibw-journal 27, 1989, Heft 5, S. 3–13
257. Die Religionsphilosophie R. Ottos in ihrer Bedeutung für P. Brunners Gottesdienstverständnis. In: Luther 1989, S. 78–86
258. Kindern die Hände auflegen. Vor 450 Jahren wurde die Konfirmation »erfunden«. In: Hessisches Pfarrerblatt, Heft 10/1989, S. 160f.
259. Konfessionalität und Katholizität in evangelischer Agendenarbeit nach dem Zweiten Weltkrieg. In: 70 Jahre hochkirchliche Bewegung (1918–1988). Eine Heilige Kirche. Neue Folge Nr. 3, S. 238–264 (auch Jubiläumsdruck Bochum 1989)
260. Zur Reformation an der unteren Lahn: Bad Ems und Nassau. In: Bad Emser Hefte Nr. 82, 21 S. Bad Ems 1989; JHKV 40, 1989, S. 225–237
261. Der Auftrag der Kirche angesichts wachsender Schülerkriminalität. In: Siegfried Bäuerle (Hrsg.), Kriminalität bei Schülern. Bd. 2: Der Umgang mit Schülerkriminalität in der Praxis. Stuttgart 1989, S. 136–152
262. Zur ökumenisch-kirchlichen Lage heute zwischen Resignation und Hoffnung. In: KNA – Ökumenische Information Nr. 46, 8. November 1989, S. 5–11; Hess. Pfarrerblatt, 1/1990, S. 5–13
263. Zwischen Kirche und Schule. In: Lebensweg und religiöse Erziehung. Religionspädagogik als Autobiographie, Bd. 2, Weinheim 1989
264. Tendenzen der neueren katholischen Religionspädagogik im Spiegel der »Religionspädagogischen Beiträge«. In: Jahrbuch der Religionspädagogik (JRP) 5, 1988, S. 169–179
265. Friedrich Adolf Wilhelm Diesterweg. In: Klassiker der Religionspädagogik. Hrsg. von H. Schröer und D. Zilleßen. Frankfurt/M. 1989, S. 135–148
266. Im Brennpunkt: Leben. In: Der Ev. Erzieher 41/1989, S. 371–374; ibw-journal 28/1990, Heft 2, S. 22ff.
267. Zur Reformation an der unteren Lahn. In: Rhein-Lahn-Kreis. Heimatjahrbuch 1990. Bad Ems 1989, S. 91–98

268. Der »Gesamtkirchliche Ausschuß für den Evangelischen Religionsunterricht« (GKA). Entstehung – Aufgaben – Bedeutung. In: Schönberger Hefte 4/1989, S. 24–32; JHKV 40, 1989, S. 313–323
269. Kirchenjahr. In: Der Ev. Erzieher 41/1989, Heft 6, S. 500–505
270. Eine Struwwelpeter-Theologie? In: Wingolfsblätter 198/1989, Heft 4, S. 155–159
271. Der Religionsunterricht als Beitrag zur Humanisierung der Arbeitswelt. In: Korrespondenzblatt Evgl. Schulen und Heime 30/1989, Heft 6, S. 152–166; ibw-journal 28/1990, Nr. 3, S. 8–19
272. Konfirmation. In: TRE, Bd. XIX, S. 437–445
273. Sündenerkenntnis und/oder Heilung der Erinnerung? In: Gebeteter Glaube. Festschrift der Lutherischen Konferenz in Hessen und Nassau für Hellmuth O. F. Gibb, Frankfurt/M. 1989, S. 399–409 (s. a. Nr. 253)
274. Schule und Kirche – Gute Gedanken für liebe Kollegen und Brüder. In: Schule und Kirche. Düsseldorf 1/1990, S. 36–41
275. »Sei hübsch ordentlich und fromm ...« Eine Struwwelpeter-Theologie? In: Der Ev. Erzieher 42/1990, S. 109–114 (vgl. auch ibw-journal 28/1990, S. 13–17)
276. Ganz ohne Liebe geht es nicht ... In: Der Ev. Erzieher 42/1990, S. 181–186
277. Zwischen Politik, Pädagogik und Theologie. In: ibw-journal 28, 1990, Heft 6, S. 12–20
278. Altneue Gedanken zu Frau und Kirche: Friedrich Schleiermacher (1768–1834) auf einer EKD-Synode 1989. In: Wingolfsblätter 109/1990, S. 114–117
279. »Laß jede hoh und niedre Schule«: Gedanken zu einem aktuellen Thema. In: Königsteiner christliche Beiträge Bd. II, hrsg. von M. C. von Heyl. Königstein 1990, S. 81–86
280. Krise und (k)eine Wende? Aphorismen zur Religionspädagogik. In: Evgl. Kommentare 9/1990, S. 541–544
281. Professor Werwolf? Ein Kapitel Barth-Rezeption und ihre Folgen. In: Der Ev. Erzieher 42/1990, S. 431–452

1991

282. Eins ist not... In: Der Ev. Erzieher 43, 1991, S. 109–113
283. Verstehen und Beten. In: Praktisch-theologische Hermeneutik. Hrsg. von Dietrich Zilleßen u. a. Rheinbach-Merzbach (CMZ-Verlag) 1991, S. 401–409
284. Zwischen Politik, Pädagogik und Theologie. Versuch einer kritischen Ortsbestimmung ökumenischen Lernens. In: Gottfried Orth (Hrsg.), Dem bewohnten Erdkreis Schalom. Beiträge zu einer Zwischenbilanz ökumenischen Lernens. Comenius-Institut, Münster/W. 1991, S. 209–219
285. Dogmatik als Führungsersatz in der Kirche? In: ibw-journal 29, 1991, Heft 7, S. 12–23
286. Das besondere Buch: Karl Ernst Nipkow, Bildung als Lebensbegleitung und Erneuerung. In: Ev. Erzieher 43, 1991, Heft 3, S. 332–335
287. Im Sortiment von »Feinkost Käfer«... Einige Bemerkungen zur gegenwärtigen religiösen Situation. In: Mitteilungsblatt der Hochkirchlichen Vereinigung Augsburgischen Bekenntnisses Nr. 159 (3/1991), S. 25 ff. Zugleich veröffentlicht in: Luther 62, 1991, Heft 3, S. 149–152
288. Martin Bucer (1491–1551), ein Theologe des Dialogs. In: ibw-journal 29, 1991, Heft 8, S. 14–25.
289. Eine Institution für Schüler, Gesellschaft und Kirche. Zum Religionsunterricht in den neuen Bundesländern. In: Evangelische Verantwortung 9/1991, S. 6 ff.
290. Martin Luther in der Predigt um 1848. Beispiel: Freie Stadt Frankfurt am Main. In: Ebernburg-Hefte 25, 1991, S. 79–97
291. Vom Himmel oder aus der Mülltonne? In: Glaube im Alltag. Gedanken zum Nachdenken. Gesammelt und geordnet von Dieter Wagner. Fulda (Verlag Parzeller) 1991, S. 92–96
292. Alles ist eitel. In: Ev. Erzieher 43, 1991, Heft 5, S. 446–451. Zugleich veröffentlicht in: ibw-journal 29, 1991, Heft 10, S. 17–20

293. Multireligiöse Ökumene? In: Familie aktuell 4/91, S. 8f.
294. Die Predigt des Weberschiffchens. In: Kreuzwacht 5/91, S. 2ff.
295. Politischer Moralismus im theologischen Gewand? Zur politischen Bedeutung der Lehre von der Sünde. In: Briefdienst des Arbeitskreises »Sicherung des Friedens« Nr. 10/11, 11. Jg., Oktober/November 1991, S. 6–8
296. Rund um die Paulskirche... Die Kirchen der Freien Stadt Frankfurt am Main um 1848 zwischen Verkündigung und Politik. In: JHKV 42, 1991, S. 13–47
297. »Das Amt der Lehrer, Gott, ist Dein...« Zur Herkunft der Pflichtstunden der Pfarrer im Religionsunterricht im Gebiet der Evangelischen Kirche in Hessen und Nassau. In: JHKV 42, 1991, S. 93–99
298. Predigt und Historie. In: JHKV 42, 1991, S. 101ff.

1992

299. Genie oder Scharlatan? Johann Amos Comenius. In: Deutsches Allgemeines Sonntagsblatt Nr. 13, 27. 3. 1992, S. 22
300. Zwischen theologischer Wissenschaft und Frankfurter lutherischem Kirchenwesen. Die Nikolaikirchenpfarrer Karl Christian Becker (1789–1863) und Georg Eduard Steitz. In: Die Alte Nikolaikirche am Römerberg. Studien zur Stadt- und Kirchengeschichte. Hrsg. von Werner Becher und Roman Fischer, Frankfurt/M. 1992, S. 245–307
301. Martin Bucer (1491–1551) – ein Theologe des Dialogs. In: Schönberger Hefte 1/1992, S. 34–45. Veränderte Fassung in: Ebernburg-Hefte 26. Folge 1992, S. 23–28, Blätter für Pfälzische Kirchengeschichte, 59. Jg., 1992, S. 303–318
302. Politische Moralisierung im theologischen Gewand? In: ibw-journal 30, 1992, Heft 3, S. 15–19
303. Mein Wort kommt nicht leer zurück. In: ibw-journal 30, 1992, Heft 3, S. 27f.
304. Das Bild Luthers und der Reformation in der Predigt im Vormärz am Beispiel der Freien Stadt Frankfurt am Main. In: Luther 63, 1992, Heft 1, S. 21–36
305. Zur Geschichte des ehemaligen Kirchenkreises Bockenheim. In: Tu auf den Mund. 100 Jahre Kirchenchöre in Frankfurt/M.-Bockenheim. Hrsg. vom Kirchenvorstand der Ev. Markusgemeinde. Frankfurt/M. 1992, S. 56–76
306. Vernünftig. In: Der Ev. Erzieher 44, 1992, Heft 1, S. 8–11. Wiederabdruck in: Mitteilungsblatt der Hochkirchlichen Vereinigung Nr. 162, 1992, S. 29ff.
307. Zeitgeschichtliches im Jahrbuch der Hessischen Kirchengeschichtlichen Vereinigung. In: Mitteilungen der Arbeitsgemeinschaft für kirchliche Zeitgeschichte. Folge 12 (März 1992), S. 16–22. Wiederabdruck in: JHKV 43, 1992, S. 313–317
308. Um Colmar und Matthias Grünewald. In: ibw-journal 30, 1992, Heft 4, S. 16–23
309. Die Konfirmation zwischen Kasualie und Gemeindepädagogik. In: Reinhold Mokrosch/Gottfried Buttler (Hrsg.), Das Evangelium im Dialog. Themen der Gemeindepädagogik und Theologie. Freundschaftsgabe zum 60. Geburtstag von Ferdinand H. Barth. Isnabrück/Darmstadt 1992, S. 79–89. Wiederabdruck in: Der Ev. Erzieher 44, 1992, Heft 5, S. 494–503
310. Die Vernunft muß getauft werden. Neue Beliebigkeit und christliche Identität. In: Lutherische Monatshefte 31, 1992, Heft 7, S. 293ff.
311. Risikogesellschaft? In: ibw-journal 30, 1992, Heft 5/6, S. 32
312. Jesus Christus Reparator Generis Humani. In: ibw-journal 30, 1992, Heft 7, S. 21–24
313. Mammon oder Garant der Alltagsmoral? In: Der Ev. Erzieher 44, 1992, Heft 4, S. 311–317
314. Welche Leitkultur gilt? Die christliche Religion im hessischen Schulgesetz. In: Ev. Kommentare 25, 1992, Heft 10, S. 574f.
315. Kirche im Widerstand. Beispiel: Dietrich Bonhoeffer. In: ibw-journal 30, 1992, Heft 8, S. 11–22
316. Bericht des Direktors des Deutschen Instituts für Bildung und Wissen auf der Generalversammlung am 24. Mai 1992. In: ibw-journal 30, 1992, Heft 8, S. 25–298.

317. Religion heute unter uns. In: Korrespondenzblatt Evangelischer Schulen und Heime 33, 1992, Heft 5, S. 126–130
318. Beten und Verstehen. Religionswissenschaftliche Annäherung an Friedrich Heiler. In: KNA-ÖKI 48, 25. 11. 1992, S. 5–13. Wiederabdruck in: Gemeinsame Arbeitsstelle für Gottesdienstliche Fragen 16/92, Hannover 1992, S. 3–18
319. Zur Ethik des erkenntnisleitenden Interesses. Philosophisch-theologische Aspekte und Anmerkungen. In: Patricia Indiesteln (Hrsg.), Ethik des Journalismus in den Printmedien. Reihe BzD 13, Wuppertal/Paderborn 1992, S. 20–27
320. In Zukunft ganz pluralistisch? in: ibw-journal 30, 1992, Heft 9, S. 3–17
321. Potentielle Mörder? In: ibw-journal 30, 1992, Heft 9, S. 18ff.
322. Die Eisenbahn als eschatologische Metapher. In: ibw-journal 30, 1992, Heft 10, S. 18–22
323. Ein Kapitel Hessen-Kassel-Hanauischer Kirchengeschichte im heutigen Frankfurt am Main. In: JHKV 43, 1992, S. 265–288
324. Aus der Gründungszeit der Evangelisch-theologischen Fakultät der Johannes-Gutenberg-Universität in Mainz. In: JHKV 43, 1992, S. 335–369
325. »Es soll nicht leer wieder zu mir kommen...« In: JHKV 43, 1992, S. 375–378
326. Die Bedeutung der »Leben-Jesu-Forschung« damals und heute. In: Homiletische Monatshefte 69, 1992, Heft 3, S. 134–136
327. Art. »Richard Kabisch«. In: Biographisch-bibliograph. Kirchenlexikon Bd. III, 1992, Sp. 920f.
328. Art. »Albert Knapp«, »Christian Knorr von Rosenroth«, »Heinrich Köstlin«, »Johannes Kolross«, »Konrad von Marburg«, »Adam Krafft« und »Hermann Kutter«. In: Biographisch-bibliographisches Kirchenlexikon Bd. IV, 1992, Sp. 115f., 169f., 292f., 361f., 418f., 581f., 842f.

1993

329. Die Konfirmation zwischen konfirmierendem Handeln und Kasualie. In: Hessisches Pfarrblatt Nr. 1, Februar 1993, S. 21–24
330. Bekenntnis und Bekennen. Ein Offenbacher reformierter Pfarrer im Kirchenkampf: Wilhelm Boudriot. In: 450 Jahre Reformation in Offenbach am Main. Beiträge zur Kirchengeschichte. Hrsg. vom Ev. Dekanat Offenbach/M. 1993. Darmstadt 1993, S. 118–139
332. Kopernikus und Kopernikaner. In: ibw-journal 31, 1993, Heft 2, S. 3–12
333. Idealisierung der Pädagogik? In: ibw-journal 31, 1993, Heft 2, S. 27f.
334. Eine Institution für Schüler, Gesellschaft und Kirche. Zum Religionsunterricht in den neuen Bundesländern. In: Abbrüche, Umbrüche, Aufbrüche. Der Dienst der Kirche in einer veränderten Gesellschaft. Hrsg. von Franz Georg Friemel und Franz Schneider. Leipzig 1993, S. 125–129
335. Die Einführung der Reformation in der Freien Reichsstadt Frankfurt am Main. In: St. Katharinen zu Frankfurt am Main. Hrsg. von Joachim Proescholdt. 2., erw. Auflage, Frankfurt/M. 1993, S. 39–52
336. Hilfreiche Routine. Gegen die Idealisierung der Pädagogik. In: Lutherische Monatshefte 32, 1993, Heft 5, S. 27f.
337. Genügt heute die »christliche Persönlichkeit« als Auslegung des »christlichen Prinzips« des Wingolfs? In: Wingolfsblätter 112. Jg., Heft 2, 1993, S. 88f.
338. Zukunftsdialog? In: Der Ev. Erzieher 45, 1993, Heft 1, S. 3–6
339. Zur reformatorischen Kopernikus-Rezeption. In: Luther 64, 1993, Heft 2, S. 58–66
340. Zukunftsperspektiven für den Religionsunterricht? Bemerkungen zum »Hamburger Memorandum« von 1992. In: Der Ev. Erzieher 45, 1993, Heft 2, S. 212–217
341. Leben gegen Dogma? Zur Bedeutung des »Lebens Jesu« damals und heute. In: Der Ev. Erzieher 45, 1993, Heft 3, S. 266–270. Zugleich erschienen in: Offenes Wort. Zeitschrift für christliches Leben und Denken. Gegründet vom Ev. Schulverein der Schweiz. 127. Ausgabe, Februar 1993, S. 5–12

342. Zur Entstehung des »Leitenden Geistlichen Amtes« (LGA) in der Evangelischen Kirche in Hessen und Nassau (EKHN). In: Zeitschrift für evangelisches Kirchenrecht, 38. Bd., 2. Heft 1993, S. 129–145
343. »Ein neues Lied wir heben an...« Neues vom Pfarrerbild. In: ibw-journal 31, 1993, Heft 5, S. 13ff.
344. Was an der Zeit ist... In: ibw-journal 31, 1993, Heft 5, S. 20–23
345. Die Reformation und das kopernikanische Zeichen. In: Ebernburg-Hefte 27, 1993, S. 23–236. Auch in: Blätter für Pfälz. Kirchengeschichte und Religiöse Volkskunde 60, 1993, S. 171–184
346. Das »Christliche« als persönliche Haltung? In: ibw-journal 31, Heft 6, 1993, S. 10ff.
347. Akzeptanz-Probleme kirchlicher Apologetik. In: Materialdienst der Ev. Zentrale für Weltanschauungsfragen 56, 1993, Heft 12, S. 345–355
348. »Der Du die Zeit in Händen hast...« In: Der Ev. Erzieher 45, Heft 6, 1993, S. 631–633
349. Geschichte und Geschichten. Bildung in der Predigt. Hrsg. Ev. Kirche in Hessen und Nassau. Darmstadt 1993. S. 79
350. Der Frankfurter »Dom« als evangelische Kirche. In: JHKV 44, 1993, S. 25–31
351. Johann Jacob Rambach in Gießen (1731–1735). Ein bedeutender pietistischer Theologe, Prediger und Pädagoge. In: JHKV 44, 1993, S. 33–48
352. Art. »Johann Heinrich May (Mayus)«, »Mechthild von Hackeborn«, »Mechthild von Magdeburg«,»Arnold Ludwig Mendelssohn«, »Rulman Merswin« und »Johann Matthäus Meyfart«. In: Biographisch-bibliographisches Kirchenlexikon Bd. V, 1993, Sp. 1103ff., 1144ff., 1146ff., 1250ff., 1336f., 1429ff.

1994

353. Volkskirche auf dem Weg in die Zukunft, aber wie? In: Hessisches Pfarrblatt Nr. 1, 1994, S. 4–7, und Nr. 2, S. 45–51
354. Religion: Ja – Gottesdienst: Nein! In: Herbert Wüst (Hrsg.), Bewahrt – mitten in der Welt, Worms 1994, S. 26–37
355. Symbole: Ja! – Gottesdienst: Nein! In: ibw-journal 32, Nr. 2, S. 8–14; zugl. in: Der Evangelische Erzieher 46, 1994, Heft 1, S. 23–31
356. In Zukunft ganz pluralistisch? Zur Legitimität des eigenen Blicks auf die Bibel. In: Richard Ziegert (Hrsg.), Die Zukunft des Schriftprinzips (= Reihe »Bibel im Gespräch«, 2), Stuttgart 1994, S. 207–221
357. Johann Jacob Rambach in Gießen (1731–1735). Ein bedeutender pietistischer Theologe, Prediger und Pädagoge. In: Mitteilungen des Oberhessischen Geschichtsvereins NF 78, 1993, S. 82–102 (erschienen: 1994)
358. Zwischen Passageritus und gemeindepädagogischer Gelegenheit. Zur Interpretation der Konfirmation. In: Die Christenlehre 47, 1994, Heft 5, S. 201–207
359. Durch verschlossene Türen: Johannesevangelium 20, 19–20. In: Der Evangelische Erzieher 46, 1994, Heft 3, S. 195ff.
360. Kirche bei Gelegenheit? In: Lutherische Monatshefte 34, 1994, Heft 7, S. 3ff.
361. Der theologische Ort der Kirchengemeinde. Versuch einer Verschränkung theologischer und sozialwissenschaftlicher Argumente. In: Pfälzisches Pfarrerblatt 84, 1994, Nr. 5, S. 147–156
362. Leben gegen Dogma? In: ibw-journal 32, 1994, Nr. 4, S. 12–15
363. Art. »Melander, Dionysius«. In: Neue Deutsche Biographie Bd. 17, 1994, S. 1
364. »In Bildern leben« oder »Den Bildern ins Wort fallen«? Reformatorische Impulse und Widerstände im Blick auf heutige symboldidaktische Überlegungen. In: Hans Christoph Stoodt/Edmund Weber (Hrsg.), Inter Legem et Evangelium (= Reihe THEION. Jahrbuch für Religionskultur, Bd. III), Frankfurt a.M. 1994, S. 29–40
365. War's um die Christenheit getan? Die Reformation als Voraussetzung der Moderne. In: Lutherische Monatshefte 33, 1994, Heft 9, S. 5–8
366. »Die Lehrer werden mit viel Segen geschmückt«. In: Schönberger Hefte 2–3, 1994, S. 23–26

367. Aspekte einer säkularen Religionsgeschichte. In: iwb-journal 32, 1994, Heft 5, S. 21–25
368. Synode – Konsistorium – Demokratie. Zu Problemen des »demokratischen Charakters« der neuen Kirchenverfassungen der Weimarer Zeit. In: Richard Ziegert (Hrsg.), Die Kirchen in der Weimarer Republik, Neukirchen-Vluyn 1994, S. 105–128
369. Die Reformation: Segen oder Last für Europa? In: Ebernburg-Hefte Folge 28, 1994, S. 87–100, zugleich in: Blätter für Pfälz. Kirchengeschichte und Religiöse Volkskunde 61, 1994, S. 319–332
370. Art. »Johann Heinrich Pestalozzi«, »Christian Karl Ludwig Pfeil«, »Philipp der Großmütige« und »Wolfgang Ratichius«. In: Biographisch-bibliographisches Kirchenlexikon Bd. VII, 1994, Sp. 250–253, 416f., 476–479 und 1386

Verzeichnis der Mitarbeiter

Battenberg, Prof. Dr. J. Friedrich, Karolinenplatz 3 (Haus der Geschichte), 64289 Darmstadt

Bezzenberger, Günther E. Th. (†), Oberlandeskirchenrat, ehemals Kassel

Böcher, Prof. Dr. Otto, Saarstr. 21 (Fachbereich Ev. Theologie der Universität), 55122 Mainz

Bund, Dr. Konrad, Archivoberrat, Rotlintstr. 56, 60316 Frankfurt am Main

Desel, Hans-Jochen, Dekan i.R., Otto-Hahn-Str. 12, 34369 Hofgeismar

Geißler, Hermann Otto, Pfarrer, Sartoriusstr. 14, 65187 Wiesbaden

Jaspert, Dr. Bernd, Studienleiter und Pfarrer, Zwerger Weg 24, 34369 Hofgeismar

Kätsch, Ekkehard, Kirchenarchivdirektor, Beethovenring 1, 64342 Seeheim

Kemler, Dr. Herbert, Oberlandeskirchenrat, Berliner Str. 53, 34253 Lohfelden

Knodt, Dr. Manfred, Pfarrer i.R., Heinrich-Fuhr-Str. 13 A, 64287 Darmstadt

Lehmann, Dr. Gerhard, Pfarrer, Hutestr. 4, 35102 Lohre

Rühl, Prof. Dr. Artur, Gutenbergstr. 29, 61231 Bad Nauheim

Sauer, Dr. Martin, Pfarrer, Am Kupferberg 2, 65187 Wiesbaden

Schering, Prof. Dr. Ernst (†), ehemals Gießen

Steitz, Prof. D. Dr. Heinrich, Jakob-Steffan-Str. 47, 55122 Mainz

Waßmann, Dr. Dieter, Dekan, Am Langen Rod 19, 34537 Bad Wildungen

Wolff, Dr. Fritz, Ltd. Archivdirektor, Friedrichsplatz 15 (Staatsarchiv), 35037 Marburg

Wuttge, Hans-Joachim, Pfarrer, Seeheimer Str. 30, 64342 Seeheim-Jugenheim